8/15

W9-CHS-362

Prácticos
Familia

Carlos González

Entre tu pediatra y tú

*Lo que necesitas saber para criar
a tu hijo de forma natural*

temas 'de hoy.

Obra editada en colaboración con Ediciones Planeta Madrid – España

© 2010, Carlos González
© 2010, ACPAM
El 30% de los derechos de este libro serán cedidos a la asociación ACPAM
© 2010, Ediciones Planeta Madrid, S.A. – Madrid, España

Derechos reservados

© 2014, Editorial Planeta Mexicana, S.A. de C.V.
Bajo el sello editorial BOOKET M.R.
Avenida Presidente Masarik núm. 111, 2o. piso
Colonia Chapultepec Morales
C.P. 11570, México, D.F.
www.editorialplaneta.com.mx

Fotografía de la portada: © Marta Bacardit
Ilustración de la contraportada: Shutterstock

Primera edición impresa en España en Colección Booket: enero de 2012
ISBN: 978-84-9998-015-7

Primera edición impresa en México en Booket: abril de 2014
ISBN: 978-607-07-2117-5

Impreso en los talleres de Litográfica Ingramex, S.A. de C.V.
Centeno núm. 162-1, colonia Granjas Esmeralda, México, D.F.
Impreso en México – *Printed in Mexico*

Biografía

Carlos González (Zaragoza, 1960), licenciado en Medicina por la Universidad Autónoma de Barcelona, se formó como pediatra en el Hospital de Sant Joan de Déu de esta ciudad. Fundador y presidente de la Asociación Catalana Pro Lactancia Materna (ACPAM), en la actualidad imparte cursos sobre lactancia materna para profesionales sanitarios. Desde 1996 es responsable de uno de los consultorios de la revista *Ser Padres*. Tras el éxito de *Mi niño no me come* (2002), publicado por Temas de Hoy y traducido a diferentes lenguas, ha escrito para esta misma editorial *Bésame mucho* (2003), *Un regalo para toda la vida* (2006) y *Entre tu pediatra y tú* (2010). En su último libro, *En defensa de las vacunas* (2011), desmonta los argumentos de quienes están en contra de la vacunación. Está casado, tiene tres hijos (que ahora ya comen y duermen) y vive en Hospitalet de Llobregat.

Más información en: www.acpam.org

Índice

A Joana, que ilumina mis días

El regazo en que caemos al nacer decide de nuestra felicidad o desgracia. ¡Dichoso el hombre sobre el cual han llovido como celestial rocío los besos de sus padres! Estos besos se filtran por la tierna carne del niño y llegan hasta el corazón y lo reblandecen para siempre. Quien haya tenido padres justos y amorosos jamás odiará en conjunto a la humanidad, porque aquellos seres adorados pertenecen a ella. Por el contrario, si el hado adverso le ha deparado un nido helado, nunca podrá echar de sus huesos el frío.

ARMANDO PALACIO VALDÉS
Testamento literario

Se han cambiado los nombres y todos aquellos datos que pudieran permitir la identificación de los niños o de sus padres.

Si es usted una de las personas que escribieron estas cartas, puede contactar con la editorial Temas de Hoy y contarnos el final de la historia en entretupediatraytu@temasdehoy.es

Prólogo

Es una larga historia, y su comienzo ya se desvanece en el olvido.

A mediados de 1994, alguien de la revista Ser Padres *contactó conmigo, supongo que buscando asesoramiento para algún artículo sobre la lactancia. Yo era por entonces un pediatra joven e inexperto, que junto con un puñado de idealistas había fundado en 1991 ACPAM, una asociación para la promoción de la lactancia materna. No sé cómo oyeron hablar de nosotros o dónde consiguieron mi teléfono.*

En junio de 1994, debían de tener todavía mi teléfono a mano, me pidieron que respondiese a un par de madres que habían escrito a la redacción de la revista consultando problemas de lactancia. A esas siguieron, de forma muy esporádica, tres o cuatro cartas más... hasta que, a finales de 1995, llegó una sorprendente propuesta: mi propio consultorio de lactancia materna, con una sección fija en la revista. Una sección que al principio era de solo media página, y que fue creciendo hasta ocupar dos páginas.

Siempre estaré agradecido a Ser Padres *por haber confiado en mí. Me dieron la oportunidad de llevar información sobre la lactancia a miles de familias, el privilegio de leer y contestar las cartas de tantas y tantas madres (y de algún que otro padre), y el estímulo para escribir mi primer libro.*

Son unas 5.000 cartas desde enero de 1996. Preguntas que en un principio se referían exclusivamente a la lactancia, pero que con el tiempo han abarcado también diversas cuestiones de salud, crecimiento y desarrollo de los niños. Leyéndolas he aprendido mucho sobre la conducta normal de los niños sanos (que son, por suerte, la gran mayoría de los niños) y sobre las preocupaciones cotidianas de sus madres. He aprendido que los niños suelen despertarse

15

más a partir de los cuatro meses, que suelen dejar de comer al año, que muchas veces no quieren comer nada mientras la madre trabaja, que antes del año están deseando comer comida normal, sin triturar, pero que más tarde se les pasan las ganas... y que los intentos de seguir normas estrictas y universales sobre alimentación, crianza y educación de los hijos a menudo provocan enormes sufrimientos.

En la revista solo aparece una pequeñísima proporción de las cartas recibidas, y siempre muy resumidas: la pregunta reducida a tres líneas, la respuesta a apenas unas diez. Ahora, por primera vez, se publica una selección de preguntas y respuestas enteras (o casi, pues se han suprimido algunos pasajes repetitivos).

Al contestar cartas se trabaja con información muy incompleta, y habitualmente no es posible pedir más datos. La más sencilla conversación en una consulta médica («¿Tose el niño?» «Sí.» «¿Desde hace mucho?» «Desde el viernes.» «¿Ha vomitado?»...) podría requerir un largo intercambio epistolar. Hay que leer entre líneas, juzgar por indicios indirectos cuál es el verdadero problema y cuál es la verdadera preocupación de la madre (que no siempre coinciden), y a veces dar respuestas alternativas para varias posibilidades. He intentado responder con rigor en el contenido, con claridad en la forma, y cuando era posible, con humor. Los problemas que nos parecían insalvables, muchas veces resultan más sencillos si los vemos desde otro ángulo.

Puesto que solo soy autor, estrictamente hablando, de unos dos tercios de este libro, y con el fin de devolver de algún modo a madres, padres e hijos lo mucho que me han dado, he decidido ceder el 30% de los derechos de autor a la asociación ACPAM, para que pueda continuar su labor en defensa de la lactancia.

A quienes a lo largo de estos años me han honrado con su confianza, mi más profundo agradecimiento. A quienes no he sabido ayudar, mis más humildes disculpas.

CARLOS GONZÁLEZ
Noviembre de 2009

1

Educación y hábitos

El sueño

Mi bebé se despierta a cada momento porque devuelve con mucha frecuencia, ya sea de día o de noche y aunque tenga sueño. El médico le dio en primer lugar Blevit Digest y, como no dio ningún resultado, ahora le ha recetado magnesia carbónica con *Aethusa cynapium*. ¿Cuál será el problema? ¿Será que toma leche de tarro desde hace un mes y una semana y él tiene tan solo un mes y dos semanas?, ¿será por eso que no se acostumbra y devuelve repetidamente y eso le incomoda y le despierta porque no puede descansar bien? ¿Será esto u otra cosa?, por lo demás es todo normal, toma 90 ml de leche cada tres horas más o menos, a veces antes, ya que como devuelve le da hambre y se impacienta. ¿Es correcto lo del estómago o su problema de dormir mal será por otra cosa?, ¿tendría que darle algo para que durmiera mejor? No sé.

Gracias,

Olivia

30 de noviembre de 200*

Apreciada amiga:

No entiendo muy bien a qué se refiere usted con «se despierta a cada momento». Si quiere decir que se despierta cada diez minutos, tanto de día como de noche, entonces sería más correcto decir que no se ha llegado a dormir. Dudo que un niño (o una madre) pueda sobrevivir así durante un mes y medio (y no lo digo en broma; es posible matar a un animal impidiéndole dormir). Si se refiere usted a que su hijo a veces parece dormido pero a los cinco o diez minutos vuelve a estar despierto; otras veces duerme una hora u hora y media y se despierta, y raramente duerme tres o cuatro horas seguidas por la noche, entonces tiene usted un hijo totalmente normal, y es usted una exagerada por llamarle a eso «a cada momento».

Los bebés tienen ciclos de sueño muy cortos, de apenas una o dos horas. Entre ciclo y ciclo pasan por una fase de «despertar parcial», que significa que les falta el vuelo de una mosca para despertarse del todo.

Los bebés que duermen con su madre, algunas veces no se despiertan del todo, pues simplemente huelen a su madre, la oyen respirar o la tocan, se tranquilizan y se vuelven a dormir profundamente. Otras veces se despiertan más y piden comida. Como el biberón hay que prepararlo, y no se les puede dar tan rápido como el pecho, suelen desvelarse mientras esperan y luego cuesta un poco que se vuelvan a dormir.

Los bebés que duermen separados de la madre, en una cuna, a veces tampoco se despiertan del todo; pero algunos se despiertan cada hora u hora y media con gran regularidad (parece que el suyo es de esos). Cuanto más tarda la madre en ir a consolarlos, más desvelados están y más cuesta que se vuelvan a dormir; a veces, además de darles de comer, hay que cogerlos en brazos, mecerlos, cantarles una canción…

Además, el ritmo de sueño del bebé y del adulto es muy distinto. Los adultos tenemos la fase de sueño más profundo justo al quedarnos dormidos; en cambio, los bebés pasan por una fase de unos veinte minutos de sueño ligero antes de llegar al sueño profundo. Si se duerme a un bebé en brazos, y cuando lleva cinco minutos dormido se le intenta dejar en la cuna, normalmente se despierta y se pone a llorar. En cambio, cuando está en fase de sueño profundo, es casi imposible despertarlo.

Por todo ello, muchas madres, sobre todo cuando su hijo es de los que se despiertan con facilidad, lo que hacen es llevarlo en brazos mucho rato durante el día (existen unas prácticas bandoleras o mochilas para sujetar al bebé), no dejarlo en la cuna hasta que lleva media hora dormido, tener la cuna durante el día en el salón o en donde esté la madre (duermen mejor con luz, ruido y mamá que a obscuras, en silencio y sin mamá) y por la noche poner la cuna junto a la cama de la madre, o directamente al bebé en la cama con mamá.

Por lo demás, no creo que a su bebé le convenga tomar ningún medicamento, ni nada más que la leche. Por cierto, que no nos dice usted por qué le dio leche de tarro, y parece que piensa usted que esa leche no le está sentando bien. Si es así, sepa que puede volver a darle el pecho. Sí, se puede hacer, aunque lleve más de un mes sin dárselo. Si le interesase volver a dar el pecho a su hijo, lo mejor es que se ponga en contacto con un grupo de madres como la Liga de la Leche.

Espero que estas sugerencias le sean útiles, y que sea muy feliz con su hijo. Ya nos contará cómo le va.

Saludos cordiales,

CARLOS GONZÁLEZ

Soy madre de una niña de casi seis meses. La estoy alimentando básicamente con leche materna, ya que solo desde hace un mes comencé a introducirle la papilla de frutas en la merienda y cereales en la cena. Mi problema es que Lisa, mi hija, no me deja dormir por la noche. Se despierta con bastante frecuencia para mamar. De momento duerme conmigo ya que yo estoy muy cansada y no estoy dispuesta a levantarme a su cuna cada vez que ella decida que tiene hambre. Mucha gente cree que estoy cometiendo un grave error, pues piensan que a la niña no me la quitaré nunca de encima. Hice la prueba y la acosté una noche en su cuna, con la gran sorpresa de que durmió como de costumbre, pero con el consecuente cansancio por mi parte, lo que me llevó a optar por dejarla en mi cama por comodidad mía. Mucha gente opina que durante la lactancia materna la niña seguirá despertándose por la noche. Otras personas me dicen que es un mal vicio y que probablemente yo he contribuido a que lo tenga.

Mi opinión es que se queda con hambre ya que los cereales que le doy por la noche con la intención de que la dejen saciada no le gustan, la mayoría de las veces le entran arcadas y los vomita, con lo cual acaba tomando el pecho. Se suele quedar dormida en pocos minutos pero a las tres o cuatro horas se despierta a comer (jamás llora y se duerme en cuanto acaba), lo malo es que algunas noches se despierta cuatro veces, con suerte, solo dos.

La niña está muy bien, pesa casi ocho kilos y mide unos 68 cm, según mi pediatra está por encima de la media. Lisa tiene un aspecto muy saludable y feliz, le brillan los ojos, no para de sonreír y, como ya he mencionado, jamás llora. La niña perfecta si no fuera por las noches que me da… He comprado un libro que me recomendaron y me aseguraron que funciona: *Duérmete, niño*, del doctor Estivill. Estoy segura de que lo conoces. Yo no estoy del todo de acuerdo, pero no voy a entrar en detalles pues ya he dado muchos. Lo que desearía es tener otra opinión y algún truco que me pueda ayudar a conciliar el sueño. ¿Debería marcarle unos horarios estrictos en las comidas? Procuro hacerlo pero ahora, con el calor, demanda más.

Bueno, creo que no debería alargar más mi consulta y solo me queda agradecer la atención prestada de antemano, y decirte que he leído tus artículos en la revista y creo que tienen mucho sentido común, por ello pongo mi confianza en ti para que al menos me puedas sacar de dudas.

Gracias,

Iratxe (una madre muy soñolienta)

19 de julio de 200*

Apreciada amiga:

Tu hija no para de sonreír y jamás llora. ¿Por qué la felicidad de los niños producirá tantos celos en algunos adultos? ¿Por qué habrá tanta gente intentando acabar con esa felicidad? Aunque tu hija esté perfectamente, te riñen porque «lo haces mal». Pero si tú les explicases otra historia, por ejemplo, que tu hija duerme sola en su cuna, que a veces se despierta y llora cinco minutos pero que tú no vas para que no se malcríe, que por la tarde tiene cólicos y que siempre está con moquitos, entonces no te reñirían porque tu hija está mal, sino que te felicitarían porque «lo haces bien». Y tú misma estás más soñolienta que cuando no tenías hijos, desde luego; pero te metes a tu hija en la cama precisamente no por espíritu de sacrificio ni porque te guste sufrir, sino porque has visto que así duermes mejor que de la otra manera. A los que te critican no les importan los resultados, sino la adhesión inquebrantable a las normas, aunque no funcionen.

Muy revelador el comentario de que «no te la quitarás nunca de encima». Primero, creen que el principal deseo de cualquier madre es quitarse de encima a su hijo. ¿Qué relación habrá tenido (o sufrido) una persona con su propia madre o con sus propios hijos para pensar así? Segundo, no han oído hablar de que los niños crecen. ¿Creen que tu hija seguirá en tu cama a los quince años, a los veinticinco?

Yo tampoco estoy nada de acuerdo con el dichoso *Duérmete, niño*. Es cierto que suele funcionar, pero la cuestión no es esa. ¿Cuál es la mejor manera de que los obreros no hagan huelga? El método Franco. Había muchas menos huelgas con Franco que con Felipe González. ¿Significa eso que los obreros estaban más satisfechos o que Franco gobernaba mejor? Dejar llorar al niño no es ayudarle a sentirse mejor, sino ignorar sus sentimientos y someterlo a nuestra voluntad. Tu hija no llora porque no tiene motivos para llorar, es feliz. Los niños a los que se ha «enseñado a dormir» no lloran porque se les ha hecho saber, mediante la técnica de ignorar sus llantos de forma sistemática, que toda protesta es inútil, y que, hagan lo que hagan, sus padres jamás les harán caso por la noche. El suyo no es el sueño satisfecho de quien ha conseguido sus objetivos, sino el sueño resignado de quien ha renunciado a conseguirlos.

Los bebés se despiertan cada hora y media o dos horas, hasta Estivill lo dice en su libro. Esos son sus ciclos normales de sueño. Lo que él propone no es que se dejen de despertar (eso es imposible), sino que cuando se despierten se estén callados, sabiendo que llorar es inútil.

El despertarse con tanta frecuencia suele empezar hacia los tres o cuatro meses, a medida que el niño se hace independiente. Hace 100.000 años, cuando no teníamos ni casas ni ropa, cualquier niño pequeño que pasase la noche separado de su madre, desnudo ante la lluvia y el frío y solo ante las ratas y los lobos, amanecía muerto. Las madres pasaban toda la noche con sus hijos, probablemente hasta cerca de la adolescencia, como hacen ahora los orangutanes o los chimpancés. No lo hacían porque les habían enseñado a hacerlo en un cursillo o con un libro, ni porque la religión, la ley o la sociedad les obligasen, ni siquiera porque pensasen «si lo dejo solo, se puede morir». Era un instinto. Tú aún tienes ese instinto, y por eso lo estás haciendo a pesar de toda la gente que te dice que haces mal, y por eso el famoso libro no te acaba de convencer. Pero, cuando el niño se hace independiente, él también colabora en mantener ese contacto que le es imprescindible. No es un ser pasivo («aquí me quedo sin decir ni pío, que seguro que mamá se ocupará de cuidarme»), sino que participa activamente. Cada dos horas se despierta porque está montando guardia, para asegurarse de que no te hayas ido. A veces ni se despierta del todo, solo comprueba que estás ahí, te toca, te huele, oye tu respiración, y se vuelve a dormir. Otras veces aprovecha para mamar un poco, pero no es por hambre. Está comprobado que, por muchos cereales o mucha fabada que se les dé para cenar, los niños se despiertan igual. No se despiertan por hambre, sino al revés, maman para aprovechar que están despiertos. Los niños que duermen con la madre toman casi la mitad de la leche en las horas nocturnas.

Si, por el contrario, el niño se despierta y no ve a la madre, se pone a llorar hasta que ella vuelve. Cuanto más tarda ella en llegar («no vayas enseguida, que se acostumbre a esperar un ratito»), más pasado de rosca está el bebé y más le cuesta volverse a dormir: además de mamar, es probable que haya que cantarle, mecerle, tenerlo un rato en brazos… Y la madre, claro, también se ha despejado por completo, y también le cuesta dormir.

Se ha comprobado en el laboratorio, con cámaras de infrarrojos, que muchas de las veces que maman los niños por la noche, no se despierta ni el niño ni la madre. Probablemente tu hija está mamando más veces de las que tú piensas.

No es fácil tener hijos, desde luego; pero es mucho más difícil si luchas contra corriente que si te dejas llevar. Ya has comprobado que duermes mejor, y tu hija también, cuando dormís juntas. Y probablemente parte de ese malestar y esa somnolencia que aún sientes no se debe al hecho en sí de dormir juntos, sino a intentar luchar contra ello: a la intranquilidad que sientes por culpa de todos los que te dicen que lo estás haciendo mal; a algunos intentos esporádicos de no meterla en tu cama, o de sacarla a media noche, o de no darle el pecho a ver si se calla sola (después de cada intento, la niña pasará unos días más nerviosa); tal vez a algunas discrepancias con tu marido (por cierto, ¿ya duerme solo?, porque es mayorcito. ¿Nadie te dice que le estás creando un vicio para toda la vida?); a la excesiva importancia que le das a todo el asunto y que te obliga a despejarte y mirar el reloj para ver si ha aguantado más horas que la noche anterior…

Si dejas de luchar contra corriente, pronto aprenderás a dormir en *topless* y que se sirva, y a tranquilizar a tu hija sin despertarte del todo.

¿En qué ciudad vives? Te sería muy útil contactar con un grupo de madres lactantes; en www.fedalma.org encontrarás una lista de direcciones de toda España.

Los niños siguen despertándose por las noches hasta los dos o tres años, aunque es muy variable. Hacia los tres años, muchos niños pueden comprender intelectualmente (como comprendes tú) que no hay ningún peligro cuando duermes solo en tu cama y en tu habitación, porque estás protegido de los elementos y de las fieras y tus padres están a poca distancia. Esta comprensión intelectual les permite a veces aceptar dormir solos, aunque sus instintos les siguen diciendo que vayan con su madre. Así que se pasan unos cuantos años haciéndose los remolones, pero de buen rollo. Es como si tú le dices a tu marido: «Cariño, como de momento no queremos tener más hijos, no hace falta que tengamos relaciones sexuales». La lógica del argumento es irrebatible, y tu marido puede comprenderlo intelectualmente; pero su instinto igual le dice otra cosa.

No, por supuesto que no deberías marcarle horarios estrictos en las comidas. Tiempo tendrá de mayor de hacerse obsesiva-compulsiva, si le gusta. Imagínate que se acostumbra a desayunar a las ocho, a comer a la una y media y a cenar a las ocho. Cuando los domingos y festivos desayunas a las diez y comes a las tres, cuando en verano cenas a las nueve o a las diez porque aún es de día, ¿qué harás con tu hija estricta? Tendrás que preparar todas las comidas dos veces. No, sin duda es mejor que se adapte al horario variable de los adultos que a uno de esos absurdos horarios estrictos que solo salen en los libros.

Existe un libro muy interesante sobre todas estas cosas: *Nuestros hijos y nosotros*, de Meredith Small.

Espero que estas reflexiones te sean útiles, y que sigas disfrutando mucho con tu hija. Ya nos contarás dentro de unos años...

Saludos cordiales,

CARLOS GONZÁLEZ

Ante todo he de agradecerte tus consejos y hacerte saber que ahora me siento mejor, y aunque mi hija Lisa se despierte esta noche veinte veces, le daré el pecho y lo que me pida con mucho gusto y consciente de que lo que estoy haciendo es lo mejor para ella. Mi marido también quiere agradecerte la información que me enviaste y la gran rapidez en responder. Él siempre me ha apoyado y ha confiado en mi instinto y equilibrio personal en todo lo que he hecho con Lisa. Tras tus consejos, los dos hemos hablado y nos gustaría que nos recomendases algún pediatra que tenga tu misma filosofía. Aunque no me quejo de mi pediatra, me gusta escuchar una segunda opinión. Lisa está muy bien, como ya te comenté, pero tiene un bultito del tamaño de un guisante en la cabeza, a un dedo por encima de la frente y cerca de la fontanela. Mi pediatra asegura que no es nada (por cierto no es un quiste de grasa ya que es muy duro, más bien parece un hueso). No me asusto pues veo que a la niña no le duele cuando se le toca, pero por otro lado estaría más tranquila si alguien más la mirara, lástima que no puedas ser tú. Si conoces a alguien que pueda ayudarme en este terreno, por favor, envíame su dirección.

Gracias otra vez por la ayuda prestada y por tu nueva opinión.

Un saludo,

Iratxe

22 de julio de 200*

Me alegra que te gustase mi respuesta. Seguro que tu hija tampoco se despertará veinte veces.

No conozco a ningún pediatra por tu zona, pero precisamente para lo que ahora te preocupa (un bulto en la cabeza) te sirve cualquier pediatra. No todos los pediatras entienden de lactancia, y mucho menos de que el niño duerma con la madre, pero prácticamente todos entienden de bultos, o al menos saben cuándo hay que preocuparse y consultar a un especialista. Así que, si te has de quedar más tranquila, lo mejor es que consultes a cualquier otro pediatra. Si salís de vacaciones puedes aprovechar y llevar a Lisa a donde sea, a ver qué opinan. Si en el consultorio de tu pueblo hay varios pediatras, el sábado solo habrá uno; puedes espiar cuándo no está tu pediatra habitual y presentarte. Puedes pasar una mañana (es decir, cuando están los especialistas a mano y si fuera necesario les consultarían) por el hospital más cercano. Todo eso son opciones para que elijas una, no las tres a la vez, tampoco hay que obsesionarse con el bultito.

Si vas a las reuniones de un grupo de lactancia, podrás comentar con otras madres los pros y contras de todos los pediatras del pueblo.

Muchos besos a Lisa,

CARLOS GONZÁLEZ

Me gustaría empezar felicitando al doctor González por su espléndido libro. Creo que sería muy conveniente que todos los/las pediatras lo leyesen.

Tengo dos consultas para el doctor González:

1. Tengo un bebé de casi cinco meses que duerme bastante poco, lo que crea mucho malestar en mi familia y mi marido quiere que le apliquemos el método Estivill pues con nuestra hija nos dio resultado casi desde el primer día, apenas lloró. Pero el niño es diferente. Un día intentamos empezar y lloró muchísimo por lo que yo no lo creo conveniente, mi marido sí. Pienso que cada niño es diferente y a lo mejor con él no da resultado. Quisiera tener más información

27

sobre el sueño infantil, asistí a una charla del doctor y me pareció muy útil e interesante.

2. Quisiera dar pecho a mi hijo hasta el sexto mes, pero al incorporarme a trabajar mi producción de leche ha bajado. Solo trabajo media jornada. El sacaleches no me saca bastante y las reservas que tenía en el congelador se me acaban. No sé si sería posible que mi madre a media mañana le diera cereales sin gluten, pero con agua. Quisiera conocer su opinión.

Un saludo,

Gema

23 de mayo de 200*

Apreciada amiga:

El método Estivill, hasta donde yo sé, funciona en casi todos los casos; y no me extrañaría que las pocas veces que no funciona sea porque los padres no lo han aplicado hasta el final. El problema no es si funciona o no, sino si lo queremos usar o no, y para ello debemos tener muy claro cuál es nuestro objetivo.

Por desgracia, en el mismo libro no está nada claro. Se nos dice que el método sirve para «enseñar a los niños a dormir», pero eso es evidentemente absurdo, puesto que los niños ya saben dormir desde que nacen (se pasan la mayor parte del tiempo durmiendo); incluso los fetos duermen antes de nacer. Más aproximado a la realidad sería decir «enseñar a los niños a dormir como y cuando quieran sus padres»; pero eso tampoco sería del todo cierto; pues el libro también se encarga de advertir que los niños no han de dormir con sus padres, que han de dormir diez horas seguidas solos en una habitación y sin comer, que de lo contrario tendrán problemas de sueño para toda la vida, y talla baja por falta de hormona del crecimiento…, toda una sarta de normas con las que se pretende que el niño no duerma como él quiere, ni como quieren sus padres, sino precisamente como quiere el autor del libro, y punto.

Pero, desde un punto de vista psicológico, el término «aprender» se suele reservar para el proceso mediante el cual el sujeto repite una actividad por la que ha recibido una recompensa. Por ejemplo, si cada vez que el niño durmiera de un tirón le diéramos un premio, eso sería un proceso de aprendizaje (dudo que funcionase, por cierto). Pero lo que Estivill propone es todo lo contrario: no se trata de recompensar una nueva conducta para que se haga más frecuente, pues no hay recompensa ninguna en su método; sino de dejar de premiar (dejando de acudir) una conducta antigua (despertarse y llorar) para que se haga menos frecuente. Eso técnicamente no es un aprendizaje, sino una «extinción de conducta». Lo que el niño aprende no es a dormir, que ya sabía; lo único que aprende es que, haga lo que haga, sus padres no acudirán a consolarle o ayudarle. El método funciona cuando el niño pierde toda esperanza de que le hagan caso. Y volvemos al principio: ¿seguro que es eso lo que quieren enseñar a su hijo?

Los niños que toman el pecho suelen despertarse más veces cada noche a los cuatro meses que a los dos. Eso se debe a que se están haciendo independientes: ya no dependen de que la madre se mantenga a su lado y les cuide, sino que son capaces de «montar guardia», despertarse cada dos horas más o menos, comprobar si su madre está allí, y llamarla si se ha ido. Ya no es un ser pasivo e indefenso, sino que puede expresar sus necesidades y asumir la responsabilidad de mantener el contacto.

Porque, durante cientos de miles de años, cuando no teníamos ni casas, ni muebles, ni ropa, ni fuego, los niños morían si se separaban de sus madres durante unas horas. Cuando un niño se despierta a media noche y ve que su madre no está, se pone a llorar hasta que ella acude. Porque desciende de miles de generaciones de niños que se han comportado así: los más adaptados para sobrevivir. Los otros, los que se encontraban a media noche solos y desnudos en medio del campo y no lloraban, murieron sin descendencia.

Por supuesto que su hijo, abrigado y tapado en su cuna, mientras usted duerme en la habitación de al lado, no corre ningún peligro. Pero él aún no lo sabe. Cuando se despierta, llora como si le fuese la vida. Los niños pequeños necesitan dormir con sus padres. Más adelante, tal vez hacia los tres o cuatro años, su hijo será capaz de comprender que no corre peligro, y podrá racionalmente aceptar dormir solo… Aunque, evidentemente, nuestros antepasados tampoco dormían solos a los tres años. Los chimpancés duermen con su madre hasta los cinco años, y tienen la pubertad a los siete; probablemente nuestros antepasados dormían con sus madres hasta los doce años o más.

En ese periodo, entre los tres o cuatro y los diez o doce años, el niño comprende racionalmente que puede dormir solo, pero su instinto le sigue llamando al lado de su madre, y procurará estar con ella si es posible. Para que se haga una idea de la situación, decirle a su hijo de tres años «como en tu habitación no corres ningún peligro, puedes dormir solo» es equivalente a decirle a su marido «como de momento no queremos tener más hijos, no hace falta que tengamos relaciones sexuales». Seguro que su marido estará de acuerdo en que es un razonamiento muy lógico, pero su instinto le dice algo muy distinto. En honor a la verdad, los hijos se suelen conformar mucho más fácilmente que los maridos.

Encontrará muy interesante el libro *Nuestros hijos y nosotros*, de Meredith Small.

En cuanto a la lactancia y el trabajo, si solo está fuera media jornada tampoco necesita sacarse mucha leche. Afirma Estivill que los niños pueden pasar diez horas sin mamar por la noche, y aunque igual exagera un poco, seguro que cinco horas sin comer podrían pasar. Muchos niños, cuando no está su madre, prefieren dormir, y recuperar luego lo perdido mamando a toda máquina por la noche (y durmiendo con ella, se entiende). Y si encima se saca usted un poco de leche, pues más aún que aguantará, por poca que sea. El sacarse leche funciona igual que el dar el pecho: cuantas más veces se saque, más tendrá. Si se saca varias veces cada tarde, seguro que reúne leche de sobra. Los fines de semana puede darle pecho intensivo, así tendrá más leche el lunes; la leche que se saque el fin de semana la puede congelar para emergencias, por si entre semana faltase.

A lo mejor el problema es que usted piensa que no se puede sacar leche antes de la mamada, «porque no le quedaría nada al niño», ni después de la mamada, «porque están vacíos». No es cierto. Puede sacarse leche en cualquier ocasión, antes, después o durante. Si tiene un sacaleches eléctrico, lo más cómodo suele ser sacarse de uno mientras el niño mama del otro, y luego cambio. Siempre queda algo. Otra opción, desde luego, es empezar a darle cereales; tampoco viene de un mes. Puede prepararlos con agua, o mejor con la leche que se haya sacado, por poca que sea; así también estarán más buenos y su hijo se los tomará más a gusto.

Espero que estas sugerencias le sean útiles, y le deseo toda la felicidad con esos hijos encantadores.

Cordialmente,

Carlos González

Tengo un niño de diez meses, además de sus purés y papillas toma el pecho «de postre» pero por la noche se sigue despertando dos o tres veces a mamar, lo que es agotador para mí, ya que en septiembre empiezo a trabajar. Quisiera quitarle el pecho, pero solo por la noche para que durmiera de un tirón, me gustaría que me dierais algún consejo para hacerlo lo mejor posible.

Quiero felicitaros por vuestra gran revista que leo desde que me quedé embarazada y además la colecciono y me es de gran ayuda.

Un gran abrazo para todos.

¡Ah, y muchas gracias!,

Dolores

17 de abril de 199*

Apreciada amiga:

Lo primero que hay que tener claro es que su hijo no llora de hambre. Ahora come de todo, y seguro que ya se le ha ocurrido atiborrarlo de papilla antes de ir a la cama. Inútil, ¿verdad?

Su hijo se despierta por la noche. Usted le da el pecho, y él se vuelve a dormir. ¿Está segura de que quiere hacer otra cosa en vez de darle el pecho? Puede probar y, como dicen en el anuncio, «si encuentra algo que le guste más, hágalo». Pero lo más probable es que cualquier otro método, ¿cantarle, mecerlo, pasearlo?, le resulte bastante más cansado.

En definitiva, su problema no es la lactancia, sino el insomnio, y la lactancia no es su problema, sino su solución. El día que su hijo se despierte por la noche pero ya no quiera el pecho… que no le pase nada.

Replanteemos, pues, su pregunta en estos términos: ¿qué puedo hacer para que mi hijo se despierte menos por la noche?, y si se sigue despertando, ¿qué puedo hacer para sobrevivir?

Para la primera pregunta no tengo mucha respuesta, pues no conseguí que mis hijos durmieran. En la segunda sí que soy un experto, pues sobrevivimos.

Posibilidades: ¿dónde duerme su hijo? Algunos duermen mejor solos porque los ronquidos los despiertan. Pero suele ser más frecuente al revés: se despiertan igual, y si se encuentran solos se desvelan, mientras que si están junto a la madre se tranquilizan enseguida. Muchos padres acaban por meterse al niño en la cama: así el niño puede mamar en plan *self-service*, y la madre casi ni se despierta.

Los padres también sirven para algo. Hay niños que ni en la cama y mamando se duermen. Puesto que no es hambre, sino insomnio, este es el momento para que papá se levante y lo lleve a ver las estrellas mientras mamá duerme. Desde luego, no es cierto que dejar llorar a los niños sea la solución. Aparte del «trauma» psicológico, si lloran a media noche tampoco te dejan dormir…

No hay que hacer caso de los criticones. La mejor solución para cada familia es aquella con la que ellos son más felices, no la que hace más feliz a la vecina o al pediatra.

Su hijo no se despierta para fastidiar. Seguro que si tuviera quince años se pondría a leer o a ver la tele sin molestar a nadie. Pero si se despierta uno a media noche y solo tiene diez meses, ¿qué va a hacer?

No sé si todo esto le será de alguna utilidad. Los primeros años siempre son los más difíciles.

Cordialmente,

CARLOS GONZÁLEZ

Tengo un bebé de seis meses y medio; desde que cumplió el mes y medio hasta los cuatro meses tuvo cólicos, con lo cual lo dormíamos siempre en brazos. Hacia los cuatro meses y medio empezó a despertarse gritando por lo que le seguimos durmiendo en brazos. Como podrá imaginar acabo cansada, la última toma la hace a las doce o doce y media de la noche, solo toma pecho, y yo me acuesto hacia la una o una y media y me levanto varias veces ya que se suele despertar. Muchos días le doy de mamar a las cuatro y media o cinco de la madrugada, si hay suerte a las seis, observará que mis noches son entretenidas. Durante el día come cada tres horas y está bien de peso.

Estoy agotada, primero porque tengo treinta y cuatro años, y porque llevo seis meses y medio sin dormir seis o siete horas seguidas, no trabajo y estoy sola todo el día con él.

Le quiero mucho pero estoy cansada. Llevo unos diez días que le suelo dar la toma cada cuatro horas, por la noche a las doce le acuesto sin dormirle en brazos con lo cual tenemos «maitines», o sea, el niño se pasa de una a dos horas llorando, no siempre, ya que a veces se queda dormido comiendo y no hay ningún problema, pero si se despierta sobre la una y media o las cuatro y media, lo dejo llorar y está una o dos horas llorando.

Quiero «educarlo» a dormir solo, por eso mis preguntas son: ¿no pasa nada porque llore hasta dos horas?, yo voy entrando y le hablo cariñosamente pero tiene mucho genio. ¿Es la mejor forma para acostumbrarle? ¿Debería acostumbrarle a dormir la siesta, por ejemplo en la cuna, y también dejarlo llorar? (duerme en la sillita, moviéndolo).

¿Por qué se despierta por la noche de dos a cuatro veces? ¿Puede aguantar de doce a siete u ocho de la mañana sin tomar pecho? (Algún día si se despierta a las seis consigo dormirlo, en brazos, claro, y me aguanta hasta las siete o las ocho últimamente.) He intentado darle biberones y no hay forma, también con la cuchara darle papilla de cereales y leche y no abre la boca.

Lo que más me preocupa es si hago bien en dejarle llorar, me da mucha pena.

Muchas gracias de antemano, y espero su contestación ya que no tengo un pediatra muy comunicativo y pienso cambiar pronto.

Un cariñoso saludo,

Amparo

Apreciada amiga:

Está usted agotada por la falta de sueño y preocupada porque no acaba de ver claro lo de dejar llorar a su hijo.

Efectivamente, muchos recomiendan dejar llorar a los niños como solución a los «problemas del sueño». Probablemente algo de eso ha oído o le han recomendado. El método «moderno» es la extinción graduada; parece más efectivo que dejarlos llorar sin más, y los niños no lloran tanto. Encontrará el método muy claramente explicado en un librito titulado *Duérmete, niño*, de Estivill y Béjar.

También somos muchos los que no estamos en absoluto de acuerdo. Intentaré explicarle en esta carta mis ideas, a usted corresponde comparar y elegir.

El punto clave de la discusión es en qué consiste el sueño «normal» para un niño pequeño. Según el doctor Estivill, lo normal en un niño de seis a siete meses son «cuatro comidas al día y once o doce horas de sueño nocturno. Debe acostarse sin llanto, contento, y despedirse de los padres con alegría». Esto son normas arbitrarias que tienen escasa relación con la realidad. En diversos estudios realizados en Cataluña, algunos por el mismo doctor Estivill, solo el 83 % de los niños duermen entre diez y doce horas; entre el 22 % y el 51 % duermen en la cama de los padres al año; el 20 % necesitan la presencia de un adulto para dormir entre los seis y los treinta y seis meses... Para negar la explicación lógica, que el sueño de los niños es muy variable, y que el dormir con los padres o despertarse por la noche son actividades normales, se prefiere echar la culpa a los padres: se trata de «problemas del sueño por malos hábitos adquiridos».

Unos niños duermen más que otros. Muchos niños se despiertan por la noche una o varias veces, durante varios años. La forma normal de dormir los niños es en contacto con sus padres, o al menos con su madre. Así duermen aún entre la cuarta parte y la mitad de los niños aquí, y casi todos en los países en desarrollo. Hasta hace unos cientos de años, los niños que no dormían con la madre morían (¿se imagina un niño solo en el suelo, en invierno, cuando no había colchones, ni mantas, ni paredes, ni puertas?).

Los niños lloran cuando se separan de su madre, y no dejan de llorar hasta que su madre reaparece. Esta conducta es normal en muchos mamíferos y aves, y es imprescindible para la supervivencia. Konrad Lorenz explica cómo la cría de ganso separada de su madre llora hasta la extenuación; es más útil para su supervivencia gastar sus últimas energías en seguir llorando en busca de su madre que en intentar buscar comida o esconderse de los depredadores.

La mayoría de nuestros abuelos dormían con sus padres. No se dormían por sí mismos, sino que su madre «les dormía» meciéndolos y cantando una canción de cuna. Durante el día, iban en brazos de su madre o de otro familiar hasta que eran capaces de caminar. En el presente siglo, y en unos pocos países occidentales, se ha puesto de moda que los niños duerman solos; algunos consiguen adaptarse, y no parece que dormir solos les perjudique si lo hacen contentos y felices. Pero en otros muchos, los antiguos instintos son más poderosos. Si aceptamos que el niño se va a despertar por la noche, y que va a reclamar la presencia de su madre, el truco es buscar la manera de que la madre descanse lo más posible.

Yo no me atrevería a dar unas normas; cada familia va probando hasta encontrar su propio equilibrio. Para muchos, lo más práctico y sencillo es poner al niño a dormir con los padres, sea en la misma cama o en una cuna a su lado. De ese modo, tan pronto como el niño protesta, le pueden cargar y poner al pecho, antes de que se despierte del todo y «se pase de rosca». Algunos maman varias veces cada noche hasta los tres años o más, mientras que otros suelen dormir toda la noche antes de los dos años. No es que por la noche pasen hambre (no se me ocurriría, a cierta edad, darles un biberón), sino que el pecho es como una «anestesia», el método más rápido para que vuelvan a dormir. Para la madre es incómodo, pero duerme mucho mejor que si se ha de levantar para ir a ver al niño, o que si lo oye llorar durante horas. De hecho, muchas madres no saben cuántas veces mama su hijo cada noche, porque no se despiertan del todo.

No es cierto en absoluto que haciendo esto los niños se malcríen o malacostumbren o les pase nada en absoluto. Cuando crecen, son capaces de dormir sin su madre.

No dudo que siguiendo el método del doctor Estivill los niños acaben durmiendo solos. Básicamente, el método consiste en tardar cada vez más tiempo en acudir cuando el niño llora, hasta que este aprenda que no vale la pena llorar porque no va a ir nadie. El problema es que no quiero enseñarle eso a mi hijo. Lo que quiero es enseñarle que su padre le ayudará cuando lo necesite. Creo (aunque no tengo ninguna prueba) que esa es una base sólida sobre la cual edificar una confianza duradera y una verdadera independencia.

No creo que los niños lloren para fastidiar, ni para hacer ejercicio pulmonar. Creo que los niños, lo mismo que los adultos, lloran cuando sufren. El hecho de que ellos sufran (y por lo tanto lloren) por cosas que a nosotros no nos preocupan no significa que su sufrimiento sea menos importante. También sufrimos nosotros por la declaración de la renta o las letras del coche, y a ellos eso no les parece nada preocupante.

No sé si todos estos pensamientos le habrán sido de alguna utilidad. Como mínimo, tal vez le hayan aportado una visión distinta a la de la mayoría de familiares y amigos, libros y pediatras. Ahora tiene más donde elegir.

Espero que sus dificultades se solucionen y que pueda descansar mejor. Cada caso es distinto; y estoy seguro de que sabrá buscar la solución más adecuada para usted, su hijo y su familia.

Nos gustaría mucho volver a tener noticias suyas más adelante. Reciba un fuerte abrazo,

CARLOS GONZÁLEZ

Soy madre de una niña de diez meses que amamanto todavía. Mi problema es que no duerme ni dos horas seguidas por la noche y la única forma de hacerla callar y lograr que duerma es dándole el pecho. Me han comentado que hay unas gotas que les dan a los niños que padecen de insomnio y van muy bien, pero mi pediatra no me hace ni caso. ¿Qué puedo hacer para quitarle el pecho y lograr que duerma toda la noche? ¿Puedo darle estas gotas?

Gracias por todo,

Silvia

5 de marzo de 199*

Apreciada amiga:

Se siente usted agobiada y probablemente agotada porque su hija se despierta mucho por la noche. Y no me extrañaría que hubiera recibido también continuas críticas de quienes, encima, le dirán que su hija se despierta porque usted la ha «malcriado».

No creo en absoluto en la teoría del «malcriamiento». Sencillamente, hay gente que duerme de un tirón y gente que no. Los adultos que se despiertan por la noche miran el despertador, se dan la vuelta y se vuelven a dormir. Si realmente no logran dormir, se levantan y se ponen a leer un libro. Pero ¿qué puede hacer un niño de diez meses que se despierta en la obscuridad de la noche?

Los partidarios de la teoría del «malcriamiento» recomiendan dejarlo llorar. Al cabo de unos días de «tratamiento», el niño comprende que no vale la pena llorar porque no le van a hacer caso, y se queda callado. No me parece una manera adecuada de tratar a un ser humano.

Yo soy de los que creen que el que llora, sea niño o adulto, es porque sufre. Ciertamente, las cosas que hacen sufrir a unos dan risa a otros; pero para el que llora se trata de algo importante.

Por supuesto, su hijo no se despierta por hambre. Aunque le diera fabada para cenar se despertaría igual. El hecho de que se calme con el pecho no indica que tuviera hambre, sino que el pecho es «mano de santo» para muchas cosas. Le conviene darle el pecho dos o tres años; porque si un día se despierta y ya no tiene pecho que darle, me parece que va a tener un serio problema…

Tal como yo lo veo, el verdadero problema es qué puede hacer usted para sobrevivir, es decir, para dormir lo más posible mientras espera a que su hijo crezca. No especifica en su carta dónde duerme su hijo; si está en otra habitación y se tiene que levantar cada dos horas para darle el pecho sentada, no me extraña que acabe «zombi».

Muchos padres encuentran que es más cómodo poner la cuna junto a la madre. En cuanto lo oiga protestar (sin esperar a que llore y se despierte del todo), puede meterlo en su cama y darle el pecho. Es frecuente que la madre se quede dormida antes que el niño. El resto de la noche, el niño puede mamar en régimen de autoservicio, y resulta bastante soportable (muchas madres son incapaces de recordar cuántas veces mama el niño, porque no se despiertan del todo). A veces es el padre el que pone objeciones a este arreglo, pues él sí que duerme más cómodo mientras la madre se levanta cada dos horas…, la amenaza de no levantarse más y que vaya él a ver qué le pasa al niño suele obrar maravillas; y en todo caso, el padre ya es mayorcito y también podría dormir solo.

En cuanto a las gotas para dormir, hay dos tipos de productos. Uno son las infusiones instantáneas, de las que se hace ahora tanta publicidad. No son más que azúcar caro, no hacen dormir, y si el niño se acostumbra a ir a la cuna con un biberón del mejunje en la boca, se producen unas caries terribles que le dejan los dientes hechos puré. Por otra parte, existen medicamentos que sí que hacen dormir; son los mismos medicamentos que se usan en los adultos: Valium, barbitúricos, antipsicóticos… No creo que sea nada conveniente dárselos a un niño, salvo en casos excepcionales y por muy pocos días (por ejemplo, un niño que hubiera sufrido quemaduras muy dolorosas o algo así…).

Espero que estas reflexiones le hayan sido de alguna utilidad, y le deseo mucha suerte… y felices sueños.

Saludos cordiales,

CARLOS GONZÁLEZ

Me dirijo a ustedes con la idea de que puedan resolverme algunas dudas de madre novata.

Tengo treinta años y soy madre desde hace seis meses, el embarazo fue estupendo y el parto también; además, la niña era un angelito (lo sigue siendo), pues dormía toda la noche de un tirón, hasta los cinco meses. Le estoy dando el pecho.

A los cinco meses empezó a despertarse por las noches una, dos e incluso tres veces, y le daba de mamar.

Hace un mes he empezado a darle alimentación mixta, les anoto las tomas que hace con el objeto de que me digan si hago algo mal:

7.30: pecho
12.30: pecho
15.30: pecho
19.00: papilla de fruta natural y pecho
22.00: papilla de cereales y pecho

La niña no tuvo ningún problema para aceptar la nueva alimentación. Por la noche toma 180 ml de leche con cuatro cucharadas de papilla de cereales y luego acepta un poco de pecho. Suele despertarse unas dos veces a lo largo de toda la noche. Actualmente la niña tiene seis meses y pesa seis kilos y medio.

Durante el resto de las tomas aguanta perfectamente, e incluso no le importa que se le pasen las tres horas entre toma y toma, sobre todo por la mañana.

La cuestión es que no sé si debo darle de comer cuando se despierta por la noche o no. El problema es que ya he empezado a trabajar y es muy cansado. No entro a trabajar hasta las nueve de la mañana, por lo cual podría retrasar más la primera toma de la mañana.

Durante un tiempo (diez días aproximadamente) le estuvimos dando Blevit Sueño, con el fin de que no se acostumbrara a las tomas nocturnas, pero aun así se despertaba igual, se tomaba los 100 ml de Blevit que le hacíamos a lo largo de la noche, no todo de una vez.

Me gustaría que me aconsejaran si es necesario o no darle el pecho por la noche y cuáles deberían ser las tomas que tendría que hacer la niña.

También me gustaría que me comentaran si hay inconveniente en que comience a usar el andador de vez en cuando.

Les agradecería que me contestasen lo antes posible. Agradeciendo de antemano su atención.

Un saludo,

Sara

11 de octubre de 199*

Apreciada amiga:

Está usted cansada porque su hija se despierta por las noches desde que empezó con las papillas, y se pregunta si es bueno darle el pecho por la noche.

Algunos recién nacidos duermen mucho, pero a medida que crecen están cada vez más activos. No es una cuestión de hambre, sino de falta de sueño.

Es totalmente normal que su hija se despierte varias veces cada noche, y es probable que lo siga haciendo mucho tiempo. De hecho, muchos adultos se despiertan varias veces cada noche. La diferencia es que miramos el reloj, vemos que es demasiado pronto, y nos volvemos a dormir. O bien, si el insomnio es total, nos levantamos y nos ponemos a leer. Pero ¿qué puede hacer una niña de seis meses si se despierta por la noche? Además, muchos niños, cuando la madre trabaja, optan por dormir de día y recuperar el tiempo perdido durante la noche. La vida sin mamá es muy aburrida, y la noche es joven…

Así planteado, el problema no es si es bueno darle el pecho o no. Por supuesto, dar el pecho siempre es bueno, y cuanto más mejor. Por la noche suele salir más leche que durante el día, y cuanto más mame su hija, mejor alimentada estará. Pero el verdadero problema es, más bien, ¿qué puedo hacer cuando se despierte? En la mayoría de los casos, dar el pecho es lo más rápido y eficaz para que su hija (y por tanto usted) se vuelvan a dormir.

Todo es cuestión de organización. Levantarse a media noche para darle el pecho a la niña puede ser muy cansado, sobre todo si le han dicho aquella tontería de lavarse el pezón antes y después. La mayoría de las madres optan por llevarse a su hijo a la cama con ellas (bien poniéndolo de entrada en la cama de matrimonio; bien en una cuna junto a la cama, de donde lo puedan sacar al primer aviso). Los niños que duermen con la madre se sirven solos, y la mayoría de las veces la madre no se llega a despertar del todo, y a la mañana siguiente no logra recordar si dio el pecho una vez o cinco.

A esta edad, es conveniente dar las papillas después del pecho, y no antes, porque lo que de verdad alimenta no es la papilla, sino la leche. Si por tomar la fruta toma menos leche, lo que está es haciendo régimen para adelgazar...

Los niños que toman el pecho no necesitan para nada que se le añada leche a los cereales. Ya están tomando suficiente leche, y de la mejor calidad. Claro está que usted puede decidir darle leche si lo prefiere, pero ha de ser consciente de que eso es iniciar la lactancia mixta. No hay ninguna diferencia entre darle un biberón de leche o darle esa misma leche mezclada con los cereales. Su hija puede tomar primero el pecho, y luego los cereales solos, sin leche (como los cereales comerciales sin leche saben bastante mal, las madres suelen pasarse al arroz hervido, mucho más sano porque no lleva azúcar ni aditivos).

En cuanto al Blevit Sueño, es inútil y peligroso: azúcar con sabor a manzanilla y a precio de oro. En Alemania, la etiqueta de este tipo de productos advierte específicamente que nunca se den en biberón, y que nunca se den para dormir, porque producen unas caries tremendas. Un niño jamás necesita este tipo de cosas, y menos de noche.

Pregunta usted cuántas tomas debería hacer su hija. Esa pregunta no tiene respuesta. ¿Cuántas veces al día debe besarla? ¿Cuántas veces ha de jugar con ella? Dar el pecho es un acto de amor, y como tal no se sujeta a normas ni admite medidas.

Antes de caminar, los niños pasan por las fases de arrastrarse y de gatear (o de moverse por otros medios). Es como una especie de gimnasia que les prepara para el paso siguiente. Por eso no son recomendables los andadores: si se usan durante mucho rato, impiden que el niño gatee, y no le permiten desarrollarse normalmente. Además, pueden ser físicamente peligrosos, pues le permiten ir más rápido de lo que sería normal a su edad y llegar a donde no llegarían normalmente, con lo que pueden escapar a su vigilancia y romper cosas, tragárselas o echárselas por la cabeza. Solo como ejemplo, un niño en un andador puede llegar en pocos segundos al mango de una sartén...

Espero que esta información le resulte útil, y le deseo toda la felicidad con su hija.

Cordialmente,

Carlos González

Tengo un niño de casi cinco meses y toma el biberón desde los cuatro, quisiera saber si la toma nocturna me la pide por costumbre o de verdad tiene hambre, pues hay veces que casi no prueba el biberón. Me han dicho que le puedo ofrecer un poco de agua en el biberón, a ver si deja de pedir.

También, quisiera saber si un biberón preparado puede permanecer mucho tiempo a temperatura ambiente.

Gracias,

Carlota

10 de febrero de 199*

Apreciada Carlota:

Pregunta usted por qué su hijo pide el biberón por la noche. Tendrá que admitir que su hijo en realidad no pide el biberón, puesto que no sabe hablar. Su hijo se despierta por la noche, llama y parece que necesita algo. ¿Será el biberón? Pues se lo da, y si se queda contento es que sí, quería el biberón. ¿Que no se toma el biberón, o sigue llorando? Pues será que quería otra cosa. Así de sencillo.

No sé de dónde se habrán sacado esa idea de darle agua en vez de leche. Si se lo hace en todas las tomas, es evidente que se le muere de hambre. ¿Qué ventaja puede tener hacer pasar «un poco de hambre» a su hijo?

Pronto empezarán a bombardearla con argumentos del tipo «a esta edad no necesita comer por la noche». ¿Qué significa esa frase? ¿Que no se morirá si no come por la noche? Pues al revés, tampoco se moriría si le diera todos los biberones por la noche y de día ninguno, así que también podría afirmar que «no necesita comer de día». Y su marido tampoco se morirá si a partir de ahora no le da de cenar los jueves, así que podríamos decirle: «Su marido pide de cenar los jueves por vicio, en realidad no lo necesita».

Incluso cuando de verdad no necesitan comer (es decir, cuando se les ofrece comida y no la quieren), muchos niños siguen necesitando otras cosas por la noche. Principalmente, la compañía de sus padres. Una necesidad tan legítima como cualquier otra.

Probablemente no pasaría nada por dejar un biberón a temperatura ambiente durante unas horas, pero también se corre el riesgo de que se llene de microbios, sobre todo en verano (o si tiene calefacción). Una forma mucho más segura de preparar el biberón por la noche sería dejar encima de la mesilla un biberón con la cantidad exacta de leche, pero sin agua, y un termo con el agua caliente. Solo tiene que mezclar y agitar.

Espero haber ayudado a despejar sus dudas, y le deseo toda la felicidad junto a su hijo.

Saludos cordiales,

CARLOS GONZÁLEZ

Les escribo porque tengo un problema con mi hijo Salvi, de ocho meses.

Le he estado dando pecho durante mucho tiempo y aún se lo sigo dando antes de los biberones y después del puré, así como por la noche.

El pediatra me dijo que no podía mamar y tomarse un biberón con 210 cl de leche y cuatro cazos de cereales por la noche y despertarse de madrugada demandando más comida, que le tenía que dejar llorar. Yo no estoy de acuerdo, por lo que prepararé un biberón con leche y se lo dio su padre para conseguir que se distanciara de mí.

Pero Salvi ha estado con gastroenteritis y fiebre, y, como estoy de vacaciones, mi marido se ha ido a dormir a otra habitación.

Después, su apetito pasó de ser malo a ser exagerado, le he dado pecho o biberón, pero llora hasta diez veces por la noche. Trato de calmarle en la cuna, le pongo el chupete, aunque a veces no hay manera y su llanto aumenta más. Unas veces es por hambre, pero otras no, ya que no quiere mamar. Le cargo, se relaja y al minuto se duerme, cuando veo que es por esto le dejo rápidamente en la cuna. No le dejo llorar.

¿Qué puedo hacer cuando no le puedo calmar en la cuna y su llanto aumenta de forma exagerada y no sé si es por hambre, porque está mojado, por calor o contacto con el pecho o por brazos…?, ¿y para que duerma toda la noche seguida?

Siempre se duerme solo en su cuna, si es necesario le relajo un poco, le pongo música, pero le echo en la cuna normalmente despierto.

Por la noche cuando no encuentra el chupete llora para que se lo ponga. ¡Estoy agotada!

Mi segundo problema es que hemos comprado una autocaravana en Navidad, pero Salvi cuando llega el momento de dormir (solo hemos probado por la tarde) se excita muchísimo, le subimos a la parte de arriba, se pone como una «moto», todo lo quiere tocar, mirar, hasta que llora por la mezcla de sueño y excitación que no le deja dormir. Una vez se durmió dos horas más tarde de su horario al ponerla en marcha. ¿Podemos hacer algo para que siga con sus horarios y más calmado?

El médico me ha dado vitaminas desde que nació y se las he dado, D3 y complejo polivitamínico. Ahora me dice que siga con la D3 y un complejo vitamínico con flúor, no le estoy dando este último.

El niño come dos biberones de veinte con cereales, una papilla de frutas (naranja, pera, un trozo de plátano y cereales), mama tres o cuatro veces al día y en la comida le doy puré (muy poquito; por cierto, no le obligo (¿hago bien?) y luego le doy el pecho y, últimamente, también le ofrezco yogur. ¿Debo darle las vitaminas con flúor?, no me hace ninguna gracia. ¿Debo meterle carne en el puré o puede esperar más?

Mi tercer problema es que nos cambiaremos de piso dentro de mes y medio. Todavía no le hemos sacado de nuestra habitación por la cantidad de veces que nos tenemos que levantar. Qué hacemos, ¿le sacamos ya? Creo que el cambio de piso y el dejarle solo puede ser excesivo para él. Mi marido dice que las dos cosas juntas mejor. Yo creo que no es así. ¿Qué puedo hacer para que se adapte mejor al nuevo piso? Es un niño que todo lo mira y lo nuevo le excita.

También le cuesta mucho ir en la silla del coche de conducir.

Un saludo y felicidades por su revista,

Lola

P.D.: Algo más, le cojo bastante en brazos y soy muy criticada por eso. Quizá más que cuando era más pequeño porque me causaba mucha inseguridad, ahora creo que debo hacerlo.

22 de abril de 199*

Apreciada amiga:

Está usted hecha un lío, porque le dicen que deje llorar a su hijo y usted no quiere hacerlo. La verdad es que tampoco yo entiendo para qué quiere nadie que su hijo llore. Los padres siempre preferimos que nuestros hijos no lloren, ¿verdad?

De entrada, no sé por qué quiere su pediatra que le deje de dar el pecho. Si toma pecho y biberón, y su pediatra cree que es demasiado, lo lógico sería quitarle el biberón, que alimenta menos, no lleva defensas y puede producir alergias. De hecho, eso sería probablemente lo mejor que podría hacer: ir reduciéndole los biberones, y quitárselos en dos o tres días. Si le da el pecho siempre que lo pida, y antes de las papillas, en dos o tres días volverá a tener toda la leche que su hijo necesita, y de la mejor calidad.

Desde que su hijo tuvo una diarrea (por cierto, otro motivo para darle pecho y no biberones), se despierta más veces por la noche. Ha probado usted varias cosas, unas que funcionan y otras que no. «Trato de calmarle en la cuna, le pongo el chupete, pero a veces no hay forma». «… le cargas, se relaja, y al minuto se duerme». Pues está claro, ¿no? Su hijo lo que necesita es a usted.

Deduzco por sus palabras (y porque le pasa a muchísimas madres, ¡qué mundo este!) que el problema está en que a usted le han dicho que es malo coger a su hijo en brazos cuando llora, que es malo darle el pecho por la noche (¡y por el día!), y que es malo (¡pecado, pecado!) meterlo en la cama con usted. Con lo cual lo que podría ser tan sencillo como meterse en la cama y dormir se convierte en una especie de cruel yincana o absurda prueba de habilidad, como bajar una escalera con los pies atados o freír un huevo con una mano en la espalda. ¡No me extraña que se declare usted agotada!

Pues bien, no tiene por qué dejarse tomar el pelo por más tiempo. No tiene por qué vivir su propia vida con las normas de otros. Es normal que los niños lloren por la noche, es normal que se despierten cada pocas horas, es normal que busquen a su madre, que cuando tienen hambre o sed mamen y cuando no, simplemente la toquen y se tranquilicen. Todo eso es normal, no es que su hijo esté malcriado ni consentido, ni que haya aprendido hábitos incorrectos. Son conductas absolutamente normales, que el ser humano comparte con la mayor parte de los mamíferos y de las aves. En la naturaleza, una cría no puede sobrevivir si se separa de sus padres, de modo que nacen con mecanismos innatos (no aprendidos) para comprobar cada poco tiempo si su madre está todavía a su lado, y llorar hasta que vuelva si se había ido.

Hay madres que ponen la cuna junto a su propia cama; cuando oyen protestar a su hijo, sin pensárselo dos veces, lo meten en su cama y le dan el pecho. Si el niño se duerme antes que la madre, lo vuelven a dejar en la cuna. Si la madre se duerme antes que el niño (como suele suceder), allí se queda hasta el día siguiente. Otras madres prefieren ahorrarse el primer paso, y duermen con su hijo desde el principio. A algunos padres les parece la mar de bien, otros dicen que así no pueden dormir y se van a otra cama (pero su marido ya hizo eso sin necesidad de traer al niño); en todo caso los papás son mayorcitos y saben dormir solitos. Desde luego, la madre no va a dormir tan cómoda como cuando no tenía hijos…, pero eso ya nunca será igual. Al menos, se duerme mejor que levantándose a cada momento e ingeniándose las mil y una para calmar al niño sin sacarlo de la cuna. En un estudio que hicieron en Alemania, en un laboratorio del sueño, observaron que el niño mamaba nueve veces cada noche, pero que la mayoría de ellas no se despertaba ni el niño ni la madre.

Dentro de unos años, su hijo aceptará dormir en otra habitación. Unos años más tarde, no vendrá a dormir con sus padres ni aunque se lo pidan. Unos años después, protestará enérgicamente si tiene que compartir la habitación con un hermano. Y antes de que se den cuenta, ya no sabrán con quién duerme. La vida es así. Para que duerma toda la noche seguida, solo tiene que esperar a que crezca. La otra posibilidad, que sin duda ya le han contado, es dejarle llorar hasta que su hijo aprenda que, por mucho que llore, nadie le hará caso. Llegados a ese punto, la mayoría de los niños dejan de llorar.

No es raro que su hijo esté un poco alterado cuando están de viaje y duerme en la caravana. Parece que a usted le preocupa que siga un horario, pero eso no es posible. Están de vacaciones. Si quería seguir horarios, haberse quedado en casa trabajando.

Acostumbrar a los niños a un horario no tiene ninguna ventaja conocida. La educación consiste en acostumbrar a los niños a la forma de vida de los adultos; y los adultos ni seguimos un horario ni dormimos solos. Nadie se despierta, se acuesta ni come a las mismas horas el miércoles que el sábado. Su hijo, lo mismo que una persona mayor, querrá quedarse despierto cuando vea cosas interesantes a su alrededor, con el resultado de que a veces se «pasará de rosca» y se pondrá como una moto. Si lo encuentra incómodo, puede meterse con él en un rincón obscuro, ponerle el pecho en la boca y cantarle una canción de cuna. Si no funciona, que lo cargue su papá (que para eso están) y se lo lleve a pasear.

Normalmente, los niños sanos no necesitan vitaminas. No sé si a su hijo se las mandan por algún motivo especial. En cuanto al flúor, no es propiamente que lo necesiten o no; se trata de un tratamiento para prevenir la caries. La otra manera de prevenir la caries (más eficaz todavía) es no comer dulces y lavarse los dientes. Cuando los niños empiezan a lavarse los dientes, suelen tragar mucha pasta y mucho flúor. También hay localidades en que hacen enjuagues periódicos de flúor en las escuelas. Y hay familias más propensas a las caries que otras. Son muchos factores a tener en cuenta para tomar su propia decisión.

Claro que hace bien en no obligarle a comer. Jamás hay que obligar a comer a un niño. En cuanto a darle carne, como usted quiera. Puede probar a ver si le gusta.

En cuanto al cambio de piso y a salir de la habitación, creo que en parte ya he contestado a eso. Para su hijo, lo excesivo es dejarlo solo, tanto en el piso viejo como en el nuevo. Si en el piso nuevo lo mete con usted en la cama, seguro que se adapta sin problemas. Si lo deja en otra habitación, aunque sea en el piso viejo, lo oirá llorar varias veces cada noche. Tendrá que decidir si va o no va. Si va, será mucho más agotador que ahora. Si intenta no ir, pero cuando lleve mucho rato llorando va, su hijo captará el mensaje de que hay que llorar mucho rato para que le hagan caso, y llorará más todavía. Si de forma sistemática y decidida no va, siguiendo los famosos métodos de dejarlo llorar cada vez un minuto más y decirle «te quiero mucho, pero tienes que dormir solo», sin tocarlo ni pasar de la puerta, es probable que su hijo acabe durmiendo sin protestar. Lo hará así cuando llegue a la inevitable conclusión de que no puede esperar ayuda, afecto y compañía de sus padres; de que no puede modificar los acontecimientos, sino solo dejarse arrastrar por ellos...

Bueno, su posdata me lo confirma: se muere usted de ganas de coger a su hijo en brazos, de darle el pecho, de tenerlo en su cama..., pero le han dicho repetidamente que hace mal, que le está malcriando... Pues bien, la han engañado. ¿Cree que si le coge en brazos, a los siete años pedirá ir en brazos? ¿Cree que si le deja dormir en su cama, a los veinte años se traerá a su novia al lecho paterno para dormir los cuatro? ¿Cree que si no le deja llorar será un psicópata criminal? Por favor. Yo dormí en la habitación de mis padres hasta los siete u ocho años (de hecho, no había más habitaciones).

Los niños malcriados no existen. Los reformatorios, las cárceles y los manicomios no están poblados de niños a los que cargaron demasiado en brazos o dieron el pecho a demanda. Más bien encontrará allí a personas que fueron abandonadas, despreciadas, rechazadas o maltratadas por sus padres. El cariño nunca ha malcriado a nadie.

La han hecho pasar a usted unos meses difíciles, con sus continuas críticas y apocalípticas advertencias. Pero tiene tiempo. Según las estadísticas, es posible que le queden treinta años de convivir con Salvi. Y es usted libre; puede hacerlo como quiera.

Creo que le será muy útil contactar con un grupo de madres.

Espero que todas estas reflexiones le sean de utilidad, y le deseo toda la felicidad junto a su hijo. Y, si dentro de unos meses tiene un rato libre, cuéntenos cómo le ha ido.

Un fuerte abrazo,

CARLOS GONZÁLEZ

Con respecto a una consulta aparecida en la revista, relativa a si todos los bebés deben llevar un horario en las tomas, mi pregunta es la siguiente: mi pediatra dice que tengo que empezar a acostumbrar a mi bebé a mamar cada cuatro horas por las noches para ir alargando posteriormente las tomas, porque puede acostumbrarse a no hacer la pausa nocturna. Mi hijo tiene cinco semanas, hay veces que logro que mame cada cuatro horas, otros días hace una toma a las cuatro horas y la siguiente a las tres, otro día hace otra cosa. Mi pregunta es si alguna vez tendrá un horario regular y aproximadamente cuándo será, y si es aconsejable lo que me dice mi pediatra.

Un saludo,
Katy

27 de octubre de 199*

Apreciada amiga:

Le ha dicho su pediatra que hay que acostumbrar a su bebé a mamar cada cuatro horas para que luego haga la pausa nocturna. Y usted, ¿tiene algún interés en que su hijo aguante cuatro horas? Cuando se presente a la selectividad, o cuando haga

49

la entrevista para solicitar su primer empleo, ¿le preguntará alguien si aguantaba las cuatro horas? ¿Será usted más feliz si, cuando su hijo llora a las tres horas, tiene que aguantarlo llorando hasta las cuatro que si le da el pecho al momento?

Los niños se inventaron antes que los relojes. Sus necesidades de afecto y de comida no siguen ningún horario. La mayoría de los bebés maman entre ocho y doce veces al día (algunos solo siete, y otros quince o más), irregularmente distribuidas a lo largo de las veinticuatro horas. Suelen hacer varias mamadas muy seguidas, a veces incluso dos o tres en una hora, y luego una pausa más larga. Por supuesto, el único que sabe si en un momento dado tiene que mamar o no es su hijo.

Su hijo no hará jamás un horario regular. Ningún ser humano lo hace. ¿Se va usted a dormir a la misma hora los martes y los viernes? ¿Se despierta a la misma hora los jueves y los domingos? ¿Come y cena a la misma hora cada día de la semana, en invierno y en verano? ¿Nunca come nada «entre horas»? (Si cada vez que come usted una galleta, o un trozo de chocolate, o un plátano, cuenta como una «toma», ¿cuántas tomas hace usted al día?) Ahora bien, cuando su hijo tenga un año o año y medio, probablemente hará las comidas principales junto con sus padres (aunque entre medias hará alguna otra). Y cuando vaya al colegio, como todos los niños, tomará la leche antes de salir, el bocadillo en el recreo y la comida al salir de clase. ¿O se cree que algún niño, como no le «enseñaron» a seguir un horario, se lleva paella en una fiambrera y se la come en clase de matemáticas?

En cuanto a la noche, casi todos los niños se levantan y piden el pecho varias veces cada noche durante el primer año y parte del segundo. Hacia los tres años, la mayoría de los niños duermen de un tirón la mayoría de las noches. Por supuesto, es muy variable; unos niños tienen el sueño más ligero que otros. Ahora está de moda obligarles a dormir de un tirón desde los seis meses, con el genial método de no hacerles caso cuando lloran. He oído que en los hospitales públicos van a probar algo parecido para disminuir gastos: suprimirán a la mitad de las enfermeras del turno de noche, y los pacientes ya dejarán de llamar cuando vean que no va nadie. Así aprenderán a dormir, y serán felices.

Espero que estas reflexiones le sean de utilidad, y le deseo toda la felicidad junto a su hijo.

Un cordial saludo,

CARLOS GONZÁLEZ

Antes de exponer mis dudas quiero daros la enhorabuena por serme tan útiles durante mi embarazo, en el parto, y ahora en los cuidados y educación de mi hijo Jaime.

Jaime nació mediante cesárea. El embarazo fue siempre estupendo, sin ningún tipo de problemas, nada me hacía pensar que acabarían haciéndome una cesárea. Me indujeron el parto en la semana cuarenta y dos y tras estar dieciséis horas con oxitocina y sus «correspondientes» dolores no conseguí dilatar ni 2 cm. Había sufrimiento fetal, así que, al quirófano.

Había acudido a la preparación al parto y allí la matrona nos habló de las maravillas de la lactancia materna: ¡nada de chupetes!, ¡nada de biberones!, yo ya tenía pensado amamantar a mi hijo, así que me lo tomé al pie de la letra y hoy con quince meses todavía doy el pecho a Jaime. Mi gran frustración ha sido no verle nacer, no poder estar con él las doce primeras horas de su vida, y hoy lo compenso con la felicidad que me produce amamantarlo, y ahora que ya comprende las cosas es más bonito todavía. Él es el que me pone la silla para que me siente a tomar su «te» (señalándola con su dedito). Todo esto es maravilloso, pero tengo un gran problema que hasta ahora no me preocupó mucho, pero se hace cada vez más difícil de solucionar y por eso os pido vuestro consejo. He amamantado a mi hijo a demanda desde que nació y nunca le he dado un chupete y me he dado cuenta demasiado tarde de que utiliza el pecho para dormirse. Cada vez que despertaba de noche (a partir de los cinco meses) pensé que tendría hambre porque nunca quiso las papillas de la cena, así que me levantaba unas cuatro o cinco veces a darle el pecho y lo que yo no sabía es que era, y soy todavía, su chupete. Hoy en día come muy mal, por eso no quiero dejar de dárselo, pero al mismo tiempo necesito no dárselo por las noches porque la mayoría

de las veces me quedo dormida con él en su camita y sé que lo estoy
acostumbrando muy mal, además, mi marido ya empieza a sentirse
molesto. Llevo tres días intentando quitárselo, pero me duele tanto
verle llorar, con tanta desesperación y diciendo «te», «te», que al final
cedo. He intentado dormirlo en brazos cantándole nanas, tranquili-
zarlo, y no hay manera, por eso necesito vuestro consejo que seguro me será de gran ayuda. ¿Debo dejarlo llorar y seguir insistiendo?
o ¿hay otra forma de hacerlo? ¡Espero vuestra respuesta! Gracias.

Un fuerte abrazo de una madre confusa,

Olaya

10 de diciembre de 199*

Apreciada amiga:

Plantea usted varios puntos peliagudos. En primer lugar, que
se ha dado cuenta de que «es el chupete de su hijo». Es justamente al revés. El chupete es una teta de goma, para aquellos
niños que no tienen la de verdad. Los niños necesitan el pecho
para dormir, para tranquilizarse y para muchas otras cosas. Si
no lo necesitasen, no se habría inventado el chupete.

A continuación, dice que se levanta cuatro o cinco veces cada
noche, y a veces se queda dormida en su camita. No me extraña, debe de ir ya zombi. ¿No sería más cómodo meter a su hijo
en la cama con usted? No tendría que levantarse, y Jaime podría servirse solo. Las madres que duermen con sus hijos ni siquiera se despiertan en la mayoría de las tomas.

Más aún me preocupa que piense que le está «acostumbrando muy mal». ¿Le da vino, tabaco, drogas? ¿Le enseña a pegar
a otros niños, a escupir a los ancianos, a patear a los inmigrantes? A eso le llamo yo malas costumbres. Acostumbrarse a dormir con la persona a la que quieres es muy buena costumbre, y
le prepara para lo que tendrá que hacer de mayor. Saber que
cuando necesitas a tu madre ella viene es muy buena costumbre; le enseña a confiar en sí mismo y en los demás, y por tanto
a ser más independiente y, de mayor, más amable y cariñoso con
sus propios hijos y con otras personas.

¿Por qué empieza a sentirse molesto su marido? Tal vez porque usted se levanta y se vuelve a acostar muchas veces, y hace

ruido. Si Jaime estuviera en su cama, problema resuelto. Tal vez porque tiene un poco de celos, porque «deja» a su marido para irse con su hijo. Como su marido ya es maduro y responsable, seguro que puede superarlo y comprender que usted le quiere igual, pero que el que la necesita es el niño. De todos modos, poniéndolo en su cama podrá estar con los dos a la vez.

Su hijo crecerá, y crecerá, ¡ay!, demasiado deprisa. Dentro de cuatro años no necesitará dormir en su cama. Dentro de ocho años no querrá dormir en su cama. Dentro de doce años ni siquiera querrá compartir habitación con un hermano. Dentro de veinte años (¡o puede que menos!) querrá dormir en la cama de otra. ¿Que ahora hay un libro que dice que los niños han de dormir solos cueste lo que cueste? ¿Que ha vendido muchos ejemplares? Los libros vienen y pasan, su hijo seguirá siendo hijo suyo cuando esta absurda moda haya pasado y otros libros de gran éxito recomienden todo lo contrario. No deje que le arruinen estos hermosos años, no sacrifique la felicidad de toda la familia.

Espero que estas reflexiones le sean de utilidad, y le deseo toda la felicidad junto a su familia.

Un abrazo,

CARLOS GONZÁLEZ

Tengo un hijo de siete meses que está perfecto de salud, además de ser un niño muy vivo y alegre. Pesa diez kilos y mide 73 cm, solo toma pecho a demanda, aunque en este mes ya he empezado a introducirle papillas de fruta y verdura con carne, porque lleva con el mismo peso dos meses, aunque esto no me preocupa.

Mi problema es su ritmo de tomas. Durante la mañana no suele tomar nada (hasta la una de la tarde más o menos), por la tarde suele pedir cada tres, cuatro o incluso más horas, y mama muy deprisa, pero después del baño, cuando va a dormirse (sobre las diez de la noche) se «engancha» literalmente a la teta y no suele soltarla hasta una o dos horas después, ya que se duerme y va muy despacio, parándose mucho. Si lo despierto para que vaya más deprisa, aparte de gruñir, deja de mamar, y si quiero que vuelva a dormirse tiene que volver a la teta. Esto tampoco me preocupa mucho; el verdadero problema es que durante toda la noche hace lo mismo; se despierta para pedirme cada dos horas, cada hora, como mucho pasa durmiendo intervalos de tres horas seguidas, no tiene ritmo establecido, a veces (las peores noches) se despierta cada hora y mama cinco o diez minutos, otras noches aguanta hasta tres horas durmiendo, pero a la siguiente hora se despierta hasta cuatro o cinco veces… En fin, que no tiene ritmo, salvo el de despertarse para mamar un mínimo de tres a cuatro veces por noche, claro, por la mañana, ¡cómo va a tener hambre!

Todo el mundo me dice que es culpa mía y que lo he acostumbrado yo, sin embargo esto lo hace desde que nació y yo no lo llamo para que se despierte, y aunque le dé papillas de cereales (lo hice una semana) por la noche, sigue haciendo exactamente lo mismo. ¿Cómo es posible? Creo que la intención de mi hijo es quedarse toda la noche «enganchado» a la teta y que solo permanece en su cuna el tiempo que «se despista». ¿Puedo o debo hacer algo?

Su pediatra dice que estoy acostumbrando al niño a despertarse por las noches y que si no pongo remedio seguirá así hasta que tenga tres o cuatro años y que esto no es bueno para su salud, dice que es un vicio que ha cogido, pero como el remedio consiste en dejarlo llorar toda la noche, no soy capaz de hacerlo… Tampoco puedo consolarlo con chupetes ni biberones, porque no soporta las tetinas de plástico (ha pasado directamente a comer con cuchara).

Por favor, me gustaría saber si lo estoy haciendo bien, o si debería hacer algo al respecto.

Muchísimas gracias por todo,

Leila

3 de julio de 200*

Apreciada amiga:

No está usted preocupada porque su hijo lleve dos meses sin ganar peso; y en efecto solo faltaría que se preocupase, porque lo preocupante hubiera sido lo contrario. Con diez kilos a los cinco meses, su hijo se salía del papel; pero por suerte ahora ya está casi normal, y si no gana nada de peso hasta el año ya estará normal del todo (no se lo tome al pie de la letra; si engorda un poquito más, tampoco es preocupante).

Después de ganar ese peso solo con pecho, espero que nadie sea tan burro para decirle que su leche no alimenta. Y, sin embargo, me juego algo a que alguien se lo dice de aquí a fin de año.

Vamos al sueño. Evidentemente, su hijo no se despierta por la noche por hambre (¿con diez kilos?, además, ya ha visto que no duerme más por cenar cereales). Se despierta porque la necesita a usted.

¿Ha pensado alguna vez cómo vivían nuestros antepasados hace 100.000 años? Sin casas, sin ropa, sin muebles…, un niño que pasase varias horas solo, en el suelo, moría sin remedio. Los niños, en aquella época, estaban siempre en brazos de alguien: de su madre, de su padre, de sus hermanos o de la abuela. No se puede dejar a un niño solo en el suelo en medio del campo e irse a cazar. Pero el que estuvieran siempre en brazos no significa que fueran pasivos; con pocos meses los niños empezaban a tomar el control de la situación: eran ellos los que se encargaban de comprobar, cada poco rato (una o dos horas), que su madre no se había ido. Se despertaban y, si su madre estaba a su lado, se volvían a dormir. Si su madre no estaba, se ponían a llorar desesperados hasta que su madre volvía. Los niños que no se comportaron así murieron, y la evolución seleccionó a los niños más despiertos y llorones. Naturalmente, el truco no consiste en llorar solo un poco a las dos horas; y, si a las cinco horas mamá no ha vuelto, enfadarse de verdad y llorar más. Porque si de verdad mamá se ha ido, cuanto más tiempo pase, más lejos estará, y más difícil es que te oiga llorar. La gracia del método estriba en llorar lo más fuerte posible y lo más pronto posible; en llorar como si le matasen (¿le suena la frase?). Era cuestión de vida o muerte.

Nuestra forma de vida ha cambiado mucho en los últimos 3.000 años. Pero nuestros hijos no han cambiado. Nacen con los mismos genes, con la misma conducta innata que sus antepasados. Usted sabe que cuando deja a su hijo en la cuna, tapado, en su habitación, con la puerta de la calle cerrada, estando usted en la habitación de al lado, no hay el menor riesgo. No se enfriará, ni se mojará (de lluvia, de lo otro sí que se mojará), ni se lo comerá un lobo. Pero él no lo sabe. No sabe si está usted en la habitación de al lado o a diez kilómetros de distancia. No sabe si volverá en media hora o si se ha ido para siempre. Por lo tanto, llorará como si le fuera la vida en ello.

Dentro de unos años, cuando su hijo sepa y comprenda que usted está cerca, que volverá y que no hay ningún peligro, será capaz de dormir solo. Su mismo pediatra lo reconoce: estará así tres o cuatro años. Si de verdad es un «mal hábito», si usted «le ha enseñado», ¿por qué ha de dejar de hacerlo a esa edad (o algo más tarde)? Cuantos más años lo haga, más «malcriado» tendría que estar, y nunca podría romperse el círculo vicioso. A los diez, a los veinte, a los cincuenta años seguiría igual o peor. Pero no será así, porque no es un mal hábito, sino una conducta normal; y no desaparece porque usted le enseñe o le eduque, sino porque su hijo crece y madura.

Lógicamente, cuantos más motivos tiene un niño para pensar que sí, que su madre le ha abandonado, más llorará. Los niños que duermen cada noche con sus padres suelen tolerar la separación antes que los que han pasado noche tras noche por la terrorífica sensación de despertar en medio de la noche y encontrarse solos. Habitualmente, los niños que duermen con sus padres no necesitan estar «enganchados» a la teta; suelen mamar de seis a diez veces cada noche, pero maman solo un rato y lo sueltan, como durante el día (pero hay excepciones, como en todo). Tal vez su hijo necesita quedarse enganchado porque sabe que es la única manera de que usted no escape. Si ese es el caso, probablemente tras unas semanas de dormir con usted empezaría a hacer mamadas más cortas.

Estoy seguro de que su marido reaccionaría de forma similar. Si por la noche se despierta y usted no está, seguro que la llama, incluso preocupado (bueno, ahora sabe que está usted con el niño y no se preocupa. Pero imagínese hace un año). Si de forma reiterada usted se marchase de la cama en cuanto él se quedase dormido, y a veces tardase días en volver (días para un señor de treinta años es como horas para un bebé), seguro que se volvería cada vez más celoso y receloso. Cuando usted volviera no la recibiría con sonrisas, sino enfadado y a gritos. Y dormiría agarrado a usted, con un brazo por encima. En cambio, como probablemente está acostumbrado a que usted no se va nunca, seguro que ya no duerme con un brazo por encima, sino que se da la vuelta y se pone a roncar.

Así que, como bien dice su pediatra, hay que ponerle remedio a esta situación: que su hijo la encuentre siempre a su lado por la noche, y así perderá el miedo e irá dejando de llorar.

Lo que no entiendo es lo de dejarle llorar toda la noche. Si su pediatra piensa que llorar un poco cada dos horas es malo para la salud, llorar toda la noche debe de ser peor, ¿no? No me extraña que usted no sea capaz de hacerlo; por algo es su madre. ¿Recuerda el juicio de Salomón?

Hay un libro muy interesante, *Nuestros hijos y nosotros*, que habla de por qué los niños necesitan dormir con los padres; está escrito por una antropóloga, Meredith Small.

Espero que estas reflexiones le sean útiles, y le deseo toda la felicidad junto a su hijo.

Un cordial saludo,

CARLOS GONZÁLEZ

Les escribo para hacer una consulta sobre lactancia materna al doctor Carlos González, colaborador de su revista. Les rogaría que me contestaran cuanto antes porque la situación que a continuación les relato me crea mucho estrés y temo que el niño acabe notándolo.

Estoy amamantando «a demanda» a mi hijo (el primero) que acaba de cumplir dos meses. El niño está muy bien, sano, dentro de su peso y talla, muy despierto y alegre. El problema es que no sigue ningún horario regular en las tomas y hay veces (sobre todo por las tardes) que no aguanta más de una hora. Su pediatra me ha dicho que le tengo que aguantar mínimo dos horas para ofrecerle el pecho pero no consigo que aguante tanto. Aparte que en cada toma solo coge un pecho (o bien se duerme, o si está despierto, aunque le pongo, es imposible que mame el segundo) y el otro me lo tengo que vaciar con el sacaleches. ¿Aguantaría más tiempo si tomara los dos pechos? y ¿cómo distinguir si llora porque tiene hambre o por otra causa? No sé si le pongo demasiado pronto al pecho o tendría que dejarle llorar más para ver si es otra cosa (gases, pañal sucio, sueño…). No sé si le estaré acostumbrando a que se calme con el pecho tenga o no hambre, y las consecuencias que esto podrá tener más adelante. Por eso les ruego me indiquen si lo estoy haciendo bien, porque aunque quiero seguir dándole el pecho, se me hace muy duro porque es igual por la noche y no se descansa nada, el cansancio y el sueño te hace ver todo más negro y te dan ganas de abandonar la lactancia.

Muchas gracias,

Pilar

14 de mayo de 200*

Apreciada amiga:

No logro entender qué interés puede tener su pediatra en que su hijo «aguante» dos horas entre toma y toma. Todo el asunto, sencillamente, no se «aguanta» de puro ridículo.

Supongamos que su hijo toma un pecho, lo suelta, y al cabo de quince segundos toma el otro. ¿Tiene su pediatra algo que objetar? Supongamos que toma un pecho, hace el eructo y algunos gorgoritos, y al cabo de cinco minutos toma el otro. ¿Algún problema? ¿Y si pasan quince minutos entre pecho y pecho? ¿Y si pasan sesenta minutos? Si sesenta minutos es «muy poco» tiempo, estará usted de acuerdo en que cinco minutos es menos, y quince segundos es todavía menos. Menos mal que su hijo solo toma un pecho, porque, según las normas que le han dado, tendrían que pasar al menos dos horas entre pecho y pecho.

Los niños necesitan a veces un pecho, y a veces dos. A veces necesitan mamar veinte minutos de un solo pecho, y a veces acaban en dos minutos y no quieren más. A veces vuelven a mamar al cabo de unos segundos de soltar el pecho, y a veces no lo piden en varias horas. Nadie puede decidir por ellos; su hijo es el único en el mundo que sabe cuándo y cuánto necesita mamar.

Para saber si lloran por hambre o por otra causa, lo más cómodo suele ser ofrecerles el pecho. Si maman y se callan, es que

58

querían pecho; si siguen llorando, es que querían otra cosa. Por supuesto que jamás tendría que dejar llorar a su hijo; no siempre podrá calmar su llanto, porque a veces no sabemos por qué lloran o nos es imposible consolarlos; pero como mínimo se ha de intentar. Si quien llora no es su hijo, sino su marido, su cuñada o su amiga, ¿cuánto rato esperaría usted sin hacer nada antes de intentar consolarles?

Los niños se calman con el pecho cuando tienen hambre, y muchas veces también cuando no la tienen. El pecho no es un simple método de alimentación, sino que aporta mucho más: consuelo, cariño, calor, compañía... Si el pecho solo fuera comida, los niños que toman el biberón no necesitarían nada más; pero en la práctica casi todos los niños necesitan también un chupete. Y les basta con esas dos cosas porque se las da su madre, porque toman el biberón y el chupete en sus brazos; a un huerfanito a quien nadie hiciera de madre, todos los biberones y chupetes no bastarían para evitarle graves daños psicológicos o probablemente la muerte.

Usted no está acostumbrando a su hijo a calmarse con el pecho. Su hijo se calma con el pecho, que es distinto. No sé si se entiende el matiz. Un ejemplo: cada vez que su hijo llore, dele cincuenta euros y váyase. ¿Cree que se calmará la primera vez? ¿Cree que se calmará cuando lleve un millón gastado y «se acostumbre»? Evidentemente no (tal vez se calmaría si le da el dinero y se queda. Pero es por usted, no por el dinero, si lo coge en brazos también lo puede entretener con una revista vieja). En cambio, con el pecho, no ha hecho falta insistir hasta que «se acostumbró»; la primera vez que se lo dio, ya se calmó. El pecho, o el contacto con mamá, son intrínsecamente calmantes.

¿Qué consecuencias tendrá más adelante el que usted le atienda rápidamente cada vez que llore? Cada vez llorará menos, porque verá que no necesita llorar mucho para que le atiendan. Aprenderá que puede confiar en usted, y a través de usted en los demás. Aprenderá que es importante, que es digno de atención y que puede esperar un buen trato de los demás. Eso le dará confianza en sí mismo y seguridad, capacidad para establecer relaciones interpersonales sólidas de amistad recíproca con otros seres humanos. En definitiva, la felicidad.

Desde luego, es agotador tener hijos y criarlos. Pero es más agotador todavía si tienes que seguir ridículos horarios, o dejarlo llorar a media noche para cumplir extraños preceptos seudorreligiosos. Si duerme junto a su hijo y se lo pone al pecho en cuanto dice «ajo», ambos recuperarán el sueño enseguida y podrán descansar bastante bien.

Es posible que, para cuando reciba esta respuesta, hayan conseguido obligarla a darle a su hijo algún biberón. Puede dejar de dárselos. Siempre se puede. Solo tiene que tirarlos a la basura y darle solo el pecho. La leche vuelve a salir.

Espero que estas reflexiones le sean útiles, y le deseo toda la felicidad con su hijo. Ya nos contará más adelante cómo le va.

Saludos cordiales,

CARLOS GONZÁLEZ

En primer lugar, me gustaría agradecerle su respuesta a mis dudas sobre lactancia que le formulé cuando mi bebé tenía dos meses. Creo que también le gustará saber que con su apoyo, el de mi marido, mi familia y no sé si algo de ayuda «sobrenatural» sobre todo en los baches «depresivos» mi bebé (con casi cinco meses) sigue alimentándose exclusivamente de leche materna y me siento muy orgullosa por ello, porque él está fenomenal.

El motivo de volverle a escribir es consultarle algunas dudas, ya no sobre la alimentación sino sobre el sueño, si a usted no le importara contestarme dada su experiencia como pediatra (el mío deja mucho que desear). Mi bebé no sabe dormirse solo en su cunita (sobre todo por la noche ya que en las siestecitas que se echa por el día se duerme él solito, aunque a veces se despierta en mitad de alguna y no sabe continuar durmiendo) y aunque sé que eso les pasa a la mayoría, las dudas me surgen a la hora de cómo actuar. A estas alturas creo que habrá adivinado que soy una persona muy insegura y que necesito estar muy convencida de algo para hacerlo y que incluso estándolo siempre me pregunto si lo estaré haciendo bien. Si esto ya me pasaba en todas las facetas de mi vida imagínese ahora con un bebé, un bebé deseadísimo y más si cabe, por lo que nos costó tenerlo con nosotros (fue concebido mediante inseminación artificial), con su alegría, su sonrisa siempre en sus labios, su energía y encima nunca llora, solo cuando no se puede dormir. Y ahí llega el problema. Como no se puede / sabe dormir solo y debido al cansancio de su mamá (mama dos o tres veces por la noche) esta ha optado por dormir con él. Como ya me he enrollado bastante y no quisiera robarle más tempo voy a concretar las preguntas. ¿Es malo o contraproducente dormir con el bebé? ¿Sabrá luego dormir solo y sin la tetita de su mamá? ¿Hasta qué edad suelen estar en la cama de sus padres? ¿Tendrá de adulto trastornos del sueño por haber dormido con nosotros? Y si alguna noche me apetece salir, ¿se dormirá con su abuela o su tía? También me asusta esa dependencia un poco.

Todo esto me preocupa porque soy una persona que no duerme bien y sé lo mal que se pasa cuando no te puedes dormir, por eso me gustaría hacer lo que sea mejor para mi niño. He leído sobre este tema tanto al doctor Sears como al doctor Estivill, y como las opiniones son totalmente opuestas, pues no sé qué hacer. El corazón me dice que no le deje llorar y no me importa dormir con él, solo quisiera saber si luego lo va a pasar muy mal cuando tenga que dormir solo o si hubiera una solución intermedia.

Dándoles las gracias por anticipado, se despiden,
Pilar, Ernesto y Rodrigo

20 de julio de 200*

Apreciada amiga:

Me alegra volver a tener noticias suyas, y saber que disfruta de la lactancia.

Dice usted ser muy insegura, pero a lo tonto a lo tonto ha tenido un hijo y lo está criando la mar de bien, ha dado el pecho más del doble de la media nacional, ha tomado decisiones contra corriente…

En efecto, los libros de Estivill y de Sears son totalmente opuestos, y usted, que los ha leído, podrá juzgar. ¿Cuál le parece que se preocupa más por el bienestar de los niños y de sus padres? ¿Cuál le parece más razonable, más factible, más en consonancia con su propia experiencia? También puede leer el de Small para desempatar…

Pasando a sus preguntas concretas: no, no es malo ni contraproducente dormir con el bebé. Millones de adultos totalmente normales hemos dormido con nuestros padres; millones de padres totalmente normales hemos dormido con nuestros hijos.

Por supuesto que su hijo dormirá solo y sin la tetita de su mamá. ¿O cómo piensa que dormirá a los quince años? ¿Y a los siete?

Los niños suelen estar en la cama de sus padres varios años, pero esto es variable y depende del propio niño, de si sus padres quieren sacarlo de la cama o les da igual, de si hay otros hermanos o familiares con los que quedarse… Incluso si ustedes no hacen absolutamente nada para sacarlo de su cama, tarde o temprano su hijo querrá dormir solo. Casi ningún adolescente quiere dormir con sus padres. En Japón, tradicionalmente los niños duermen con sus padres hasta los cinco años, edad en que pasan, si lo hay, a dormir con un abuelo u otro familiar (se considera de mala educación dejar que un adulto duerma solo, habiendo niños que podrían acompañarle).

No, su hijo no tendrá ningún trastorno del sueño cuando sea adulto debido a haber dormido con ustedes. La forma normal de dormir los niños es con sus padres. Así duermen hoy en día la mayoría de los niños del mundo, y entre un tercio y la mitad de los niños europeos. Así dormían la mayoría de nuestros abuelos, y todas las generaciones que les precedieron. Poner a los niños a dormir solos sí que es un invento reciente, yo diría que un experimento; nadie ha demostrado que dormir solo no provoque trastornos del sueño.

Puede enfocar este tema desde varios puntos de vista. Dice que a usted le cuesta dormir; ¿durmió usted con sus padres de pequeña? Quiere usted que a su hijo no le cueste dormir cuando sea mayor… ¿cómo le cuesta más dormir ahora, solo o acompañado? Su hijo se tiene que ir acostumbrando para cuando sea mayor… ¿duerme usted sola; duerme solo su marido? ¿A qué se tiene que acostumbrar su hijo, exactamente?…

Lo que hará su hijo si usted sale alguna noche es imprevisible. Hay niños que lloran desesperados, otros se conforman bastante bien. Por supuesto, llega una edad en la que no les preocupa lo más mínimo que su madre pase una noche fuera, o pasarla ellos. Esa edad es variable para cada niño. Lo que es seguro es que el dormir con los niños y prestarles todo el cariño y la atención no retrasa esa edad, sino que la adelanta. Es decir, los niños que tienen plena confianza en su madre y en el vínculo que les une toleran mejor las separaciones.

Espero que estas reflexiones le sean útiles, y que pueda encontrar la solución más satisfactoria para usted, su hijo y su marido.

Saludos cordiales,

CARLOS GONZÁLEZ

Soy mamá de un niño de dos años al que amamanto a demanda. En diciembre me quedé embarazada y continué dándole el pecho porque en la asociación de lactancia de mi ciudad (de la que soy socia) me informaron que no había ningún problema por darle durante el embarazo y después a los dos niños a la vez. Mis dudas han surgido a raíz de que he abortado este segundo embarazo (era «huevo huero»). Cuando me hicieron el legrado en el hospital pregunté al ginecólogo si el antibiótico que me ponían pasaba a la leche, y este me «echó la bronca» por dar el pecho estando embarazada (que si sabía la cantidad de hormonas (estrógenos) que le estaba pasando al niño, que si de mayor le iban a crecer las mamas…); pero todavía fue peor cuando se enteró que tenía dos años, que me aconsejaba que lo dejara ya, que «¡qué barbaridad hacíamos con nuestro hijo!»… Nosotros estamos muy seguros de que queremos que nuestro hijo mame hasta que él quiera y yo se lo doy con gusto y alegría pero nos ha dejado muy disgustados porque no hemos sabido responderle con argumentos médicos, el ginecólogo nos llevó a su terreno porque sabía que allí nosotros no teníamos nada que hacer. Nos gustaría que nos indicase alguna bibliografía de estudios sobre embarazo y lactancia.

Otro tema que me preocupa es si la lactancia (sobre todo porque Rodrigo con dos años mama muchas veces) puede influir en el «huevo huero», también por lo que leí en el libro de *Nuestros hijos y nosotros*, que usted muy acertadamente me recomendó en otra ocasión: «Además, la lactancia parece interrumpir la retroalimentación hormonal directa entre los ovarios y el hipotálamo; reduce la producción de estrógeno que se produce normalmente dentro de los folículos de los ovarios. Como resultado de los bajos niveles de estrógeno, los óvulos están subdesarrollados y existe una consecuente ausencia de estrógeno circulante que habitualmente activa la liberación de LH y las etapas finales de la ovulación» (p. 231).

Por último, quería que me aconsejara sobre el destete solo por la noche. Cuando me quedé embarazada desteté a Rodrigo por la noche. El embarazo fue la excusa y el que me dolieran los pechos me dio la fuerza necesaria para hacer algo que venía pensando desde hacía tiempo pero que no me decidía. El problema es que justo después de venir del hospital, cuando el legrado, Rodrigo se ha puesto enfermo con bastante fiebre y como solo quería tomar teta pues no he sido capaz de negársela por la noche y he vuelto a darle. Ahora ya está bien y no sé qué hacer, si volvérsela a quitar o seguir dándosela otra temporada. La matrona me dice que si ya se la había quitado no se la tenía que haber vuelto a dar aunque estuviera enfermo. Estoy hecha un lío porque no sé hasta qué punto le estoy confundiendo con mi actitud.

Muchas gracias por su tiempo, les envío mi nueva dirección,

Pilar

8 de mayo de 200*

Apreciada amiga:

¡Hombre, de nuevo usted por aquí! Si ya son casi como de la familia.

Es una lástima que su ginecólogo se haya puesto así. Sus prejuicios le han traicionado, porque le han hecho decir auténticas tonterías. En efecto, todo el mundo sabe (y no hace falta ser ginecólogo para ello) que a las niñas les crecen las mamas de mayores, y a los niños no, y que eso no tiene nada que ver con si han tomado el pecho o no. Es cierto que grandes cantidades de estrógenos pueden hacer crecer las mamas a un varón, pero el efecto es reversible cuando se dejan de tomar estrógenos; es lo que ocurre con muchos recién nacidos que nacen con las mamas hinchadas por los estrógenos de la placenta, pero se normalizan en pocos días aunque tomen el pecho. Es decir, si las mamas crecieran al tomar el pecho, no sería «de mayor», sino justo al revés: le crecerían ahora, y le disminuirían de mayor.

Desde luego, la lactancia no ha influido para nada en su aborto. La principal causa del huevo huero parece ser alguna anomalía cromosómica. Es decir, del mismo modo que los niños a los que les sobra un cromosoma 21 tienen el síndrome de Down, a los que les sobran otros cromosomas (o varios de ellos a la vez) mueren durante los primeros días del embarazo, porque es absolutamente imposible vivir con esas alteraciones. La placenta puede sobrevivir durante semanas al embrión muerto, eso es lo que le pasó a usted. Ocurre en uno de cada cuatrocientos o quinientos embarazos.

En efecto, la lactancia influye sobre el hipotálamo, el ovario y todo eso. Pero influye de distinto modo según la intensidad de la succión (es decir, según la edad del niño). Al principio, como el niño mama como una fiera, inhibe totalmente la ovulación y la menstruación durante meses. Más adelante, a medida que el niño come otras cosas y por tanto mama menos (sí, ya sé, algunos maman muchas veces, pero en total toman menos leche), primero aparece la menstruación, pero muchas veces sin ovulación (ciclos anovulatorios), y luego pueden venir varios ciclos en que la fase luteínica (desde la ovulación a la siguiente regla) es demasiado corta, con lo cual, aunque se unan el óvulo y el espermatozoide, no es posible el embarazo, porque al llegar el huevo al útero lo encuentra ya menstruando y no se puede implantar. Usted ya ha pasado todas estas fases, y su hipotálamo y ovario ya se han normalizado tanto que se quedó embarazada. En esta fase ya no es creíble que la lactancia pueda afectar al embarazo.

Algunos médicos plantean, desde un punto de vista puramente teórico, que la estimulación del pezón, al producir oxitocina, podría provocar contracciones y por tanto abortos o partos prematuros. Pero tal cosa 1) nunca se ha visto, solo es una hipótesis; 2) sería lo mismo que con el orgasmo, en que también se produce oxitocina… y aunque antes se prohibía el sexo durante el embarazo, ya no (claro, el sexo es una cosa seria, no se puede prohibir como la tontería esa de la lactancia); 3) el útero no es sensible a la oxitocina hasta el final del embarazo, y 4) para creerse que la lactancia produce contracciones, debería ser en ese mismo momento. La oxitocina solo dura unos minutos en la sangre; rápidamente es destruida y desaparece. Por eso, cuando ponen oxitocina en el parto, lo hacen con un gotero; es imposible darla en inyecciones cada hora ni cada media hora, no haría nada. Si una mujer tiene amenaza de aborto, y nota contracciones fuertes en el mismísimo momento en que está dando el pecho, mejor que no dé el pecho (pero, insisto, no se conoce ningún caso en que esto haya ocurrido). Pero si las contracciones son quince minutos después de la mamada, es imposible que estén relacionadas.

No existen muchos estudios sobre embarazo y lactancia; en todo caso, quien dice que eso es peligroso es quien tiene que demostrarlo. Como si yo ahora le dijera «¡pero loca, qué hace, darle pan al niño, eso produce cáncer!», y usted tuviera que ir a buscar un estudio científico que demuestre que el pan no produce cáncer. Por supuesto, ese estudio no existe, nadie ha estudiado una tontería así.

No veo por qué con su actitud iba a estar confundiendo a su hijo. Durante el embarazo no le daba el pecho de noche porque le dolía, ahora ya no está embarazada y le vuelve a dar. En mayo hay que levantarse a las ocho para ir al colegio, en agosto se queda en la cama y no va; ¿le crea eso alguna confusión? Hizo usted muy bien en darle el pecho si tenía fiebre y no quería nada más, probablemente así evitó que se deshidratara. Ahora tiene que decidir qué quiere hacer, depende de usted. Si por cualquier motivo no le quiere dar el pecho por la noche, pues no le dé, ya sabe cómo se hace. Pero si ahora le está dando el pecho a gusto, no piense que es un «retroceso» ni nada por el estilo. Más a gusto está él. Si dentro de dos meses se vuelve a quedar embarazada, podrá volver a quitarle el pecho por la noche, lo mismo que la vez anterior (incluso con más facilidad, pues el niño será mayor y lo comprenderá mejor).

Espero que estas reflexiones le sean útiles, y que disfrute mucho con su creciente familia.

Un abrazo,

Carlos González

Tengo una niña de casi seis meses, a la que doy el pecho (a demanda). Hasta ahora todo ha ido bien, durante la noche se despertaba varias veces, tomaba y volvía a dormir (cada tres o cuatro horas). Pero últimamente lo hace cada hora u hora y media, llora sin llegar a despertarse, tengo que cogerla, le ofrezco el pecho y continúa otra vez durmiendo, y así hasta la siguiente hora. Si no lo hago, se despierta del todo y entonces le cuesta mucho coger el sueño.

Hasta ahora lo único que ha tomado es leche materna, pues su pediatra es partidario de que, mientras pueda, la tome, y hasta los seis meses no introducir la papilla de frutas, y después la de cereales (aún no hemos comenzado).

La he llevado y me ha dicho que él no le ve nada, que probablemente sea un poco tragona y los intervalos de tiempo entre toma y toma se hayan acortado, que como le falta una semana para cumplir los seis meses, puedo darle, después de haberle ofrecido el pecho, un biberón (Blemil Plus 2), pero yo antes de hacerlo me gustaría tener otra opinión, pues quiero que continúe tomando el pecho el máximo tiempo posible, pienso que es el mejor alimento que puedo ofrecerle. Su peso es de 7.640 g y dentro de poco cumple seis meses. Durante el día mama cuando quiere, la verdad es que no sé con qué pauta lo hace. Pero por la noche, hasta ahora, tardaba mucho más en demandarlo y no lloraba. Tengo su libro *Mi niño no me come*, es ideal, gracias a él he conseguido una lactancia mucho más tranquila y feliz, ya que donde vivo la información sobre la misma es mínima y pocos bebés se alimentan exclusivamente con leche materna. Gracias.

Tengo varias preguntas: ¿qué hago?, ¿es normal que el intervalo de tiempo sea tan corto?, a mí no me importaría seguir, pero pienso que puede necesitar algo más, y la verdad, termino agotada, apenas duermo, ¿le ofrezco un biberón?, ¿la leche que me han indicado es adecuada?

Si le introduzco el biberón por la noche, ¿podré seguir ofreciéndole el pecho todo el día sin problema (por lo menos hasta el año)?

Me gustaría que me indicase cómo hacer la introducción de las papillas de cereales y frutas en su alimentación: la fruta, ¿a partir de qué edad y qué tipo de fruta?, quisiera hacérsela natural. ¿Son mejores los cereales?

Muchas gracias,

Cristina

7 de septiembre de 200*

Apreciada amiga:

Como muchas madres, se encuentra usted con la sorpresa de que su hija se despierta más que antes. Digo sorpresa porque amigas, vecinas, libros y pediatras suelen decir a las madres que el niño, a medida que crezca, dormirá cada vez más. No es cierto.

Los recién nacidos duermen casi todo el día. Los adultos dormimos ocho horas. Por tanto, en el intervalo hay que ir durmiendo menos, no tiene vuelta de hoja.

«Sí, bueno —dicen algunos—, duermen menos horas en total; pero por la noche duermen más horas seguidas.» Tal vez en algunos casos. Pero, en muchos otros, esto tampoco es cierto. A medida que crecen, los niños se hacen cada vez más independientes. Los recién nacidos dependen tanto de su madre que es ella la que debe preocuparse de ir cada pocas horas a ver si están bien. ¿No ha ido usted nunca a la cuna, a ver «si todavía respira»? Mucha televisión y mucho ordenador, pero el instinto surge con fuerza.

Cuando es mayor, es el propio niño el que se hace responsable de mantener el contacto, al tiempo que la madre empieza «a pasar de él». Es como una transmisión de poderes. Usted ya no va a ver si respira o no. Pero ella se despierta cada hora y media o dos horas, para comprobar que no la han abandonado. Porque, durante millones de años de evolución, un niño abandonado por su madre moría. Imagínese que hace 50.000 años había, en una sabana de África, dos madres y dos niños. Dormían juntos, en el suelo o en la rama de un árbol. Un día, las dos madres, sabe Dios por qué, se levantaron a las dos de la noche, dejaron al bebé en el suelo y se pusieron a caminar. Uno de los bebés se despertaba cada hora y media; al ver que su madre no estaba se puso a llorar a todo pulmón, y no calló hasta que su madre volvió. El otro dormía como un tronco; cuando despertó, su madre ya estaba a seis horas de marcha. ¿Cuál de los dos cree usted que sobrevivió? En la dura lucha por la vida, somos descendientes de los vencedores. Su hija está perfectamente adaptada para sobrevivir, y si se despierta por la noche y usted no está, se pone a llorar «como si la matasen», porque, efectivamente, para ella es cuestión de vida o muerte. Por supuesto, dentro de un par de años, empezará a entender que no hay ningún peligro, que está en una blanda cama, bajo un techo, dentro de una casa, y que mamá está en la habitación de al lado. Entenderá que no se puede enfriar, ni mojar, ni se la comerá un lobo. Y, a medida que lo entienda, irá durmiendo cada vez más tranquila. Pero ahora no puede saber todo eso; si usted no está a su lado, ella no tiene forma de saber si está a un metro de distancia o a diez kilómetros. Lo único que puede hacer es llorar lo más fuerte posible, esperando que todavía esté cerca y pueda oírla.

Así pues, el despertarse por la noche es, básicamente, una conducta normal en los niños. Ahora bien, siendo normal, algunas cosas que usted haga modificarán esa conducta, para hacerla más o menos intensa. Si su hija duerme en la cama junto a usted (como hacen muchos niños y muchas madres), y cada vez que se despierta la encuentra a su lado, muchas de las veces le bastará con notar su calor, su olor y su presencia para volverse a dormir, sin llorar. Y otras veces mamará en régimen de autoservicio, sin despertarla a usted y casi sin despertarse ella. Las madres que duermen con su hijo no recuerdan por la mañana cuántas veces ha mamado. Y aunque no descansan tan bien como cuando no tenían al niño, tampoco descansan tan poco como la que se tiene que levantar seis veces para ir a otra habitación.

En cambio, si al despertarse en medio de la noche su hija no la ve nunca, y cada vez tiene que llorar para llamarla, llora más, se despierta del todo, se desvela, le cuesta más dormirse otra vez y se despierta más veces por la noche. Desconfía, y está en estado de «alerta máxima», porque no está segura de si su madre se ha ido o no. Si alguna vez ha sucumbido a la tentación (o al consejo, pues todo el mundo se empeña en aconsejártelo) de dejarla llorar unos minutos, a ver si se le pasa, su hija se habrá desvelado más y se habrá vuelto más desconfiada, y el problema no hace más que empeorar. Dejarlos llorar solo funciona cuando se hace de forma deliberada y sistemática, como en el famoso «método Estivill». En esos casos, cuando al cabo de los días el niño se convence de que, por mucho que llore, su madre no le va a coger en brazos, ni le va a dar el pecho, ni en definitiva le va a hacer caso, acaba dejando de llorar. Si conviene o no enseñar a nuestros hijos que no acudiremos cuando nos necesitan, es algo que cada cual ha de decidir por su cuenta.

Hay un libro muy interesante sobre estos temas que creo que le gustará: *Nuestros hijos y nosotros*, de Meredith Small.

Si le ofrece el biberón por la noche, por supuesto, podrá seguir dándole el pecho durante el día. Pero es muy dudoso que su hija, en primer lugar, se tome el biberón (puesto que no lo necesita ni tiene hambre ni le gustará el sabor); y, en segundo lugar, aunque se lo tome, es muy dudoso que se despierte menos veces. Varios estudios científicos han demostrado lo que la pura razón ya intuía: los niños duermen lo mismo independientemente de la cantidad que cenen. Ni con biberones ni con papillas se puede evitar que un niño busque a su madre. Dentro de un año, su hija cenará tortilla de patatas, y se seguirá despertando. Dentro de seis años, no se despertará, aunque no haya cenado.

En cuanto a su última pregunta, habiendo leído mi libro debería ya saber que no puedo contestarla, y que si contestase algo la estaría engañando. No sé si es mejor que le dé frutas o cereales; no sé a partir de qué edad, no sé qué frutas… y no creo que nadie lo sepa. Salvo, por supuesto, algunas vagas generalidades que ya vienen en el libro: ofrecérselo a partir de los seis meses, después de la teta, sin forzar, sin preocuparse si no lo quiere, en pequeñas cantidades, y los alimentos de uno en uno.

Espero que estas reflexiones le sean útiles, y le deseo toda la felicidad con su hija.

Saludos cordiales,

CARLOS GONZÁLEZ

Hola, soy Cristina, aquella que le planteó sucesivas dudas sobre la lactancia materna y que usted muy gentilmente solucionó. Pues bien, de nuevo le escribo ante un nuevo problema que me ha surgido, y es el siguiente: continúo alimentando a mi pequeña (Aída) con el pecho, pero ya lo acompaño de una comida y una merienda, que le preparo yo misma. Hace un par de días mi niña comenzó a tener diarrea, siendo esta de un color verde que se asemejaba a las secreciones mucosas de la nariz, y al estar resfriada, lo achaqué a esto y a los nuevos dientes que le están saliendo.

Hoy he estado en mi médico, al reconocerla me ha dicho que lo que tenía la niña era una gastroenteritis. La ha puesto a dieta y me ha dicho que no le diera ni siquiera el pecho. He aquí mi duda, yo creía que mi leche aportaba los anticuerpos necesarios para que no le ocurrieran estas cosas, además mi niña es de buen comer y sé que no va a aguantar, ¿qué hago?, ¿le doy leche artificial sin lactosa?, ¿le doy el pecho un poco más racionado?, ¿puede esto haber sido consecuencia de la comida que yo le preparo? Ya hace tiempo que la toma y antes no había pasado nada.

De nuevo me dirijo a usted con nuevas dudas, pero la confianza que me han inspirado sus anteriores respuestas me han hecho acudir de nuevo a usted, quiero agradecerle la atención que a mí y a muchas madres presta desinteresadamente, de nuevo, gracias.

Un cordial saludo,

Cristina

8 de febrero de 200*

Apreciada amiga:

«Gastroenteritis» viene a ser diarrea en griego, con lo que el diagnóstico que le ha dado su pediatra no le añade nada a lo que usted ya sabía. Y el tratamiento que le ha mandado es peor que el que usted seguía; porque usted le estaba dando de comer, mientras que él le ha dicho que no le dé nada. Desde hace años se sabe que no comer empeora la diarrea, y que el tratamiento correcto es comer normal. En definitiva: pecho, todo el que quiera, y cuanto más, mejor. Las otras comidas, igual que antes, sin forzar. Si hace mucha caca y muy abundante, puede probar a darle agua después del pecho; pero si hace poca caca, lo más probable es que no se beba el agua.

Que vaya bien.

Cordialmente,

Carlos González

Estoy dando el pecho a mi hija de un mes «a demanda», pero mientras que por la noche nunca está más de tres horas sin pedirlo, durante el día lo hace menos frecuentemente, incluso puede estar seis horas sin mamar. En alguna ocasión la he despertado, pero en cuanto empieza a mamar se queda dormida profundamente. ¿Debo insistir y despertarla cada tres horas?

Otra pregunta, ¿qué opinión le merece el chupete? Mi pediatra me lo desaconsejó argumentando que podía confundirle al ser un mecanismo de succión diferente, pero hay ocasiones en que pienso que tal vez le sería útil.

Gracias,

Asunción

15 de diciembre de 200*

Apreciada amiga:

Es muy difícil despertar a un niño para que mame, como usted misma ha podido comprobar. Si el niño pierde peso, o no gana lo suficiente, hay que hacer el esfuerzo y despertarlo: decirle cositas, hacerle cosquillas, masaje en las plantas de los pies. Pero si el niño gana peso normalmente (como supongo que es el caso, pues si no engordase nos lo habría dicho), lo mejor es dejarlos dormir tranquilamente. Puede aprovechar para echarse la siesta a su lado, y así compensar por las veces que se ha de despertar por la noche.

Naturalmente, la situación puede cambiar en cualquier momento. Si dentro de un par de semanas se encuentra con que su hija pide pecho cada dos horas o menos, sobre todo no se asuste ni le dé ningún biberón. Los niños pasan temporadas en las que necesitan mamar mucho, y otras en las que necesitan menos, y si se les da cuando piden, siempre sale la leche que necesitan.

En cuanto al chupete, tiene razón su pediatra en que no es muy aconsejable, sobre todo al principio, porque muchos niños se hacen un lío y luego no maman bien. Ahora que ya tiene un mes y se supone que lo de mamar está dominado, el chupete no suele tener tanto peligro, y hay niños que toman el pecho y el chupete, y las dos cosas perfectamente. Pero también hay unos pocos que, tengan la edad que tengan, cuando les dan el chupete empiezan a mamar mal, lo que produce a la madre grietas, ingurgitación y molestias varias. En general, no vale la pena arriesgarse. Piense que, le digan lo que le digan, los niños no necesitan chupete. Los niños necesitan madre, y necesitan teta. Tal vez si usted trabajase y pasase muchas horas fuera, su hijo se podría consolar con un chupete; pero mientras esté usted cerca, seguro que su hijo prefiere el producto original.

Espero que estas reflexiones le sean útiles, y le deseo toda la felicidad junto a su hija.

Feliz Navidad,

Carlos González

En primer lugar quiero darles las gracias por su revista, me ha ayudado mucho en varias dudas que he tenido desde mi primer embarazo y espero que me puedan ayudar una vez más, mi duda es la siguiente: tengo un hijo que va a cumplir cinco meses, al que doy el pecho a demanda, y todavía se despierta de madrugada para comer, no sé si esto es normal, pero lo que me preocupa es que en su último número leí que no conviene que el niño se duerma al pecho en la toma de la noche. Mi hijo come adormilado, y luego sigue durmiendo, y si alguna vez se ha despertado no se ha vuelto a dormir hasta dos horas después. ¿Qué debo hacer?

Espero su respuesta.

Un saludo,

Paqui

15 de diciembre de 200*

Apreciada amiga:

Veo que la dejó un poco preocupada el artículo sobre el sueño. A mí también. ¿Cómo se puede impedir que un niño se duerma cuando se duerme, o que se despierte cuando se despierta? ¿Debemos pellizcarles cuando vemos que están a punto de dormirse al pecho, o anestesiarlos por la noche para que no se puedan despertar?

Existen dos posturas enfrentadas en cuanto al sueño de los niños. Unos creemos que los niños duermen cuando tienen que dormir y se despiertan cuando se tienen que despertar, y que cada madre, cada familia, tiene la libertad y el derecho a decidir cómo, dónde y cuándo poner a dormir a su hijo. Hay madres que prefieren levantarse cuando el niño las llama, y otras que prefieren dormir con él en la cama y darle el pecho medio dormidas. Hay madres que prefieren poner a su hijo a dormir temprano, aunque luego se despierte temprano, y otras que prefieren jugar con él hasta tarde y que luego duerma más por la mañana. Hay madres que duermen a su hijo al pecho, otras le cantan, en otras familias es el padre el que lo pasea en brazos hasta que se queda frito…

Otros se creen poseedores de una verdad revelada, que generosamente transmiten a los simples mortales, diciéndoles en qué sitio tienen que dormir a su hijo, a qué hora se ha de acostar y a qué hora se ha de levantar, con quién ha de dormir (es decir, con nadie), cómo se ha de quedar dormido (solo y en tinieblas), cuántos minutos hay que dejarlo llorar (es decir, sufrir) cada vez que se despierte por la noche…

Usted decide. Su hijo le dice unas cosas, y un señor que escribe en una revista le dice otras. ¿A quién va a hacer caso?

Por si le interesa saberlo, todos los niños dejan de despertarse para mamar tarde o temprano. La mayoría entre el año y medio y los tres años, aunque alguno puede tardar un poco más, mientras que otros empiezan a dormir incluso antes.

Espero que estas reflexiones le sean útiles, y le deseo toda la felicidad con su hijo.

Un cordial saludo,

CARLOS GONZÁLEZ

Soy una mamá de dos niños, el primero actualmente tiene tres años y por él conocí a las magníficas mamás de la Liga de la Leche que nos ayudaron sobremanera en la alimentación de nuestro bebé, que tomó pecho hasta los diez meses y lo dejamos lentamente sin ningún problema, puesto que él prefería morder y comer trocitos, tal y como se le fueron introduciendo; y también le conocimos a usted en una charla sobre el sueño de los niños, problema que creíamos tener y que como usted nos aventuró finalizó a los dos años y medio más o menos, aunque todavía, de vez en cuando, se pone a llorar desesperadamente algunas noches sin que sepamos el porqué, suponemos que son pesadillas, pero si es eso, todavía no lo sabe verbalizar, se pone nervioso y es un llanto *in crescendo* hasta la desesperación suya y nuestra a las tres de la madrugada, y únicamente se calma si le reñimos... situación que intentamos evitar pero no resolvemos de ninguna otra manera. Agradeceríamos cualquier sugerencia al respecto.

Sin embargo, el motivo de este correo es nuestro segundo bebé, de ocho meses, al cual le estoy dando el pecho a demanda además de las papillas de verdura y pollo, la fruta y algunos cereales. El niño está relativamente bien, últimamente con bronquitis, y aunque me haya resistido, al final le he dado antibióticos, ventolines y corticoides... (por cierto, si usted conoce algún otro tratamiento menos agresivo le estaría muy agradecida en que me lo comunicase), el problema lo tengo en la guardería, puesto que el niño llora mucho más que los demás, y según los educadores, el problema es que no tenemos horarios (lactancia a demanda) y que lo tengo mal educado, pues está acostumbrado a dormirse con el pecho, a calmarse con el pecho, etc., con lo cual me dicen que es incompatible llevarlo a la guardería y seguir el sistema de lactancia libre, así que, según ellos, o lo dejo en casa o le doy el pecho bajo horarios, pues al niño lo estoy estresando. Como comprenderá yo estoy convencida de la lactancia a demanda, pero no sé cómo convencer a los educadores, puesto que también entiendo que el apego que tenemos es mayor que el resto de los bebés que no hacen la lactancia a demanda. Bien, me gustaría algún consejo, quizá tienen razón y debo sacarlo de la guardería, pero entonces lo tendré que dejar con una canguro y el problema sería el mismo. En fin, me gustaría alguna opinión experta para poder aclarar nuestra situación.

Le estamos muy agradecidos de antemano y quedamos a la espera de su respuesta,

Maribel

18 de enero de 200*

Apreciada amiga:

Lo que explica del mayor, más que pesadillas, parecen terrores nocturnos.

La pesadilla suele darse en la segunda mitad de la noche, cuando son más frecuentes los sueños. La pesadilla es un sueño terrorífico. El niño despierta y empieza a gritar, asustado por lo que ha soñado (si tiene la edad adecuada, puede explicar el sueño), busca el contacto con sus padres y se consuela con ellos, y puede tardar bastante tiempo en volver a calmarse y a dormir. Cuando un niño se despierta por una pesadilla, lo mejor suele ser quedarse a su lado, o llevarlo a la cama de los padres, y asegurarle que solo fue un sueño.

En cambio, el terror nocturno suele producirse en la primera mitad de la noche, durante un despertar parcial de una fase de sueño profundo, en la que no hay sueños. Cuando el niño grita, no ha soñado ni está soñando nada, y tampoco está del todo despierto. No busca el contacto de sus padres (no está del todo despierto, y no es consciente de que sus padres están ahí), y en su terror puede rechazarlos físicamente. Al cabo de unos minutos, se le pasa y se vuelve a dormir. Muchas veces, los padres, al ver que rechaza su contacto, insisten hasta que consiguen despertarlo del todo (probablemente lo que ocurre cuando ustedes «le riñen»). Al despertar, el niño se calma al momento, no está asustado, no recuerda ningún sueño, e incluso puede que cueste convencerle de que ha estado gritando. Pero, como le han despertado del todo, puede que tarde en volver a coger el sueño. ¿Es así como sucede?

Cuando su hijo grite por la noche, acuda a su lado, e intente hablarle suavemente y tocarle. Si ve que eso no le calma, si la rechaza o la ignora, simplemente quédese al lado observando. Verá como se calma más o menos igual de rápido que cuando le reñían, y se vuelve a dormir tranquilamente.

En cuanto al pequeño, hace cincuenta años que John Bowlby observó que la reacción del niño cuando se separa de su madre depende de su edad y de la calidad de su vínculo previo. Los menores de tres años, cuanto mejor relación tenían con su madre, más sufren y lloran al separarse. Un niño al que han hecho muy poco caso llora menos al separarse (quizá porque tampoco nota mucho la diferencia). Como nuestra sociedad interpreta el no llorar como «ser bueno», de ahí viene el mito del niño «mimado y malcriado»: el que tiene una buena relación con su madre y llora desesperado cuando la pierde de vista. En cambio, en los mayores de cinco años ocurre todo lo contrario: los que han tenido una mejor relación con su madre son más estables y más seguros de sí mismos, y por tanto soportan mejor la separación.

¿Cuántos niños hay por señorita en la clase de su hijo? Si son más de tres (y en algunos sitios son ocho o diez), su hijo estaría mejor con una canguro (salvo por el pequeño detalle de que a la de la guardería ya la conoce, y sería un nuevo cambio). Habría que valorar cada caso, pero probablemente no vale la pena sacarlo de la guardería, ahora que ya lleva meses yendo, a menos que pueda quedarse (por orden de preferencia) a) con su madre, b) con su madre (no, no me he equivocado), c) con su padre, d) con su abuela, e) con su otra abuela, o f) con otra persona cariñosa a la que el niño conozca bien desde hace tiempo. No sé qué posibilidades tienen ustedes de coger unos meses de permiso sin sueldo…

Si se queda en la guardería (y ya le digo, ahora que el niño las conoce, sacarlo para estar con una desconocida casi únicamente estaría justificado si hubiera auténticos malos tratos), pienso que no vale la pena discutir más con ellas. Ni ellas saben lo que hace usted en casa, ni usted sabe lo que hacen ellas en la guardería. ¿Qué quiere, que en la guardería le den la papilla o la leche materna a demanda? Pueden decirle que sí a todo, pero luego harán lo que les dé la gana. Del mismo modo, si usted les dice que sí, que le dará el pecho cada tres horas, ¿cómo van a saber ellas si lo hace o no?

Si algo estresa a su hijo no es lo bien que se lo pasa cuando está con usted, sino lo mal que se lo pasa cuando se queda solo. Creo que lo que necesita en casa es que le hagan mucho caso, para compensar; en cambio, lo que le están recomendando es que no le haga caso, para que así no tenga nada que echar de menos, y «no sufra». ¿Es mejor conocer la felicidad y a ratos perderla, o no haberla conocido jamás y no tener nada que perder?

Ya nos contará.

Saludos cordiales,

Carlos González

Tengo un hijo de cuatro meses, que crece muy bien (65 cm y 7.500 g). Le doy solo pecho, y me gustaría continuar así hasta los seis o siete meses (y después seguir dándole el pecho hasta el año o más), pero tengo un problema que no sé cómo resolver; desde muy pequeñito el niño ha mostrado siempre una preferencia muy marcada por el pecho izquierdo (que es mucho más grande que el derecho y tiene más leche). Últimamente y para evitar que se retire la leche del pecho derecho, siempre le ofrezco primero este pecho, pero se pone muy nervioso e inquieto y casi se niega a mamar. Es como si me estuviera suplicando que lo ponga al otro pecho, que es el que él quiere, y, efectivamente, cuando lo cambio al izquierdo, mama muy tranquilamente y se queda del todo satisfecho.

¿Qué debo hacer: hacerle caso a él o insistir más con el pecho derecho? No me gustaría que se me retirara la leche de este pecho, pero no sé qué debo hacer para que lo acepte.

Muchísimas gracias por su ayuda,

Elisa

Apreciada amiga:

Algunos niños, como el suyo, desarrollan una fuerte preferencia por uno de los pechos. Las causas pueden ser muchas; pero, una vez iniciado, el proceso tiende a perpetuarse. Al disminuir la producción de leche en un pecho, esa leche se vuelve más salada, con lo que el niño la rechaza y se entra en un círculo vicioso. Usted misma puede comprobar si la leche de ese pecho sabe distinta.

Es perfectamente posible dar un solo pecho durante meses y años. Así que puede usted elegir entre seguir intentándolo o rendirse y que mame solo del izquierdo. Tendrá leche de sobra.

Si quiere volverlo a intentar, convendría que se sacase leche del pecho derecho durante unos días. Al principio no saldrá nada, pero pronto irá aumentando la cantidad. Así, al producir más leche, dejaría de salir salada, y su hijo la aceptaría mejor. En todo caso, hay que ofrecer siempre el pecho con respeto y prudencia. Cada vez que su hijo se pone nervioso con el pecho derecho, le está cogiendo más manía. Es mejor dejarlo unos días y que se le pase el enfado, a estarle recordando el conflicto varias veces al día. Probablemente, mamará mejor de ese pecho por la noche, medio dormido; o cuando haya tomado el otro y no tenga mucha hambre.

En muy raras ocasiones, el rechazo persistente de un pecho se debe a la presencia de algún quiste o tumoración. Conviene que su comadrona o su ginecólogo le revisen ese pecho.

Espero que estas sugerencias le sean útiles, y que disfrute mucho con su hijo.

Saludos cordiales,

CARLOS GONZÁLEZ

Me llamo Elisa, y mi hijo José, el protagonista de mis consultas sobre lactancia, tiene cinco meses y es el tercero de tres hermanos. Los dos mayores son gemelos y tienen ya cinco años. Con ellos viví meses de mucha desesperación y lucha, pues yo quería con todas mis fuerzas darles el pecho al menos cuatro meses. Conseguí llegar a los tres y medio, pero ¡de qué manera!, sin disfrutar en ningún momento de la lactancia. El motivo principal fue, sin duda alguna, que ya salí del hospital con el biberón en el bolso, porque, según me dijeron los médicos, no podía tener suficiente leche para los dos niños, y a partir de aquí, el resto de la historia ya se la puede imaginar.

Busqué ayuda en las asesoras de la Liga de la Leche e incluso hablé con usted por teléfono en una ocasión, cuando ya estaba prácticamente rendida y no sabía qué hacer. Realmente no recomendaría la lactancia mixta a nadie.

En fin, después de mi primera experiencia, puede imaginarse las ganas que tenía de poder dar el pecho con tranquilidad y gozo a mi tercer hijo, José. Tuve, como suele pasar, problemas los dos-tres primeros meses, sobre todo por culpa de las mastitis. Ahora estoy muy contenta, pues todo va sobre ruedas y la experiencia está siendo muy gratificante para mi hijo y para mí. Creo que tanto usted como todas las asesoras en lactancia materna hacen un trabajo excepcional y por eso he querido mandarle este mensaje de agradecimiento. Estoy convencida de que si muchas madres supieran que pueden contar con su apoyo y sus consejos en todo momento, seguro que no abandonarían la lactancia materna tan pronto.

Respecto al rechazo de mi hijo por uno de los pechos debo decirle que ni lo acepta del todo ni lo rechaza del todo. Lo voy manteniendo como puedo, aunque tengo la sensación de que más tarde o más temprano terminará por rechazarlo. Intento sacarme leche, pero creo que no lo hago suficientes veces, y me sale poca. ¿Cuántas veces al día debería hacerlo para obtener un mejor resultado? Por cierto, me he comprado el libro *Mi niño no me come*, y ya lo he empezado a leer. Si tengo alguna duda respecto al capítulo de la introducción de sólidos ya se lo haré saber.

Muchísimas gracias por todo y hasta otra ocasión,

Elisa

8 de febrero de 200*

Apreciada amiga:

Muchas gracias por sus amables palabras. Siempre es agradable saber que hemos podido ayudar a alguien.

Para la recepción de este mensaje, probablemente ya se habrá dado usted cuenta de que lo de sacarse leche funciona igual que lo de dar el pecho: cuantas más veces se saca, más leche sale. Suele conseguirse una cantidad adecuada sacándose cada tres o cuatro horas, aunque algunas madres necesitan hacerlo más a menudo, y a otras les basta con menos veces al día.

De todos modos, la idea es simplemente ver si su hijo, al comprobar que ya sale leche abundante de ese pecho y que ya no sabe salada, se pone a mamar y se deja de tonterías. No es recomendable darle esa leche que se saca con otros medios, porque él ya está mamando bien (del otro pecho), y aún la íbamos a liar. Así que durante unos días estaría usted produciendo una barbaridad de leche: su hijo sacando el 100% de un lado, y usted sacando un 50% más del otro lado y tirándola (o volviéndosela a tomar, que todo se aprovecha). Si su hijo se decide a mamar, empezará a mamar menos del otro lado, con lo cual el primer día igual se le queda demasiado lleno y tiene que sacarse un poco para aliviar la presión. Y si sigue rechazando el pecho, lo mejor es rendirse y dejarlo correr, que no va a estar toda la vida con el sacaleches. No conviene dejar de sacarse de golpe, sino sacarse cada día un poco menos durante cuatro o cinco días.

Un abrazo,

CARLOS GONZÁLEZ

Me gustaría hacerle dos preguntas al doctor Carlos González sobre la introducción de sólidos.

Soy Elisa, la madre de José. De momento, todo nos funciona bastante bien. El pecho rechazado por José ahora ya lo acepta bastante bien; parece que mi hijo se ha dejado de tonterías, como me decía usted en su último mensaje, y ahora mama bastante bien de ese pecho, aunque no igual que del otro, que sigue siendo su preferido.

Esta vez me gustaría hacerle dos preguntas sobre un capítulo de su libro *Mi niño no me come*: la introducción de papillas. José tiene siete meses y medio y de momento solo quiere pecho, pero supongo que en algún momento empezará a aceptar otro tipo de comida. Usted dice que los alimentos nuevos se ofrecen siempre después de la toma del pecho, nunca antes y menos en substitución del pecho; pero ¿después del pecho le queda hambre al niño para tomar más comida? Y la otra pregunta: ¿en qué momento hay que dejar de utilizar este sistema y sustituir del todo una toma de pecho por una comida entera de nuevos alimentos? Mi pediatra me dice que solo debe tomar pecho por la mañana y por la noche, y en la comida y la merienda es cuando debe tomar verduras-pollo-carne (mediodía) y frutas (merienda). Yo de momento no he hecho nada de todo esto, pues ya le he comentado que solo toma pecho, pero ando un poco desorientada respecto a este tema, y por esta razón me gustaría que me lo aclarara, para poder afrontar el cambio con más seguridad.

Muchísimas gracias,

Elisa

10 de marzo de 200*

Apreciada amiga:

Gusto en verla de nuevo. Me alegro de que José se haya dejado de tonterías (aunque, a decir verdad, en caso contrario también me alegraría. Hoy estoy optimista).

Su pregunta es el quid de la cuestión: ¿después del pecho le queda hambre para más comida? Pues solo él lo puede saber. Por eso solo él puede decidir si se come esa comida o no.

Porque el argumento generalmente aducido para dar papillas a los niños, el que probablemente ya le habrá contado su pediatra, es que «con el pecho solo no tiene bastante», es decir, que «se queda con hambre». Pues ahora veremos si se queda con hambre o no.

En algún momento no bien definido, tal vez antes del año, su hijo empezará a tomar otros alimentos antes, y el pecho después. Será un cambio gradual, no en todas las tomas de golpe, no se dará ni cuenta. Y en algún momento, probablemente después del año (puede que bastante después), empezará a «saltarse» alguna mamada. Lo que no le impedirá, por ejemplo, comer a mediodía dos platos y postre, sin pecho, y luego para merendar mamar cinco veces en dos horas. Los niños son así.

Lo que le dice su pediatra, mamar solo dos veces al día, creo recordar que ya lo menciono en mi libro. Es el típico error de los que están acostumbrados al biberón y no entienden cómo funciona el pecho. ¿Cuántos niños de siete meses que tomen el pecho ha visto su pediatra en su vida? Puede preguntárselo directamente si hay confianza, o puede hacer un sondeo en la sala de espera. Es un círculo vicioso: no puede aprender sobre lactancia si no ve niños que maman, y no verá muchos si les sigue diciendo esas cosas a las madres.

Se puede tomar medio litro de leche con dos biberones al día, pero no es razonable hacerlo con dos mamadas al día. Para eso, tendrían que salir 250 ml en cada toma, lo que no es imposible…, pero produciendo a ese ritmo, imagine cómo se le pondrían los pechos en doce horas sin dar.

Por supuesto, las verduras, el pollo, la carne o la fruta se lo puede dar usted a su hijo a la hora que quiera y cuando más cómodo le resulte. Lo lógico es que se siente con ustedes a la mesa (porque ¿dónde si no lo va a tener mientras come?), sentado en su regazo o en la trona, como más le guste. Tarde o temprano empezará a interesarse por la comida, y usted hábilmente le pondrá al alcance de la mano algo que sí pueda comer.

Su hijo sabe lo que tiene que hacer. Déjese guiar por él, y no se perderá.

Saludos cordiales,

CARLOS GONZÁLEZ

¿Me recuerda? Soy Elisa, la madre de José. Ahora tiene catorce meses y las noches son una maravilla. Incluso me costaría mucho decir cuántas veces se despierta y mama, porque yo casi ni me entero, o mejor dicho, sí me entero cuando se despierta y pide pecho, pero por la mañana ya ni me acuerdo.

En este momento son dos los temas que me tienen algo preocupada. El primero es saber si voy a tener problemas en el futuro por el hecho de estar haciendo una lactancia prolongada. Mi pediatra me ha alertado en este sentido diciéndome que he de vigilarme porque puedo tener problemas de descalcificación en mis huesos y de osteoporosis, y me ha dicho que lo tenga en cuenta en mi dieta (tomando más lácteos) o que tome un suplemento de calcio. Yo no tomo leche de vaca desde hace algún tiempo porque ha dejado de gustarme, pero sí tomo algún yogur, bastante queso, almendras, leche de almendras. ¿Debería tomar ese suplemento? ¿De verdad me voy a descalcificar?

Y el segundo tema hace referencia al medio litro de leche al día que los niños necesitan, según dice usted en su libro. Está claro que a los niños que toman biberón esta cantidad es muy fácil de controlar. Pero, en mi caso, yo no tengo ninguna idea de la cantidad de leche que toma mi hijo; no sé si es poca, muy poca, mucha, normal. José toma pecho por la noche, todas las veces que él lo pide, y por la mañana también toma un poco, cuando se despierta, a modo de desayuno (después le doy algo de cereales, pero sin papilla porque nunca le han gustado las papillas comerciales; le doy pan, galletas, etc.). Al mediodía come alimentos sólidos y, cuando lo pongo a dormir la siesta, se duerme de nuevo con el pecho. Después merienda alimentos sólidos (un yogur habitualmente) y la cena es mixta: algo de sólido y el pecho para completar la cena y dormirse al mismo tiempo. He leído muchas veces la sección de la revista *Ser Padres* sobre alimentación y ya sé lo que me va a decir sobre este tema: quién mejor que yo, que soy su madre, va a saber si esta alimentación es adecuada o no para mi hijo. En esto estoy de acuerdo y yo estoy segura que mi hijo está bien alimentado; su aspecto y su vitalidad me lo confirman, pero con frecuencia pienso: quizá debería darle más lácteos, para llegar a la famosa cantidad del medio litro, o quizá no, porque con lo que toma de pecho ya es suficiente.

En fin, estas son mis dos cuestiones. Esperaré con muchas ganas sus respuestas, pues siempre me han ayudado mucho.

Muchísimas gracias,

Elisa

25 de septiembre de 200*

Apreciada amiga:

Me alegro mucho de volver a tener noticias suyas, y de comprobar que los problemas, más por el paso del tiempo que por

84

mis sabios consejos, se van solucionando. Y es que con el tiempo desaparecen casi todos los problemas de la infancia y, ¡ay!, la infancia misma.

No, no se va usted a descalcificar. Todo lo contrario, cuanto más tiempo dé el pecho, más calcificada se va a quedar.

Durante los primeros seis meses de lactancia, más o menos, todas las madres se descalcifican, es decir, pierden calcio de los huesos. A partir de los seis meses, se vuelven a calcificar, y al año de lactancia están más o menos igual que las que han dado el biberón. Se ha comprobado que los suplementos de calcio, incluso en mujeres que habitualmente consumen poco calcio (y usted no es de las que menos calcio toman), ni evitan la descalcificación inicial, ni aceleran la recalcificación posterior. Pero parece ser que, de alguna forma, ese nuevo calcio que se añade a los huesos queda mejor que el que había antes, como si el hueso se hubiera restaurado, porque a largo plazo las mujeres que han dado el pecho durante más tiempo tienen menos fracturas por osteoporosis.

Si a su pediatra le interesa el tema, puede leer los siguientes artículos científicos:

Sowers M., Corton G., Shapiro B., Jannausch M.L., Crutchfield M., Smith M.L., Randolph J.F., Hollis B., *Changes in bone density with lactation*, Am J. Med 1993, 269:3130-3135.

Sowers M., Randolph J., Shapiro B., Jannausch M., *A prospective study of bone density and pregnancy after an extended period of lactation with bone loss*, Obstet Gynecol 1995, 85:285-9.

Aloia J.F., Cohn S.H., Vaswani A., Yeh J.K., Yuen K., Ellis K., *Risk factors for postmenopausal osteoporosis*. Am J. Med 1985, 78:95-100.

Feldblum P.J., Zhang J., Rich L.E., Fortney J.A., Talmage R.V., *Lactation history and bone mineral density among perimenopausal women*, Epidemiology 1992, 3:527-531.

Melton L.J. 3D, Bryant S.C., Wahner H.W., O'Fallon W.M., Malkasian G.D., Judd H.L., Riggs B.L., *Influence of breastfeeding and other reproductive factors on bone mass later in life*, Osteoporos Int. 1993, 3:76-83.

CUMMING R.G., KLINEBERG R.J., *Breastfeeding and other reproductive factors and the risk of hip fractures in elderly women*, Int. J. Epidemiol 1993, 22:684-691.

PRENTICE A., *Maternal calcium metabolism and bone mineral status*, Am J. Clin Nutr. 2000, 71:1312S-6S.

KALKWARF H.J., SPECKER B.L., *Bone mineral changes during pregnancy and lactation*, Endocrine 2002, 17:49-53.

Vamos, que si no quiere usted leche, no hace falta que tome. Y menos leche de almendra, que lleva más azúcar que almendra.

En cuanto a lo del medio litro de leche para los niños, dos puntualizaciones: primero, no es que se lo tengan que tomar, sino que hay que ofrecérselo. Evidentemente, es una cifra redondeada, y con toda seguridad está generosamente hinchada para que a ningún niño le falte leche. Si los expertos que hicieron esa recomendación hubieran pensado que a un niño que solo tome 480 ml le va a pasar algo, no hubieran dicho 500 ml, sino 600 ml, por si acaso. Si dicen 500 ml es porque están seguros de que con 480 ml ya sobra, y que algunos tienen bastante con 300 ml. Segundo, la recomendación es para menores de un año. Para mayores de un año nadie dice exactamente cuánta leche han de tomar (tal vez porque tampoco importa mucho); pero algunos expertos más bien insisten en que los niños tomen menos de medio litro al día, por el peligro del exceso de leche de vaca. No creo que el exceso de leche materna tenga el mismo peligro, así que no me preocuparía, aunque así a ojo me da la impresión de que su hijo toma bastante más de medio litro…

Espero que esta información le sea útil, y que siga disfrutando mucho con su hijo.

Cordialmente,

CARLOS GONZÁLEZ

Soy Elisa, la madre de José. Ahora ya hace tiempo que no le escribía ningún mensaje, señal de que todo andaba (y anda) sobre ruedas. Ahora José ya ha cumplido los dos años y medio, duerme conmigo y sigue pidiendo «teta» cada noche para dormirse y cada mediodía también para dormir la siesta. Hace ya mucho tiempo que él ha asociado el pecho con el acto de irse a dormir, de manera que durante el día nunca me pide pecho. Solo toma pecho en posición estirada (en la cama), y en los dos momentos que le he comentado. A lo largo de la noche sigue despertándose bastantes veces; no sabría decirle cuántas, pero más de tres seguro. Para mí todo esto no supone en absoluto ningún problema, pues yo casi ni me entero. Cuando se despierta, mama y a dormir los dos de nuevo, y así todas las veces que él lo pide durante la noche.

Entonces se preguntará usted: ¿y dónde está el problema o el motivo de la consulta? Pues bien, el problema es que mi marido nunca ha acabado de aceptar del todo esta situación, a pesar de mis intentos (bastantes) de explicársela. Mis dos hijos gemelos mayores (de ahora siete años) crecieron con el librito del doctor Estivill (mi marido también lo aplicaba). Yo lo aplicaba, pero cada vez que salía de la habitación dejando llorar a mis hijos se me partía literalmente el corazón y por eso me sentí muy bien cuando Rosa Jové me abrió la mente con sus artículos en: www.dormirsinlagrimas.com. Entendí entonces muchas cosas y por eso la manera como ha crecido José es totalmente diferente a la manera como crecieron sus hermanos. Yo he hecho este camino, pero mi marido no me ha seguido y aún me avisa cuando por la tele hacen algún programa sobre la biografía del doctor Estivill o le hacen alguna entrevista, que a mí ya no me interesan en absoluto. Él siempre ha sido partidario de la lactancia materna y me ha animado mucho en este aspecto con mis tres hijos, pero, claro, dar el pecho a los dos años y medio, esto ya no entra en sus esquemas, ya es demasiado, ya casi nadie lo hace, ya es más contraproducente que otra cosa, etc. En fin, supongo que me entiende un poco.

En su libro *Bésame mucho*, habla de los tres-cuatro años como buena edad para que al niño le entren ganas de estrenar su habitación. Pero para mí, y se lo digo de verdad, esto representa un auténtico problema. La que debe ser la habitación de José está en la otra punta de la casa (y esto no lo puedo cambiar, a no ser que ponga una cama en medio del despacho, el cual sí que está al lado de la habitación de matrimonio, pero tampoco creo que fuera la solución). Si se despierta unas cuatro veces por la noche, me veo haciendo viajes arriba y abajo de la casa, entre mi habitación y la de José, toda la noche, con lo cual mi sueño se verá afectado. Alguna vez le he enseñado a José su futura habitación y cuando le he preguntado si le gustaría dormir en esa cama, me ha contestado muy clarito: «Sí, y tú también dormirás aquí».

En fin, no sé cómo abordar este problema. Si por mí fuera, José continuaría durmiendo conmigo como hasta ahora, y él mismo ya daría el paso de irse cuando quisiera. Para mí esto sería lo ideal. Pero mi marido me presiona cada vez más: «este niño debería irse ya de aquí», «le estás haciendo más mal que bien»; y tampoco me gustaría que mi matrimonio se resintiera por este tema. De verdad, no sé qué hacer. Como siempre, esperaré con muchas ganas sus comentarios y sugerencias, pues siempre me han ayudado muchísimo,

Elisa

2 de febrero de 200*

Apreciada amiga:

Me alegra volver a tener noticias suyas. Ya ve, todos los problemas de antaño parecen ahora sin importancia. Toma de los dos pechos, come de todo, duerme bien y usted también, no se ha descalcificado... Pues dentro de unos meses, el problema actual también le parecerá absurdo.

En primer lugar, debe confiar plenamente en su marido. Él la quiere a usted y quiere a sus hijos, y es un adulto maduro y responsable. De forma que, si usted le explica claramente lo que quiere hacer y por qué, podrá estar de acuerdo o no, pero su matrimonio no se va a resentir.

Cuando digo que hacia los tres años o así muchas veces es posible dejarlos en otra habitación, es porque a esa edad les dejas y duermen de un tirón, esa es la gracia. En ese caso, no tendría usted que hacer viajes por el pasillo. Porque para hacer viajes por el pasillo no hace falta esperar a los tres años, puede empezar ya. Claro que si le pregunta ahora a su hijo si quiere dormir solo dice que no. Pero es que ahora solo tiene dos años y medio. Cuando tenga la edad adecuada, lo aceptará (que tampoco es lo mismo que desearlo; solo se conformará, pero sin mucho entusiasmo). Probablemente le tendrá que hacer usted compañía hasta que se duerma, pero luego se podrá ir usted a su cama, y él dormirá de un tirón casi todas las noches. Alternativamente, puede aceptar su sugerencia y quedarse a dormir con él en la otra habitación, no será porque no da opciones el muchacho.

Mejor aún sería ponerlo en la misma habitación con sus hermanos. A no ser que los hermanos se nieguen (y a esta edad normalmente todavía no se niegan, todo se andará). Probablemente estarán todos muy contentos con la idea. Sí, ya sé, en la habitación de los hermanos no cabe otra cama. Pero ¿seguro que no? ¿Aunque estén pegadas, aunque haya que poner un colchón en el suelo, o una cama atravesada, o quitar las mesillas de noche? Algún día vendrán amiguitos a dormir, ¿no? Podría poner en una habitación solo las tres camas, y en la otra los armarios, la mesa o lo que tenga.

Una de estas noches (o dentro de unos meses, según como vaya la cosa) podría hacer un experimento: irse un sábado con su marido al teatro y a cenar. Que la abuela venga a cuidar a los niños, y que los acueste a la hora normal, el pequeño en la habitación de sus hermanos. Que lo sepa presentar como un premio: «Hoy, como no están papá y mamá, podrás dormir con los *tatos...*». No creo que tenga muchos lloros; más bien el problema será que se dormirán más tarde, con los juegos y las peleas. Ustedes vuelven a casa a las doce o la una, la abuela se va (o se queda en esa habitación que les queda libre, si es muy tarde), y a ver qué pasa. Si se despierta y llora, vaya usted, y sobre la marcha decida si lo puede consolar y dejarlo con los hermanos o si se lo tiene que llevar. Cuando el experimento haya salido más o menos bien un par de veces, puede ofrecerlo también una noche que no salgan, como un extra: «¿Quieres dormir con tus hermanos, como el otro día?». Las vacaciones son otro buen momento para probar, pues el ir a un hotel o apartamento se presta mucho a una reorganización total: «Esta será la habitación de los papas, y esta la de los niños». Probablemente los mayores le dirán espontáneamente: «Sí, sí, ven con nosotros, lo pasaremos *chachi*»…

Bueno, ideas de sobra, y seguro que se le ocurrirán otras. Ya nos contará cómo le van.

Saludos cordiales,

CARLOS GONZÁLEZ

Soy Elisa Olmos, madre de José (3 años y dos meses), Ignacio (7 años) y Juan (7 años). Quizá recordará un poco mis consultas anteriores. La última vez le escribí porque no sabía cómo dar el paso de sacar a José de mi habitación. En aquel momento tenía dos años y medio. Ahora ya tiene tres bien cumplidos y este verano he intentado la estrategia de hacerle dormir en la habitación de sus hermanos mayores. La idea les pareció genial a los tres y lo probamos cuatro días, no seguidos (un viernes y un sábado, y a la semana siguiente, también un viernes y un sábado). Lo hicimos así porque los días de cada día mi marido se levanta a las seis de la mañana y él sugirió hacer la prueba el fin de semana y así, si el niño nos despertaba a todos, nadie se pondría nervioso porque a la mañana siguiente no habría que madrugar. Resultado del experimento: José se duerme en la habitación de sus hermanos, muy contento, pero eso sí, dándole el pecho, como siempre, y, al cabo de dos horas (como mucho dos horas y media), se despierta, empieza a pedir «Mama» y «teta» y «Mama» y «teta», sus hermanos no logran que se vuelva a dormir y el niño corre desesperado hacia nuestra habitación, donde le doy pecho y se vuelve a dormir plácidamente. Así los cuatro días en que probamos este sistema. A él le apetece mucho irse a dormir con Ignacio y Juan, pero después reacciona tal como le he explicado.

En cambio, los días en que duerme conmigo no se despierta nunca a las dos horas de haberse dormido. Como mucho se despierta una o dos veces a lo largo de la noche. En este aspecto ha mejorado mucho, porque antes se despertaba muchas más veces, y me refiero a hace solo medio año (no cuando era un bebé).

¿Quiere todo esto decir que José aún no está suficientemente preparado o maduro para dormir sin tenerme a su lado? O tal vez habría que seguir otra estrategia. O habría que seguir insistiendo en el mismo experimento. No lo sé. Seguro que usted sabrá cómo orientarme.

Por otro lado, este año José empieza P-3 en el colegio. Y allí, en la reunión que tuve con la profesora hace unos cuantos días, me dijo que un niño como José ya no debería llevar pañales por la noche. Me dijo que era muy conveniente que se los sacara ya, antes de empezar el colegio, porque él era ya muy capaz de aprender a controlar esfínteres por la noche. Casi, casi, podría decir que me obligaba, con buenas palabras, a dar este paso. Yo le ponía pañales para la siesta y por la noche. Ahora, después de la citada reunión, no le pongo para la siesta (algunos días va bien y otros moja la cama), pero por la noche continúo poniéndole el pañal, y cada mañana aparece bien mojado, pues claro, José sigue tomando el pecho por la noche, una o dos veces. ¿Qué debo hacer? ¿Debo hacer caso a la profesora o no? Yo tenía entendido que el pañal se quitaba cuando durante unos días se observaba que el pañal aparecía seco, pero dudo que aparezca seco mientras el niño siga mamando por la noche.

En fin, yo creo que usted ya me habrá entendido bastante bien. Como en anteriores ocasiones, esperaré con muchas ganas su respuesta, para poder encarrilar mejor estos dos temas.

Muchísimas gracias,

Elisa

14 de septiembre de 200*

Apreciada amiga:

Gusto en verla de nuevo. Veo que José va creciendo en sabiduría y virtud.

¿Que si José está preparado o maduro? Pues pregúntele a él. Está preparado para hacer lo que hace. Si no estuviera preparado para dormir con sus hermanos, no querría hacerlo ni estaría contento con ello. Si estuviera preparado para dormir toda la noche con sus hermanos, lo haría. Parece que, a fecha 8 de septiembre (porque estas cosas cambian tan rápido que vaya a saber cuando reciba la respuesta), estaba preparado para irse a dormir con los hermanos y venir con su madre al cabo de dos horas y media. Cuando esté preparado para quedarse toda la noche con sus hermanos, lo notará porque no vendrá a su cama en toda la noche.

Dice que cuando duerme con usted no se depierta tan pronto. A lo mejor no, a lo mejor los días que duerme «solo» está más nervioso y tiene el sueño más ligero. O a lo mejor sí, a lo mejor a las dos horas y media se despierta, pero al ver que usted está a su lado se tranquiliza y se vuelve a dormir.

Si el niño es capaz de levantarse solo y de ir con usted solo, no parece que sea mucho problema. Ofrézcale claramente la posibilidad: «Si a media noche quieres venir con los papás, puedes venir siempre que quieras. Pero procura no llorar ni hacer ruido, porque todos los demás tenemos que levantarnos temprano, sobre todo papá, y no hay que despertarlo». Si no es capaz todavía de hacerlo así, si a medianoche llora y grita, pueden seguir como hasta ahora. Si lo hace bien y viene sin llorar, puede «dejarle» dormir con sus hermanos toda la semana.

Por cierto, si lo he entendido bien viene él solo por el pasillo. ¿A que viene a obscuras, tan tranquilo? No le ofrezca una lucecita (si él no la pide), ni use la palabra «miedo». No le diga: «Si tienes miedo, puedes venir», eso es inculcarle un sentimiento que no tiene. Es: «Si quieres venir, puedes venir».

En cuanto a su simpática maestra, lo que dice son tonterías. Muchísimos niños se siguen haciendo pipí en la cama hasta mucho después de los tres años. Yo mismo me hice hasta los siete. Y no fue porque mi madre no me hubiera quitado los pañales, que me los quitó. No recuerdo haber llevado pañales, debía de ser muy pequeño. Pero recuerdo claramente que dormía con un hule bajo la sábana, y que me meaba hasta la bandera. En otros tiempos, esto de hacerse pipí estaba mal visto, era casi un estigma social. Afortunadamente, la enuresis está saliendo del armario; verá que en cualquier supermercado grande venden pañales para siete, diez y creo que hasta catorce años, con toda naturalidad. Por cierto, la definición médica de enuresis nocturna es «hacerse pipí en la cama después de los cinco años». Hasta los cinco años no es ni enuresis ni nada, simplemente es normal.

Si su hijo no quisiera dormir con pañal, si lo viviera como un insulto, pues habría que quitárselo y lavar sábanas cada día. Pero si lo acepta contento, póngale sin ningún problema. Y esa profesora no tiene por qué meterse en lo que usted haga en casa con su hijo. Si es que en el cole van a dormir siesta, pues allá ella, si no quiere ponerle, que no le ponga y que lave las sábanas si eso le divierte. Si tiene la más mínima sospecha de que riñe, ridiculiza o critica a su hijo por hacerse pipí, sáquelo inmediatamente del colegio y quéjese ante la dirección del centro.

Saludos cordiales,

CARLOS GONZÁLEZ

Tengo una hija de siete meses que estoy criando exclusivamente con leche materna. He empezado con la verdura y la fruta, y lo va tomando poco a poco, sé que no pasa hambre porque su plato favorito es la teta. He leído sus libros, y mi marido y yo compartimos su criterio. Estoy criando a mi hija con amor y paciencia, pero llevo una semana agotada. Solo se duerme con la teta, además, la tengo que tener en brazos durmiendo, no me puedo tumbar, si la dejo a mi lado cuando creo que está dormida al segundo grita como una desesperada y le tengo que dar otra vez el pecho. Trato de no perder los nervios, pero como no descanso, al final los pierdo.

Durante el día ocurre lo mismo, creía que con la alimentación complementaria se calmaría pero no es así. También está empezando a tomar agua, pero no sé qué cereales tendría que darle porque tengo miedo de que engorde mucho ya que pesa diez kilos. Duerme bien, pero en brazos.

Espero su respuesta.

Un cordial saludo,

Alicia

12 de mayo de 200*

Apreciada amiga:

Efectivamente, los niños suelen ponerse a llorar cuando, pensando que están «fritos», los soltamos de nuestros brazos. Eso se debe a que pasan por una larga fase de sueño ligero antes de caer en el sueño profundo. Muchas veces, lo más práctico es llevarlos en un fular o bandolera todo el rato, despiertos o dormidos. Eso es lo que hacen millones de madres en todo el mundo, desde África hasta Siberia, desde la China hasta los Andes… y no lo hacen porque lo hayan leído en ningún libro, sino sencillamente porque es lo más cómodo: saben muy bien que, si sueltan un momento a su bebé, se pondrá a llorar y no les dejará hacer nada.

Eso de que no la deja tumbarse, no he entendido si es de día o de noche. Por la noche, normalmente, lo mejor es quedarse en la cama y hacerse la dormida. No encender la luz, no sentarse en la cama, no salir de la cama. Como si estuviera muerta de cansancio (que lo está, ¿no?). Si la niña protesta, usted se limita a ponerle la mano encima o a murmurar «e-o-e» entre ronquido y ronquido. Habitualmente protestan un rato y luego se les pasa; si la cosa va a más y se pone a llorar fuerte, papá se la lleva de la habitación, intenta calmarla en brazos y vuelve con ella cuando está calmada… o cuando está desesperado porque no la logra calmar. La idea es que mamá no salga de la cama mientras la casa no esté en llamas.

Los niños cambian con el tiempo. Dentro de unas semanas será distinto; dentro de unos meses será muy, muy distinto. Y dentro de unos años, aunque le parezca increíble, añorará estos momentos.

Cereales, pues lo mismo que come usted: arroz, arroz con tomate, fideos, pan…

Espero que estas ideas le sean útiles, y le deseo toda la felicidad con su hija.

Un cordial saludo,

Carlos González

Tengo una niña de un mes y medio, estoy preocupada porque durante todo el día está muy inquieta, emite ruidos como si se quejara o hiciera fuerza, incluso cuando duerme. Cuando ha comido, está limpia y cambiada y la dejamos en su camita o en el cochecito, llora incesantemente, únicamente se calma al ponerle el chupete, pero en cuanto se le cae, vuelve a llorar, debemos dormirla en brazos, lo cual nos cuesta bastante, de lo contrario no se queda dormida.

Se alimenta únicamente de pecho, excepto por la noche que le doy una ayuda de 60 ml de biberón (Nutramigen), en algunas tomas la niña está nerviosa, mama pero se retira varias veces del pecho y tengo que forzarla. El incremento semanal de peso hasta ahora ha sido de unos 300 g por semana, excepto esta última que ha engordado 180 g. Hemos consultado al pediatra que me indicó que le cambiara la leche de Enfalac a Nutramigen, pero todo ha seguido igual. Le han hecho pruebas de orina y sangre, para ver si tenía infección de orina y todo ha salido normal, el pediatra nos ha dicho que entonces lo que tiene son cólicos. Me gustaría saber si el diagnóstico es correcto, tengo entendido que los cólicos suelen darse al final del día y durante unas horas, pero ella tiene largos periodos de inquietud y llanto.

Muchas gracias,
María José

8 de agosto de 200*

Apreciada amiga:

Usted misma ha dado, sin saberlo, con la causa de sus problemas. Vuelva a leer su carta: «Cuando… la dejamos en su camita o en el cochecito, llora incesantemente». Pero a ver, ¿quién le ha dicho que es normal dejar a los niños en su camita?

Lo normal es que los niños estén en brazos todo el día, y duerman con su madre por la noche. Así viven todavía la mayor parte de los niños de África, Asia y Suramérica. Así viven todavía muchos niños (cada vez más) de Europa y Norteamérica. Así vivía nuestro abuelo, y en muchos casos también nuestro padre.

Los niños no deben estar separados de su madre. Cuando se les separa, lloran.

El «cólico» ha sido descrito por algún prestigioso antropólogo como una enfermedad de la civilización, la consecuencia de criar a los niños como si no necesitasen estar todo el rato en brazos. En otros continentes no saben lo que es el cólico, no tienen una palabra para traducir este concepto.

¿Por qué le está dando a su hija un biberón? Estaba engordando casi demasiado (menos mal que empieza a frenar), y hace evidentes esfuerzos por mamar menos, se lo está dando usted a la fuerza. ¿No ve que no necesita más comida? (Y si necesitase, habría que darle más pecho, no biberón.)

Consejos prácticos: pecho, solo pecho, nada más que pecho (ni agua, ni hierbas, ni nada) hasta los seis meses. Tire los biberones a la basura. Muchos brazos (venden prácticas bandoleras para llevar a los niños colgados). No «la duerma» en brazos, claro que eso cuesta «bastante»; es más práctico meterse con ella en la cama, usted se duerme y ella que haga lo que quiera (normalmente se duermen de puro aburrimiento cuando oyen roncar a sus padres). Eso de «dormirla» es un esfuerzo excesivo que tiene que hacer usted para poder dejarla en la cuna…, pero si su hija no quiere estar en la cuna, y para usted significa un esfuerzo excesivo, ¿por qué lo hace?

Creo que le sería muy útil contactar con un grupo de apoyo a la lactancia. Encontrará una lista de direcciones (y otras informaciones interesantes) en www.fedalma.org.

También encontrará información sobre el llanto de los niños y sobre bandoleras en www.crianzanatural.com.

Espero que esta información le sea útil, y le deseo toda la felicidad con su hija.

Saludos cordiales,

CARLOS GONZÁLEZ

Mi niño tiene un año y la gran parte de su dieta continúa siendo leche materna. A los ocho meses me incorporé a trabajar a media jornada, así que de ocho de la mañana a dos de la tarde no estoy en casa. Entonces come una papilla de verduras con carne, todo triturado porque se lo da su niñera. Cuando llego a casa se engancha a la teta y pasamos juntos dos horas o más. El resto de la tarde le doy teta a demanda aunque intento no darle más hasta después del baño, sobre las 20.30 que se duerme. También le doy trocitos de comida: mordisquea pan (le encanta), algún granito de arroz, un trocito de galleta, chupa el plátano o la manzana, aunque poca cantidad. La papilla de frutas nunca le ha gustado. Por la noche sigue mamando. Puede llegar a despertarse cinco o seis veces… ni lo sé porque no miro el reloj. Duerme con nosotros por lo que el pecho se lo doy tumbada cuando lloriquea un poco, porque aunque intente consolarlo en brazos o acariciándole solo se calma mamando.

Como supondrá, estoy cansada. Me gusta darle el pecho, y él es feliz. No quiero destetarle pero necesito descansar. ¿Qué podemos hacer?

Gracias por sus libros que he leído pero no encuentro respuesta, Nuria

2 de febrero de 200*

Apreciada amiga:

Creo que ha puesto usted el dedo en la llaga: necesita descansar. No es que su hijo necesite dormir o comer o hacer no sé qué, es usted la que necesita algo, y hay que ver la manera de conseguirlo.

Estoy seguro de que ya alguien le habrá dicho que para descansar lo que tiene que hacer es destetar a su hijo o dejarlo llorar por la noche. Mucha gente parece pensar que no hay otras opciones. Pero sí que las hay. Le doy a continuación unas cuantas ideas para descansar; por supuesto, en su caso concreto algunas serán viables y otras no. Y también se le pueden ocurrir otras.

☞ Dormir la siesta con su hijo por la tarde.

☞ Conseguir que el padre, los abuelos o quien sea se lleven al niño a pasear mientras usted duerme la siesta.

☞ Que el padre se lleve al niño al parque los sábados y domingos por la mañana, mientras usted se queda en la cama hasta las once.

☞ Dejar de hacer algunas tareas domésticas, o conseguir que las haga otra persona. Hay que comer todos los días; eso no tiene remedio; pero descubrirá que si se reduce a la mitad la frecuencia de barrer, fregar y pasar el polvo, no se nota la diferencia. Y mediante el sencillo expediente de llevar cada prenda de ropa el doble de días se reduce a la mitad el lavar, tender, planchar y guardar la ropa.

☞ Dejar de trabajar, o coger una reducción de jornada.

☞ Acostarse antes.

☞ Levantarse más tarde (en algunas empresas es posible un horario flexible).

No sé quién rogaba a Dios valentía para cambiar lo que puede cambiarse, fortaleza para soportar lo que no puede cambiarse, y sabiduría para distinguir lo uno de lo otro. Si no logra cambiar las cosas, tenga al menos la precaución de no echarle la culpa a su hijo. Por desgracia, mucha gente intentará que lo haga: una y otra vez le dirán que su hijo es exigente, o que está cansada porque su hijo no la deja dormir. Pero su hijo es su hijo, para toda la vida, y darle vueltas a ese tipo de pensamientos va creando un sordo rencor, seguido de una sonora culpa, y va agriando la relación. Así que no lo olvide: el exigente es su empresario, que se enfada si llega usted cinco minutos tarde a trabajar, y no le permite salir ni cinco minutos antes de la hora. Está usted cansada porque tiene que trabajar para pagar la hipoteca, porque encima luego tiene que hacer tareas domésticas en la típica doble jornada de las mujeres, porque la sociedad tiene una serie de exigencias absurdas y caprichosas (tener la casa limpia, la ropa planchada, peinarse y arreglarse…) que le roban muchas horas. En comparación con todo eso, su hijo pide bien poca cosa.

Espero que estas sugerencias le sean útiles, y le deseo toda la felicidad con su hijo.

Un cordial saludo,

CARLOS GONZÁLEZ

La motricidad y hábitos en la alimentación

Soy una feliz mamá de mellizos a la que has ayudado muchísimo en su crianza a través de tus artículos y libros publicados. Desde hace dos años, regalo a mis amigas que están a punto de dar a luz tu libro, *Bésame mucho,* al que llamamos en casa «las instrucciones del niño».

Mi consulta es la siguiente: cuando nuestros hijos (Diego y Silvia) en mayo del año pasado cumplieron los dos años se disparó el dispositivo en la guardería, me dijeron que había que quitarles el pañal. Les dije que no les veía preparados y que ya me ocuparía personalmente en verano. No les pareció bien y me advirtieron que en septiembre no podían seguir con el pañal para iniciar el nuevo curso. En verano intentamos animar a los niños a hacer pipí en el orinal y apenas conseguimos nada. A punto de empezar el nuevo curso decidimos que a partir de cierto día ya no habría pañal, así que, todo el fin de semana lo pasamos con los niños sentados en sus orinales cada media hora y fregando pipís que se escapaban por la casa en cuanto se levantaban del orinal. Les decíamos que no pasaba nada, pero que tenían que hacer el pipí en el orinal. Cuando vimos claro que ellos se disgustaban y parecían incapaces de controlarlo decidimos coger el «manual de instrucciones» y leímos que decías algo como «no haga usted nada». Y eso hicimos, nada. Les volvimos a poner el pañal y dejamos correr el tema. En septiembre se atrevieron a decirme en la guardería que «al menos a uno se lo habría podido quitar, ¿no?» y entonces aclaré que era cuestión de madurez, no de voluntad, y que ellos el día que fueran capaces de controlarlo serían los primeros en alegrarse. Bien, hasta casi octubre mi hija no nos pidió quitarse el pañal y su hermano un mes después. Lo pidieron ellos y desde ese día solo en tres ocasiones se han despistado. ¡Impresionante!

Ahora, con dos años y nueve meses el problema que surge es la retirada del chupete. Lo utilizan de dos en dos, uno en la boca y otro en la mano. Mi hija lo utiliza con moderación, para dormir y si se disgusta, pero mi hijo tiene verdadera ansiedad y si le dejáramos lo llevaría puesto las veinticuatro horas del día. Los dos saben y repiten que «el chupete es para dormir», pero la realidad es que no hay manera, y él lo pide si está cansado, si tiene un disgusto, para dormir, cuando vamos en el coche. Yo cedo porque no tengo claro si es tan malo, además, veo que le calma mucho. Así que, no se cómo empezar y te agradecería mucho alguna orientación. Hasta ahora no he querido ponerme firme porque después voy a tener que cumplir lo que haga y no les quiero desorientar, ¿qué hago?

Muchísimas gracias por atenderme y por el buen trabajo que haces.

Un saludo,

Marta

21 de febrero de 200*

Apreciada amiga:

Lo del pañal, pues ya ves. Espero que en la guardería hayan aprendido algo útil para otras ocasiones.

No entiendo si lo del chupete es otra alarma de la guardería, o es una preocupación tuya personal.

Si es cosa de la guardería, pues ponte firme. No tienen derecho a meterse con el chupete. Lo del pañal, aunque no tengan razón, se comprende que ellos tengan interés en que los niños lo dejen cuanto antes, porque así se ahorran el trabajo de cambiar pañales. Pero, el chupete, ¿qué les molesta del chupete? No hace daño a nadie, no les causa ningún problema, y tu hijo tiene derecho a llevar chupete todo el tiempo que quiera.

Si es preocupación tuya, pues despreocúpate, porque el caso es el mismo que con el pañal.

Ni el chupete ni el pañal son cosas naturales, y por tanto no podemos decir que sean «necesidades» de los niños. Es evidente que los niños han estado millones de años sin tener ni pañales ni chupetes. Lo que pasa es que se acostumbran, y luego les cuesta dejarlos. ¿Por qué se acostumbran? Porque nosotros les damos chupete y les ponemos pañal. Lo hacemos por nuestra propia comodidad; les ponemos pañal para que no se meen por todas partes, les damos chupete para que no lloren tanto. Pues ya que ha sido una decisión voluntaria de los adultos, lo menos que podemos hacer es apechugar con las consecuencias; y si nuestros hijos desean usar pañales y chupetes durante unos cuantos meses más de lo que a nosotros nos parece «correcto», pues nos aguantamos.

Jamás verás a un niño de quince, diez o cinco años con chupete o con pañal (al menos de día). Eso significa que tarde o temprano lo dejan; todos lo dejan. Si tú me dijeras «mi hijo de diez años va muy mal en el colegio», no te podría dar la misma seguridad. El fracaso escolar existe, es un hecho, muchos niños no logran hacer el bachillerato, algunos a duras penas acaban la ESO, y sin haber aprendido casi nada. En cambio, en lo del pañal y el chupete no hay fracasos, no existen, es sencillamente imposible que tus hijos usen chupete a los diez años. Así que deja de preocuparte (y de preocuparlos a ellos) y espera tranquilamente. No crees un problema donde no hay problema ninguno. Y recuerda que nada aviva tanto los deseos de chupar un chupete como la vaga sospecha de que te lo están intentando quitar.

Y si por casualidad tus hijos hubieran de ser los primeros en el mundo que no dejan el chupete, ¿dónde está el problema? Hay adultos que fuman o que se emborrachan; hay adultos que insultan a los árbitros, que pegan a los niños, que desprecian a los inmigrantes o que van a programas de telebasura a contar en público sus vergüenzas. Todas esas cosas son mucho peores que chupar un chupete. Si un adulto desea chupar un chupete, enhorabuena, tiene todo el derecho del mundo.

Y ¿no se le deformarán los dientes? No está muy claro que los chupetes deformen los dientes; en todo caso, el efecto es pequeño. Y si se saca por las bravas el chupete a un niño que no lo quiere dejar, siempre podrá chuparse el dedo, porque los chupetes los puedes tirar a la basura, pero no les puedes cortar las manos. El dedo deforma mucho más los dientes que un chupete, porque es más duro (el dedo tiene un hueso dentro, y el chupete está hueco); y encima pueden hacerse daño en el dedo (he visto niños con grietas y heridas sangrantes en el pulgar, de tanto chupar). Más vale no meterse en líos.

Espero que estas reflexiones te sirvan de ayuda, y que seas muy feliz con tus hijos.

Un cordial saludo,

CARLOS GONZÁLEZ

Ante todo agradecer enormemente la labor que realiza aclarando las dudas de muchas madres que, como yo, necesitamos asesoramiento en una tarea tan importante como es el cuidado y educación de nuestros hijos, que formarán la sociedad del mañana.

También debo felicitarle por su libro *Mi niño no me come*, pues, aunque no es el caso de mi hija, su lectura me ha ayudado a enriquecer mis conocimientos al respecto de una forma muy interesante. Así pues, le gustará saber que su libro también es leído por padres (estoy de acuerdo con usted en que por desgracia sería más real decir madres) que en el momento de la lectura del mismo no tienen el problema de que su hijo no le come. Felicidades.

Por último paso a exponer mis consultas, pues son varias y espero que no sea un abuso por mi parte. También debo decirle que aunque alguna duda expuesta se aparta del tema central de la alimentación, me gustaría mucho tener su opinión al respecto como pediatra, pues en lo que conozco me gusta la forma de enfocar el cuidado de los niños que tiene usted y personalmente me identifico con muchos de sus criterios y me ayudaría mucho que me respondiera a todas las consultas.

Tengo una niña de cinco semanas a la que le doy el pecho a demanda y también el descanso, es decir, que no le he impuesto una rutina de descanso de día y por la noche duerme bien, despertándose únicamente para mamar.

En ocasiones he intentado darle el chupete que ha rechazado casi siempre (solo lo ha tomado dos veces), y suele utilizar mi pecho como chupete (hasta para dormirse) y no sé si esto será positivo para ella, teniendo en cuenta que no siempre podré estar ahí con ella para satisfacerle esa necesidad. La verdad es que tampoco insisto diariamente con el chupete, pues no tengo claro que sea lo adecuado. También me gustaría saber los inconvenientes del chupete si los hay.

Quisiera saber si mi actitud de no crear una rutina de descanso durante el día puede perjudicar a mi hija, sobre todo cuando sea más mayor y tenga que acoplarse a rutinas horarias. Debo comentar que no es una niña que se pase normalmente el día durmiendo, pues se mantiene despierta bastantes horas durante el día.

Además, mi hija está muy acostumbrada a estar en brazos y en contacto físico conmigo, es más, no duerme directamente en su moisés sino que tengo que dormirla en brazos antes de acostarla, mucha gente me comenta que la estoy acostumbrando mal, que luego será peor (sobre todo cuando me incorpore a la vida laboral) y que sufrirá mucho, que debo dejar que llore un poco y acostumbrarla a dormirse sola (acunándola). Aquí hay que tener en cuenta que mi pecho ejerce también la función del chupete y que esto es un factor añadido a que quiera dormir conmigo (y con mi pecho en su boca). La verdad, yo creo que es fundamental el contacto con la madre, pero quizá porque en mi entorno no conozco a nadie que tuviera un contacto físico tan estrecho con sus hijos me surge la duda de que aunque crea que para la niña (y para mí también pues disfruto enormemente de esos momentos) es recomendable, a la larga le perjudique cuando yo no pueda estar con ella y esa dependencia de mí le cree posteriormente un problema.

Por último, quisiera saber si es efectivo darle al bebé infusiones para aliviar o mejorar los retortijones de tripita que le dan y si el hecho de darle a menudo el pecho (y de que lo utilice como chupete) puede hacer aumentar los gases y por lo tanto perjudicarle en el dolor de tripita.

Agradezco muy sinceramente y anticipadamente las respuestas a mis consultas que espero se realicen pronto para salir de estas dudas.

Muchas gracias y un cordial saludo,
Vanesa

20 de julio de 200*

Apreciada amiga:

Hace usted varias preguntas cuyas respuestas me parece que ya conoce. Es decir, no es que tenga usted dudas, sino que su opinión no coincide con la de familiares, amigos, pediatras o libros, y eso la desconcierta.

Claro que su hija rechaza el chupete. Teniendo el original... ¿Ha probado a darle el chupete a su marido, a ver qué cara pone? Su hija no la usa a usted como chupete; no permita que la insulten con semejante comparación. Es como si su marido pasase la tarde con usted «porque la usa como televisor». Es al revés. El chupete es un pezón de goma. Los niños que usan chupete lo están usando como pecho, es decir, están haciendo con el chupete lo que nuestros abuelos hacían con el pecho: consolarse, dormirse, obtener seguridad.

Por supuesto que no estará usted siempre para satisfacer las necesidades de su hija. Pero de momento sí que está. Si tu madre no te satisface ni cuando está, ni cuando no está, ¿para qué diablos necesitas una madre?

Algunos niños toman perfectamente el pecho y el chupete, y además están muy a gusto con su madre y no les pasa nada. Pero, puesto que además la suya no lo quiere, ¿para qué insistir? Entre los inconvenientes del chupete, aparte de ser un pobre substituto de la madre, están las deformidades de la dentición, las otitis (los niños que usan chupete tienen más otitis) y la afectación del desarrollo psicomotor (no se sabe por qué, pero en un estudio científico, los niños que no usaban chupete eran más listos. Claro que no se sabe si es la causa o la consecuencia: tal vez los niños listos, como la suya, no quieren chupete).

¿Qué es una rutina de descanso? Puesto que he criado a tres hijos sin saber lo que es eso, supongo que no debe de ser imprescindible. ¿Se refiere usted a acostarse y levantarse a la misma hora cada día? ¿Como las personas mayores? ¿Como su marido y usted, que se levantan y se acuestan a la misma hora el sábado que el martes, en agosto que en febrero? Qué buena idea, pongámosle una rutina desde pequeñita, no sea que de mayor se levante una hora más tarde los domingos o se acueste más tarde en verano, como hacen algunos psicópatas a los que malcriaron de pequeños por falta de rutina.

He oído decir que los niños más inteligentes duermen menos horas, porque necesitan estar continuamente explorando, experimentando, aprendiendo… No sé si será verdad, pero esta idea me fue de mucho consuelo cuando mis hijos eran pequeños.

¿Qué significa «acostumbrarse a los brazos»? ¿Que su hija pide brazos solo porque lo ha repetido muchas veces, porque usted «la acostumbró»? Claro, y si le da cada día una bofetada, cuando usted vaya a trabajar, ella llorará y llorará pidiendo su bofetada, ¿verdad? Primer misterio: solo se acostumbran a lo bueno.

Intente acostumbrar a su hija a otra cosa. Cada vez que llore, le da diez euros y se va. Al principio seguirá llorando, pero si lo repite varias veces al día, acabará conformándose con los diez euros. Llegará a acostumbrarse tanto que, si no le dan diez euros, llorará desconsolada. Lo mismo que con los brazos: al principio no quería, pero insistiendo, insistiendo, consiguió usted acostumbrarla…

¿Se ha tragado el párrafo anterior? Claro que no. Con diez euros su hija seguirá llorando; no se acostumbrará jamás, ni aunque se gaste millones. Con los brazos, en cambio, no necesitó «acostumbrarla»; desde la primera vez que la cargó, se calló. No, no es costumbre, sino la naturaleza misma de las cosas: los brazos, el pecho, la madre, son intrínsecamente tranquilizadores para los niños. Lo necesitan. La necesita. Su hija la necesita a usted.

Ella disfruta enormemente esos momentos, y usted también. ¡Disfrutando las dos, y sin haber pagado nada a nadie! Realmente, suena a pecado. No me extraña que se lo quieran prohibir.

La idea de hacerla sufrir ahora para que así no sufra luego es realmente ingeniosa. No vaya a la playa en verano… total, en febrero no podrá ir, y sufriría. No bese a su marido… total, uno de los dos se morirá antes, y el otro se quedará solo. No vaya al cine ni lea libros, corre el riesgo de perder la vista a los setenta años; más vale no acostumbrarse a depender de la vista para ser feliz…

Si dentro de unos meses tiene usted que trabajar, mala suerte. Según su situación laboral, económica y familiar, seguro que tomará usted la decisión que le parezca más apropiada, y seguro que pondrá el bien de su hija por encima de todo. Todas las madres lo hacen. Y muchas tienen que volver a trabajar a los cuatro meses, algunas incluso antes. Y todas lo hacen con tristeza y reparos. Pero la vida es así.

Pero el haber disfrutado, durante cuatro meses o aunque solo sea durante cuatro días, de su atención plena, constante e indivisa es algo que a su hija ya nunca podrán quitarle. El haber sido más feliz los primeros meses no la hará sufrir más, sino todo lo contrario, le dará más fortaleza para soportar las separaciones posteriores.

Las infusiones no alivian ni mejoran el cólico. En general, lo que más alivia el cólico es hacer caso a los niños: cargarlos, cantarles, mecerles, acariciarles, darles el pecho… Si alguno parece que se calla con un biberón de manzanilla es porque para dárselo su madre le coge en brazos. Si inventasen un aparato electrónico acoplado a la cuna, que les tirase un chorro de manzanilla a la boca cada vez que llorasen, le aseguro que no se calmarían.

Las infusiones pueden tener varios efectos secundarios. Se han visto intoxicaciones con el anís estrellado y el hinojo. El azúcar desequilibra la alimentación y puede producir caries. El llenarse la barriga con agua hace que no les quepa luego la leche, y no comen lo suficiente. Si se dan con biberón, es probable que se acostumbren y luego mamen mal. Y si son infusiones de la farmacia, es una auténtica estafa: 96% de azúcar, a un precio astronómico. Un niño que cada día se tomase la cantidad de infusión que recomiendan los fabricantes, al cumplir el año habría tomado más de siete kilos de azúcar, que habrían costado más de 135 euros. Los niños de pecho no deben tomar nada más, ni agua ni nada, hasta los seis meses, más o menos.

Y, desde luego, el darles a menudo el pecho no produce más cólico, sino todo lo contrario; ¿acaso no se calla su hija cuando le da el pecho? El pecho no puede producir gases, a menos que tenga usted leche con burbujitas (yo, al menos, no lo he visto nunca).

Hay un libro muy interesante sobre todos estos temas que creo que le ayudará; se titula *Nuestros hijos y nosotros*, de Meredith Small.

Espero haber ayudado a despejar sus dudas, y le deseo toda la felicidad con su familia.

Saludos cordiales,

Carlos González

Ante todo felicitarle por sus libros que me han sido de mucha ayuda en este difícil camino de ser padres, sobre todo su libro *Bésame mucho*, me gustó especialmente, y tengo la suerte de tenerlo firmado por usted ya que fui a la presentación que hizo en Valencia.

Tengo un bebé de veinticinco meses, bueno, no sé si llamarle bebé o niño con la presión que a veces recibimos de los educadores y pediatras, la cuestión es, que durante este año mis fines para mi pequeño son conseguir quitarle el pañal, el chupete, los biberones, y por último, que coma lo mismo que el resto de la familia.

Ya sé que son muchas cosas a la vez, pero tengo todo un año por delante, muchas ganas y mucha paciencia. En según qué campos ya he empezado, por ejemplo con los pañales, cuando estamos en casa se los quito y ya he conseguido que se siente en el orinal aunque no haga nada, ya que muchas veces llegamos tarde, pero para mí ya es mucho, porque al principio ni quería sentarse.

Respecto a los biberones, le quité el de por la mañana sin ningún problema y lo sustituí por una papilla de cereales (con 150 cl de leche y seis cucharadas de cereales), pero cuando pasó la revisión de los dos años, la pediatra me aconsejó volver a darle el biberón ya que con la papilla no llegaba a tomarse medio litro diario de leche y con el biberón sí. Con el tema de la comida vamos mucho más lento desde hace tiempo, Jordi siempre ha ido sobrado de peso y al introducirle los alimento sólidos (cuando digo sólidos me refiero a enteros sin tener que triturarlos) estuvimos un mes luchando y no hubo manera, perdió peso y desde entonces ya no come tan bien, volvimos otra vez a los purés por consejo de su pediatra, y ahora estamos en el punto que come lo mismo que nosotros pero cortado en trocitos muy pequeñitos y con caldo, todo se lo come tipo sopa, y no sé cuándo dar el paso al cuchillo y tenedor.

Y por último el chupete, aquí sí que no hemos intentado nada, no es que lleve el chupete todo el día pero sí para comer y dormir.

Espero recibir su ayuda para hacerlo lo mejor posible y que dentro del esfuerzo que estos cambios conllevan, llevarlos a cabo de la mejor manera posible para que mi pequeño no sufra con la pérdida de estos hábitos.

También le agradecería que me facilitara una lista de libros sobre estos temas.

Muchas gracias por todo,
Eugenia (madre de Jordi, lo más maravilloso del mundo).

29 de octubre de 200*

Apreciada amiga:

Ante todo, debe tener claro que sus objetivos para este año no necesariamente coinciden con los de su hijo. Es su vida, su chupete, su comida y su pañal. Usted puede proponer, pero él dispone, y tiene que aceptar su independencia.

Se recomienda ofrecer a los niños al menos medio litro de leche hasta el año. Ofrecer, porque algunos no necesitan tanto. Si a un niño pudiera darle un patatús por tomar solo 480 ml, entonces no recomendarían 500, sino 600, por si acaso. Cuando dicen 500 es porque están seguros de que ninguno necesita más de 450, y algunos pasarían con 380... Pero todo eso es antes del año; después no se sabe cuánta leche necesitan los niños, pero algunos expertos dicen que máximo medio litro (máximo, no mínimo), y recomiendan que el biberón se suprima al año precisamente para evitar que los niños sigan tomando, como el suyo, un exceso de leche.

Así que, si su hijo no se opone, ya puede tirar el biberón a la basura. Así tomará menos leche, que es de lo que se trata. Una cosa es que su hijo llorando le suplique «el bibe, mamá, dame el bibe» (y en tal caso se lo da, faltaría más), y otra cosa es que se beba medio o un cuarto de vaso de leche y no quiera más, pero no se queje (pues magnífico).

Por cierto, si su objetivo es que el niño coma lo mismo que el resto de la familia, no entiendo para qué le ha empezado a dar una papilla de cereales. La leche en un vaso, y los cereales en forma de pan, tostadas, galletas o magdalenas, creo que se parece más a lo que come el resto de la familia, ¿no? (Advertencia: los niños normales de esta edad a veces desayunan y a veces no. Los que desayunan suelen tomar un cuarto de vaso de leche y media galleta, aunque se sabe de niños que han comido un poco más.)

Tres cuartos de lo mismo con los triturados. Dos no luchan si uno no quiere, y por tanto dejar de darle triturados no implica que tengan que luchar con él. Simplemente, deje de hacer guarradas con la comida (¿le gustaría a usted que en el restaurante se lo dieran todo cortado en trocitos y remojado en caldo?) y póngale delante la comida normal. Las patatas, macarrones o guisantes pueden estar enteros; la carne, lógicamente, se la corta en trocitos porque él aún no sabe. Si él dice «mamá, por favor, échale caldo», pues se lo echa, pobre angelito. Como si sigue así toda la vida; ¿qué daño hace que a los diecisiete años corte en trocitos la pizza y le eche caldo? Ojalá sea ese el mayor disgusto que les dé en su adolescencia. Pero si Jordi no pide caldo, sino que simplemente mira el plato con curiosidad, se come una o dos partículas, tira cuatro o cinco al suelo y se cansa, pues es que no quiere comer más, y ya está. Déjenlo en paz, y verá como no se pelean. Y si pierde peso, pues mejor, porque va sobrado, ¿no?

¿Solo usa el chupete para comer y para dormir? A ver si es por eso por lo que no come. ¿Ha probado a quitarle el chupete para las comidas? Porque no entiendo cómo se puede comer con el chupete puesto…

El chupete solo se puede abandonar voluntariamente. Si se lo quitan sin su consentimiento, puede chuparse el dedo, lo que es mucho peor: como es más duro deforma más los dientes, además puede hacerse daño en el dedo, y si coge la costumbre va a costar más, porque el chupete puede «desaparecer» misteriosamente, pero el dedo no se lo podrán quitar. Así que lo mejor es preguntarle, y todo lo más animarle discretamente: «Ahora que eres mayor, ¿qué te parece si enterramos el chupete y ya no usas más?». Si se niega en redondo, no se haga la pesada; pregúntele solo cada dos meses o así, porque si insiste cada día va a convertir el chupete en una obsesión.

Espero que estas sugerencias le sean útiles, y le deseo toda la felicidad junto a su hijo.

Saludos cordiales,

CARLOS GONZÁLEZ

Mi hijo de cuatro meses se chupa el dedo y no solo cuando tiene hambre. Cuando le doy el biberón con la leche su instinto es el de agarrarse al biberón pero agarra la tetina y mete el dedo entre el hueco de la tetina y su boca, si no le dejo coge el biberón y se tapa la nariz con la mano y el dedo se lo mete por debajo para que yo no le vea. No quiere chupete y si lo coge es para dormirse y cuando está casi dormido se quita el chupete y se pone el dedo. Si le sujeto la mano se pone a llorar. Él sabe que no quiero que se chupe el dedo pues mi hermano pequeño lo hacía y estuvo con el dedo hasta los veinte años, y no se le quitó la manía. ¿Qué puedo hacer para que no lo haga?

Laura

24 de diciembre de 200*

Apreciada amiga:

Parece que a su hijo le hace mucha ilusión chuparse el dedo; y que a su hermano menor también le encantaba. Igual resulta que la propensión a chuparse el dedo es genética.

No he entendido muy bien si es que su hermano tiene veinte años y se sigue chupando el dedo, o si es que a los veinte se lo dejó de chupar. En todo caso, ¿qué perjuicios exactamente ha sufrido su hermano por chuparse el dedo durante veinte años? Si no se hubiera chupado nunca el dedo, ¿sería ahora mejor la vida de su hermano? ¿Sería más fuerte, más sano, más guapo, mejor deportista, habría tenido mejores notas en sus estudios, tendría un empleo mejor pagado, una novia más cariñosa, un coche más grande? Sospecho que, aparte de una posible deformación de los dientes (pero muchos que nunca se han chupado el dedo acaban también llevando aparatos), lo peor que le ha pasado a su hermano es que ha tenido que soportar durante años los comentarios despectivos y a veces humillantes de los adultos bienintencionados.

Usted puede ahorrarle a su hijo ese sufrimiento. Puede defenderle como una leona, plantar cara al mundo, respetarle y exigir que los demás le respeten, permitir que se chupe el dedo en paz y sin vergüenza.

Y eso es también, probablemente, lo mejor que puede hacer para que se le quite la manía. Porque los demás métodos suelen resultar contraproducentes, como bien podrá explicarle su propia madre, que ha tenido veinte años para probarlos todos.

Espero que estas reflexiones le sean útiles, y le deseo toda la felicidad junto a su hijo.

Feliz Navidad,

CARLOS GONZÁLEZ

Somos unos padres que nos dirigimos a usted para intentar solucionar un problema con nuestro hijo que no sabemos muy bien cómo atajar.

Acaba de cumplir tres años y no conseguimos que coma nada que no esté triturado, exceptuando alguna cosa como, por ejemplo, patatas fritas o chocolate. Nuestro pediatra nos ha comentado que deberíamos dejarle sin comer hasta que acepte los alimentos masticados, ya que parece más una obsesión que un rechazo por falta de gusto al sabor. Los mismos alimentos sólidos que rechaza (ni siquiera hace intención de intentar comerlos, en cuanto los ve, comienzan a darle arcadas como si fuera a devolver, cosa que incluso ya nos ha llegado a suceder) triturados se los devora.

No tiene problema de alimentación, porque además, triturado come de todo y está perfecto según nuestro pediatra, pero nos gustaría saber si existe alguna otra forma de atajar el problema que no sea martirizando a nuestro hijo a llorar hasta que finalmente acceda a comer.

También nos gustaría saber en qué puede afectarle y hasta qué edad puede seguir con este problema.

Gracias por su tiempo y por su consejo.

Un saludo,

Alfonso

18 de julio de 200*

Apreciados amigos:

Al final de su carta ponen ustedes el dedo en la llaga: «en qué puede afectarle, y hasta qué edad». Pues la respuesta es bien clara: no puede afectarle en nada, y de edad le falta poco.

Si su consulta fuera otra, fracaso escolar, agresividad, timidez, no podría darles las mismas garantías. Hay chicos que jamás consiguen entrar en bachillerato, hay delincuentes juveniles, hay adultos tímidos. Pero ¿alguna vez han oído ustedes hablar de un adulto, o de un adolescente, o de un niño de seis años que solo coma triturado? ¿Se imaginan a su hijo yendo con sus amigos de juerga y pidiendo pizza triturada o hamburguesa y patatas fritas trituradas?

Así que, de un modo u otro, es un problema que siempre se soluciona. Todo el mundo mastica y traga.

Y, aunque no se solucionase, no le iba a afectar en nada. La comida es la misma triturada que sin triturar. Con los aparatos modernos es un minuto de trabajo. Dentro de unos años podrá triturárselo todo él mismo. Cuando sea mayor, podrá triturarse los macarrones, el bistec con patatas, o los pimientos del piquillo con brandada de bacalao. Incluso podría llevarse el aparato en una mochila (pesa como un móvil de los antiguos) y triturarse la pizza cuando vaya con los amigos. No pasa nada, no hay ningún peligro para su salud, puede vivir cien años con esa dieta.

Efectivamente, hay un método mejor que hacerle llorar: no hacer nada. Si de todas maneras se va a solucionar, ¿para qué llorar?

Normalmente, estas situaciones se originan con la obsesión por hacer comer a los niños. Yo, de pequeño, no comía triturados, ¡no había trituradora eléctrica! Todo lo más, el plátano aplastado con el tenedor. Si ustedes no le hubieran dado jamás triturados (como hacía su abuela), su hijo nunca se habría acostumbrado. Pero, claro, a los siete meses, a los diez, no digamos a los catorce (cuando «dejan de comer»), si le ponían delante pollo y verduras cortadas en trocitos solo comía dos trocitos, pero si se lo trituraban todo y «le distraían», podían meterle un plato entero. Pues de aquellos polvos vienen estos lodos.

¿Por qué todos los niños quieren chocolate, y ninguno quiere verduras? Pues probablemente influye que todas las madres dicen «acábate las verduras» y «no comas tanto chocolate». Si alguna madre dijese «tienes que acabarte el chocolate, que lleva mucho calcio y mucho hierro» y «ya está bien de verduras, eso es una porquería y vas a criar gusanos», a lo mejor veríamos sorpresas.

Pues a su hijo le pasa algo parecido: jamás le dicen «ya está bien de tanto masticar, tendrías que tomar un poco más de triturado». Lo que le quieren dar, cada vez le da más asco; lo que le quieren prohibir, cada vez le gusta más.

Lo mejor es no intentar obligarle a comer de ninguna manera, por ningún método, ni por las buenas ni por las malas, ni con gritos y amenazas ni con premios y exhortaciones, ni los triturados ni la comida entera. Le ponen el plato delante, con muy poca cantidad. Tres macarrones o cuatro guisantes. Lo digo en serio, no tres montoncitos, ni tres cucharadas, sino tres macarrones. Si se los come, bien, pero no le feliciten ni nada por el estilo, que tampoco es un acto de heroísmo. Si no se los come, pero no pide nada, pues no come. Si él mismo dice: «Así no los quiero, los quiero triturados», pues se los trituran, no pasa nada. Sin rechistar, sin un comentario, sin un sarcasmo. Pero solo si él lo pide. No le pregunten «¿y triturado? ¡Triturado sí que te lo comerías, verdad?». Si no quiere la comida, pero tampoco dice «mamá, dame triturado», quiere decir que no tiene hambre y punto. Que quede claro que no estoy diciendo lo que proponía su pediatra, no estoy diciendo que le dejen sin comer a propósito para hacerle pasar hambre y doblegarle, sino todo lo contrario: respetarle, dejar que coma lo que quiera (si es comida sana, no chucherías, se entiende) y cuando quiera, y que si no quiere comer no coma. Y si así lo hacen, puede que coma triturados o puede que mastique, pero en todo caso será feliz. Ya nos contarán dentro de un tiempo cómo les va.

Espero que estas sugerencias les sean útiles, y les deseo toda la felicidad con su hijo.

Saludos cordiales,

CARLOS GONZÁLEZ

Después de un año de la consulta que os realicé a través del correo de mi cuñado, os cuento cómo se encuentra la situación por si creéis oportuno decirme alguna otra forma de actuar.

Ahora se nos juntan varias cosas. El año pasado, justo para el verano, tuvimos un segundo bebé, una niña preciosa de la cual estamos enamorados, tanto mi mujer, mi hijo Raúl que tiene pasión por ella, como yo. Y me imagino que influirá el «reparto de cariño» para no solo no haber evolucionado con la comida masticada, sino haber empeorado en algunos aspectos.

Hemos realizado todo tal y como nos comentasteis, pero ha sido misión imposible, siempre se ha negado en rotundo a comer sólido, exceptuando las meriendas y los desayunos que sí que le hemos ido venciendo, me imagino que porque las cosas son más «apetitosas», lo cual nos hace creer rotundamente que es un tema más de cabezonería que del alimento en realidad.

Este verano comenzó a empeorar, ya que incluso no soportaba determinados olores de nuestras comidas, que solían ser las mismas que las de él pero sin triturar, y se apartaba de nosotros hasta finalizar la comida, con lo cual, decidimos «forzar» la situación para saber su reacción diciéndole que se habían acabado los alimentos triturados en esta casa, que si quería comer como papá y mamá genial, que si no no había nada para comer.

Tampoco nos ha dado resultado, ya que para él se creó un estado de angustia cada vez que se acercaba la hora de la cena y de la comida. Sí que es cierto que alguna cosa llegó a probar, pero con asco y llorando. La situación después de casi diez días se nos volvió tan angustiosa para nosotros que decidimos dar marcha atrás. Esa cara de felicidad que había perdido volvió a recuperarla y nosotros también.

No sé si hemos hecho bien dando marcha atrás, pero no podíamos seguir dejando sin comer a nuestro hijo y, lo que es peor, creándole un trauma a la hora de la comida. Incluso viendo a su hermana comer sólidos, no se anima a intentarlo.

Ya nos diréis si hay alguna solución o esperamos a que siga creciendo y los acontecimientos le hagan razonar como una persona adulta.

También estamos con el tema del pañal. Sabemos que desde hace tiempo debería haberlo dejado atrás, tiene ahora cuatro años, y desde hace mucho tiempo solo lo lleva para dormir. Llevamos un mes que no se lo ponemos por la noche y, la verdad, no conseguimos que nos avise o que se levante él a hacerlo, sino que ni siquiera nos avisa cuando se ha hecho pis. Siempre hace pis justo antes de irse a la cama para alargar el proceso, pero nos toca cambiarle dos o tres veces todas las noches, a nosotros no nos importa estar pendientes e ir a cambiarle, pero creo que debería ser él el que se diera cuenta, no sabemos cómo actuar. ¿Nos podéis aconsejar también sobre esto? Con la pequeña va todo bastante mejor porque de todo se aprende, pero al pobre Raúl le está tocando todo y muy seguido.

Gracias de antemano por todo, un cordial saludo,

Alfonso

30 de agosto de 200*

Apreciado amigo:

Me alegro de volver a tener noticias vuestras. Enhorabuena por el aumento de familia.

Claro que habéis hecho bien en dar marcha atrás. Vuestro hijo estaba sufriendo, y eso significa que no se puede continuar por ese camino.

Dices: «Hemos realizado todo tal y como nos comentasteis»; pero me temo que no ha sido así. Porque a continuación vienen dos frases que desmienten esta. La primera: «Pero ha sido misión imposible, siempre se ha negado en rotundo a comer sólido». Por más que releo mi primera carta, en ningún sitio veo que mi consejo fuera «el niño tiene que comer sólido». No os dije en ningún momento lo que tenía que hacer vuestro hijo. Él puede hacer lo que quiera. Y, por lo tanto, no puede hacer fracasar la «misión», porque no depende de él. Si come sólidos, vamos bien, y si come triturados, también vamos bien.

Y entonces, ¿cuál es la misión? Pues bien claro estaba. Son cosas que tenéis que hacer vosotros, los padres: no obligarle jamás a comer, ni por las buenas ni por las malas. Si quiere comer, que coma, si no quiere, que no coma. Si pide que le trituren la comida, triturarla sin rechistar; si no lo pide, no triturarla. No insistir, no ridiculizar, no lanzar indirectas, no gritar, no amenazar. Todo eso depende única y exclusivamente de vosotros. ¿Qué parte de la misión fue «imposible»? ¡Sí qué podéis, solo tenéis que hacerlo!

Y la segunda frase que me preocupa es «que sí que le hemos ido venciendo». ¿Venciendo? ¿Acaso estabais luchando? Tenéis

115

que tener bien claro que no estáis luchando contra nadie, y menos contra vuestro propio hijo. No se trata de que mastique o no mastique; se trata de que le respetéis o no le respetéis. Si a los cuarenta años solo come triturados (cosa que, insisto, no creo que ocurra, porque sería el primer caso en la historia de la humanidad), ¿qué importa? Simplemente tendría fama de excéntrico («¿sabes que Raúl lo come todo triturado?»). Si sus padres le respetaron, tendrá confianza en sí mismo y sabrá hacerse respetar; nadie se burlará, nadie le discriminará y no pasará de ser una anécdota sin importancia.

Solo queda añadir un nuevo consejo: jamás hacer ningún comentario del tipo: «Parece mentira, tu hermana ya come y tú todavía no». JAMÁS.

En cuanto a lo de la orina, la mayoría de los niños dejan de hacerse pis por la noche en algún momento entre los tres y los dieciséis años. Cuando un niño de más de cinco años se hace pis de noche más de una vez por semana, se le llama «enuresis nocturna», que no es ninguna enfermedad, sino solo una variación del desarrollo normal. No tiene nada que ver con ningún problema psicológico. No lo hacen a propósito. No lo pueden evitar. Se han propuesto muchos tratamientos, algunos que no hacen nada de nada, otros poco efectivos, y algunos peligrosos.

Afortunadamente, desde hace unos años es posible encontrar, en casi cualquier supermercado, pañales para niños mayores, creo que la talla mayor es la de «diez a catorce años» (luego ya se usan los pañales de incontinencia para adultos). Así que ya no hay ningún problema: se le pone pañal, y ya está.

Si los padres, por lo que sea, quieren quitar el pañal, y el niño lo acepta, y a los padres no les importa lavar sábanas y estropear colchones sin quejarse ni burlarse, magnífico. Pero si el niño no quiere que le quiten el pañal, o los padres van a reñirle o ridiculizarlo, entonces no hay que quitarlo bajo ningún concepto.

Bueno, decía que no hay ningún problema, pero puede haber uno: cuando el niño no quiere que le pongan pañal, porque lo sufre como una vergüenza o un castigo. En esos casos, no hay más remedio que dejar al niño sin pañal y lavar todas las sábanas que haga falta. Habitualmente el problema se produce porque alguien (normalmente padres o abuelos) le ha estado diciendo al niño cosas como «qué vergüenza, un niño tan mayor» o «si vuelves a mojarte en la cama, te tendré que poner pañales como a un bebé». En esos casos, y puesto que yo mismo me hice pipí en la cama hasta los siete años, no puedo dejar de pensar: «Bien empleado les está, por decirle tonterías al pobre niño».

Un cordial saludo,

CARLOS GONZÁLEZ

Me gustaría consultarte algunas cositas sobre las que tengo dudas y, por desgracia, mi pediatra es de los de «dale diez minutos de cada pecho y ya».

Tengo un bebé de casi tres meses, le doy pecho y quiero seguir haciéndolo; al principio tuve grietas, obstrucciones, escozor… y lo pasé fatal, ahora ya no tengo grietas y el bebé mama bien (o eso creo). El problema es que antes mamaba veinte minutos, después pasó a diez y ahora solo mama cinco minutos; eso no me asusta, lo que me preocupa es que cada toma la hace de un solo pecho y cuando le ofrezco el otro se enfada muchísimo y solo mama cinco minutos por toma. ¿Es malo? Estoy leyendo el libro *Un regalo para toda la vida*, pero no dice nada de esto, solo que el niño decide si quiere un pecho o dos, pero ¿en todas las tomas? Por favor me gustaría que alguien me respondiera las dudas porque tengo miedo de que mame menos cada vez y se me vaya la leche.

Gracias,

Azucena

22 de mayo de 200*

Apreciada amiga:

¡Pero qué dudas! Perdona, pero me dejas pasmadito. ¿Que si el niño decide si quiere un pecho o los dos en todas las tomas? ¡Pues claro! ¿Qué esperabas? «El niño decide si quiere un pecho o dos a las ocho de la mañana y a las cinco de la tar-

117

de; el resto del día, el niño hará exactamente lo que yo diga, y ay de él si se pone en plan tonto.» Pues claro que decide en todas las tomas, mujer.

Y cuando llegues a la página 114 del libro verás que a los tres meses los niños suelen mamar en cinco minutos o menos. Algunos niños maman en menos de un minuto.

No, no te vas a quedar sin leche. Si mama cada vez menos, es porque tienes tanta leche que con cinco minutos de un solo pecho ya está servido. Si algún día quisiera más leche, pues ya espabilaría para mamar más y para tomarse el segundo pecho, ¿acaso no es listo tu hijo para saber si tiene más hambre o menos hambre? Mientras le des el pecho cuando él lo pida, y no le des biberones, no se te puede ir la leche (bueno, sí, hablando en sentido estricto, tu leche se va… de la teta al estómago de tu hijo, que es donde tiene que estar).

Espero que estos comentarios te sean útiles, y te deseo toda la felicidad con tu hijo.

Saludos cordiales,

CARLOS GONZÁLEZ

He escrito antes, me llamo Azucena y escribo desde Badajoz. Tengo otra preguntita, es que soy primeriza y como tal, muy pesada. El pediatra me ha recetado unas gotas para mi bebé y no me ha dicho el porqué, solo me dijo que se las diera hasta los seis meses, yo le doy pecho y sé que el pecho le alimenta bien, entonces no se el porqué de las gotas, ¿es que le faltan vitaminas a mi leche? Se llaman Dayamineral y me ha dicho que le dé cinco gotas al día. ¿Sabría decirme usted para qué cree que son y si son necesarias?

Otra duda, todo el mundo dice y todo lo que leo también, que si das pecho no debes dar el chupete, pero a mi bebé mi madre le dio el chupete casi desde el primer mes y ahora lo quiere siempre para dormir aunque luego lo tira (no siempre), solo se duerme en mis brazos y en cuanto le dejo en la cama se despierta. He leído también *Bésame mucho*, y yo ya hacía muchas cosas de las que dice usted sin leerlo, a mí me gusta dormir con mi hijo, cargarlo, abrazarlo… pero ahora no quiere estar con nadie más y todo el mundo me dice que le he malcriado, ¡solo tiene dos meses y medio! Dicen que lo deje con otras personas para que se acostumbre porque cuando empiece a trabajar nadie querrá quedárselo. ¿Qué hago con el chupete?, ¿se lo quito?, ¿podré?

Le ruego me conteste cuando le sea posible.

Gracias,

Azucena

23 de mayo de 200*

Apreciada amiga:

¿Pesadas las primerizas? ¡Qué dices!

No más que los pediatras. Ya ves, te han mandado unas vitaminas que tu bebé no necesita para nada. Pero es que hay médicos que también se asustan por todo, y se pasan la vida pensando «¿…y si le faltan vitaminas?». Conocí a un médico que daba antibióticos para el resfriado, y cuando los compañeros lo mirábamos raro, porque lo primero que te enseñan en Medicina es que los resfriados no se tratan con antibióticos, decía muy serio: «Sí, bueno, pero ¿y si alguno estaba empezando a hacer un absceso cerebral, y gracias al antibiótico lo he salvado?».

Antes del mes se recomienda no dar chupete a los niños de pecho, porque a veces el chupete les lía y luego maman mal. Después del mes, no suele tener importancia, y hay muchos niños que maman durante años y también usan chupete. Pero también hay algunos niños que se lían aunque sean mayores; si vieras que no mama bien, no gana peso, te duelen los pezones…, mejor le quitas el chupete.

Y aunque no haya ningún problema, si no quieres darle chupete, pues no le des. Es tu decisión. Probablemente también se dormiría con el pecho en vez de con el chupete, ¿no?

¡Ya está malcriado, con dos meses! No sabes la suerte que tienes. Si se convierte en delincuente juvenil, se lo llevarán al reformatorio, que los tienen gratis y encima les enseñan un oficio útil. En cambio, a los hijos de las otras, como no están mal criados, habrá que pagarles la universidad y al acabar estarán desempleados…

119

A la próxima que te diga lo de dejarlo con otras personas, le puedes contestar: «No, si el niño no me preocupa, total, solo tiene dos meses, ya espabilará. El que me tiene preocupada es mi marido, que con más de treinta años no se va con otras ni a tiros, solo quiere estar conmigo, tiene una dependencia que no es normal. Dime, ¿tú cómo has conseguido que tu marido se vaya con otras?».

Saludos cordiales,

CARLOS GONZÁLEZ

Quisiera saber si puedo hacer algún tipo de dieta y continuar dando el pecho a mi bebé; tiene solo seis meses y me han dicho que para hacer dieta tengo que quitarle el pecho y no quiero hacerlo, está muy sano. ¿Puedo hacer dieta o será malo para el bebé?

Gracias,

Azucena

4 de septiembre de 200*

Apreciada amiga:

Sí, desde luego, puede hacer dieta durante la lactancia. Se ha demostrado que con una dieta hipocalórica y equilibrada (es decir, con su pan y su grasa y sus vitaminas, solo que un poco menos de todo), con la que la madre pierde medio kilo por semana, la producción de leche se mantiene y el bebé sigue engordando normalmente.

Por supuesto, lo que probablemente no sería bueno, ni durante la lactancia ni durante ninguna otra época de la vida, es hacer dietas absurdas y desequilibradas, tipo «el fin de semana del pomelo», intentando perder varios kilos de golpe.

También es muy importante hacer ejercicio físico. Pasear con el niño en brazos, gimnasia, baile, algún deporte que le guste… Cuando se pierde peso sin hacer ejercicio se pierde antes la masa muscular que la grasa. Y como perder músculo no es bueno, el cuerpo en cuanto puede lo recupera. Por eso hay tanta gente que pierde peso rápidamente, pero lo vuelve a recuperar enseguida. En cambio, al hacer ejercicio, la masa muscular se mantiene o aumenta, y lo que se pierde es la grasa, y la pérdida de peso se mantiene.

Un cordial saludo,

CARLOS GONZÁLEZ

Tengo una niña de dos meses y medio. Hasta hace unos días se chupaba el puño y los deditos, pero desde que descubrió el pulgar, lo chupa con toda su fuerza sobre todo cuando está nerviosa y cuando se va a dormir.

Algunos dicen que es bueno que se lo chupe porque descubre su mano, pero a mí me da miedo que se vuelva un hábito y acabe deformándose la boca y el dedo.

¿Me encomendáis que la deje o le «obligo» a coger el chupete en vez del dedo?

Gracias por vuestros consejos,

Miriam

20 de agosto de 200*

Apreciada amiga:

Todos los niños se chupan el dedo, y si no es una cosa exagerada (horas y horas), no hay que preocuparse.

Es cierto que chuparse el pulgar puede traer más problemas que usar un chupete. Es más duro y deforma más, y algunos niños llegan a hacerse daño en el dedo. Pero por otra parte el chupete también deforma. Si por las buenas se puede cambiar, pues mejor; pero si ha de ser un conflicto, quizá tampoco vale la pena.

Lo que sí que es mucho mejor que el dedo y que el chupete es el pecho. Si puede tomar más pecho, en vez de chuparse el dedo, pues mucho mejor (aunque hay niños que toman pecho hasta que no pueden más, y aun así quieren seguir luego chupándose el dedo).

Un niño que se chupa el dedo mucho rato a lo mejor lo hace solo porque le gusta, y ya está. Pero también puede ser que lo haga como substituto del contacto afectivo. Dice que su hija se chupa el dedo cuando está nerviosa o para dormirse. Si duerme en brazos, ¿también se lo chupa? Los niños necesitan estar en brazos la mayor parte del día, y necesitan dormir en brazos, y a veces se chupan el dedo (o hacen otros movimientos repetitivos) para consolarse del estrés que les supone el estar solos. También hay niños, por supuesto, que estando en brazos, completamente felices y nada estresados, se siguen chupando el dedo porque les da la gana, y no hay más que hablar.

Espero que estas reflexiones le sean útiles, y le deseo toda la felicidad con su hija.

Saludos cordiales,

Carlos González

Mi niña de nueve meses no gatea y no se pone nada de pie.

¿Es bueno el andador para este caso en concreto?

Gracias,

Juana

11 de agosto de 200*

Apreciada amiga:

A los nueve meses, un niño debería ser capaz de «desplazamiento autónomo inicial»; es decir, de desplazarse él solito, si le da la gana (por ejemplo, para ir con mamá o para coger un juguete), a dos metros de distancia. Si su hija no es capaz de moverse, por cualquier método, un par de metros, consulte con su pediatra.

Pero no todos los niños gatean. Algunos niños se desplazan reptando, como los marines bajo las alambradas. Otros gatean, es decir, van sobre las manos y las rodillas. Otros andan «como un oso», sobre las manos y los pies, sin doblar la rodilla. Otros se sientan y se mueven sentados, haciendo palanca con una pierna. Muchos niños no llegan a gatear en su vida, y es totalmente normal.

A los nueve meses, la mayoría de los niños no se ponen nada de pie.

Un andador no es bueno a ninguna edad. No va a andar antes ni mejor porque la ponga en un andador; antes bien; si pasa muchas horas en él no tendrá tiempo para arrastrarse, gatear o lo que quiera hacer ella; si no puede practicar, le costará más adquirir la habilidad y la fuerza muscular necesarias.

Además, el andador es peligroso. La sabia naturaleza impide que los niños caminen mientras no sepan adónde ir. Con el andador, un niño puede llegar, como los atletas, «más alto, más lejos, más rápido» de lo que su edad le permitiría. Puede escapar de la vigilancia de los adultos, caerse por las escaleras, alcanzar los mangos de las sartenes o las llaves del gas, tirar de los manteles y tapetes, inspeccionar los cuchillos y los jarrones chinos...

Espero que estas reflexiones le sean útiles, y le deseo toda la felicidad con su hija.

Saludos cordiales,

CARLOS GONZÁLEZ

Me comentan en la guardería que desde hace una semana mi niña a las once y media después del desayuno, y a las cuatro después de la papilla de frutas, se tumba en el suelo y se queda como adormilada, sin energía. Además, tiene poquito pelo y se le rompe fácilmente, y aunque tiene quince meses aún no anda sola, solo da tres pasos y pierde el equilibrio, aunque si le das un dedo quiere salir corriendo. No sé si será debido a la alimentación que lleva, por lo que agradecería vuestra ayuda. Actualmente pesa 8.600 g, ha aumentado de peso 550 g en dos meses y mide 75,5 cm. Es una niña que aún toma pecho, pero desde hace una semana, casi coincidiendo con el problema que acabo de comentar que le ocurre, no quiere la toma de las cinco, y a las dos solo mama diez minutos.

Su rutina es la siguiente: duerme con nosotros. La primera toma la hace a la una de la madrugada, la segunda a las cuatro, y a las siete, antes de levantarse, mama diez minutos. Le damos una galleta y no come nada hasta las diez que voy a darle de mamar (mama de diez a quince minutos). A las once le dan un pequeño bocadillo de jamón dulce o pavo y alguna galleta, a la una le dan la comida (dos platos: una sopa, por ejemplo, y un poco de carne) que dicen que le cuesta comer. A las dos voy yo y mama diez minutos, el resto de la hora está caminando de mi mano o jugando sentada. A las cuatro le dan la papilla de frutas que se la come muy bien. A las cinco la llevo a casa (como ya os he comentado hace una semana que no quiere mamar a esa hora y aguanta con unos palitos de pan hasta las seis menos cuarto que hace una toma). A las seis y media le doy cereales con agua pero no los come muy bien, a veces come algo de fruta o una pizca de pescado o carne. A las siete hace la toma para irse a dormir, y dormida vuelve a mamar a las diez. Es decir, duerme doce horas aproximadamente; no duerme durante el día.

Cuando está con nosotros duerme una hora o hora y media a las once de la mañana. Por eso hemos pensado si será sueño. Me han dicho en la guardería que en lugar de ir a las dos que vaya a las tres, ya que en ese tiempo hay silencio porque los niños duermen y quizá pueda dormir entonces. Yo tengo miedo de que se me vaya retirando la leche, ya que quiero que siga mamando hasta los dos años. Si alargo las tomas al final creo que puede pasar, pero a la vez no sé si debería darle el bocadillo por la mañana o introducirle los cereales con leche adaptada.

¿Qué debo hacer? Tengo hora para el pediatra en una semana pero necesito que me ayudéis antes.

Gracias de antemano.

Una mamá preocupada,

Teresa

11 de noviembre de 200*

Apreciada amiga:

La verdad es que su historia no parece nada preocupante. Es muy normal que un niño de quince meses aún no se suelte a andar (seguro que camina muy bien antes de Semana Santa, y puede que antes de Navidad). Es muy normal que un niño de esta edad tenga poquito pelo, y lo de que se le rompe podría parecer más raro; pero entiendo que a su pediatra le ha parecido normal cuando lo ha visto, así que debe de ser normal. Tampoco me parece nada del otro jueves que su hija se eche un par de veces al día a intentar dormir la siesta, aunque parece que no llega a conciliar el sueño. El peso es totalmente normal, la niña está sana y feliz, su alimentación es perfecta. Dice que duerme doce horas seguidas, lo que resultaría sorprendente; pero también dice que mama a las diez, a la una, a las cuatro y a las siete, así que parece que el concepto de «dormir seguido» no es el mismo para usted que para ciertos expertos (¡cuánto podrían aprender algunos si escuchasen a las madres!).

¿Introducir cereales con leche adaptada, a los quince meses? ¿Para qué? Su hija ya está comiendo un bocadillo, que son los cereales que comen los niños mayores, ¿y ahora quiere volver atrás y darle papillas de bebé? Además, está tomando leche materna, que es la mejor del mundo, y no necesita otra; y si la destetase y necesitase otra leche, ya no sería leche adaptada, sino leche normal y corriente, con cacao si le gusta... Y por lo mismo, ¿para qué le da cereales con agua por la tarde? Si fuera que la niña lo pide..., pero precisamente dice que no se los come muy bien. Que coma lo que quiera, si es que quiere comer algo; y si quiere cereales, pues pan, galletas, arroz, macarrones...

Lo de ir a las tres en vez de a las dos, podría ser útil. Es cuestión de probarlo. A lo mejor ve que espera tranquilamente y que, en efecto, así puede dormir la siesta; y entonces adelante. O a lo mejor lo prueba y resulta que se pasa esa hora protestando, y luego está más nerviosa..., pues nada, lo deja de hacer y ya está. No creo que el darle el pecho una hora antes o después vaya a reducir la producción de leche; ni siquiera se trata de suprimir una toma.

Muchos niños a esta edad van disminuyendo poco a poco las tomas; a veces, cerca de los dos años, apenas maman dos o tres veces al día..., pero muchos tienen una «recaída» hacia los dos años o dos años y medio, y se ponen a mamar a todas horas. Su hija sabrá cuándo tiene que mamar y cuándo no.

Espero que estas reflexiones le sean útiles, y le deseo toda la felicidad con su hija.

Un cordial saludo,

CARLOS GONZÁLEZ

2

La maternidad y la familia

El nacimiento, el posparto, los celos

Primero quiero agradecerle su atención y tiempo.

Tenemos una niña de veinticinco meses. Mi mujer la ha amamantado hasta los veinte meses y además, ha llevado una dieta
sana y equilibrada aunque con algún problema:

1. La niña por las noches utilizaba el pecho como si fuera un
chupete, por lo que tenía a su madre agotada ya que se despertaba
varias veces a lo largo de la noche.

2. Mi mujer se quedó embarazada y el pediatra nos recomendó que le fuéramos retirando poco a poco el pecho, porque hacerlo cuando naciera su hermano sería traumático para ella. Además, si le seguíamos dando el pecho le estaríamos quitando
nutrientes al bebé en desarrollo. Por ello, y aludiendo a tener pupa
en los pechos se le dijo que no podría mamar más, sorprendentemente, la niña aceptó rápidamente la nueva situación, comía estupendamente y era una niña sana, pero se ha quedado con una
obsesión: los pechos de su madre y por lo general de cualquier
mujer. No intenta mamar, pero sí los toca y se abraza a ellos. La
niña está muy apegada a su madre, y por lo tanto no creemos
que sea un problema de falta de contacto, ya que, excepto mamar,
(ella ya no lo pide) mi mujer le permite cualquier contacto afectivo.

Por todo esto, estamos muy preocupados ante la llegada de su
hermano (lo esperamos dentro de cinco semanas) pues no sabemos cómo actuar para no frustrar a nuestra hija porque queremos
criar a su hermano de la misma manera, y prolongar la lactancia

todo el tiempo que sea posible, pero no a costa del sufrimiento de la mayor. ¿Qué podemos hacer?

Aprovecho esta oportunidad para enviarle un cordial saludo. Gracias, su sección nos sirve de referencia constante,

Julio

4 de marzo de 200*

Apreciado amigo:

No es cierto que haya que destetar antes del parto y que seguir mamando podría ser perjudicial para el feto. Dar el pecho no perjudica en absoluto al feto, y los nutrientes que una mujer necesita para hacer ambas cosas a la vez son muchos menos que los que necesitaría si estuviera embarazada de gemelos, por ejemplo. Y después del parto se puede seguir dando el pecho a ambos hijos a la vez, es lo que se llama «lactancia en tándem» (y una vez más, es mucho más fácil que dar el pecho a gemelos, pues uno de dos años de todos modos ya mama muy poco). Encontrarán mucha información sobre lactancia en tándem en Internet.

Por otra parte, no es del todo falso lo que le dijeron ustedes a su hija, que no podía mamar porque mamá tenía pupa. Algunas mujeres dan el pecho todo el embarazo, pero también muchos niños se destetan más o menos voluntariamente, en parte porque ya son grandes y un día u otro se habían de destetar, en parte porque el sabor de la leche parece que cambia, y en parte porque a muchas embarazadas, en efecto, les duelen los pezones al amamantar.

¿Qué hacer ahora? Depende de la situación. Habla usted de «sufrimiento», y desde luego, si su hija sufre, habría que hacer algo. Pero no explica en qué consiste ese sufrimiento, si solo es una «obsesión con los pechos» de su madre y de otras mujeres, me parece una afición muy inocente; y, siendo niña, es probable que se le quite espontáneamente.

Si les parece que ella sufre por el deseo de mamar, y si a la madre no le importa, puede volverle a ofrecer. Siempre se puede salir airosamente del embrollo; por ejemplo: «Ya no tengo tanta pupa en la tetita como antes, así que si quieres puedes mamar un poco, pero solo una vez al día, y por la noche no». U otras condiciones que le parezcan adecuadas. Puede que mame, o puede que lo rechace educadamente.

Incluso si no quiere mamar ahora, o si no se lo ofrecen, es posible que, al ver mamar a su hermano, quiera ella también. Le ocurre a muchos niños que llevaban meses sin mamar (y a algunos adultos), y lo mejor (al menos con los niños) es dejarles mamar sin discutir. Algunos niños, sobre todo los más pequeños, se reenganchan para unos meses más de lactancia; pero la mayoría lo intentan una vez, descubren que ya han olvidado la técnica, exclaman algo así como «¡Esto es para bebés» o «¡No tiene cacao!» y no vuelven a pedir.

Espero que estas sugerencias les sean útiles, y les deseo toda la felicidad con su creciente familia.

Saludos cordiales,

CARLOS GONZÁLEZ

Tengo una hija de un mes y mi mujer se siente mal porque se duerme cuando le da de mamar. Piensa que es porque no le transmite el amor suficiente y la niña se aburre con ella. ¿Es esto así? Y si no es así, ¿qué puedo hacer para animar a mi mujer?, porque esto le causa mucha inseguridad e incluso episodios de depresión.
Saludos y gracias por todo,
Benjamín

13 de febrero de 200*

Apreciado amigo:

Por supuesto que la niña no se está aburriendo con su madre.

Antes que nada, supongo que está aumentando de peso normalmente; es decir, que se duerme cuando ya ha acabado de mamar, como todos los bebés. Si se duerme sin haber mamado, se notará porque no gana peso, y entonces es un caso totalmente distinto.

Todos los bebés, insisto, se duermen cuando acaban de mamar. Los recién nacidos duermen dieciséis horas al día o más. A medida que vaya creciendo, irá durmiendo menos.

131

Los bebés duermen más fácilmente cuando son felices y se sienten seguros. Con la tripita llena de sabrosa leche, y en brazos de su madre, a la que quiere con locura, ¿qué mejor sitio para dormirse?

Que los niños se duermen al pecho, o en brazos, y que duermen casi todo el día, es algo muy sabido. Jamás en mi vida había oído a una madre preocupada por esto. Así que sospecho que la cosa es al revés de lo que usted piensa: su mujer no se deprime porque la niña duerme, sino que tiene estas ideas tan extrañas porque está deprimida. Los grados leves de depresión posparto son muy frecuentes y pasajeros, pero existen también depresiones graves, que no pueden tomarse a la ligera.

Usted puede hacer muchas cosas para ayudar a su esposa a superar la depresión. Pasar mucho rato con ella, darle compañía y afecto. Animarla a verse con aquellas amigas y familiares que también la apoyen, pero al mismo tiempo protegerla contra las pesadas de turno que se pasan el día criticando a las madres novatas. Hacer todas las tareas domésticas que pueda, especialmente las que a ella menos le gustan (aunque sean también las que menos le gustan a usted), y hacerlas sin esperar a que se lo digan, sin pedir instrucciones todo el rato y sin esperar admiración y alabanza. No llevarle la contraria ni criticarla por tonterías, apoyarla en sus decisiones y felicitarla por lo bien que cría a su hija. Recordarle frecuentemente, con palabras y con obras, que la quiere muchísimo y que la encuentra más guapa que nunca. Respetar su depresión; es decir, evitar frases como «deberías animarte» o «tendrías que dejar de pensar así»; si los deprimidos pudieran animarse a voluntad, no habría psiquiatras en el mundo.

También le convendría contactar con un grupo de madres lactantes. Si hay uno cerca de donde vive, le sería muy útil asistir todos juntos a sus reuniones.

Todas estas cosas pueden solucionar una depresión leve, pero la depresión grave necesita tratamiento psiquiátrico. Si la situación de su esposa es preocupante, si llora frecuentemente sin motivo, si no tiene interés por nada; si en vez de jugar con su hija, decirle tonterías y hacerle cosquillas, permanece como impasible ante la niña, insista en acompañarla a un psicólogo o psiquiatra. Y si le dicen que ha de tomar antidepresivos y dejar de dar el pecho, es mentira; muchos antidepresivos se pueden tomar durante la lactancia sin problemas; y dejar la lactancia contra su voluntad empeoraría su estado de ánimo.

No dude en volver a escribirnos para cualquier cosa. Espero que su esposa supere pronto este bache, y que puedan disfrutar juntos de su hija.

Saludos cordiales,

CARLOS GONZÁLEZ

Tenemos un bebé de ocho meses que come papilla de verduras (a mediodía), frutas (por la tarde) y cereales con caldo vegetal (por la noche) desde los seis meses. Sigue tomando el pecho antes de las papillas, también por la mañana y por la noche, en general cuando le apetece. Tengo dos dudas:

1. El pecho, además de alimento, le sirve como consuelo y para coger el sueño. Por las noches, duerme de cuatro a cinco horas seguidas en su cuna, y luego se va despertando a intervalos de unas dos horas. Me lo llevo a mi cama, le doy el pecho y enseguida se vuelve a quedar dormido (es decir, no es que esté haciendo una toma, sino que vengo a ser su «chupete»). Mi pediatra dice que ya debería poder dormir unas ocho horas seguidas y que, como le duermo con el pecho o en los brazos, cuando se despierta necesita el pecho para volver a dormirse. A mí no me supone mayor problema ir dándole el pecho pero no sé si estoy interfiriendo en una pauta de sueño que le proporcionaría más descanso. Es decir, ¿se despertaría menos veces si «supiera dormir solo»?

2. Queremos tener otro hijo, pero todavía no he vuelto a tener la menstruación y no sé cuándo estoy ovulando. De hecho, tengo ovarios poliquísticos y siempre he sido muy irregular, por lo que este hijo lo concebimos con inseminación asistida. Sin embargo, los médicos nos han dicho que para otra inseminación (con estimulación hormonal) debo dejar la lactancia. Por eso, la única opción que nos queda, si no quiero dejar de dar el pecho a mi hijo, es concebirlo

«tradicionalmente». ¿Existe algún producto o método fiable que me ayude a calcular cuándo estoy ovulando? En caso contrario, y si tuviera que dejar de dar el pecho (muy a mi pesar), ¿existe alguna manera menos «traumática» para hacerlo?, sobre todo, teniendo en cuenta que no es solo alimento, sino consuelo y relax.

Muchas gracias de antemano,

Lucía

27 de marzo de 200*

Apreciada amiga:

Ha descrito usted con precisión el patrón normal de sueño de los niños de esta edad: se despiertan cada hora y media o dos horas, con un periodo más largo de unas cuatro horas. Eso es lo que hacen casi todos los niños entre los cuatro meses y los dos años, más o menos. Hacia los dos años (es muy variable) empiezan a despertarse menos, y hacia los tres años muchos ya «duermen» toda la noche de un tirón.

Pongo «duermen» entre comillas porque en realidad toda la vida nos despertamos varias veces cada noche. Nadie duerme de un tirón, y los que creen que duermen es porque no se acuerdan de haberse despertado. Como no se acordaría usted si durmiera con su hijo en la cama y no tuviera que moverse para sacarlo de la cuna. Se ha comprobado en estudios de laboratorio que los bebés pueden mamar unas seis veces por noche, pero que la mayoría de esas veces tanto el niño como la madre están técnicamente «dormidos» según el electroencefalograma. Es lo que se llama un «despertar parcial».

No sé de dónde se ha sacado su pediatra esa absurda idea de que su hijo «debería» dormir ocho horas. Si tan convencido está, que se lo explique al niño, a ver si le convence...

Los niños, lo mismo que los adultos, se despiertan varias veces cada noche por cuestiones de seguridad. Si no ocurre nada peligroso, nos volvemos a dormir profundamente y a veces ni nos acordamos. Pero si en ese despertar parcial notamos ruidos como de alguien que fuerza la puerta, o a nuestro hijo de seis años tosiendo o vomitando, o huele a quemado, inmediatamente nos despertamos del todo y tomamos medidas. Para un niño pequeño, el peligro más grande, mucho más peligroso que los ladrones o un incendio, es que su madre no esté. Porque él no sabe si usted está a tres metros de distancia o a tres kilómetros, no sabe si volverá en cinco minutos o no volverá jamás. Y un niño pequeño abandonado por su madre se muere.

Así que los niños, cuando se despiertan a medianoche, comprueban si su madre está o no está. Si está la huelen, la tocan, la oyen respirar, aprovechan para echar una chupadita, que siempre viene bien, y se vuelven a dormir ellos solitos enseguida. Si la madre no está, lloran hasta que viene, y cuanto más tarda la madre en venir, más le cuesta al niño volverse a dormir. Encontrará más información en www.dormirsinllorar.com.

En cuanto a la menstruación, es normal que no le haya vuelto todavía. A muchas madres que dan el pecho no les viene hasta pasado el año, y a veces hasta los dos o más.

Puede existir (y de hecho es frecuente durante la lactancia) un ciclo anovulatorio, una menstruación sin ovulación previa. Pero lo que no puede existir es una ovulación sin regla. Una vez que ovula, solo caben dos posibilidades: o tiene la regla a las dos semanas (máximo muy máximo veinte días) o se queda embarazada. Por lo tanto, usted todavía no ha ovulado (o solo ha ovulado la semana pasada, y está a punto de menstruar). Y el día que tenga la primera regla, sabrá que, o bien todavía no ha ovulado, o bien solo ha ovulado una vez, dos semanas antes.

Es posible detectar la ovulación con seguridad, mediante el método sintotérmico, a base de temperatura basal, moco y palpación del cuello del útero. Lo que pasa es que intentar detectarlo ahora, antes de la primera regla, cuando la ovulación podría producirse en cualquier momento a lo largo de un año, o no producirse, es un poco absurdo. Más vale esperar tranquilamente a la primera regla, y a partir de ahí será relativamente fácil detectar las ovulaciones. Durante la lactancia puede haber al principio varios ciclos anovulatorios, o con insuficiencia lútea (un periodo demasiado corto entre la ovulación y la menstruación, lo que impide la nidación).

¿Por qué exactamente debe dejar la lactancia para la estimulación hormonal? ¿Qué hormonas le tienen que poner? ¿No son las mismas hormonas, estrógenos y gestágenos que tienen todas las mujeres? Pues entonces, ninguna mujer podría dar el pecho, por definición, ¿no? A ver si al final el pecho lo vamos a tener que dar los hombres... Es cierto que las dosis altas de estrógenos pueden inhibir la lactancia, y eso sería muy grave en los primeros meses, cuando el niño solo toma leche..., pero para un niño mayor, que come de todo, pues si hay menos leche comerá más tortilla de patatas, y en todo caso la poca leche que salga se puede aprovechar. Y no, las hormonas femeninas no le perjudican, ni aunque sea un varón. El tratamiento solo son unos días o semanas, y la cantidad de hormona que pasa a la leche siempre es muy pequeña, comparado con los nueve meses que pasó en la barriga, recibiendo las hormonas por vía endovenosa. O a lo mejor lo dicen porque saben que la lactancia dificulta el embarazo..., pero eso es al principio, dentro de unos meses no habría mucha dificultad.

Espero que esta información le sea útil y le deseo toda la felicidad con su hijo.

Saludos cordiales,

CARLOS GONZÁLEZ

Antes de nada quisiera darte las gracias por tu trabajo divulgativo, tanto por tus artículos en la revista *Ser Padres* como por tus tres libros. Los dos primeros en realidad cambiaron nuestra vida de padres primerizos y el tercero es una obra de consulta de altísima calidad. Esperamos de forma egoísta que no se quede en tres libros y que escribas más. Ahora si no te importa paso a contarte nuestra situación.

Tenemos una hija de dos años y medio, Matilde, y un hijo de dos meses y medio, Ernesto. Durante los primeros quince días de vida de Matilde sufrimos todo tipo de presiones para pasar de la lactancia natural a la artificial (bajo incremento de peso del bebé, supuesta infección de orina buscada de forma rutinaria, grietas en el pezón de Sandra, mi mujer; recomendación de una buena marca de leche «maternizada» por parte del pediatra del centro de salud en la primera visita, lactancia a demanda pero nunca antes de tres horas, etc.). Todo esto se solucionó con una llamada a una monitora del grupo de lactancia, y una sencilla corrección de la postura, además de dormir la niña en la cama con nosotros para que mamara por la noche. Como te digo, a partir de ese momento, y tras cambiar de pediatra, todo hay que decirlo, Matilde empezó a ganar peso y no ha dejado de mamar. Desde entonces dormimos todos juntos. Hasta que cumplió su primer año yo no sabía lo que era pasar una mala noche, su madre se despertaba algo más pero era llevadero. Sandra volvió al trabajo cuando Matilde tenía cuatro meses y estuvo un año sacándose leche. Yo me quedaba con ella por las mañanas y le daba la leche que dejaba mi mujer. La niña estuvo con lactancia exclusiva (ni agua) hasta los cinco meses y medio y no probó el agua hasta los diez meses.

Todo fue bien hasta que decidimos tener otro hijo. A mi mujer le empezó a cambiar la leche en el cuarto mes de embarazo, entonces Matilde modificó la forma de mamar. Incluso pasó por un periodo de destete de quince días, ella misma rechazaba la teta porque le salieron unas llagas en la lengua. Las llagas se curaron en pocos días pero Matilde pasó dos semanas sin mamar. En ese tiempo intentamos que tomara otros lácteos, y comenzó a tomar yogur líquido, por la noche lo derramaba todo en la cama así que le pusimos una pajita. No sabemos si esa fue la causa pero cuando volvió al pecho comenzó a molestar a su madre. Por un lado, como cada vez había menos leche (estaba Sandra en el quinto mes de embarazo si mal no recuerdo) Matilde cambió la forma de colocar la boca, ya no bombeaba como hacía antes, sino que comenzó a sujetar el pezón con los dientes (sin morder) y a quedarse en la teta. Esto a Sandra comenzó a producirle una estimulación sexual (era justo lo mismo que utilizamos en nuestros juegos) que no le gustaba nada. Además le producía contracciones, que se fueron acentuando conforme progresaba el embarazo. Todo esto fue a peor con el paso del tiempo, y en las últimas semanas de embarazo mi mujer huía de Matilde para que no le pidiera teta (jamás se la ha negado). Entonces pensábamos que cuando naciera el bebé y la leche volviera a cambiar todo volvería a la normalidad.

Cuando nació el bebé la cosa fue a peor. Matilde comenzó a apretar los dientes aún mas, sin llegar a morder pero dejando el pezón marcado. Tan solo saca leche una o dos veces (me refiero a tragar) y el resto del tiempo simplemente está colocada, realizando movimientos pero sin extraer nada. Esto produce en Sandra un fuerte estímulo sexual que le resulta muy desagradable, le deja la teta dolorida y además, le hace producir mucha leche que como la niña no extrae le deja los pechos llenos. El bebé, Ernesto, mama perfectamente, gana peso, se desarrolla bien, en definitiva, un encanto de niño.

Al principio mi mujer intentó ponerse los dos a la vez, uno en cada teta, obviamente. Tengo también que decir que la única manifestación de rechazo de Matilde por su hermano es cuando lo ve en la teta, pero solo algunas veces si está enfadada. En ese momento dice «el bebé a papá» y comienza la hecatombe. Pero son situaciones episódicas que se repiten cada cierto tiempo y que son llevaderas, otras personas están peor…

Nuestro problema es el otro, el de la estimulación sexual de mi mujer cuando Matilde se pone en la teta. Estamos llegando a la situación de que Sandra intenta evitar a Matilde para que no le pida mamar. Matilde se da cuenta y la busca con más intensidad. Yo procuro estar con el bebé la mayor parte del tiempo que Matilde está en casa, pero no puedo darle teta (¿con una teta de silicona de las de las despedidas de soltero y un tubito de esos de prematuro no iría bien?, es broma). A veces le deja a Sandra la teta tan machacada que cuando se pone Ernesto le molesta. Esto es mucho peor cuando yo no puedo estar en casa por motivos de trabajo, entonces, los dos llegamos a enfrentarnos con reproches por haberme ido a trabajar por parte de ella, y rencor por mi parte por acusarme por ello.

Hemos consultado con la monitora del grupo de lactancia y nunca había oído nada de la estimulación sexual mientras el niño toma el pecho. Con la inmensa mayoría de madres que hablamos tampoco les ha ocurrido, tan solo a una o dos les pasa. Hemos buscado en «MedLine» y tan solo encontramos un par de artículos que relacionen estimulación sexual y lactancia. Por eso, Carlos, hemos recurrido a molestarte.

¿Has oído algo al respecto?, ¿se te ocurre qué podemos hacer? La situación está llegando a que mi mujer quiera destetar a Matilde ya, pero en el fondo no quiere.

Quisiera agradecer profundamente tu atención y el tiempo dedicado a leer este correo electrónico, y agradecerte de todo corazón algún tipo de respuesta por corta que sea.

Un cordial saludo,

Alonso

20 de junio de 200*

Apreciado amigo:

Lo de la estimulación sexual durante la lactancia es totalmente normal. No habitual, la mayoría no nota nada, pero sí normal. Cuando pasa, pasa, y no indica ningún tipo de «desviación», «perversión» ni nada por el estilo. Normalmente se aconseja «que lo disfrute» (¡pocas alegrías nos da la vida!).

Ahora bien, este caso es especial porque precisamente la niña no está mamando, sino solo mordiendo, algo que a la madre le resulta molesto. Dar el pecho no es obligatorio, y dejarse morder menos todavía.

Así que pienso que le podéis explicar perfectamente la situación a la niña: «Mira, Matilde, desde hace un tiempo cada vez que te doy tetita me muerdes, y eso me hace daño. Si mamas de verdad, con la boca abierta bien grande y sin morder, yo te doy todo lo que quieras. Pero si me haces pupa, no puedes mamar». Y dicho y hecho, si muerde, la saca del pecho y se lo vuelve a explicar. Pacientemente, sin enfadarse, sin gritar, pero la saca y le explica que le hace pupa porque le está mordiendo. Si la niña se queda tan tranquila, pues bien. Si se pone a llorar desesperada: «Pues bueno, te dejo mamar un poco más, pero tienes que abrir bien la boca y no morder. Si muerdes, no te vuelvo a dar tetita hasta esta noche». Y cumplirlo (no hace falta ser muy estrictos, en caso de necesidad se le puede volver a dar antes de la noche, pero lo que importa es que comprenda que va en serio). No es un castigo. No es «no te doy porque te portas mal», sino «no te doy porque me hace pupa». La puede coger en brazos, hacerle cosquillas, jugar con ella, cantarle canciones, pero si le duele no le puede dar el pecho, del mismo modo que si se hubiera roto un brazo no la podría cargar. Creo que es mejor decírselo y dejar las cosas claras que huir de ella, algo que ella nota, pero no sabe cómo interpretar y le molesta más.

Igual influye que, por temor al dolor o a la estimulación, Sandra se pone a la niña muy separada. Y entonces, cuando cogen solo la punta del pezón, es precisamente cuando muerden. Si la aprieta fuerte contra el pecho, no podrá morder.

En cuanto a los celos, ya sabes, son completamente normales, y creo que es bueno que se acostumbre a que mamá está por los dos a la vez, o a ratos está por uno y a ratos por la otra (y, lógicamente, mamá se ocupa más del pequeño porque es el que más la necesita). Matilde se puede enfadar, y aceptamos que se enfade, y no nos vamos a enfadar con ella porque tenga celos. Pero eso tampoco significa que haya que disimular en su presencia, o dejar de atender al bebé. Si se pone tan pesada que molesta a la madre, pues te la llevas y juegas con ella. Dices que la mayor parte del tiempo que está Matilde en casa procuras estar con el bebé, y a lo mejor (solo a lo mejor, cuestión de probarlo) sería mejor de la otra manera: estar tú más con Matilde (que parece que te echa en cara de vez en cuando tus ausencias), y el bebé con la madre, que es lo que toca. Porque Matilde no puede «ganar» en el terreno materno, está claro que allí siempre ganará el pequeño; pero sí que puede «ganar» contigo; tú sí que le puedes hacer más caso a la mayor (¿cómo se siente uno siendo un premio de consolación? Ya se sabe, es el triste destino de los padres...).

Bueno, espero que estas sugerencias os sean útiles, y que encontréis de nuevo el equilibrio (siempre inestable, que luego viene la adolescencia...).

Un cordial saludo,

Carlos González

Soy Begoña, he leído casi todos sus libros y estoy preocupada porque tengo un niño de dos años y cuatro meses al que aún le sigo dando el pecho una vez al día, pero desde que nació su hermanita que tiene quince días mi hijo de dos años me pide el pecho continuamente.

Mi duda es si debo dárselo cada vez que me lo pida para que no se sienta desplazado o debería ir quitándole el pecho como me aconsejan todos los pediatras a los que he consultado. La niña tiene prioridad a la hora de comer siempre.

¿Sería perjudicial psicológicamente para mi hijo de dos años que le quitara el pecho ahora o debo esperar unos meses para que no le afecte? ¿Qué me aconseja?

Gracias por escucharme,

Begoña

28 de junio de 200*

Apreciada amiga:

Los niños suelen tener celos cuando nace un hermanito. No es ni raro ni preocupante. Es la respuesta totalmente normal a la competencia. Un niño de quince días, si su madre no le cuida, se muere. Y uno de dos años, también. Lo mismo que uno de seis. Necesitan estar seguros de que su madre les sigue queriendo y les sigue cuidando, de que no va a dedicarse solo al bebé y olvidarse del mayor. Un niño de seis años probablemente puede comprenderlo de forma intelectual; uno de dos necesita experimentarlo de forma práctica. Una de las formas más frecuentes de hacer esa comprobación (y por tanto de manifestar los celos) es comportarse como si fuera más pequeño. Vuelven a hacerse pipí encima, a balbucear, piden más brazos y más mimos, piden más pecho... Es como si pensasen (porque se trata de una respuesta automática, no de una astuta maquinación): «Mi mamá cuida mucho a mi hermanita porque es un bebé; si yo también me vuelvo bebé, también me cuidará».

Lo mejor en estos casos es darle al mayor lo que está pidiendo: los mimos, los brazos, el pecho o lo que haga falta. Por una parte, el padre tiene que esforzarse por distraerlo para que la madre pueda atender al recién nacido. Por otra parte, la madre, a pesar del cansancio, conviene que busque un tiempo cada día para prestar toda su atención al mayor (por suerte, los recién nacidos duermen bastante) o corre el riesgo de pasarse el día diciéndole al mayor cuatro palabras distraídas mientras en realidad se ocupa del bebé. Como las peticiones «infantiles» son

141

pruebas de amor, normalmente el niño se tranquiliza cuando la respuesta es positiva, y en unos días o semanas su conducta vuelve a la normalidad. En cambio, si se le responde con una negativa («ya eres muy mayor para tanto pecho»), o incluso con hostilidad («¡ya está bien, tanto pedir brazos, como si no tuviera bastante con tu hermana!»), la angustia del niño aumenta, al confirmarse sus temores («justo lo que yo pensaba: ya no me quiere»). Puede dejar de pedir lo que le hemos negado (no es tonto, si ve que se lo niegan siempre, no vale la pena perder el tiempo), pero a costa de entrar en una escalada, portándose cada vez peor en la esperanza de hacer algo que por fin atraiga la atención de su madre, o de caer en una falsa tranquilidad que no es más que desesperación («no le pido nada, total, no me lo va a dar porque ya no me quiere...»).

Por supuesto, ningún niño sufre «un trauma» porque una vez le negaron algo que pedía. La cuestión es si van a atenderle la mayoría de las veces, dándole lo que razonablemente se le pueda dar, o si le van a negar sistemáticamente peticiones razonables, solo «porque sí».

Espero que estas reflexiones le sean útiles, y le deseo toda la felicidad con su creciente familia.

Un cordial saludo,

CARLOS GONZÁLEZ

Mi consulta es para el pediatra Carlos González. Versa sobre el problema de la alimentación, aunque me temo que voy a tener que dar una previa explicación que considero necesaria. Vamos allá.

De entrada, tengo que agradecerle mucho la existencia de sus dos libros *Mi niño no me come* y *Bésame mucho*, que nos permitieron resistir (con argumentos racionales y algo más) la oleada a la que la línea oficial nos somete en todo lo referente a la crianza de los niños. Es decir, que vino a confirmar lo que intuitivamente ya veníamos aplicando. Y ahora, al grano.

Nuestro problema (si es que es un problema, que ya lo veremos) es referente al sueño, aunque podría estar ligado a la alimentación (nuestra ignorancia en la materia es enorme). Pedro (así se llama

142

nuestro simpático sinvergüenza) come estupendamente y sigue con la lactancia natural a demanda (insisto: a demanda) con sus once meses casi cumplidos. Eso sí, a los siete meses empezamos a introducirle papillas de carne con verduras y fruta. Así que ahora toma su papilla de verdura con carne o pescado a mediodía (más o menos, es decir, cuando nos lo pide) y sus frutas por la tarde, aunque hay tardes en que prefiere solo leche directamente de su envase (que es como mejor debe de saber) o ambas cosas alternadas o solo frutas o... en fin, que él decide lo que come y cuánto come. Y va perfectamente: de peso está más o menos en el percentil medio y de altura está por el percentil 80. Que crece bien, vamos.

¿Y dónde está el problema? se preguntará con razón. Pues en las noches. Hasta hace un par de meses solía pedir solo dos o tres veces durante la noche, pero en estos últimos meses ha aumentado su frecuencia y se levanta casi cada hora y media. Y su madre, que está encantada con amamantarle, se pasa luego el día como una zombi (máxime teniendo en cuenta que trabaja por las mañanas). Sabemos perfectamente que no es una conducta «extraña» (tras la lectura de su libro) pero sí nos gustaría saber si podría tener relación con el tema de alimentación, más que nada porque sospechamos que no se despierta para mamar, sino buscando más bien el contacto con su madre. Una solución podría ser dormir juntos, pero ¿cómo combatir el frío?, aparte de que la disposición de nuestras camas lo haría complicado (no imposible, ojo). Pero otra solución podría ser la alimentación. De hecho, aunque la pediatra nos ha recomendado que introduzcamos ya los cereales, aún no lo hemos hecho. Y aquí llega la pregunta: ¿influiría en este asunto el hecho de que cenara un buen plato de cereales? Por cierto, ¿cómo introducirlos junto a la lactancia natural? ¿En papilla con agua? ¿Qué cereales?, ¿cómo prepararlos?

Por otra parte, lo que nos tememos es que no tenga nada que ver lo uno con lo otro, pero la duda nos queda. Y sobre todo lo que nos gustaría saber es ¿cuánto tiempo va a seguir buscando a su madre (porque a veces he intentado ser yo quien le calme, a sabiendas de que no tiene hambre, y me ha rechazado enérgicamente) hasta que empiece a dormir «de tirón»? Por supuesto, no tenemos ninguna intención de aplicar el «método Estivill», que desde que lo conocí hace ya algunos años me pareció abominable, pero sí queremos entender un poco mejor el fenómeno para poder diseñar algún tipo de estrategia de conducta que nos implique a los tres.

Y nada más. Perdone la extensión del mensaje pero creo que era necesario para la comprensión del asunto.

Agradecidos quedamos,

Salvador y Concha (los sufridos pero amantes padres de Pedro)

18 de diciembre de 200*

Apreciados amigos:

En efecto, tal como ustedes sospechan, Pedro no se despierta porque necesite comida, sino porque necesita estar con su madre. Ya que se despierta, por supuesto, aprovecha para mamar un poquito. Y, al mamar por la noche, se ve obligado a comer menos de día, porque si no, revienta. Pero si no se fuera a despertar, ya se arreglaría él para comer más de día, no es que no pueda.

Se ha demostrado en estudios científicos que el comer o no comer cereales no influye para nada en que los niños se despierten o dejen de despertar. Se despierta porque tiene la edad de despertarse, y dormirá de un tirón cuando le llegue la edad. Edad que no sabemos cuál será, porque varía en cada caso. Claro, el que está convencido de que tiene que ver con la comida acaba encontrando una justificación: «Fue empezar con la tortilla de patatas y dormir toda la noche». «Desde que cena alubias con chorizo ya no se despierta...»

En cuanto a los cereales, pues puede comer arroz con tomate, macarrones, pan, pizza, galletas..., los que tengan costumbre ustedes de comer.

Hacia los dos o tres años suelen empezar los niños a dormir de un tirón la mayor parte de las noches. Pero es muy variable. Sospecho (pero no conozco estudios que lo demuestren) que depende, además del carácter del propio niño, del lugar en el que duerme: me da la impresión de que los que duermen con sus padres se despiertan menos. Porque el despertarse es, precisamente, para comprobar que mamá no se haya ido. Y claro, no es lo mismo que cada vez que te despiertas, día tras día, com-

144

pruebes que mamá siempre está ahí... que comprobar, una y otra vez, que mamá siempre se ha ido.

¿Dónde duerme ahora? ¿En la habitación de matrimonio, o en otro cuarto? Si es esto último, no me extraña que la madre esté zombi. Una solución intermedia es tener la cunita al lado de la cama, o atada a la cama si se logran poner al mismo nivel, formando una extensión de la cama de matrimonio.

Normalmente, dormir juntos es la solución que permite descansar mejor a la madre. Se ha comprobado que los niños pueden mamar varias veces sin que la madre (¡ni el propio niño!) se despierte. Pero tampoco se hagan ilusiones; empezar con un año de edad no es tan fácil como hacerlo desde el principio. Algunos niños no han aprendido a dormir a lo largo, como Dios manda, y se empeñan en dormir a lo ancho, con la cabeza en mamá y los pies en papá (como si le quisieran sacar a patadas, dicen los mal pensados). Y pueden necesitar varios días, o varias semanas, para empezar a comprender que las cosas han cambiado, que mamá ya no se va, y que no hace falta despertarse tanto. En todo caso, aunque se despierte y llore, al menos la madre ya no tiene que salir de la cama. Por eso, lo que no entiendo es la pregunta de cómo combatir el frío. ¡Pues con una manta, calefacción, o ambas cosas, según el frío que haga! Lo difícil es combatir el frío cuando hay que levantarse e ir a otra habitación a consolar al niño, pero si duermen juntos no se pasa ningún frío. Al revés, en verano, los niños dan calor (pero no tanto como nosotros les damos a ellos, y sin embargo no se quejan).

Espero que estas reflexiones les sean útiles, y les deseo una muy feliz Navidad con su hijo.

Saludos cordiales,

CARLOS GONZÁLEZ

Aunque con retraso, escribo este correo para agradecer al doctor Carlos González la respuesta que nos dio a la consulta que le hicimos. Como es evidente que no se acordará del caso (dado que supongo recibirá cientos de correos en demanda de ayuda) he dejado al final el mensaje que nos envió, por si le picara la curiosidad. Y, de paso, comentarle que tratamos de seguir sus consejos sobre dormir todos juntos, pero, tal y como supuso, ya ha sido imposible: Pedro se negó a dormir en nuestra cama. Pero, de todas formas, las cosas no van mal del todo: su madre no va zombi de un lado para otro (las siestas hacen milagros) y él vive contento y con más energía de la que uno quisiera (ya no está uno para según qué trotes, pero lo llevo con buen humor). En resumen, que lo llevamos todos bastante bien.

Y, ya metidos en harina, aprovecharé para solicitar no tanto su consejo como su apoyo moral en cuanto a alimentación. Tenemos muy claro que lo que mejor le va a Pedro es la leche materna y, a sus catorce meses, sigue siendo el ingrediente básico de su dieta (hay días que incluso el único, si así lo tiene a bien). Pero, claro, el mundo en el que vivimos no se destaca precisamente por su comprensión en este sentido y tenemos que bregar con familiares, amigos, conocidos, desconocidos, pediatras (¡sí, pediatras!) y hasta con la revista en la que usted escribe. En el número de enero (creo recordar) de *Ser Padres* aparecía una serie de consejos acerca de lo que debía comer un bebé de doce meses en adelante y nos quedamos asustados: Pedro no come eso ni de lejos (básicamente porque la leche materna brillaba por su ausencia). Y la cosa es que va engordando correctamente, creciendo a su ritmo y trayéndonos de la Ceca a la Meca con sus carreras y sus juegos. Así que, por si acaso, he decidido someter a consulta la dieta que en la actualidad sigue nuestro pequeño:

Para desayunar (entre las siete y las ocho, según el día) un buen chupetón de leche directamente del envase (sin pasteurizar ni nada). A veces completa esto con una galleta o algo de pan. A media mañana (y como su madre tiene el vicio de trabajar fuera de casa), la señora que lo cuida le da una papilla de verduras (tomate, patata, calabacín, judía verde y cosas así) con carne, huevo o pescado (hecha en casa, eso sí: nada de preparados) y un zumo de naranja; por supuesto, a demanda y la cantidad que él decide. Cuando su madre vuelve a casa a las dos (más o menos) llega el plato fuerte del día: leche materna ordeñada directamente por el interesado (sin intermediarios que encarezcan el producto). Como al poco rato aparece un servidor en escena, pues nos ponemos a comer con él a la mesa y hay veces que pica algo de lo que comemos, aunque por lo general no parece interesarle mucho lo que comemos; si acaso, para darnos él de comer como lo hacemos nosotros con él cuando le damos el puré o algo de pan. Eso sí: a la hora del postre, cuando aparece el yogur (griego: somos así de caprichosos), no puede resistirse y se come tres o cuatro cucharadas sin ayuda de nadie (a veces uno entero). Por la tarde, a eso de las seis y media o las siete llega la merienda, con un nuevo aporte de leche materna; pero esta vez exige su postre, que suele consistir en un plátano, algo de queso (semicurado o curado y con buen sabor a ser posible: prefiere al manchego —y de oveja en general— a los de vaca y suaves; queso fresco abstenerse) con pan y una mandarina. También añade alguna galleta o una torta de arroz. Y, por fin, para cenar (a las nueve y cuarto, más o menos), un nuevo chupetón de la teta de su madre, que está encantada de seguir con él colgado. Por cierto, es el momento que el sinvergüenza aprovecha para quedarse dormido... hasta que se despierte exigiendo la presencia de su madre (que duerme a su lado, apenas a 30 cm de su cuna) para confirmar que sigue ahí y, de paso, chupar un poquito (que no se sabe cuántas veces son, todo sea dicho, como ya comentamos en el anterior correo).

Nosotros creemos que no va mal alimentado el chico, pero como el entorno no opina lo mismo (ya sabe: «¿Otra vez la teta? ¡Pero si hoy no ha comido nada!» y etcétera) no nos vendría mal un poco de apoyo moral... o una reprimenda en caso de que en efecto estemos cometiendo un crimen de lesa humanidad. ¡Ah! Se me olvidaba: lo que come lo come siempre a su dictado y acabando cuando él decide que es el momento.

En fin, que espero no haber sido muy pesado y, si no es mucha molestia, que nos diga algo al respecto. Y, una vez más, agradecerle no solo estos consejos personales, sino todos sus escritos, en particular *Bésame mucho* y *Mi niño no me come*, que nos están siendo de mucha ayuda. (Del primero, por cierto, ya he perdido la cuenta de cuántos he regalado a amigos que están embarazados o acaban de estrenarse como padres). Y el *Manual práctico de lactancia materna*, aunque comprado cuando ya llevaba doce meses de lactancia, ha causado una buenísima impresión en la madre.

Un saludo afectuoso,

Salvador, Concha y el pequeño Pedro

1 de marzo de 200*

Muchas gracias por su amable (y divertida) carta. ¿No será periodista, o guionista de televisión, o algo así?

No sé qué alimentos recomendaría la revista en su último número; les confieso que, como ya tengo a los niños criados, no me la leo. Pero, desde luego, su hijo come muchísimo. Si todos comieran así, a quién le iba yo a vender el libro.

Incluso sin contar la teta. Solo con el resto: verduras con carne, zumo, algún picoteo, yogur, plátano, bocata de queso, mandarina, galletas..., muchas madres firmarían para que su hijo se comiera eso cada día. Así que esa gente que les dice «¡Pero si hoy no ha comido nada!» debe de hacerlo por pura malevolencia. Si no supieran que toma el pecho, seguro que no criticarían nada, y les parecería perfectamente suficiente lo que come.

Hay dos maneras de saber si una determinada dieta es adecuada para un determinado niño. Una larga, tediosa e incierta, es hacer complicados cálculos y compararlos con las tablas de abstrusos libros. La otra, rápida, sencilla e infalible, es dársela al niño y ver qué pasa. «Engordando correctamente, creciendo a su ritmo...» «... carreras y juegos...» Yo diría que ya han hecho el experimento, y que el resultado es muy satisfactorio.

Pero ya se sabe: si la envidia fuera tiña...

Bueno, puesto que piden una reprimenda, solo recordar que no conviene abusar del zumo. Máximo medio vaso al día.

Cordialmente,

CARLOS GONZÁLEZ

Escribo esta carta para comentar un problema que no nos preocupa excesivamente pero que sí nos causa cierta perplejidad y, a la larga, sí posible inquietud.

El caso es que Pedro, nuestro hijo mayor, seguía con su lactancia a sus tres años, aunque era de una manera casi testimonial ya: para dormirse, cuando se daba un golpe, cuando su madre volvía del trabajo, de postre... en fin, que cuando pedía se le daba (todos los días un par de veces o así), pero sin ser ya el principal componente de su alimentación. Ésta, por cierto, era de lo más diversa y, creemos, equilibrada: verduras, pastas, arroces, carne, pescado, legumbres, cereales... en una palabra, lo mismo que comíamos nosotros, comía él (los dulces, curiosamente, ni le atraían ni le siguen atrayendo).

En esas estábamos cuando apareció Andrés y, de buenas a primeras, sus estupendos hábitos alimentarios han desaparecido. Si por él fuera se alimentaría solo de la leche materna y solo cede a la tentación de un plato de pasta, de arroz o de puré de calabacín (o alguna otra cosa entre horas). Ha dejado de desayunar sus galletas o cereales con leche (o tostada con aceite o queso) para engancharse a la teta; las comidas las acepta si son de algo de lo dicho, las meriendas de manzana o plátano se esfumaron (y solo si es un bocadillo de salchichón acepta comérselo) y las cenas más de lo mismo. Eso sí, de teta va sobradísimo, compartiéndola (a veces sin que le haga mucha gracia) con su hermano pequeño.

Y ahora la pregunta: suponemos que esto será algo transitorio, pero ¿cuánto tiempo puede durar esto?, ¿es bueno mantener esta costumbre demasiado tiempo (más que nada porque ha aumentado de peso de manera evidente, si bien no morbosa)? En fin, que a ver qué pasa.

Por otra parte, muchas gracias por sus libros en general y sus colaboraciones en revistas en particular. Y por esta respuesta, si no lo tiene a mal,

Salvador

27 de marzo de 200*

Apreciado amigo:

Aunque en su carta no lo dice, he deducido astutamente que Andrés es el hermano pequeño.

Pues sí, esta es una reacción normal en un niño cuando nace su hermanito: comportarse como si fuera más pequeño. El razonamiento viene a ser: «Él se comporta así, y le hacen mucho caso y le dan muchos besitos. Pues yo haré lo mismo, a ver si también me funciona». Unos niños se hacen pipí encima, o piden brazos, o dejan de hablar... y Pedro ha optado por mamar a todas horas.

Se le pasará, por supuesto. Y para ayudar a que se le pase antes, se pueden hacer algunas cosas:

☞ No reñirle ni ridiculizarle por ello.

☞ Demostrarle que no necesita hacerlo, prestándole mucha atención aunque no lo haga.

Es un buen momento para que el padre intervenga a tope, haciendo con él cosas «de niño mayor»: llevárselo al parque a jugar al balón, hacer dibujos, construcciones, contar cuentos... Pero aunque sea mayor también necesita a su madre, y muchas veces las madres, casi sin darse cuenta, se concentran en el pequeño. Le habla al mayor, le viste, le da el pecho..., pero siempre es mientras con la otra mano le hace algo al pequeño. Convendría buscar media hora al día, una si es posible, para que la madre se dedique exclusivamente al mayor. Y si el pequeño no tiene la delicadeza de dormirse mientras, pues que papá se lo lleve para que no interrumpa.

Una cosa me llama la atención: dice que Pedro está engordando de forma evidente. «Deja de comer», toma solo pecho (que, como todo el mundo sabe, «es agua», y encima está «vacío» porque ya mama el pequeño), y encima engorda más que antes. Una buena historia para pasársela por toda la cara a los que aún dudan de la teta.

Espero que estas reflexiones le sean útiles, y le deseo toda la felicidad con su creciente familia.

Saludos cordiales,

CARLOS GONZÁLEZ

Relaciones padres-hijos

Permítame antes de nada que me presente. Soy Belén, joven de veintisiete años embarazada de treinta y dos semanas, deseosa de que llegue el gran día y, además, sanitaria, dedicada durante los últimos dos años a prestar cuidados a las recientes mamás y a sus peques. Cuando empecé a desempeñar este puesto de trabajo, era muy poco lo que sabía sobre el tema, ya que durante la carrera, no sé por qué sí o por qué no, temas como «la lactancia materna» apenas se abordan; y tuve que buscar información. Gracias a una de mis compañeras y a un maravilloso pediatra del hospital, pronto dejé de lado la información errónea de horarios y normas rígidas, y me puse en el buen camino. Desde entonces he realizado varios cursos de lactancia materna y cuidados del recién nacido y fue en ellos donde apareció su nombre. Más tarde una muy buena amiga me pasó uno de sus libros, *Bésame mucho*, y quedé muy sorprendida de lo fácil que puede resultar todo, si aplicamos la lógica y la máxima que más me gusta «No hagas a los demás lo que no quieres que te hagan a ti». Ahora, ya como futura madre, llegó a mi poder otro de sus libros, *Mi niño no me come*, y quedé más impresionada todavía si cabe.

Todo lo que comenta en sus libros son verdades indiscutibles y por ello me gustaría darle la enhorabuena, pero... ¿cómo aplicarlas? Creo que hoy en día las presiones sociales (abuelas, pediatras, amigos...) nos llevan a realizar lo contrario de lo que es bueno para nuestros hijos por lógica. Como enfermera he visto, por ejemplo, que muchas madres deseosas de amamantar a sus hijos y con buena información por parte del personal de enfermería, lo dejan de hacer por el miedo a lo que dirán, a la inseguridad, consejos contrarios de diversos profesionales... Y ahora, como futura madre, me preocupa el no saber aplicar todos esos conocimientos y sucumbir ante la presión de mi entorno. Si el niño (que se va llamar Luis) come bien, sube bien de peso, duerme sin problemas.... todo va bien, «lo estás criando de maravilla»; pero si Luis resulta que es algo inquieto, que come menos de lo esperado, que no engorda tanto como el niño de la vecina, se despierta muchas veces por la noche... es entonces inevitable que abuelas, tíos, pediatras, amigos, etc., opinen y te hagan sentir insegura (y más en los primeros meses, en los que todos sabemos que las hormonas están revolucionadas). ¿Qué hacer entonces? Lo lógico, y lo que me gustaría hacer, llegado el caso, es crear una burbuja con mi niño, mi marido y yo dentro y dejar al resto fuera. «Es nuestro niño y nosotros lo criamos»; pero en la práctica no te puedes abstraer de lo que te rodea y cualquier comentario te influye y más si todos los que están fuera de la burbuja dicen lo mismo. ¿Cómo reaccionar?

De nuevo mi enhorabuena por sus libros. Espero que cada vez haya más personas (sean pediatras o no) que opinen de esta manera y que lleven sus convicciones a la práctica y con ello, demostrar al resto del mundo que el sendero en línea recta no siempre es el mejor,

Belén

17 de enero de 200*

Apreciada amiga:

Me hace una pregunta... que no es pregunta ni es nada, pero que al mismo tiempo da que pensar.

¿Es fácil aplicar la lógica en el día a día? Bueno, a priori no parece muy difícil. Es cierto que muchas madres no dan el pecho más allá de un par de semanas... Pero también es cierto que la mayor parte de ellas no tenían ni información ni apoyo. Entre las madres bien informadas, y especialmente entre las que acuden a algún grupo de madres (¿alguno por su zona? La lista completa, en www.fedalma.org. Es muy recomendable ir ya antes del parto), es muy frecuente ver que la lactancia dura un año, o dos, o tres...

Y, de todas maneras, hay muchas de esas cosas «lógicas» más allá de la lactancia. No hace falta dar el pecho para tratar a un hijo con cariño y respeto. Por ejemplo: una niña de tres o cuatro años recoge algo del suelo. Hay madres que gritan: «¡Deja eso y estate quieta, que me tienes harta!» o «¿Te pego, quieres que te pegue?». Hay madres que dicen sencillamente y sin alzar la voz: «No toques eso, que está sucio». Hay madres que no dicen nada, porque en ese caso concreto no ven nada malo en que

152

su hija coja aquello del suelo. Hay madres que se acercan y preguntan «¿Qué es eso que has encontrado? ¡Qué bonito!». Y desde luego que nuestra historia personal, nuestras expectativas culturales, la forma en que fuimos criados, nuestra confianza en nosotros mismos o los disgustos que hayamos tenido en el trabajo pueden influir en que demos una respuesta u otra. Influir, pero no determinar. Porque también tenemos memoria, inteligencia y voluntad. No somos juguetes del destino ni marionetas del entorno. Tenemos libre albedrío, podemos tomar decisiones y llevarlas a cabo casi siempre. Usted puede criar a su hija como quiera.

Le deseo toda la felicidad con su familia.

Un cordial saludo,

CARLOS GONZÁLEZ

Apreciados amigos, tengo un precioso niño de seis meses al cual le doy el pecho. Por las noches sigue tomando el pecho cada dos o tres horas. A los dos meses de edad aproximadamente dejó de ir de vientre por las noches, pero desde hace quince días vuelve a hacerlo. Sus heces son un poco más líquidas y muy verdes (cuando acostumbraban a ser color mostaza). Supongo que lo que le pasa es que tiene descomposición y he leído en Internet que en estos casos no se debe hacer nada (siempre y cuando él siga tomando el pecho y no se deshidrate) ya que se resuelve solo.

Quisiera que me indicaran si estoy en lo cierto, ya que empiezo a estar preocupada porque lleva muchos días así. El niño está fuerte y contento y sigue comiendo bien.

Les agradezco de antemano su ayuda.

Un saludo,

Esther

18 de diciembre de 200*

Apreciada amiga:

Gracias por confiarnos su problema.

Bueno, si es que se le puede llamar problema. Francamente, unas pocas cacas verdosas no merecen el nombre de diarrea, y mucho menos de «descomposición» (una palabra espantosa, que suena a zombis asesinos y putrefactos).

A lo mejor tiene que ver con la alimentación, ¿no empezó esos días a darle las primeras papillas? En todo caso, es muy probable que, para cuando reciba esta respuesta, las cacas ya hayan vuelto a ser como siempre. Y si no, si sigue haciendo las cacas raras, habrá pasado tiempo suficiente para valorar cómo va el peso. Que sigue bien, pues olvídese del tema. Que ha perdido, pues consulte al pediatra.

Espero que estas sugerencias le sean útiles y le deseo unas felices fiestas en compañía de su familia.

Saludos cordiales,

CARLOS GONZÁLEZ

Tengo un niño de ocho meses al que nunca he dejado llorar. Siempre que ha llorado le he consolado en brazos. Cuando empieza a llorar, por ejemplo, porque no quiere estar más en un sitio, le cojo y lo cambio de lugar o me quedo con él y le distraigo. Tampoco sabe dormirse si no es en brazos y paseándole. Es un niño que está contento y creo que es feliz, pero la cuestión es que pocas veces está más de diez minutos en un mismo sitio sin quejarse. Si le ponemos en el suelo, sobre el gimnasio o sobre la alfombra con sus juguetes está diez o quince minutos entretenido y acto seguido empieza a quejarse o a llorar. Entonces le cogemos y le ponemos en su hamaca junto a nosotros, y más de lo mismo. No le gusta ir en su sillita de paseo. Cuando salimos a pasear, al cabo de diez a quince minutos empieza a llorar como un desesperado (ha habido alguna temporada que si se quedaba dormido podíamos pasear hasta que se despertara). Solo conseguimos salir de paseo si le ponemos en la mochila, ya que entonces sí que está contento. Tampoco le gusta ir en coche ya que pasa lo mismo, con lo cual no podemos ir de viaje porque coge unos berrinches tan grandes que no se le pasan ni en brazos. Parece que solo está bien en nuestros brazos o cuando le prestamos el cien por cien de atención. Todo esto significa que estamos las veinticuatro horas del día solo para él, y la mitad en brazos. Estamos un poco desesperados y todos nos dicen que debemos dejarle llorar para que vea que no podemos estar siempre cogiéndole cuando se le antoje. Mi marido y yo trabajamos a media jornada, de momento lo cuidamos nosotros y mi suegra. Pero el próximo curso deberemos llevarle a la guardería y me temo que le dejarán llorar, ya que no podrán estar con él todo el tiempo y más a la hora de dormir, ya que él no sabe si no es en brazos.

Agradecería que me aconsejara cómo puedo empezar a cambiar esta situación.

Muchas gracias,

Esther

2 de febrero de 200*

Apreciada amiga:

Según iba leyendo su carta, una frase me sorprendió mucho: «Pocas veces está más de diez minutos en un mismo sitio sin quejarse». Al momento pensé: «¿Ni en brazos?». Y unas líneas más abajo me da usted la respuesta: en la mochila sí que está contento.

Pues eso. Su hijo no está feliz en el cochecito, ni en la silla del coche, ni en la alfombra, ni en la hamaca. Solo está feliz en brazos.

Es lo más normal del mundo. He oído la misma historia cientos de veces. Es más, nunca he oído una historia diferente. No sé de ningún niño que esté mal en la hamaca, en el cochecito y en brazos, pero solo esté feliz en la alfombra. O que esté mal en brazos, en la alfombra y en el coche, y solo esté feliz en el cochecito. No, da la casualidad de que todos los niños es en brazos donde mejor están, y la única diferencia es de intensidad: algunos niños están bien en brazos, y un poco peor en otros sitios; mientras que otros están bien en brazos, y fatal en otros sitios.

Lo que no logro entender es que alguien, sabiendo que su hijo solo está bien en brazos, tenga el valor de aconsejarles que no lo cojan. ¿Qué clase de mente retorcida es esa? ¿Realmente les interesa que su hijo «vea que no le pueden estar siempre cargando»? Yo prefiero que mi hijo vea que le ayudaré siempre que me necesite.

155

Durante los primeros años, los niños necesitan ir en brazos, estar todo el rato con sus padres y dormir con ellos. Luego se les pasa. Les dirán que si «se acostumbra» a todo eso se volverá dependiente y pedirá brazos toda la vida; pero eso es una chorrada. Ninguno quiere brazos toda la vida. A los siete años, o a los cinco, ninguno llora en el colegio porque no lo cogen en brazos. Ustedes no están preocupados porque lo vaya a pasar mal en la universidad, en el instituto o en la escuela; saben que en esos sitios no tendrá ningún problema. Están preocupados por la guardería, porque saben que allí sí que tendrá problemas. Pues bien, habrá que ser consecuentes y no llevarlo. Les quedan todavía varios meses para buscar otras opciones.

Pregunta cómo puede empezar a cambiar esta situación. Puede empezar por guardar el cochecito y llevarlo siempre en la mochila. Puede dormir con él por las noches. Puede hacer cuentas y ver cómo vivirían si su marido, usted o ambos se toman una reducción de jornada. Puede preguntarle a su suegra si no le importaría seguir cuidando a su nieto el año que viene; piense incluso en la posibilidad de pagarle (no sé cuál será su situación económica y la de su suegra; muchas personas mayores tienen pensiones muy justas, y pagar a los abuelos en vez de pagar a la guardería permite a los padres tener la tranquilidad de que su hijo está en buenas manos sin sentirse «aprovechados», al tiempo que los abuelos reciben una ayuda que necesitan sin sentir que les hacen «caridad». Para el niño, no le quepa duda, es una diferencia de la noche al día).

Haga sus cálculos a largo plazo. ¿Cuántos hijos piensa tener en su vida? Hoy en día, poca gente tiene más de dos. Y a partir de los tres años (algunos un poco antes) suelen irse al colegio la mar de contentos, porque ya no necesitan tanto a su madre. ¿Cuánto calcula que le costaría, en tiempo y en dinero, cuidar a sus hijos como usted piensa que debe cuidarlos? Probablemente descubrirá que le sale más barato que comprar un coche.

Creo que le gustará visitar la página www.crianzanatural.com.

Espero que estas reflexiones le sean útiles, y le deseo toda la felicidad con su hijo.

Saludos cordiales,

CARLOS GONZÁLEZ

Me llamo Eva, y antes de nada te aviso que me voy a enrollar, pero que me haría mucha ilusión que me leyeras.

Tengo dos hijas preciosas de cinco meses y acabo de devorar tu libro *Bésame mucho*, y cuando lo terminas dan ganas de poner en práctica el título con el propio autor (con el consentimiento de los respectivos consortes). Tu libro desprende amor (y humor también, que amor con humor, ¡mucho mejor!) y sentido común y ojalá que tus ideas sean contagiosas.

Soy una gran lectora. Antes de que Sara y Lisa nacieran ya me había leído (¡cómo no!) *Duérmete, niño, El cuidado de tu hijo, Mi niño no me come, El gran libro de los gemelos, Ser padres de gemelos, Gemelos. El misterio de los genes, La biología del amor.* Un montón de libros sobre lactancia. Y también *Mi bebé lo entiende todo* y *Llantos y rabietas*, de Aletha Solter.

Los libros de Aletha Solter me salvaron de aplicar el método Estivill y tu frase de «ya tienes a tu hijo en brazos. Detente. Ahí es donde mejor está» también se me quedó grabada y me ayudó a hacer frente a la implacable suegra empeñada en soltar a las peques en la cuna a la mínima oportunidad, cronometrando los minutos que pasaban en ella, como si de superar un «record Guinness» se tratara.

Sara y Lisa pasaron dos largas semanas en neonatología, durante las cuales tuve que luchar por nuestro derecho a la lactancia. Toda la información previa me ayudó a actuar con total seguridad en este tema, sin tener ninguna duda de que conseguiría alimentar a mis dos peques. Y así ha sido, sin horarios ni restricciones, y sí, con las tetas al aire casi todo el día, pero eso no me ha supuesto ningún sufrimiento (hombre, claro, es cansado, estás disponible día y noche, dedicación completa, pero es que ¡soy su madre!).

Ojalá todo en la crianza de mis hijas lo tuviera tan claro como el hecho de que lo mejor para ellas era amamantarlas y que iba a ser capaz de hacerlo. Estos primeros meses he seguido las ideas de

157

Aletha Solter y el llanto terapéutico. Tu libro me ha hecho replantearme mis ideas. Supongo que me da miedo equivocarme y que mi conducta cause algún daño a mis hijas. Quizá por eso me gustaría contarte mi experiencia, un poco para aclarar mis ideas, un poco (lo admito) para ver si te hago compartir aunque sea un poquito mi punto de vista...

Con tu libro me ha quedado la idea de que mis hijas tienen exactamente los mismos derechos que yo, que no son menos por ser bebés o niñas y que yo no tengo ningún derecho más sobre ellas que sobre cualquier otro ser humano. Sí que tengo más deberes hacia ellas, porque mi instinto me dice que he de cuidarlas y protegerlas, ya que por ahora dependen de mí, pero teniendo claro que dentro de poco serán unas personitas independientes. Esto es, plantearme si me comporto con ellas como lo haría con una persona adulta (adecuándome a las limitaciones de la edad). De todas maneras esa idea ya me rondaba, cuando leí una frase que me hizo reflexionar: «Mis hijos no son míos, vienen a través de mí». Y en cuanto al llanto, cuando me he preguntado si actuaría igual con un amigo, la respuesta ha sido afirmativa, lo cual me ha dejado más tranquila, porque así soy coherente con ambos pensamientos, el tuyo y el de Solter.

Dices en tu libro que Solter no quiere que se consuele, amamante o acune a los niños cuando lloran. Yo cuando leí sus libros no saqué esa conclusión. Más bien, trasladé eso a mi propia vida y tuve que admitir lo difícil que a mí me resulta desahogarme, llorar con alguien (y eso que ahora cada vez menos, antes siempre lloraba yo solita, con mi almohada) o compartir mis penas, y relacioné este hecho con que de pequeña no me permitieran llorar lo suficiente, o quitaran importancia a lo que sentía (no llores, que no es para tanto, sé buena y no llores, tienes que ser fuerte y no llorar) o me hicieran pensar que llorar les hacía sentirse incómodos. Con mi pareja eso no me ha ocurrido, cuando lloro por algo, simplemente me abraza y me escucha, y me deja llorar. Y eso, para mí, es más consolador que alguien que me esté diciendo, «sssssí, tranquila, no llores más, no merece la pena», o me argumente de mil maneras por qué no debería sentirme así o me asegure que pasará con el tiempo. Tan solo necesito un hombro sobre el que llorar, ni juicios, ni opiniones, ni buenas ideas, tan solo atención y empatía. Yo estoy de acuerdo contigo en que en un tiempo pasado donde los niños venían al mundo sin epidural, donde su madre les cuidaba nada más nacer, donde la naturaleza era su hogar, seguramente el componente liberador de estrés del llanto no era demasiado frecuente. Pero hoy en día no es así. En *La biología del amor*, de Janov, se hace referencia a la importancia del trauma perinatal. Y yo creo que el que nada más nacer te separen de tu madre y te lleven a una incubadora debe de ser bastante traumático. Según Janov (y según sus estudios, que quién sabe si sus conclusiones son la correctas) el nacimiento, los meses pasados en el útero, queda grabado en el cerebro primitivo. Y según Solter ese trauma se puede sanar a través del llanto. Yo, cuando estoy saturada y me pego una buena llorera me quedo mucho mejor. Puede que también funcione en personitas más pequeñas, ya que aunque no piensen como nosotros está claro que sí sienten el amor, la alegría o la falta de ellos.

En neonatos te dejan ir cada tres horas a las tomas, y si el niño está en incubadora no le puedes sacar, ni amamantar, y solo le puedes tocar a través de unas ventanitas. A mí, que entendía el porqué de aquella separación, se me hizo muy duro (que se lleven a tus hijas nada más nacer cuando estás genéticamente preparada para abrazarlas, protegerlas y amamantarlas, y no para verlas en una incubadora, ¡y con todo lo que había leído sobre la importancia de las primeras horas para el establecimiento de la lactancia y del vínculo afectivo...!), ¿cómo lo pasarían ellas? Lloré bastante algunas de aquellas noches cuando volvía a casa sin mis peques después de pasarme todo el día en el hospital. Mi pareja me abrazaba y me escuchaba. Nunca me dijo: «Cállate, cálmate, tomate un Valium, un Orfidal, come chocolate o bébete un Gin-Kas para tranquilizarte». Quizá si hubiera ido al cine o a bailar me hubiera entretenido un rato y no hubiera llorado tanto, pero el dolor y el sufrimiento de tener que separarte todas las noches de tus niñas, pensando cómo estarían, quién las consolaría, quién las abrazaría, no habría desaparecido ni disminuido, tan solo se habría postergado el momento de desahogarme. Y sé que cuando te guardas todo eso dentro no es bueno. Así que, cuando a los cuatro días de llegar a casa, Sara y Lisa empezaron a tener los famosos cólicos, me ayudó mucho pensar que quizá se es-

159

taban liberando de toda esa angustia que seguro habían pasado separadas de su madre. Me parecía una explicación más convincente (y más consoladora) que pensar que la naturaleza había previsto indigestiones diarias a unas recién nacidas.

Y no es que no intentara consolarlas, como tú opinas en tu libro, sino que no lo conseguía. Siempre intentaba todo lo que podía cuando se ponían a llorar: teta, cantar, saltar, acunar, pero cuando todo esto no funcionaba, llegaba a la conclusión de que necesitaban llorar, y entonces las cogía en brazos y suavecito les decía que estaba bien, que podían llorar todo lo que necesitaran que yo estaría allí para escucharlas, que yo también lloraba a veces y que no era bueno guardarse la pena, la rabia, el miedo, el estrés, todos esos sentimientos, que las iba a querer igual, tanto si lloraban como si reían, y que lo que se siente hay que expresarlo.

Esto me ayudó a no enloquecer los primeros meses y a mostrarme comprensiva con el llanto de mis hijas en vez de sentirme culpable e incapaz de calmarlas (no sé si tus hijos habrán llorado alguna vez así, pero si lo han hecho y tienes la idea de que tu labor como padre es conseguir que no lloren, lo llevas claro). Yo creo que a mis hijas también les ha ayudado. Cada vez son más tranquilas y lloran menos (aunque eso debe de ser lo normal, hayan descargado tensiones o no). Durante el día lloran poquísimo, y son unas niñas muy despiertas, también duermen poquísimo (lo que para mi suegra parece una maldición, «¡estas niñas no duermen nada!», repite con voz lastimera, como si la somnolencia estuviera entre las virtudes cristianas...). Por ejemplo, cuando les pusieron las vacunas lloraron poquísimo. Yo les digo: «Claro que sí, llora todo lo que necesites, como para no llorar con el pinchazo que te han metido, es lo más normal del mundo». Es una capullada que te acaben de pinchar y que venga tu madre y te diga: «Ea, ea, que ha sido un pinchacito de nada, mi vida, no llores más». Y puede que a otros niños les pase como a mí, que a veces voy tragando sin decir nada y luego cuando ya no puedo más estallo por la más mínima chorrada. Puede que no les hayan dejado llorar y cuando llega el pinchazo lloran por eso y por el llanto atrasado (porque si a mí se me queda llanto atrasado, ¿por qué no se les va a quedar a ellos?). Por ejemplo, Solter no está de acuerdo con el uso del chupete para acallar continuamente a un niño, y yo tampoco. Vamos, que no me creo que si un niño llora lo que está pidiendo a gritos es un cacho de plástico para succionar. Pero es comodísimo para los padres. Y como les calma... Porque lo que importa no es saber por qué lloran, sino ¡que se calle ese niño!, y luego cuando sea mayor y le den ganas de chupar algo compulsivamente cuando esté nervioso, pues nada, a darle a la botella, a las pastillas o al chocolate como hago yo (solo el chocolate, ¡eh!, ni pastillas, ni botella).

Y puede que Solter se equivoque, pero en esta sociedad en la que llorar está tan mal visto (nos sentimos incómodos ya sea una persona mayor o un niño el que llore, eso lo comprobé en el funeral de mi padre cuando mucha gente le recomendaba a mi madre que se tomara un Orfidal y se fuera a la cama a que se le pasara, que le iba a dar algo, que se tranquilizara... ¡hombre!, se había muerto su marido, lo que tenía que hacer era llorar, no tranquilizarse, ¡ah!, bueno, pero en privado, que en público molesta, y todo porque mi madre es del sur y fue bastante expresiva, que aquí en el norte no estamos acostumbrados a esos «espectáculos») no me parece nada mal una visión como la suya.

Y aunque no tenga la validez de un estudio de cohortes, el comentario de mi madre de que mi hermana fue la que menos lloró de todos y la que se chupó el dedo hasta bien mayorcita, me hace reflexionar sobre la importancia del llanto. Bueno, si lees esta carta escrita a medianoche a la tenue luz de la mesilla con Sara y Lisa durmiendo a mi lado (lo que se pierden los padres que no duermen con sus hijos (horas de sueño, el aroma de su cabello, el sonido de su respiración en la quietud de la noche...) y te sirve de algo me alegro. Y si no, si esta carta no llega a tus manos, y si llega pero no te dice nada, al menos la guardaré para que Sara y Lisa la encuentren algún día entre los papeles de mamá y sepan que aunque su mamá estaba un poco loca y se creía todo lo que leía (eso es lo que dice papá, pero no es cierto), de lo que no había duda era de que las quería con locura y que investigó y reflexionó para intentar tomar las decisiones más adecuadas, y que si se equivocó, lo hizo con amor (y que las besaba mucho, mucho, mucho).

Un besote, Carlos, y gracias por estar ahí,

Eva

Apreciada amiga:

Antes que nada, debo aclarar que estamos básicamente de acuerdo. Lo que tú has hecho con tus hijas («siempre intentaba todo lo que podía cuando se ponían a llorar... pero cuando todo esto no funcionaba...») es precisamente lo que yo sugiero en mi libro, y no lo que dice Solter. Porque ella dice bien claro que no intentes nada, que lo único que tienes que hacer es cogerlo en brazos y dejarlo llorar, y que cualquier otro intento de calmarlo es malo, porque es impedir su llanto.

Decidí tocar este tema en mi libro cuando empecé a encontrar madres lactantes que, tras leer a Solter, me preguntaban si no estarían haciendo mal en dar el pecho a demanda, meterse a su hijo en la cama, cantarle o hacerle masaje, porque eso es controlar el llanto. Fíjate que tanto Ramos, el franquista, como Solter, dicen textualmente que «los niños necesitan llorar», la diferencia es que el primero es tan bruto que ya no se lo cree nadie, mientras que la segunda lo dice en un contexto de respeto hacia el niño, y la idea «cuela» (y por eso, precisamente, resulta más peligrosa).

Me parece que tú has hecho una interpretación racional y benigna de sus libros, te has quedado ese 90% que sin duda está muy bien, y directamente te has saltado el 10% que está mal, porque tú misma te dabas cuenta de que no era coherente con el resto. A mucha gente le pasa, con todo tipo de libros: muchos que hablan maravillas del método para «enseñar a dormir» dicen que «en vez de irnos de la habitación nos quedábamos con él para que no llorase» (!).

El punto clave es: «Muchos bebés continúan llorando, incluso después de que todas sus necesidades primarias han sido atendidas». Los niños bosquimanos pasan veinticuatro horas colgados de su madre, mamando seis veces por hora. Eso es atender las necesidades primarias, y lo demás son tonterías. Esos niños, por supuesto, no lloran prácticamente nunca. La interpretación de Solter sería que no les han dejado llorar y por tanto no han podido librarse del trauma del nacimiento. ¡A lo mejor por eso están tan «atrasados», pobrecitos!

Si un niño está contento y feliz, y de pronto se pone a llorar, me parece más lógico pensar que llora por algo que le acaba de pasar ahora, o por pequeños problemas que se han ido acumulando en los últimos días hasta «colmar el vaso», que porque de pronto se ha acordado del trauma del nacimiento. Esa teoría lleva a dejar de buscar las verdaderas causas y las verdaderas soluciones del llanto.

No creo que el llanto sea terapéutico por sí mismo. El llanto sirve para atraer la atención de otras personas y conseguir su ayuda. Si se muere tu madre, lloras, tu marido te abraza en silencio, y te sientes mejor. Pero no creo que te sientas mucho mejor si lloras sola encima de una montaña (excepto porque el tiempo todo lo cura, claro, si estás meses llorando, al final disminuye el dolor; pero creo que disminuiría igual sin llorar). No es el llanto en sí, sino el afecto y la compañía que has obtenido gracias a ese llanto lo que te alivia. Por supuesto, si se ha muerto tu madre, sería ridículo y contraproducente que tu marido te intentase animar llevándote al circo. Pero si el problema es menor, una discusión en el trabajo o una inspección de hacienda, a lo mejor sí que te alivia ir al circo. Ahora bien, si se ha muerto tu madre y te quieren llevar al circo, ¿lo aceptarías? Claro que no. Te negarías, y si fueras, no te reirías. Creo que los niños tienen la misma capacidad de elegir. Si un niño se calma diciéndole «sana, sana, culito de rana», no es porque sea tan tonto que se ha dejado engañar y le has impedido llorar cuando más lo necesitaba, sino que tenía un problema menor que has logrado aliviar con esa sencilla medida. Cuando yo era niño, entre los seis y los once años, me hicieron muchísimos análisis de sangre. Me acompañaba mi padre, que siempre me distraía contándome algo mientras me pinchaban. Ni me enteraba. Le estaba muy agradecido. No ahora, retrospectivamente, sino entonces: recuerdo claramente haber pensado qué suerte tenía de que mi padre me supiera distraer, cuánto más horrible hubiera sido estar mirando la aguja mientras se clavaba lentamente en mi vena. Dices «sana, sana» cuando tu hijo se ha dado un coscorrón, no cuando se ha roto una pierna. Claro, a veces te equivocas, crees que ayudarás a tu hijo con una determinada intervención, y no funciona; enseguida ves que sigue igual, incluso que se enfada más, porque el problema era distinto, o era más grave de lo que pensabas. Pues cambias de técnica. Pero lo que te dice Solter es que ni siquiera lo intentes. Lo que ella propone es el café para todos. Siempre le daré brazos y silencio, pero no le daré otra cosa, porque no lo necesita. Y soy yo, y no él, quien decide qué necesita y qué no. Creo que dejaría de llorar si, además de brazos y silencio, le diera la teta, o el chupete, o le hiciera un masaje, o le contase un cuento, o le dijera «ea, ea, ea», pero no lo voy a hacer porque lo que quiero no es que se calme, lo que quiero es que llore, para que así elimine la ACTH por las lágrimas...

Volvamos a lo de que se ha muerto tu madre. Tu marido te abraza en silencio, lloras sobre su hombro, y al cabo de un rato te sientes mejor. Si tu marido te dice «anímate, mujer, si, total, ya estaba muy vieja», o «¿sabes el chiste del tío que entra en una gasolinera y...?», evidentemente, le pegas un bofetón, por bestia (y eso que, ojo, a tales frases no reaccionarías llorando menos, sino llorando más, así que según Solter debería ser útil: insultar al que llora, zaherirlo y burlarse de él, para que pueda llorar más y eliminar más ACTH). Si se muere tu madre mientras tu marido está de viaje, y él no logra volver hasta las cuarenta y ocho horas, y solo entonces puedes llorar sobre su hombro y sentir alivio, ¿qué es lo que te alivió, el llorar o su hombro? Solter diría: «Por fin has podido llorar, y por eso estás mejor», pero yo digo «por fin volvió tu marido, y por eso estás mejor». No te hubiera aliviado llorar sola el día antes. De hecho, no solemos llorar solos; lloramos mucho más en presencia de los seres queridos que solos o en presencia de desconocidos, precisamente porque el llanto sirve para obtener consuelo, y no sirve llorar si no hay nadie cerca para consolarnos. Finalmente, imaginemos que tienes un marido de excepcional sensibilidad. Estás llorando sobre su hombro, y él te habla: «Tu madre era una persona muy cariñosa, me acuerdo del primer día que fui a comer a tu casa...», o «cuéntame cosas de tu madre, ¿cómo era aquella historia de cuando te hizo un disfraz para carnaval?». ¿No te sentirías aún mejor, no llorarías menos? ¿Qué hay de malo en ofrecer consuelo verdadero, además del contacto silencioso?

Otra cosa muy distinta, por supuesto, es intentar no calmar, sino silenciar el llanto, con métodos como «te pones muy feo cuando lloras», «si lloras, mamá se enfada» o «como sigas llorando, vas a ver lo que es bueno». Claro que eso está mal. Pero incluso el «ea, ea, no llores, que no ha sido nada», aunque no es óptimo y desde el punto de vista de la comunicación lingüística es una frase inadecuada (negar los sentimientos del niño, negar la existencia del problema...), creo que en muchos casos se puede decir sin que haga ningún daño. Porque las madres no tienen por qué ser pequeñas psiquiatras a domicilio, no tienen por qué saber todos estos detalles sobre técnicas de terapia; y los gestos de amor y el tono de infinita dulzura pueden sin duda superar los defectos de unas palabras no muy pertinentes.

Bueno, ya me he enrollado bastante. Gracias de nuevo por escribir, y enhorabuena por esas gemelas encantadoras.

Saludos cordiales,

CARLOS GONZÁLEZ

Me llamo Susana, tengo dos niñas de tres y cuatro años.

He leído tu libro *Bésame mucho*, y me ha encantado, me gusta mucho cómo argumentas las situaciones con los niños. Pero con mi hija pequeña no me sirve.

Acaba de cumplir tres años y siento que no la entiendo, o más bien que no nos entendemos. No sé por qué hace las cosas, ni qué quiere a cambio; bueno, sí, sé que quiere atención, pero no tengo veinticuatro horas para ella.

Es muy alegre, divertida, espabilada (demasiado), de talla reducida, pero todo lo tiene en el coco. Es muy celosa, tiene mucho carácter y genio.

Te expongo algunas de las situaciones, que son diarias, con las que nos encontramos:

La niña se despierta por la noche, viene a nuestra cama y puede estar molestando tres horas: «mamá, pon la cabeza aquí, quiero estar destapada, quiero dormir con la cabeza encima de tu barriga, los

165

pies en la espalda de papá, quiero agua», su padre se levanta y ella con voz de exorcista dice que no la quiere si no se la trae su madre, evidentemente su madre no se la trae, ella no se la bebe pero sigue insistiendo. Entre medias, hay amenazas de que como no se calle y deje de incordiar se va a ir a su cama, si no le gusta cómo es la nuestra que se vaya a la suya, ella continúa: «me pica la cola, quiero la manga arremangada, este pijama no lo quiero...». Total, que la cargas, la bajas de la cama y ahí se queda. Lloros, gritos... «¿Te vas a estar quieta?» Ella dice que sí, sube a la cama, se coloca bien y se duerme enseguida. Después de un par de noches así, no tiene la oportunidad de las tres horas; a la primera queja, se la carga, se la baja de la cama, llora, grita, vuelve a subir, se duerme y el problema se ha acabado.

¿Por qué tiene que esperar a la situación violenta? Ahora a la mínima se la baja, se la saca a la terraza... es la única solución que hemos encontrado y te aseguro que probamos de todo; el diálogo no sirve.

Te expongo otra situación:

A la hora de la merienda pide pan con mantequilla, se lo voy a preparar y al momento tiene pis, quiere que la acompañe para encenderle la luz y su padre que está al lado la acompaña. Voz de exorcista: «¡Tú no, mamá!». Su padre, que no sé cómo la aguanta porque se lo hace muchas veces y no lo entiendo porque se llevan bien, cuando se le cruzan los cables...

Entonces su padre le dice que él le prepara la merienda; como parece no estar convencida se le pide que elija quién la acompaña al baño, y elige a su madre. Cuando vuelve del baño me dice en voz baja que la merienda que le prepara su padre ella no la quiere. Sin enfadarnos le digo que su padre la prepara buenísima, se tira al suelo, grita:

—Bueno, cariño, si no la quieres no te la comas.

—¿Me preparas uno tú?

—Cuando te acabes lo que tienes te hago otro.

—¡Noooooo!

Abro la puerta de la terraza, la saco y me voy. Ella viene, como accediendo a comerse la merienda. ¿Te crees que se la comió?: «Ahora en esta puntita no tiene mantequilla; esta miga de pan no está puesta en su sitio, el plato está medio centímetro separado de donde yo lo quiero...». La situación empieza a ser insoportable. Aunque le resuelvas uno de sus problemas, le surge otro. Si la ignoras no para de gritar y llorar, si le solucionas el problema sigue gritando y llorando por otra cosa...

A la hora se comió el bocadillo, y aquí no ha pasado nada. Por la noche pide qué hay para cenar:

—Hay puré.

—¿Con picatostes?

—Sí. ¿Qué prefieres, picatostes de pan o palomitas?

—De pan.

Servimos los platos, el padre empieza a repartir los picatostes, primero a su hermana y después a ella. Cuando se acerca a su plato (voz de exorcista): «Tú no; mamá».

Le pido que no lo diga de esa manera y con voz dulce y suave me pide que se los ponga yo. Como la conozco le pido que me diga los que quiere (elegidos por ella), le pregunto si se los pongo como a su hermana (dice que sí) y cuando está hecho coge el plato, lo empuja y dice que ella esto no lo quiere:

—¿Qué es lo que no quieres?

—Los picatostes.

No la entiendo, es que soy incapaz.

Si esto pasara de vez en cuando, no pasaría nada; pero es continuo, si hago las cosas sin pensar se queja, si se las pido, se queja, si la ignoro, se queja. Y además después se pega o se tira de los pelos.

Yo creo que ella no está conforme o no entiende el mundo que le ha tocado vivir. Lo entiendo, no es demasiado agradable tener que seguir unos horarios, unas reglas. Pero hay que adaptarse y a ella le cuesta mucho. A mí lo que me preocupa es que ella lo pasa fatal y no sé cómo ayudarla.

Es así desde que nació.

Si puedes ayudarme te lo agradecería mucho.

Gracias por todo,

Susana

Apreciada amiga:

Dices que no entiendes a tu hija, que no os entendéis. Y tampoco entiendes cómo la aguanta tu marido. Pues quizá precisamente porque no intenta entenderla. Ya sé que suena a tópico, pero normalmente los hombres casados renuncian muy pronto a intentar entender a las mujeres, y adquieren una calma impasible que les ayuda mucho en el trato con sus hijas.

Si aún eres capaz de describir a tu hija como «muy alegre, divertida y espabilada», debe de ser porque escenas como las que relatas no se producen continuamente. Igual no tiene ni cinco escenas de esas al día. Pues bueno, más o menos como cualquier otro niño de su edad.

Recuerda que, haga lo que haga ahora, no lo seguirá haciendo dentro de unos años. Recuerda que la quieres con locura. Haz que ella lo recuerde también.

Los niños necesitan atención continua, contacto, y un cariño infinito e incondicional. Obviamente, no necesitan que el plato esté un centímetro a la derecha, ni que la esquina superior izquierda del pan tenga 0,8 g de mantequilla. ¿Por qué se pone así entonces? No lo sé. Creo que tampoco lo sabe ella. Suele decirse que es una manera de obtener atención, pero quizá esa sea una explicación simplista en algunos casos. Los adultos también nos comportamos así; si te fijas, muchas discusiones de novios (y de casados) siguen esas mismas líneas, exigencias absurdas y quejas sin motivo (al menos desde el punto de vista del otro). ¿Por qué lo hacemos? No lo sé, pero en ese momento te parece estar haciendo algo normal, no piensas: «Ahora voy a volverle loco, se va a enterar». Pero también eres más o menos consciente de que estás haciendo el ridículo; es como si no supieras cómo parar, una especie de huida hacia delante. Parece que tu hija menor ha aceptado el papel de «infantil y caprichosa», frente a su hermana «la madura». Debe de ser algo muy difícil de aceptar.

En conjunto, no creo que lo estés haciendo tan mal. Las dos seguís vivas, y tu hija aún es alegre y divertida. No sé si podrías hacer algo aún mejor. Dentro de un tiempo tu hija cambiará, y será difícil saber si es por lo que tú has hecho o solo porque ha crecido.

Cosas que se me ocurren que pueden ayudar: prestarle mucha atención cuando no está «poseída» (me ha gustado lo de la voz de exorcista). Demostrarle que la seguís queriendo haga lo que haga. Distinguir claramente entre la persona y sus acciones: te molesta lo que hace, pero a ella la quieres. Por tanto, no «estoy harta de ti», sino «no me gusta que protestes por todo»; no «te pones muy fea cuando lloras», sino «me gustaría que no lloras tanto». Cuando no se puede acceder a una de sus peticiones, pues se le niega, y ya está, sin ira, sin remordimiento y sin vacilación. No es necesario añadir un castigo o un grito a la negativa, basta con no hacerlo y punto. Dejar que las niñas hagan por sí mismas todo lo posible (que se preparen la merienda, que se pongan los picatostes...). Lo de las noches, quizá es mejor hablarlo de día, explicarle qué es lo que os molesta y por qué, pedirle ideas sobre cómo evitarlo, negociar para obtener un acuerdo, escribirlo y firmarlo...

Hay un libro que explica estas cosas y otras similares. Se titula *Cómo hablar para que los niños escuchen, y cómo escuchar para que los niños hablen*, de Faber y Mazlish. Creo que te será útil, como mínimo para pasar un rato entretenida leyendo cuando estés de los nervios.

Espero que estas reflexiones te sirvan de ayuda, y que seas muy feliz con tus hijas. Ya nos contarás.

Saludos cordiales,

CARLOS GONZÁLEZ

Me llamo Laura y soy madre de un niño de tres años, Iñaki, y de una niña de tres meses, Elena. El motivo de mi consulta no es en referencia a la lactancia materna sino por mi hijo Iñaki.

He leído su libro *Bésame mucho*, que nos ha sido de gran ayuda en muchas ocasiones, y cuya línea educativa va a la par con la nuestra.

He llegado a un punto en que no hay día que no llore o me desespere por el comportamiento de Iñaki en un aspecto muy puntual:

es un niño que es muy bruto jugando y que en ocasiones lo califi-
caría de agresivo. Ya desde pequeñito nos pegaba a nosotros, sus
padres. No lo llevaba a jugar al parque porque su diversión era ir detrás de los niños y pegarles. Sus juguetes preferidos son los animales, y se dedica a jugar con ellos golpeándolos fuertemente contra
el suelo, la mesa, o contra otro juguete. Suele romper a menudo sus
juguetes por la forma tan bruta que tiene de jugar.

A raíz del nacimiento de su hermana la cosa ha empeorado: los
dos primeros meses fueron horribles, parecía que le había entrado
el diablo dentro; ahora está más tranquilo, aunque sigue siendo muy
bruto jugando. A nosotros ya no nos pega pero sí a sus primos, amigos y especialmente a mi madre, que todo se lo permite y encima se
ríe cuando le pega. Sus amigos y primos le dicen que no quieren jugar con él y tenemos unos vecinos que sospechamos que no dejan
subir a su hija por esto.

Mi marido y yo somos profesionales sanitarios, somos un matrimonio feliz que nos queremos y en casa nunca ha habido violencia
ni le hemos pegado a él. No entiendo de dónde le viene esa agresividad: quizá hemos sido bastante duros con él algunas veces al
intentar que se calmara. Lo que también puede influir es que él per-
ciba la mala relación que existe entre mi madre y yo: ella viene a menudo a casa y entonces se respira un ambiente tenso que él capta
perfectamente. Mi mayor preocupación es si será de mayor un niño
o chico agresivo.

Lo tratamos con todo nuestro amor y cariño, pasamos mucho
tiempo con él jugando o yendo a muchos sitios.

También puede influir que la guardería a la que va es muy estricta en cuestión de normas, marcan muchos límites y esto le puede provocar frustración. ¿Hasta dónde marcarle límites?, ¿debemos respetar su forma de jugar tan bruta?, ¿qué hacer cuándo pegue? Iñaki es
un niño muy sensible y muy inteligente; muy voluntarioso y con un
gran corazón. Nunca le han gustado los puzzles ni las manualida-
des sino jugar más al aire libre o con juegos de más actividad. Es
muy sociable pero le cuesta mucho expresar sus sentimientos. Llora muy poco, aunque se golpee. Se conforma con muy poco: siempre dice estar contento, aunque yo le note triste. Es un niño valiente,
nada miedoso y muy seguro de sí mismo, aunque fácilmente influen-

170

ciable. Ahora está en una etapa de desobediencia total: creemos que es normal por su edad. Nunca ha sido un niño de hacer trastadas ni tener rabietas.

Vivimos en un piso de 70 m y sin terraza y creemos que en él se «ahoga» por su personalidad, porque es además un niño muy casero que prefiere quedarse en casa a jugar fuera.

Disculpe si me he extendido demasiado, pero su comportamiento me está obsesionando de tal manera que necesito ayuda para guiarme en su educación, pues reconozco que ahora voy un poco a la deriva. Tengo la sensación que está sufriendo y eso me reconcome.

Muchas gracias por su comprensión.

Un cordial abrazo,

Laura

28 de enero de 200*

Apreciada amiga:

Está usted muy preocupada (obsesionada, dice usted misma) por la agresividad de su hijo. Pienso que lo primero (ya sé que es más fácil decirlo que hacerlo) sería desobsesionarse. A ver, que solo tiene tres años. No estamos hablando de delincuencia juvenil.

Como profesionales, sabrán muy bien que algunos niños particularmente agresivos lo son porque tienen algún problema de base: hiperactividad, retraso mental..., pero no parece este el caso, su hijo se comporta de forma totalmente normal en todos los otros aspectos.

Hay que tener claro que la agresividad no lleva necesariamente a una conducta agresiva. Una cosa es el temperamento y otra, la conducta. En niños pequeños puede parecer que va muy ligado, pero con el tiempo aprendemos a canalizar adecuadamente nuestros impulsos. Del mismo modo que un adulto generoso no tiene por qué dar todo lo que tiene al primer desconocido, un adulto agresivo no tiene por qué andar pegando a todo el mundo. Puede que hable más alto, o que dé puñetazos en la mesa. Puede que sea deportista, bombero, empresario, aventurero. O puede que sea bibliotecario, pero en sus ratos libres juegue al pádel. Creo que ese sería el objetivo con su hijo: no que sea de otra manera, porque cada uno es como es y no puede cambiar, y usted le quiere y le respeta tal como es; sino que actúe de otra manera; porque lo que hacemos, a diferencia de lo que somos, sí que lo podemos cambiar. Los niños suelen ser más agresivos que las niñas, y unos más que otros, claro. (Con todo ello no estoy diciendo que su hijo vaya a ser agresivo toda su vida. Tampoco lo sabemos. Pero si lo fuera, pues eso, no es el fin del mundo.)

Una guardería donde marcan mucho los límites, si lo hacen del modo tradicional (es decir, con gritos, amenazas y castigos, reprimiendo continuamente), es posible que, en efecto, acabe empeorando el problema. Lo que no sale por un lado tiene que salir por otro. Y si se crea una mala relación con los padres, con los profesores o con los otros niños, a la larga también empeora el problema. Es decir, si ustedes le riñen todo el rato, si se avergüenzan de él, pegará más. Si los otros niños no se le acercan porque pega, pegará más (por tanto, hay que impedir que pegue a los otros; tanto por los otros como por él mismo). Ahora que de todos modos está usted en casa con la pequeña, a lo mejor le conviene sacarlo de la guardería hasta el año que viene.

Creo que el límite debe estar en la agresión. No conviene impedir que juegue a lo bruto, ni que grite, ni que destroce los juguetes (sí que impediría que los rompa deliberadamente, que le dé de martillazos a un juguete nuevo y bonito por gusto; pero no impediría que juegue tan a lo bruto que se acaben rompiendo «sin querer»). Pero sí que hay que impedir que pegue a otros niños o les insulte. Lo primero es enseñar con el ejemplo, mostrarle siempre respeto, ayudarle a encontrar maneras adecuadas de jugar con otros niños («ven, vamos a decirle a este niño si nos deja la pelota»). Por supuesto, si cuando hace algo «mal» ustedes le riñen, le amenazan o le pegan, eso es lo que aprenderá a hacer.

Ejemplo práctico: está en la arena y le da un capón a otro niño, o le tira arena a los ojos. Pues usted lo coge en brazos y se lo lleva; si es preciso pidiendo disculpas al otro niño y a su madre («es que está con unos celos tremendos...»). No se lo lleva

a casa, no es un castigo. No lo arrebata como una furia venga-
dora, solo lo transporta. Se lo lleva a otro sitio del parque, y que
siga jugando solo. Y le explica el motivo, pero sin darle demasiada importancia. Simplemente: «Si pegas a los otros niños, nos
vamos a jugar a otro sitio», con la misma tranquilidad con que
diría «no te puedes sentar ahí, que está sucio». Si se pone a jugar solo tan tranquilo, pues siguen así hasta nueva orden. Si se
enfada y dice que quiere jugar con los otros niños, se le explica
que no puede ser, porque a los otros niños no les gusta que les
peguen. Si insiste mucho, le hace prometer «bueno, pero no
pegarás a nadie, ¿eh? Mira que si pegas a alguien nos volvemos
a ir» y lo lleva de nuevo con los otros niños. Si es preciso, puede
darle una explicación a la otra madre («hemos tenido una conversación, a ver si no pega más...»). Si la conducta se repite continuamente, a la segunda o la tercera puede tomar usted la decisión de no darle más oportunidades en lo que queda de día, se
ponga como se ponga. Si quiere seguir jugando, que juegue solo;
si no quiere jugar, para casa. A todo esto, sí que le consuela; insisto, no es un castigo por portarse mal, sino una desgracia que
le ha pasado («no puedes jugar con otros niños porque les has
pegado», como «no puedes ir de excursión porque tienes fiebre»; sin enfadarse).

Por supuesto, no conviene tampoco montar el número a la
más mínima. Hay que valorar si de verdad hace daño, si el otro
niño se puede defender... En casos leves basta con una amones-
tación verbal («¡eh!, ¿qué habíamos dicho?»). Puede ser buena
idea, durante un tiempo, ponerlo con niños un poco mayores,
ya se defenderán ellos solos.

Y mucho más importante que hacer todo esto cuando pega
es hacer otras cosas antes. Jugar con él, ofrecerle modelos de juego constructivo (ofrecer, no necesariamente aleccionar; no se trata de «fíjate cómo se hace sin pegar», cuando la moraleja se hace
explícita resulta cargante y hasta humillante), felicitarle por lo
que hace bien... Una vez más, «estoy muy contenta porque no
has pegado a nadie» resulta humillante, hay que buscar algo más
sutil. Por ejemplo, cuando papá llega a casa, usted le explica:
«¿Sabes que hoy hemos estado en el parque, e Iñaki ayudó a otro

niño a hacer un agujero en la arena? ¿Sabes que Iñaki me ha ayudado mucho esta mañana, ha estado haciendo reír a Elena mientras yo la cambiaba, para que no llorase?».

Creo que le será muy útil un libro titulado Cómo *hablar para que los niños escuchen y cómo escuchar para que los niños hablen*, de Adele Faber y Elaine Mazlish.

Y dentro de unos años, si sigue así (que no lo sabemos), tal vez le sea útil apuntarlo a algún arte marcial, donde pueden desfogarse al tiempo que el maestro insiste en el respeto y el equilibrio interior. En el fútbol también se desfogan, pero por desgracia algunos entrenadores, en vez de tranquilizarlos, los azuzan.

Espero que estas sugerencias le sirvan, y le deseo toda la felicidad con sus hijos.

Saludos cordiales,

Carlos González

Tengo bastantes dudas, pero hay dos que me provocan bastante malestar, os lo expongo y si hay por ahí alguien que me pueda dar algún consejo, lo agradeceré.

Tengo una hija de casi ocho meses que toma pecho, sobre los cinco meses su peso se estancó, pero no su vigor. Empecé con las papillas, primero la fruta, con poco interés por su parte. Cuando le introduje los cereales al mediodía, los cuales devoraba al principio, dejó de comer fruta triturada en la merienda. Y con el puchero también fue fatal. Empezó a chuparse los dedos cuando la sentaba en la trona y a llorar si le ponía la cuchara delante. A la basura iban papillas y más papillas enteras. Ante esta situación y tras leerme el libro *Mi niño no me come*, de Carlos González, dejé de forzar la situación. Primero le doy el pecho y luego la siento en la trona junto a todos en la mesa y le pongo cositas en su plato (algunos granos de arroz hervido, macarrones sin tomate, patata hervida y zanahoria, pan, hasta ha llegado a comerse una loncha de jamón serrano que me cogió del plato sin que yo me diera cuenta y se la zampó porque desapareció) y para merendar lo mismo, le doy el pecho y luego un trocito de plátano, pera, sandía, galletas, etc. Por la noche le doy un biberón de leche con cereales que se toma muy a gusto y luego el pecho. Ha dejado de llorar en la trona, muerde, destroza, chupa, tira y se pone perdida. Tiene curiosidad y se empeña en coger todo lo que puede de la mesa. Pero su peso me vuelve a preocupar porque pesa 6.610 g. Su talla era de 65 cm a los seis meses. Por la noche se despierta un par de veces para tomar pecho y durante el día duerme tres siestas de media hora hasta hora y media. Tengo la sensación de que duerme más de lo normal pero entiendo que esa situación se da porque no tiene muchas reservas de energía. Cuando está despierta es un torbellino, gatea, se pone de pie, intenta caminar, no para por toda la casa. He pensado en darle papilla de cereales por la mañana. ¿Qué más puedo hacer? He vuelto a intentar darle papilla pero su respuesta ha sido la misma. Llorar y negarse a tomarla. Estoy desorientada porque mi otro hijo comió muy bien de todo hasta que nació su hermana.

La otra situación es la siguiente, mi otro hijo de cuatro años no me obedece en nada, le tengo que repetir las cosas cincuenta veces y al final le grito para que me haga caso. En fin, necesito malgastar un montón de energía para que coma, se siente, se ponga las zapatillas, recoja, haga pis, se suba el pantalón, camine a mi lado por la calle, etcétera. Cosas cotidianas que hay que hacer. ¿Qué hago con el? Además, está atacado de celos con su hermana y en cuanto me acerco a él, quiere que le coja en brazos. En general reclama bastante atención, tanta que estamos hartos (su padre y yo) porque ha tenido mucha atención. Podría escribir toda la noche sobre él, porque he tenido la suerte de no trabajar y he estado con él al 120% desde que nació y siempre ha tenido esa tendencia. Es muy cabezón y va muy a la suya. Nos agota a todos.

Desde entonces he comprado vuestra revista donde he encontrado muchos consejos válidos, pero creo que nunca habéis escrito sobre este tipo de niños. Por cierto, dormimos juntos él y yo, junto a la pequeña en su cuna, por el desplazamiento veraniego,

Carlota

18 de agosto de 200*

Apreciada amiga:

No nos dice qué significa exactamente «su peso se ha estancado». ¿No ha aumentado absolutamente nada, ni un gramo; o ha aumentado un poquito? Aparte de la alimentación complementaria, ¿ha habido en este tiempo algún otro factor que pudiera justificar el escaso aumento? (moquitos, diarreas, fiebre...).

En cualquier caso, ahora mismo su peso es normal. Y a esta edad aumentan muy poco (si engorda medio kilo de aquí al año, ¡prueba conseguida!). Por lo que me dice está sana y feliz, y su pediatra no le encuentra síntomas de enfermedad. En conclusión, sana como una manzana. Yo me olvidaría del peso.

No sé si es muy buena idea darle papilla de cereales. Ahora come pan, macarrones, galletas..., volver a la papilla sería un paso atrás. Y una nueva ocasión de conflicto. Creo que lo mejor que puede hacer es seguir exactamente igual; su hija está sana, es feliz y se alimenta perfectamente (muchas madres me escriben, desesperadas, porque su hijo de tres años aún no come ni un macarrón, ni una galleta, ni un trocito de plátano; ¡solo quieren papillas!). ¿Para qué arriesgarse a estropearlo todo?

En cuanto al mayor, sospecho que está usted viviendo la desconcertante experiencia de convivir, por vez primera en su vida, con un niño normal de cuatro años. Como decía Mafalda, hay que comprender que, con el primer hijo, los padres estamos en prácticas.

Cada vez estoy más convencido de que la autoridad paterna (y cualquier otro tipo de autoridad) es como el dinero: cuando la utilizas, se gasta. La única manera de tener mucha autoridad es ahorrarla. Pierde usted autoridad (además de tiempo, energía y tranquilidad de espíritu) cuando da órdenes (¡cincuenta veces!) e incluso grita «para que coma, se siente, se ponga las zapatillas, recoja, haga pis, se suba el pantalón, camine a mi lado por la calle». Medite un poco. Ninguna de esas actividades justifica un grito, y la mayoría ni siquiera justifican una orden. Si la policía, en vez de detener ladrones y asesinos, fuera diciendo «recoge, haz pis, no te metas el dedo en la nariz, no te columpies en la silla...», habría una revolución. Si los diez mandamientos, en vez de «no matarás» o «no levantarás falso testimonio» fueran «no pondrás los codos en la mesa» o «te subirás los pantalones», no habría ni un solo cristiano. No se puede desperdiciar la autoridad ocupándose de cosas sin importancia.

Para que coma, no tiene usted que dar ninguna orden y ningún grito. ¡Pero si ya se ha leído mi libro! Si quiere comer, que coma, y si no quiere comer, que no coma.

Para que se siente... ¿por qué quiere usted que se siente? Es demasiado pequeño para llevarlo al cine o al teatro (salvo a los títeres, y ahí ya deberían estar acostumbrados a ver niños de pie). La única circunstancia en que se me ocurre que es importante que se siente (en sillita de seguridad) es cuando va en coche.

¿Qué pasa si no se pone las zapatillas? A no ser que se le acabe de romper un vaso y haya cristales por el suelo, puede ir descalzo, si quiere.

¿Recoger? Los padres novatos suelen pensar que los niños pequeños recogen. Años más tarde comprueban que los adolescentes y adultos jóvenes tampoco recogen, y se dan cuenta de que habrían evitado muchos malos humores aceptando desde el principio esta realidad de la vida: los hijos no suelen recoger.

¿Le dice que haga pis? Por el amor de Dios, eso ya es pasarse. Hará pis cuando tenga ganas, como todo el mundo.

Los pantalones, si no se los quiere subir, que no se los suba. Si los lleva abajo del todo, pronto se dará cuenta de que así no se puede correr, y se los subirá él solo. Y si los lleva por debajo de los calzoncillos..., pues irá a la moda. Fíjese en los chicos de veinte años, ¡hay muchos que no se sabe cómo no se les caen los pantalones!

Los niños pequeños raramente caminan al lado de sus padres. Se retrasan, o se adelantan, o dan vueltas a su alrededor. Intentar mantenerlos «en formación» es perder tiempo y saliva; es mejor vigilarlos continuamente e intervenir solo cuando se alejen demasiado o cuando inicien actividades peligrosas (no «desagradables», «molestas», «inusitadas», «absurdas» o «políticamente incorrectas»; sino solo «peligrosas»).

Y así con otras muchas cosas. Si deja usted de dar órdenes innecesarias y que jamás serán cumplidas, mejorará el clima de convivencia, su hijo irá aprendiendo a hacerse responsable y a no ser un simple receptor de órdenes, y usted tendrá más autoridad cuando de verdad sea necesario dar una orden. Ya nos contará.

Le recomiendo la lectura de *El pequeño Príncipe*, de Saint-Exupéry. Es un libro muy adecuado para leerle a su hijo en voz alta, y además contiene unas excelentes reflexiones del «Rey del Universo» o algo así sobre el ejercicio de la autoridad (se ve que el autor quería «instruir deleitando», pero lo hacía bien: instruir a los padres, deleitar a los hijos). También le será muy útil *Cómo hablar para que los niños escuchen y cómo escuchar para que los niños hablen*, de Faber y Mazlish. Y a lo mejor también le es útil mi libro *Bésame mucho*.

Espero que estas reflexiones le sean útiles, y le deseo toda la felicidad con esos hijos encantadores.

Un cordial saludo,

CARLOS GONZÁLEZ

Mi consulta es para uno de vuestros expertos colaboradores, Carlos González. Quisiera saber si me puede ayudar con el régimen de visitas. Porque mi marido no entiende que la alimentación materna sea fundamental para nuestra hija que tiene ocho meses, ya que no le permitiría ver a la niña tanto como él quisiera, y yo no sé qué alegar en el juicio para que se tenga en cuenta la lactancia materna. Incluso los abogados no creen que los beneficios de la leche materna estén probados de forma científica y piensan que no pasa nada porque el bebé se alimente con leche artificial. Por favor, ayúdeme. Creo que mi leche es fundamental para mi hija y he realizado muchos sacrificios para que reciba este alimento. Ella nació prematura y estuve durante un mes sacándome la leche y congelándola para ella. Cuando estuvo en casa la niña mamaba, pero tenía poca fuerza y tuve que darle refuerzo de mi leche con biberón y sacarme la leche en cada toma. Estaba agotada y mi marido no era capaz de ayudarme porque no lo entendía.

Para mí es muy importante que mi hija siga mamando todo el tiempo que quiera. Oriénteme en este tema porque no tengo mucho tiempo, la vista de medidas previas es dentro de poco y me gustaría la opinión de un experto, ¿se puede aportar algo en el juicio que me ayude con este problema?

Muchas gracias por todo,

Marga

26 de marzo de 200*

Apreciada amiga:

¿Que los abogados no creen que los beneficios de la leche materna estén probados de forma científica? Afortunadamente, los pediatras sí que lo creemos, y la Asociación Española de Pediatría recomienda dar el pecho dos años o más:

http://www.aeped.es/lactanciamaterna/lactmat.htm

De todos modos, la lactancia es casi lo de menos. Aunque su hija tomase el biberón, el problema sería el mismo. Porque lo realmente terrible para un niño es separarse de su madre. Y, por desgracia, algunos jueces y abogados españoles parece que no conocen otro sistema que «fines de semana alternos y quince días en verano».

Eso es adecuado para un niño mayor, pero es devastador para un niño pequeño. Es malo para el niño, es malo para la madre y es malo para el padre. Porque al padre lo que le interesa es que su hija lo conozca y lo aprecie, establecer una buena relación con ella. No le interesa ser el malo de la película, el señor que viene a separarme de mamá. No le interesa tener a su hija dos días llorando y sufriendo.

Es necesario que, independientemente de lo que digan los jueces, lleguen ustedes a un acuerdo más favorable para su hija. Y eso requiere cesiones por las dos partes.

En vez de un fin de semana cada dos, la niña debería ver a su padre cada día o casi cada día. Al principio, lo mejor sería que estuvieran los dos presentes. Por ejemplo, usted lleva cada día a su hija al parque, y allí va su marido, y juega con ella. Como usted está cerca, su hija estará tranquila y sin llorar, y disfrutará con su padre, y se establecerá una buena relación entre ellos. Más adelante, guiándose por las respuestas de la niña, verán si puede estar un rato sola con el padre. Usted puede salir del par-

179

que, aprovechar para hacer algún recado, y volver en media hora, a ver cómo se comporta la niña. Si todo va bien, puede alargarlo. Más adelante, el padre podría pasar por su casa cada tarde, llevarse a la niña al parque y devolverla una o dos horas después. O, si va a la guardería, el padre podría recogerla cada tarde, pasar una o dos horas con ella y llevarla luego a su casa.

De ese modo, al establecerse una buena relación con el padre, la niña estará preparada para pasar la noche entera con él más adelante, tal vez a los tres o cinco años. Y luego varias noches, pero no quince seguidas; a los siete u ocho años es más lógico que pase periodos de tres a cinco días, repartidos a lo largo del año.

Le recomiendo un libro titulado *Las necesidades básicas de la infancia*:

http://www.grao.com/libros/ficha.asp?ID=507

Léalo, al menos los primeros capítulos, y présteselo a su ex.

Espero que estas sugerencias le sean útiles, y que consigan un acuerdo satisfactorio para todos.

Saludos cordiales,

CARLOS GONZÁLEZ

Tengo una niña de diecisiete días a la que le doy pecho. Lo toma muy bien y coge peso, pero hay algo que me tiene preocupadísima. Casi todo el día se muestra muy incómoda, como si tuviera molestias gástricas. Hace una especie de gemido todo el rato como si hiciera fuerza para expulsar los gases y pone mueca de dolor. Le doy a demanda y dejo que vacíe el pecho. He dejado de tomar leche de vaca por recomendación de la matrona, pero de momento no hay mejoría. ¿Qué puedo hacer?

Gracias de antemano y felicidades por el último libro. Me ha ayudado mucho.

Se me olvidaba, lo que sí me está pasando es que tengo un reflejo de bajada de leche muy acusado, ¿puede ser la causa de las molestias?, ¿me saco leche antes de cada toma? Por la noche se me hinchan mucho los pechos, ¿es normal? La niña suele dormir unas tres o cuatro horas seguidas, pero luego empieza a quejarse y la pego al pecho, aunque en esos momentos aparenta querer y no querer, es decir, se coge y se suelta hasta que termina agarrándolo y luego vuelta con las molestias y gemidos,

Sonia

4 de junio de 200*

Apreciada amiga:

Disculpe la crudeza, pero las preocupaciones de las madres novatas a veces son muy difíciles de valorar. Lo que usted explica tanto podría ser una enfermedad como el comportamiento normal de una niña sana de diecisiete días. El primer paso es llevarla al pediatra. Pero no decirle de entrada que se queja todo el rato de la barriga ni nada por el estilo; algunos médicos son muy sugestionables. Si como usted dice «hace una especie de gemido todo el rato», también lo hará mientras el pediatra la ausculte, y ya le dirá si le pasa algo. Si el pediatra ni se fija, es que el tal «gemido» no es más que la respiración de un bebé (y mientras respiran, ya sabe, es buena señal).

También sería muy útil que, con el pretexto de tomar café o de salir a pasear, usted y su hija pasasen una horita en compañía de alguna amiga que ya tenga hijos. O con la abuela. Pero no diciéndole: «Mira, mira lo que hace la niña, ¿qué será?», sino tranquilamente hablando de otras cosas. A ver si la amiga le dice «qué raro esto que hace la niña». Si la amiga ni se entera, pues debe de ser que su hija no hace nada del otro mundo.

El principal motivo por el que se quejan y protestan los bebés es porque no están en brazos. Normalmente, cogiéndolos en brazos y ofreciéndoles la teta se calman enseguida.

Y lo de soltarse y agarrarse muchas veces es normal. Los niños no se sujetan a la primera; exploran el pecho, lo lametean, lo golpean con la cabeza... Paciencia; solo tiene diecisiete días. Los cambios van a ser continuos y muy rápidos.

Espero que estas sugerencias le sean útiles, y le deseo toda la felicidad con su hija.

Saludos cordiales,

CARLOS GONZÁLEZ

En primer lugar, solicitar disculpas si el envío de este correo no es al destinatario correcto.

Se lo envío a usted, doctor Carlos González, ya que mi hermana me regaló *Bésame mucho* durante mi embarazo y fue uno de mis mejores regalos. Nos sentimos muy cercanos a sus teorías.

Por ello, nos gustaría hacerle llegar unas consultas.

Tenemos un hijo de diez meses. Estamos desorientados acerca del sueño, de la rutina diaria y de la guardería.

Damián nació a las treinta y cinco semanas de gestación, queríamos que su alimentación fuese leche materna exclusiva hasta los seis meses. Fue muy difícil porque yo no tenía técnica (como muchas mamás) y Damián no tenía fuerza suficiente. Los primeros cinco días, Damián perdió 400 g (de 2.400 a 2.000 g) y nos asustamos ante la posibilidad de tener que dejar el pecho. Finalmente lo conseguimos con la ayuda de la enfermera pediátrica.

Hasta los cinco meses, le ofrecía el pecho casi continuamente, obsesionada tal vez por que adquiriese peso. Posteriormente también, pero ya nos relajamos un poco, al ver que Damián crecía fuerte, sano y feliz.

A los seis meses iniciamos la alimentación complementaria y actualmente todavía toma pecho (cuatro o cinco tomas diarias): por la mañana, y por la noche una o dos tomas, también toma después de la comida y la merienda.

Hace quince días, yo he empezado a trabajar (media jornada) y hacemos lo siguiente: lunes, martes y miércoles, dos horas a la guardería de diez a doce de la mañana. Jueves, ocho horas con el abuelo materno y él le da la comida. Viernes, cuatro horas con la abuela materna. Ella le da la comida. En la guardería, Damián llora mucho, no puede dormir, no parece estar feliz. En casa de los abuelos parece que está mejor porque no llora.

Nuestra pediatra, a la cual respetamos y con la que compartimos la mayoría de sus posturas, nos comenta que cree que puede interferir en la adquisición de una rutina el hecho de que vaya a tantos sitios durante la semana.

Los jueves y viernes no lo llevamos porque no queremos que coma en la guardería, ya que nosotros comemos comida ecológica y allí no ofrecen este tipo de comida.

La verdad es que a Damián le cuesta mucho dormirse durante el día, aunque siempre hacemos más o menos lo mismo (sea en casa de los abuelos, en la guardería o en nuestra casa) jugar por la mañana o pasear, comer, la siesta, después jugar, merendar, jugar, baño, cenar y dormir. Damián no consigue echarse siestas de más de una hora a mediodía y de noche se despierta mínimo dos veces. Además, nunca le hemos dejado llorar para dormir, siempre se duerme al pecho o meciéndolo, porque pienso que para él es un placer.

Esto no lo decimos ni en la guardería ni a la pediatra, ya que nos regañarían con toda seguridad.

En definitiva, Damián, con diez meses, no sabe dormirse solo, no hace las siestas de más de una hora, y sus padres nos sentimos culpables pensando si estaremos haciendo lo correcto o por el contrario deberíamos llevarlo solo a la guardería para que estuviese mejor.

Yo creo que lo está pasando fatal porque nos echa muchísimo de menos. Damián come bastante bien. Pesa 8.600 g.

Muchas gracias por adelantado.

Atentamente,

Diana y Santi

27 de enero de 200*

Apreciados amigos:

Nunca he entendido por qué, al hablar de los bebés, nos dicen que las rutinas son buenas e incluso necesarias. Porque en los adultos es justo lo contrario, nadie quiere llevar una vida rutinaria, lo que queremos es tener una vida interesante y variada, ¿no?

Si su hijo fuera unas veces a la guardería, y otras con los abuelos, y en ambos casos estuviera contentísimo, pues me parecería muy bien.

Pero el caso es que con los abuelos está contento, pero en la guardería se lo pasa llorando. ¿Y me preguntan ustedes si «deberían llevarlo solo a la guardería para que estuviese mejor»? A ver, piensen un poco. Si lo llevasen solo a la guardería, estaría fatal. Lo que hay que hacer es sacarlo inmediatamente de la guardería, donde es evidente que lo está pasando mal (como la mayor parte de los niños menores de tres años, por otra parte).

Espero que los abuelos puedan tenerlo más días. O que alguno de los padres pueda reducir aún más su jornada (sí, ya sé que eso cuesta dinero..., pero ¿cuántos hijos van a tener en la vida, y durante cuánto tiempo van a ser bebés? Gastarán mucho más dinero en el piso o en el coche).

Los niños de esta edad suelen despertarse tres o cuatro veces cada noche, y muchos se despiertan seis veces o más. El suyo solo se despierta dos, es raro, aunque tampoco creo que sea preocupante. Por otra parte, parece que necesita dormir muy poco durante el día. Hablan ustedes como si el niño estuviera deseando dormir («le cuesta mucho», «no consigue»...), ¿no será más bien que no lo intenta? Si no tiene sueño, ¿cómo va a dormir?

Los niños pequeños no duermen solos. No deben dormir solos. No es una conducta normal. Imagínense que son las doce, la una de la madrugada, y uno de ustedes no ha vuelto a casa. Sin avisar, sin que nadie sepa dónde está. Tenía que haber llegado a las seis, y no ha venido. ¿El que está en casa se pone a dormir? ¿O se queda despierto, llamando a los amigos y a los hospitales y muerto de preocupación? ¡Solo dormiría cuando realmente cayera rendido, tal vez a la segunda noche! Un niño pequeño no puede entender dónde está su madre y cuándo volverá. O la está viendo y tocando o «se ha ido sin avisar y nadie sabe dónde está», para él no hay términos medios. Por eso tienen que dormir en brazos, porque si no les consume la preocupación.

Espero que estas reflexiones les sean útiles, y les deseo toda la felicidad con su hijo.

Saludos cordiales,

CARLOS GONZÁLEZ

Esto de escribir (te) me resulta complicado, para empezar no sé cómo explicarte lo que tengo en mi casa, no te asustes no es más que un bebé de dieciséis meses y todo lo que eso conlleva. Esta hija mía está muy bien de peso, le sigo dando el pecho y es lo que más toma, a veces, como ahora, me duelen hasta los pezones porque está todo el día mamando.

Además del pecho, come de todo, pero en pocas cantidades, mi teoría es que se aburre y su único entretenimiento es la teta, ya que no conoce otros. Con los juguetes se aburre, y eso que jugamos juntas, pero es muy pequeña aún, en el único momento que no me pide tanto el pecho es cuando tenemos gente conocida en casa o vamos a casa de mis padres, que parece que se entretiene más.

Mi preocupación no es por la salud de mi hija pues por lo que se ve ella está estupenda, sino por la mía propia, que soy una mujer objeto desde hace dieciséis meses. Por las noches sigue mamando mucho, yo se lo achaco a los dientes que no le dejan de salir, cuando la veo muy rabiosa le doy Apiretal, y aunque mama lo hace menos, yo estoy dispuesta a terminar lo que empecé pero necesito saber si es normal que mame tanto. Quizá necesito un psicólogo, o realizar alguna actividad fuera de casa porque paso mucho tiempo en casa sola con la peque y ella conmigo. Hay días que lo llevo fatal, bueno podría aburrirte mucho más con mi historia pero no me parece justo.

Para terminar me gustaría darte las gracias por compartir tu sabiduría ya que a mí me sacó de una depresión que tenía después de tener a mi niña, fuiste para mí mejor que cualquier terapia,

Un abrazo de Silvia y Graciela

16 de enero de 200*

Apreciada amiga:

Bueno, pues me temo que sí, que es normal que mame tanto. Hay niños que maman mucho, y niños que maman muchísimo.

No sé si necesitarás un psicólogo. Pero casi seguro que sí que necesitas compañía. Somos animales sociales; tener a un bebé todo el día colgado es una actividad natural en el ser humano, pero pasar el día aislada en casa con un bebé no es natural. Si hasta la niña lo nota, ella también necesita menos pecho cuando hay otras personas...

Mucha gente te dirá que es fundamental que tengas un tiempo para ti misma, sin la niña. No lo creo. Es decir, no creo que eso sea fundamental, que lo necesiten todas las madres, aunque sin duda a algunas les gusta. Si es el caso, tu hija ya tiene edad para pasar tranquilamente un par de horas con su padre o su abuela, mientras tú paseas o vas al cine o te apuntas a alguna de esas actividades a las que os apuntáis las mujeres (gimnasia, yoga, danza del vientre, country, canto coral...). Las modas van cambiando; mi madre se apuntó a corte y confección, y sospecho que mi abuela debía de optar por la adoración nocturna del sagrado corazón.

Pero también es probable que disfrutes mucho relacionándote con otras personas sin tener por eso que separarte de tu hija. Tal vez tus amigas de siempre, si no tienen hijos, muestren poco entusiasmo por estar contigo. Las madres tienen fama de ser unas aburridas y de hablar solo de sus hijos. Puedes relacionarte con otras madres, por ejemplo en un grupo de lactancia. Puedes entablar conversación en el parque, junto al hoyo de la arena. Hay actividades para madres y bebés en las que podrás tener a la niña entretenida y al mismo tiempo contactar con otras madres: ludotecas, horas del cuento en las bibliotecas... A veces, madres que se conocen en alguno de esos lugares forman un grupo más o menos estable y se reúnen regularmente para salidas o para tomar café o para lo que sea. Hace años, un grupo no recuerdo dónde (creo que por Asturias) contactó con un cine de su ciudad y consiguieron un «día del bebé», una sesión semanal de cine en la que dejaban entrar con bebés. Son ideas.

Es probable que solo con eso tú te sientas mejor y tu hija pida menos pecho. Y si quieres que pida todavía menos, pues hay que darle algo a cambio. Hay que tener bien claro que el pecho no se da por abnegación y sacrificio, sino por comodidad; porque para tener a un bebé entretenido sin pecho hay que jugar mucho, contar muchos cuentos, hacer muchas cosquillas... La única ventaja es que todo eso lo puede también hacer el padre y otras personas. Además de distraerte, también necesitarás descansar; tu marido puede llevarse a la niña de paseo mientras tú duermes la siesta.

En todo caso, pasará. Dentro de unos años podrá estar separada de ti. Dentro de unos años más, querrá estar separada de ti. Dentro de más años todavía, desearás que te permita estar con ella. Y, unos años más tarde, desearás que ella se vaya al cine y te deje en paz con tu nieta.

Espero que alguna de estas sugerencias te sea útil, y te deseo toda la felicidad con tu familia.

Un cordial saludo,

CARLOS GONZÁLEZ

3

Nutrición y desarrollo

La comida

Mi nombre es Teresa y me dirijo a usted con el fin de que pueda resolver mi problema.

Tengo un niño que se llama Tomás, tiene cuatro meses y medio, cuando lo llevé al control de los cuatro meses, solo había engordado 380 g, entonces la enfermera me dijo que le empezara a dar cereales con el biberón al mediodía y con cucharita por la noche. Me compré un sacaleches, pero resulta que no quiere otra cosa que no sea «el pecho», ni biberón, ni cucharita, ni nada. No sé qué hacer, porque en algún momento le tendré que dar el biberón. Por ahora, como tiene mucho moco, me dijo la enfermera que no insistiera, pero luego tendré que empezar otra vez. La comadrona me ha dicho que le ofrezca el biberón, y si no lo quiere, que no le dé el pecho ni nada hasta la próxima toma, después, que le vuelva a ofrecer el biberón y repita la operación hasta que tenga mucha hambre, entonces se lo tomará; pero a mí me da mucha pena.

Por otro lado, ahora no me pide el pecho como antes, es decir, que si yo le ofrezco come, pero si no se lo ofrezco, no se desespera como antes que lloraba si no le daba, ¿será normal eso?

Bueno, espero haber sido clara con mi problema y recibir pronto una respuesta ya que de momento sigo dándole solo el pecho.

Muchísimas gracias,

Teresa

Apreciada amiga:

Hace muy bien su hijo en no querer biberón, ni cereales, ni nada.

Primero, hoy en día se recomienda no dar a los bebés nada más que leche hasta los seis meses. Y muchos niños de pecho no quieren tomar nada más que pecho hasta los ocho o diez o más meses. Los cereales no son tan nutritivos como la leche, llevan pocas proteínas, pocas vitaminas y poco de todo.

Segundo, su hijo no necesita más comida, y la prueba es que el aumento de peso es totalmente normal. Sí, es normal, ¿o acaso le han dicho que ha aumentado poco? Pues es normal Y si de verdad creyeran que su hijo ha engordado poco, que está desnutrido, el consejo de no darle el pecho hasta que tenga mucha hambre sería casi suicida, haciendo eso el niño va a perder peso. ¿Desde cuándo el tratamiento de la desnutrición es dejar a los niños sin comer? Imagínese el efecto en África: «Estos niños ténganlos sin comer varios días, para que les entre hambre, que así comerán». ¡Los matan a todos! Dejar sin comer a un niño que engorda poco sería una estupidez tan monumental que solo puede concluir que, al menos su comadrona, está convencida de que su hijo en realidad ha engordado mucho y lo que le conviene es adelgazar (lo que tampoco es cierto; no necesita darle una dieta para adelgazar a su hijo).

¿Por qué dice que en algún momento le tendrá que dar el biberón? No tiene por qué dárselo nunca. Los niños que toman una dieta normal no toman nunca en la vida biberón. El biberón es solamente para los que dejan de tomar el pecho durante los primeros meses. Su hijo tomará pecho y otros alimentos (después de los seis meses). Y cuando deje de tomar pecho, beberá con un vaso, no con un biberón.

Creo que le sería muy útil contactar con un grupo de madres; encontrará una lista en www.fedalma.org.

Espero que esta información le sea útil, y le deseo toda la felicidad con su hijo.

Saludos cordiales,

CARLOS GONZÁLEZ

Me dirijo a usted porque estoy muy preocupada por la alimentación de mi hija.

Soy mamá de una niña de seis meses, Ana, que pesa 9.620 g. Resulta que por consejo de la enfermera del centro de salud, la tuve solo a lactancia materna hasta los seis meses, ya que está muy bien de peso, pero, a partir de entonces, me dijo que introdujera la fruta por la tarde, con la cual no tuve éxito: he probado las cuatro frutas de distintas maneras, incluso mezcladas con mi leche, pero no las quiere. No le insistí más para que no cogiera manía a la cuchara, ya que lloraba, escupía, vomitaba... La enfermera me dijo hace diez días que empezara con la comida directamente, es decir, patata, judía, zanahoria y pollo, todo junto triturado. Tampoco lo ha querido. Así que probé a dárselo poco a poco: primero la patata con judía (una porción duró unas tres comidas), puso cara de asco pero más o menos se lo comió. Luego agregué la zanahoria, igual, una porción tres días; las dos primeras cucharadas más o menos, pero ayer no quiso: lloró, lo escupió...

Hoy se lo he hecho todo junto, añadiendo el pollo, pero tampoco he tenido éxito. Al final siempre acabo dándole el pecho para que se tranquilice.

Ella toma el pecho: por la mañana a primera hora, a media mañana, después de comer, por la tarde, a media tarde y por la noche. A veces, se despierta a las tres y media de la madrugada y hace una toma, otras, sigue durmiendo hasta las seis.

Bueno, esto es más o menos todo, perdón si me he extendido demasiado, pero quisiera saber si lo que me pasa es normal y cómo debería manejarme ante esta situación. No tengo a quién consultar, porque cada vez que lo hago con la enfermera, me contesta de una manera irónica y me siento tonta.

Espero su respuesta porque estoy un poco preocupada.

Muchísimas gracias y que tenga usted un buen día,

Marisol

19 de febrero de 200*

Apreciada amiga:

Ante todo, que no cunda el pánico. Los niños no «tienen que» comer a los seis meses. Simplemente, «pueden» comer a partir de los seis meses. Si quiere, bien, y si no quiere, también.

¿Por qué motivo se les dan otros alimentos? ¿Porque los necesitan, porque el pecho no alimenta? Pues no. Con 9.600 g a los seis meses, su hija está literalmente «que se sale», y de hecho, cuanto menos coma, mejor. Esperemos que en los próximos meses engorde muy poco, o habrá que acabar poniéndola a régimen.

No; el motivo por el que se le dan otros alimentos es educativo: para que se vaya acostumbrando a la comida normal de los adultos, porque no puede tomar el pecho toda la vida.

Así que lo que ha de preguntarse usted es: «¿Qué quiero yo que coma mi hija a los siete años, a los cinco años, a los tres años?». ¿Quiere que coma cuatro frutas trituradas? ¿Patata, judía, zanahoria y pollo, todo junto? ¡Claro que no! Al contrario, si a los tres años su hija todavía come eso, usted nos volverá a escribir, desesperada, «no sé qué hacer, no quiere masticar, solo toma triturados, si encuentra un trozo sin triturar le dan arcadas...». Pues no se meta por ese camino. No insista en darle unas porquerías que evidentemente ella no quiere, y que de todas maneras, si al final consigue que se las trague, ya será el momento de quitárselas otra vez. Olvídese de papillas, de purés, de triturados y de monsergas, y empiece a ofrecerle después del pecho, desde el principio, lo mismo que come usted. Arroz con tomate, lentejas, pan, plátano a mordiscos, albóndigas, ensaladilla rusa (sin atún ni mayonesa, de momento, solo los trocitos de verdura), fideos, espaguetis a la boloñesa..., no sé, lo que suela usted comer. Los alimentos más duros se cortan en trozos pequeñitos, y ya está. «Ofrecer», que no es lo mismo que «introducir». Muchos niños no quieren nada, pero absolutamente nada más que el pecho, hasta los ocho o diez meses o más. Y cuando digo nada es «nada». Porque luego están los que sí que comen, normalmente apenas dos o tres cucharadas. Insisto, después del pecho (a no ser que tenga que saltarse una toma porque trabaja), porque lo que de verdad alimenta es el pecho.

Si su hija coge unos granos de arroz, o un guisante, o un fideo, uno solo, y se lo lleva a la boca, aunque lo escupa y no se lo trague, vamos bien. Está aprendiendo un montón de cosas:

☞ motricidad fina y coordinación (coger la comida, llevársela a la boca)

☞ a distinguir los distintos sabores y texturas

☞ a «masticar», aunque sea sin dientes, y a tragar

☞ a tomar decisiones, «esto me gusta y me lo como, esto no me gusta y no me lo como»

☞ a encontrar que el comer es algo agradable, a sentirse orgullosa de lo que está aprendiendo.

El niño que se lleva a la boca, voluntariamente, feliz, un guisante, al cabo de unos días (o semanas) se lo traga, y más adelante se tragará tres guisantes, y cuando tenga dos años se comerá un platito como la quinta parte de lo que comen sus padres (¿o cuánto cree que puede comer un niño tan pequeño?).

En cambio, el niño al que meten un plato entero de puré, medio a la fuerza y medio con engaños, no aprende nada útil. No aprende a distinguir, no aprende a tomar decisiones, no aprende a llevarse nada a la boca, y por el contrario, aprende que la hora de comer es un momento desagradable.

Si busca «baby-led weaning» en Google, verá montones de bebés comiendo comida decente y no papillas.

Espero que esta información le sea útil, y le deseo toda la felicidad con su hija.

Un cordial saludo,

CARLOS GONZÁLEZ

Tengo un problema con mi segundo hijo que, pese a que todas las personas de mi entorno, incluidos varios pediatras, han tratado de restarle importancia, yo estoy empezando a pensar que debo actuar ya.

Desde que tenía ocho meses comenzó con otitis y en la actualidad, con tres años y medio, ha sido operado dos veces. En la segunda operación le han colocado unos drenajes fijos y le han extirpado las vegetaciones. A raíz de esta segunda operación ha comenzado a hablar mejor, gracias también al tratamiento que recibe de un logopeda, pero seguimos sin conseguir que coma nada sólido.

Se niega a masticar, y aunque todo el mundo lo vincula al problema de oídos y a que no estaba escolarizado (lo cuidó su abuela hasta los tres años) no hemos notado ningún avance en este tema desde que va al colegio. ¿Qué podemos hacer? Necesito asesoramiento.

Gracias por vuestra paciencia.

Besos,

Isabel

16 de febrero de 200*

Apreciada amiga:

No tiene absolutamente nada que ver el problema de los oídos con que su hijo mastique o no mastique. Sí que podría tener que ver con el hecho de que lo criase su abuela... dependiendo de cómo lo haya criado.

Me explico. Estas historias de niños que no mastican comienzan siempre del mismo modo: sus padres les dieron de comer triturados.

¿No es eso lo normal? Pues no, no lo es. Cuando yo era un bebé, mi madre no tenía trituradora eléctrica. Para hacer un puré, tenía que usar el pasapurés de manivela, con el que la comida nunca queda tan triturada, y que además requiere mucho tiempo y mucho esfuerzo físico. Algunas madres hacían purés durante unos meses, con gran sacrificio, pero enseguida empezaban a darles a sus hijos la comida sin triturar, todo lo más, aplastada con el tenedor o cortada en trocitos pequeños. Otras madres no hacían nunca purés, los bebés comían las cosas aplastadas o en trozos desde el primer día. Claro, comían menos, antes del año los niños comían poca cosa además del pecho.

Pero vino la batidora eléctrica, y las madres pronto descubrieron que en un minuto y sin esfuerzo pueden triturar cualquier cosa. Y con los purés, los niños comen mucho más y mucho antes, porque es posible obligarles (abrirles la boca, hacer el avión con la cuchara, distraerlos...), lo que no se puede hacer si la comida está en trozos. Resultado: durante el primer año, los niños están peor alimentados, porque al comer más purés toman menos pecho (o menos biberón), y la leche es más nutritiva. Cuando los niños piden comer solos, no les dejan, porque no hay trocitos que coger con los dedos y porque con el puré se manchan mucho. Y a los dos años ya han perdido el interés por comer solos, prefieren que les dé su madre todo triturado. Y las madres siguen triturando la comida porque sigue siendo la mejor manera de intentar obligarles a comer, pero al mismo tiempo empiezan a quejarse. La misma madre que a los nueve meses decía «¡Qué grande es mi niño, que se come todo su puré!», a los tres años dice: «¡Parece mentira, un niño tan grande, y solo come puré!». Y el pobre niño, hecho un lío.

En todo caso es un problema transitorio. No dude ni por un momento que se solucionará. El otro, el del oído, que por suerte ahora ya va bien, podría no haberse solucionado. Hay adultos que se quedaron sordos por graves infecciones de oído; eso existe. Pero no hay ningún adulto que coma solo triturados porque no aprendió a masticar. Eso no existe, es imposible. Haga lo que haga, dentro de unos años su hijo comerá normalmente. Por lo tanto, lo importante no es «cómo conseguir que mastique», pues masticará igual, sino «cómo conseguir que no sufra (él y toda la familia) en el proceso». Y para evitar el sufrimiento es fundamental no intentar obligarle a comer (ni triturados ni sin triturar), no criticarle, no ridiculizarle (y que nadie más haga esas cosas, ni la abuela ni en la guardería).

Insisto, no obligarle a comer. Si hoy hay macarrones, usted le pone delante un plato con tres o cinco macarrones (que un niño de esta edad tampoco suele comer mucho más). Si él se los come, bien, y si no, también. Si él le pide que se los dé usted, se los da, con una sonrisa, sin una crítica. Si él pide que se los corte en trocitos, se los corta. Si él pide que se los triture, usted, sin una queja ni un reproche, los mete en la batidora y, ¡brrrrrr!, se los tritura. Pero solo si él lo pide. Si él no dice «dámelo tú», no se lo da. Si él no dice «quiero triturado», no se lo tritura. Si simplemente no quiere macarrones, pues le quita los macarrones de delante y le pone el segundo plato. Y si no quiere, el postre. Si tampoco quiere, y pide otra cosa (sana y razonable, como un plátano, un yogur, una galleta, un huevo frito que le puede preparar en un minuto...), se lo da sin rechistar. Pero solo si lo pide. Nada de ofrecer (es decir, nada de atosigar): «¿No quieres que te lo triture, mi vida?». «Vamos, seguro que si te lo da mamá comerás un poquito» ¿Y un petit suisse, no quieres un petit suisse de chocolate con triple de azúcar?» «Al menos, unas patatitas de sobre, porque lo que no puede ser es que te vayas con el estómago vacío».

¡Pues sí que puede ser! Si él no quiere comer, tiene derecho a no comer. Sobre todo, quede claro que no es un castigo, no se trata de «o masticas, o no comes». Se trata de «si quieres masticar, masticas, si quieres triturado, te lo trituro, y si no quieres nada, pues nada».

Y ya nos contará dentro de unos meses.

Espero que estas sugerencias le sean útiles, y le deseo toda la felicidad con su hijo.

Saludos cordiales,

Carlos González

Soy madre de una niña de veintiséis meses que aún se encuentra tomando pecho, y el problema que se me plantea es que pesa casi veinte kilos, bueno, diecinueve. La doctora me ha dicho que no le dé ni chucherías ni nada entre horas, cosa que estoy haciendo, pero que no veo resultado. No pretendo que adelgace, pero sí que se mantenga y que no siga subiendo de peso. La verdad, y todo hay que decirlo, es clavadita a su padre, tiene una barriga prominente, los pies gorditos y las manos, vamos, un calco. Pero eso no me tranquiliza pues sé que puede acarrear problemas de salud. Yo solo la he podido dar de un pecho ya que en el otro tengo el pezón invertido y nunca quiso cogerlo.

Es una niña que, gracias a Dios, ha estado cerca de mí ya que el trabajo me lo ha permitido, cuando me incorporé tenía siete meses. La verdad es que nació con 3.780 g y ahora está rondado los 90 cm de estatura, pero estoy preocupada por su peso. Sus libros me han calmado tanto que me gustaría que me respondiera si cree que debo hacer algo.

Muchas gracias y felicidades, no recuerdo la cantidad de madres y futuras madres a las que les he recomendado sus libros. Yo los tengo como un tesoro,

Montserrat

1 de marzo de 200*

Apreciada amiga:

En efecto, el peso de su hija supera ampliamente lo normal. ¿Siempre ha sido así, desde los primeros meses se salía de las gráficas, o ha empezado a engordar más tarde?

Creo que sería conveniente consultar con un endocrinólogo infantil, para asegurarse de que realmente todo es de comer (y de familia), y de que no tiene ningún problema hormonal.

Tal vez ese mismo endocrino considere conveniente ponerla a régimen. Pero si no es así, mejor no hacer nada. La alimentación de un niño tan pequeño es una cosa delicada, y no se pueden hacer dietas caseras, hay que seguir siempre las indicaciones de un médico o un nutricionista. Se corre el riesgo, por limitarle la cantidad de comida, de privarle de algún nutriente que necesite para su crecimiento.

Ahora bien, sin privarle de ningún alimento, sí que hay varias cosas razonables y sin peligro que puede ir haciendo:

☞ Seguir con el pecho todo el tiempo que quiera (que nadie le venga con tonterías de que engorda por culpa del pecho..., precisamente a todas las demás madres les dicen que la leche es agua...).

☞ Para beber, agua. Nada de refrescos, llevan una cantidad exageradísima de azúcar. Los zumos de fruta (aunque sean naturales) son solo para Navidad y para su cumpleaños, pero no para diario.

☞ No obligarla jamás a comer, solo faltaría.

☞ No usar la comida jamás como premio o castigo, nada de un pastel o un caramelo o un helado «si se porta bien» o de dejarla sin helado «porque se portó mal». Por supuesto, tampoco se puede criar a un niño sin darle jamás de los jamases un caramelo o un helado; pero ha de ser con moderación y «porque sí», no como premio (además, los premios curiosamente son siempre los alimentos menos sanos y que más engordan, el premio nunca es una lechuga…, con lo cual estamos enseñando a nuestros hijos que los pasteles y helados son «lo mejor»).

☞ Procurar evitar las chucherías, es decir, las cosas cargadas de calorías pero con poco o ningún valor nutritivo: aperitivos de bolsa, caramelos y refrescos, que son verdadera porquerías, mejor evitarlos por completo (aunque, insisto, por supuesto algún caramelo de vez en cuando va a comer, no es cosa de convertirlo en una obsesión o en un motivo de pelea); pasteles, helados, flanes, que algún valor nutricional tienen, lo menos posible. Los padres deben dar ejemplo: comer fruta en casa y no lácteos y pasteles; comer raciones pequeñas de pastel, pedir tamaños pequeños de helado…

☞ Recuerde que los alimentos *light* y los caramelos sin azúcar también tienen calorías. Algunos tienen muchas calorías.

☞ Evitar fritos, mayonesas, hamburgueserías…

☞ Reducir al mínimo posible el azúcar y la sal (la sal no engorda…, pero hace que la comida esté más buena y comamos más). ¿Que no le gusta la leche o el yogur sin azúcar? Pues que no tome. Recuerde que el yogur azucarado, o de frutas, o de «sabores», lleva 10 g de azúcar; incluso cuando se pone azúcar a un yogur natural, normalmente con 5 g es suficiente.

☞ Por difícil que parezca, hacer todo lo anterior con naturalidad, sin que la vida de la familia esté continuamente dando vueltas en torno al tema de la comida y las calorías.

☞ Los cumpleaños del colegio son una fuente importante de caramelos, los niños suelen salir al menos un día por semana con una bolsa llena. Intente convencer a otras madres para que no repartan caramelos ni chucherías en los cumpleaños, sino globitos o juguetitos del todo a cien.

☞ Potenciar el ejercicio físico. Sacarla cada día a jugar y a pasear; cuando tenga la edad, procurar que se apunte a algún deporte.

Espero que estas sugerencias le sean útiles, y le deseo toda la felicidad con su hija.

Saludos cordiales,

CARLOS GONZÁLEZ

Enhorabuena por la revista. Tenemos un bebé de siete meses y me gustaría saber si podemos establecer unos horarios fijos para comer. Intentamos respetar los siguientes:

8.00 horas: desayuno.

13.00 a 14.00 horas: comida.

16.00 a 17.00 horas: merienda.

20.00 horas: cena.

Pero el niño no siempre tiene hambre a esas horas y a veces acabamos empalmando la merienda con la cena o la comida con la merienda, ¿cómo debería ser su horario de comida? Si tiene hambre fuera de sus horarios, ¿cómo deberíamos actuar, le damos de comer, o un poco de leche, o esperamos a la próxima toma? Por la noche nos pide también una toma, ¿se la damos?

Muchísimas gracias.

Saludos,

Alba

22 de diciembre de 200*

Apreciada amiga:

El horario de comida de su hijo «debería» ser a demanda. Esa es la única recomendación posible desde el punto de vista de la medicina y de la razón. El único motivo por el que los adultos y niños mayores comemos según un horario es porque nuestras obligaciones nos impiden comer cuando queremos. A su hijo le ocurrirá cuando empiece el colegio: no podrá comer en clase. Hay que desayunar antes de ir al colegio o al trabajo, hay que comer al salir (o en la pausa para comer). Pero ya la cena no suele estar condicionada por los horarios laborales, y la mayoría de las familias no cenan cada día a la misma hora. Ni desayunan y comen a la misma hora el domingo que el jueves.

Comer según un horario implica comer cuando no se tiene hambre, «porque es la hora de comer», y no comer aunque se tenga hambre, «porque aún no es la hora». Ese desoír los mensajes del propio organismo y comer en respuesta al deseo de otras personas o a imperativos sociales está probablemente en la base de la mayor parte de los problemas de alimentación (anorexia, bulimia, obesidad) que sufre nuestra sociedad. Cuanto más tarde su hijo en verse sometido a los horarios, mejor. Los meses o años en que pueda comer como un ser humano libre y digno, es decir, comer cuando tenga hambre y no comer cuando no tenga, constituyen una experiencia fabulosa cuyo recuerdo le acompañará toda la vida.

Por desgracia, no siempre es posible permitir a un niño que coma sin horarios. A veces los padres trabajan, o el niño va a la guardería, y hay que adaptarse. Si lo recogen en la guardería a la una, pues tendrá que comer a la una y media, qué le vamos a hacer. Pero lo que no tiene ningún sentido es que me pregunten a mí, un desconocido, cuál ha de ser el horario de comidas de su hijo. ¿Y yo qué sé? Si ahora les digo que tiene que comer a las doce y media, y resulta que sale de la guardería a la una, ¿cómo lo hacen?

Así pues, o le da de comer cuando le vaya bien al niño, o le da de comer cuando le vaya bien a usted. Pero fastidiarse los dos para darle de comer cuando me vaya bien a mí ya sería el colmo.

Ah, y si por la noche tiene hambre, por supuesto que le dan de comer. ¿Cómo van a negarle la comida a su propio hijo? Pero hay que hacer un par de advertencias: primero, es muy malo para los dientes que un niño se duerma con el biberón en la boca, como si fuera un chupete. Así que, si tiene hambre, le dan el biberón, se lo bebe en cinco minutos y se lo quitan; nada de dejarlo en la cuna con el biberón enchufado. Segundo, aunque muchos niños necesitan comer por la noche, lo que necesitan casi todos es a sus padres (bueno, a su madre; normalmente el padre les importa un pimiento). Muchos niños se ven obligados a pedir cosas que no quieren (biberón, agua, luz, susto, pipí...) porque es la única manera de que sus padres vayan. Si un niño ya está con su madre, y la obliga a levantarse porque quiere leche, es que de verdad lo necesita. Pero si un niño pide leche cuando está solo, pero cuando viene su madre se calma y deja de pedir, es que en realidad no necesitaba leche.

Espero que esta información le sea útil, y le deseo toda la felicidad con su hijo.

Felices fiestas,

CARLOS GONZÁLEZ

Tengo dos hijas gemelas de veintiséis meses que fueron prematuras (veintiocho semanas de gestación, pesaron 1.000 y 1.100 g). Mi problema es que no hay manera de que se pongan al día en talla y peso. Ahora miden unos 75 cm y pesan unos ocho kilos. Le explico esto porque me influye mucho a la hora de darles de comer, pues al pesar tan poquito siempre intento que coman más de lo que quieren y ellas son de comer poca cantidad. Intento darles «menús» variados (en eso no tengo problema pues casi todo les gusta). Le pongo un ejemplo de su dieta aproximada:

☞ Desayuno: 100 ml de leche con ColaCao y cuatro galletas maría, o una rebanada de pan con mantequilla, o cereales, o medio cruasán o ensaimada.

☞ Media mañana: el zumo de una naranja o zanahoria y unos 10 o 15 piñones.

☞ Comida: verdura o legumbres, o arroz o pasta (entre 50 y 100 g), carne o pescado (unos 50 o 75 g). Ensalada (unos trozos de tomate o pepino con maíz, etc.), pan (una rebanada sola o con queso de untar), y un petit suisse o natillas, o media pieza de fruta.

☞ Merienda: un yogur y unos palotes, o una galleta, o un minibocata.

☞ Cena: puré de verduras (100 g) o de patata, o ensalada o pasta, o tortilla de un huevo de queso o jamón dulce, o dos croquetas, o dos palitos de merluza o pescado fresco rebozado, o queso, y dos rebanadas de pan con tomate.

☞ Antes de dormir: unos 50 ml de leche con cereales.

¿Cree que es poca cantidad? ¿Hay algo que pueda variar para mejorarlo? ¿Cómo podría hacer para abrirles el apetito? ¿Quizá darles algún medicamento de farmacia o natural? Probé con unas infusiones de hierbas naturales (tomillo, anís, hinojo, malva, hierbaluisa y tila con unas gotas de echinácea) que me aconsejó un naturista y aunque parecía que daban resultado no funcionaron porque no soportaban su sabor, así que no pude dárselas mucho tiempo. Nunca toman nada entre horas y procuro no darles dulces que contengan mucho azúcar ni caramelos que les quiten el apetito.

Otro de los problemas es que les pongo poca cantidad en el plato, precisamente para que no se acostumbren a dejar la comida, pero aun así resulta difícil que se la acaben, por ejemplo una de ellas (la que come peor) ha cogido la táctica de que cuando no quiere comer y para que no la obligue a seguir haciéndolo, se queda con la comida en la boca todo el tiempo que haga falta hasta que se lo quite (pueden pasar horas), o si no acaba estornudando y lo echa. He probado por las buenas y por las malas, castigándola a no bajar de la silla hasta que se trague lo de la boca, y lo único que he conseguido es darme cuenta de que cuanto más la obligo a tragárselo más veces lo hace, en cambio si no le doy importancia y le ofrezco mi mano para que lo eche no lo hace tan a menudo; pero si llego a este extremo, su hermana que no lo hace nunca, acaba haciéndolo, con lo cual las dos casi nunca terminan su plato. ¿Qué puedo hacer para quitarle esa manía? ¿Debo obligarlas a que se coman la cantidad que les sirvo? ¿O les pongo más cantidad y que coman lo que necesiten?

Debido a su prematuridad toman vitaminas (Hidropolivit) y su pediatra de zona dice que van muy lentas en el crecimiento y que es un problema, lo cual hace que me sienta culpable, y el neonatólogo del hospital dice que es debido a su bajo peso al nacer, que ya se pondrán al día, pero yo no acabo de creérmelo.

Siempre hacen al menos una comida al día con nosotros en la mesa familiar. No creo que sea un problema psicológico como por ejemplo para llamar la atención pues se las ve niñas felices y contentas, bastante activas y que les gusta mucho jugar entre ellas y con nosotros. Además, al estar todo el día con ellas, no trabajo, puedo dedicarles mucho tiempo.

También quería comentarle a modo de información que al nacer sufrieron una hemorragia cerebral grado II-III, debido a la cual llevan un retraso psicomotor que conforme van creciendo va siendo menor. ¿Tal vez ocurrirá lo mismo con el crecimiento?

Estoy realmente preocupada porque las veo muy pequeñitas, y aunque suelo tener bastante paciencia y no ponerme nerviosa a la hora de la comida creo que me falta muy poco para caer en una depresión, lo cual no puedo permitirme, ni quiero.

Perdone la extensión de mi carta, pero no sabía a quién recurrir, ya que los médicos de la Seguridad Social, cuando les planteas este tipo de dudas, te dan respuestas rápidas. Cuando le pregunté a su neonatólogo si era necesario darles un aporte de calcio, ya que toman muy poca leche, y había que tener en cuenta que hacía un año los resultados de las pruebas de calcio habían salido muy justitas, su respuesta fue que probara a ponerle grosella en la leche a ver si les gustaba más, pero yo ya lo había probado todo (menos eso, por desgracia), varias marcas de cacao, de leche con miel, con azúcar, fría, caliente, templada, en biberón, en vaso, con caña. En fin, que el problema no era que no les gustara sino que tomaban muy poca cantidad, pero al doctor le valió con esa respuesta. Bien, pues así son todas.

Bueno, gracias por su atención. Espero con anhelo su respuesta.

Atentamente,

María

3 de julio de 199*

Apreciada amiga:

Hace muchos meses que no sentía, al leer la carta de una madre, una angustia semejante. Escribe usted con angustia, vive con angustia. Y lleva así dos años, desde que vio a aquellas dos florecitas rosadas, frágiles, casi transparentes, y no se atrevió a soñar con que vivieran. Y con esta angustia ha criado dos hijas, y les ha dado el cariño y la palabra, y las ha hecho felices. Debe de ser usted una mujer muy valiente. Logrará lo que se proponga.

Comprendo su frustración ante las respuestas rápidas que le dan los médicos. Piensa usted que no se toman su problema con suficiente interés. Muchas veces se producen estos desencuentros, porque inconscientemente respondemos a nuestras propias preocupaciones, y no a las preocupaciones del otro.

¿Cuáles son las preocupaciones de su neonatólogo? Ya casi no le quedan. Estuvo muy preocupado hace dos años, con aquellas princesitas de un kilo que no sabía si respirarían, si tendrían una infección... Cuando se fueron de alta se quedó muy tranquilo, sabía que ya no corrían más peligro que cualquier niño normal. Durante un tiempo estuvo preocupado por lo de la hemorragia cerebral y el retraso psicomotor: ¿dejará secuelas para toda la vida? ¿Podría yo haber hecho algo para impedirlo? Pero sus hijas también están mejorando en este aspecto, y su neonatólogo sabe que todo va bien. En realidad (aunque difícilmente lo admitiría), si se hace volver a los prematuros al consultorio durante tantos años es, sobre todo, para disfrutar de la compañía de los viejos amigos: es el fruto de su trabajo; verlos crecer es lo mejor de ser neonatólogo.

Él sabe que el peso y la talla de las niñas son normales. Normal para un prematuro que nació con 1.000 gramos. Olvídese de su pediatra de zona y su manía con que van lentas en el crecimiento; las gráficas de peso y talla que él usa son para niños nacidos sanos y a término, no tiene ni gráficas ni experiencia para valorar el crecimiento de un prematuro. El neonatólogo es el que ha visto cientos de prematuros, él sabe lo que es normal y lo que no, créale cuando le dice que «ya se pondrán al día».

Lo mismo con la leche. Todos los prematuros tienen raquitismo antes del año; en ellos es una fase normal, que luego se recupera. No tiene que ver con la cantidad de leche que toman. Sus hijas toman leche más que suficiente. Su neonatólogo lo sabe, y por eso no se preocupó cuando usted le dijo que no querían la leche con cacao. Estoy seguro de que, si él hubiese entendido hasta qué punto está usted preocupada por este tema, le hubiera dado una larga y completa explicación. Pero, como para él el tema no tiene importancia, ni siquiera pensó que la tuviera para usted. Contestó a su pregunta no como un problema médico, sino como una simple receta de cocina.

Usted cree que sus hijas están bajitas y delgaditas porque comen poco. Que si consiguiera darles más de comer, estarían más altas y más gordas. Pero no es así. Sus hijas son bajitas y delgaditas porque nacieron con 1.000 gramos, y eso no se lo quita nadie. No puede cambiarlas con más comida, del mismo modo que por más que le dé de comer a un caniche, no conseguirá convertirlo en un pastor alemán.

De todos modos, lo sorprendente es que sus hijas coman tanto. Tanto mi esposa como yo nos hemos quedado pasmados al leer su menú, nuestros hijos no comían eso con dos años, ni con cuatro tampoco. Sus hijas deben de hacer un ejercicio enorme. Nuestros hijos se van al colegio sin desayunar, y ni locos se cenarían todo eso.

Tengo que decirle algo que igual no le va a gustar. Me gustaría poder convencerla de que sus hijas no tienen que comer más. Sé que es duro, que es todo lo contrario de lo que ha pensado hasta ahora. Temo que se enfade y piense: «Ya está, otro médico que tampoco me hace caso». Pero créame que es precisamente porque me preocupa su situación por lo que insisto en esto. Es bien triste que, ahora que por fin están sus hijas sanas y fuera de peligro, siga usted angustiada por un simple malentendido sobre qué es lo que come un niño normal. Es bien triste que en vez de disfrutar de ellas, y ellas de usted, tenga que pasar varias horas al día con gritos y llantos en torno a la dichosa comida. Intentaré convencerla con lo más florido de mis argumentos:

Primero, ¿se ha parado usted a pensar qué pasaría si no comiéramos lo que necesitamos, sino un poquito más o un poquito menos cada día? Imagínese que usted engorda cada día 10 g. Es lo que pesa una bolsita de azúcar del café. Con solo que coma cada día unas cucharadas de más, ya engordaría 10 g. En un mes, 300 g. En un año, 3.650 g. En diez años, 36 kg. ¿Se imagina dentro de diez años con 36 kg más que ahora? Y, al revés, si cada día comiera unas cucharadas menos de las que le tocan, ¿se imagina con 36 kg menos? Y para sus hijas es exactamente lo mismo. Es decir, todos tenemos un mecanismo de control, perfectamente equilibrado, que hace que comamos exactamente lo que necesitamos. Las pocas veces que el mecanismo se estropea, tiende a hacerlo hacia más gordo, y no hacia más delgado. Y se estropea poco, apenas unos gramos al día, porque ni el obeso más obeso llega a engordar 10 g al día... 180 kg a los cincuenta años. Es decir, que si hubiese algún medio de meterle a sus hijas dos cucharadas más en la boca cada día (y usted no se conforma con dos cucharadas, ¡quiere meterles un vaso entero de leche y un muslo de pollo!), ahora no pesarían 8 kg, sino 15. Y como solo pesan 8, quiere decir que jamás han comido ni una cucharada más de las que pensaban comer. Que si alguna vez, después de dos horas de peleas, súplicas y amenazas, ha conseguido meterles una cucharada más para comer, enseguida han tomado una cucharada menos para cenar. Un niño al que no le obligan, cuando quiere cuatro galletas las coge, se las come y se va a jugar. Un niño al que le obligan piensa «si me como cuatro galletas, luego mi madre no parará hasta meterme la quinta, y me dolerá la barriga». Así que come una galleta, y al cabo de media hora otra media, y luego haciendo el avión otra, y un mordisco más viendo los dibujos, y media por papá y media por la abuela. Después de dos horas, la madre piensa: «Lo que me ha costado, pero se ha comido cuatro galletas»… y no sabe que son las mismas que su hijo se hubiera comido desde el principio si no le obligasen.

Segundo argumento. Usted debe de pesar unas siete veces más que sus hijas. ¿Ha probado alguna vez a comer siete veces más? Por un vaso de leche, una botella de litro y medio, por un plato de verdura, siete platos; por un yogur, siete yogures. Inténtelo durante veinticuatro horas. Probablemente descubrirá que usted come, a duras penas, el doble que sus hijas. Es decir, en relación con su tamaño, sus hijas comen muchísimo más que usted. Claro que están creciendo, ¡pero todo tiene un límite!

Tercer argumento: ¿está dispuesta a hacer un experimento que cambiará su vida? Consiste en no obligar a comer a sus hijas durante veinticuatro horas. Para nada. Ni por las buenas, ni por las malas. Ni súplicas, ni amenazas, ni hacer el avión, ni esta por papá, ni si te lo acabas vamos al parque, ni si no te lo acabas no ves los dibujos. Nada de nada. «¿Quieres verdura?» «No.» «Bueno, pues ¿quieres la carne?» «No, solo las patatas.» «Pues toma tres patatas» (no hace falta decir «¿quieres más, una patatita más?», tiene boca, y si quiere más ya lo dirá). «¿Quieres fruta, o natillas?» «No quiero nada.» «Pues bueno, pues vete a jugar.» Así, por las buenas, sin una palabra más alta que otra. No se trata de «¡Conque no quieres comer! Pues ahora vas a pasar hambre, y veremos cuánto aguantas»; sino de «¿No tienes hambre, reina? Pues vete a jugar».

Antes del experimento las pesa en una buena báscula, y lo anota en un papel. ¿Que no desayuna? Pues ya comerá. ¿Que no come? Pues ya cenará. ¿Que no come nada en todo el día? Pues a las veinticuatro horas las vuelve a pesar. Si han perdido medio kilo, es que tiene razón usted: si no las obliga no comen. Al día siguiente las vuelve a obligar, y en paz. ¿No les pasará nada un día sin comer? Claro que no. Cuando nacieron, con 1.000 gramos, las tuvieron un par de días sin comer, solo con suero. Y todos los recién nacidos pierden un cuarto de kilo y no les pasa nada.

Si no han perdido medio kilo (menos de medio no tiene importancia, porque pueden ser oscilaciones sin importancia; solo de hacer pipí y caca casi lo pierden), es que, de momento, tengo razón yo: comen igual aunque no las obliguen. Así que al día siguiente sigue sin obligarlas. El experimento solo acaba cuando las niñas pierdan medio kilo; mientras no pierdan medio kilo, no las obliga para nada a comer.

Tal vez le parezca una tontería, pero al fin y al cabo es lo único que le queda por probar. Si fracasa, es un solo día, y no pasa nada. Y si funciona (siempre funciona, aunque ahora le cueste creerlo), imagine todos los llantos y angustias que se ahorra. Porque estoy seguro de que la hora de la comida es para usted un verdadero suplicio. Y piense que para sus hijas el suplicio es mucho mayor. Porque usted al menos sabe por qué lo hace, y piensa que es por su bien. Pero ellas no entienden nada, solo piensan: «¿Por qué mamá, que el resto del día es tan buena, nos grita y nos castiga a la hora de comer?».

Espero que todas estas explicaciones le sirvan de ayuda, y que pueda disfrutar plenamente de sus hijas. Los niños crecen muy deprisa, y es lástima perdérselo.

Y no deje de escribirnos un día y nos cuenta cómo le ha ido.

Un fuerte abrazo,

CARLOS GONZÁLEZ

Nuestra hija está a punto de cumplir seis meses. Le estoy dando exclusivamente pecho (aunque durante un mes y medio, y por dificultades con la succión, estuvo tomando lactancia mixta). Pero en este momento nos va muy bien y quisiera saber si podemos alargar más tiempo la lactancia materna de forma exclusiva. La niña está muy bien, come cada dos horas (más o menos, no somos estrictos) y lo hace unas siete veces al día.

Además de mis pocas ganas de empezar con las papillas, tengo entendido que no reúne las condiciones para empezar con ellas:

☞ No le ha salido ningún diente.

☞ No le aguanta la espalda cuando se sienta (aunque en la trona se mantiene bastante derecha).

Pero también he leído que no hay que empezar con la comida complementaria más tarde de los seis meses, y ahí viene mi duda: ¿cuál de los dos criterios debe prevalecer? ¿Empiezo ya porque tiene seis meses, o puedo esperar?

No estuve muy de acuerdo con mi pediatra, que me dijo que empezara hace quince días con el arroz, que no esperara a los seis meses, por algún motivo que no me convenció.

Otra duda es que el arroz que me recomendó, que es de cultivo biológico, contiene sésamo y soja. ¿Se lo puedo dar tranquilamente? Lo digo por el tema de las alergias. ¿Conoce algún otro producto, de los llamados biológicos, que sea exclusivamente de arroz?

Muchas gracias por su atención y reciba un cordial saludo,

Adriana y Jaime

13 de febrero de 200*

Apreciados amigos:

Lo del comienzo de las papillas siempre es un problema. Parece una pesadez, pero todo el mundo te machaca, ¡ay de ti como no se la des! Para salir de dudas, lo más práctico suele ser probar a darle después de alguna mamada. Si come, es que sí, que sí que tenía las condiciones para empezar. Si no come es que no, que todavía no quiere.

En efecto, arroz, sésamo y soja ya son tres alimentos, y no uno solo, y por tanto no es la mejor opción como primera papilla. Y concretamente la soja es muy alergénica, y no creo que sea muy conveniente darla antes del año. Por otra parte, su hijo

210

ya no necesita una papilla infantil. Las papillas de cereales comerciales contienen harinas dextrinadas, que según la publicidad son mucho más fáciles de digerir... para los menores de seis o siete meses, que no tienen todavía enzimas para digerir el almidón (¿y por qué diablos les daban harina, entonces?). Pero ahora su hija ya puede digerir el almidón, y por tanto puede empezar con arroz hervido normal y corriente. Seguro que hay muchos arroces de cultivo ecológico en las tiendas especializadas. Así que ya ve, tampoco es tan complicado, y no hay tanta diferencia entre darle papilla o no dársela.

Les deseo toda la felicidad con su hija.

Saludos cordiales,

CARLOS GONZÁLEZ

Estoy bastante preocupada por el estreñimiento que sufre mi hija de diez meses. Aprieta, se pone roja y le cuesta mucho, finalmente hace una bola dura. Hoy, después de apretar, ni siquiera ha podido; sin embargo, lo alterna de vez en cuando con cacas blandas. También le voy dando agua, pero no ha solucionado el problema. La dieta de la niña es la siguiente: pecho varias veces, de cinco a ocho veces entre el día y la noche, a media mañana cereales con mitad de mi leche y la otra mitad de agua, y a media tarde, cuando yo no estoy, le dan una papilla que le hago con patata, judías verdes, puerros y calabacín (con pollo o ternera). Cada día lo mismo. ¿Es poco variada esta dieta?

Supongo que es importante resaltar que la niña no quiere fruta, ya que quizá esta sea la causa, ¿lo es? Es curioso porque a los seis meses sí quería: le empecé a dar plátano, que se comía a gusto, unas semanas más tarde le añadí manzana y zumo de naranja natural, y a la segunda o tercera vez que le di la papilla de frutas, al cabo de unas horas, tuvo una reacción alérgica, manchas rojas por todo el cuerpo. Después de un mes y medio, aproximadamente, de no tomar nada de fruta (porque seguro, seguro, todavía no se sabe si fue por la fruta, quizá la naranja tenía algún aditivo, o estaría en mal estado), y después de las pruebas que le dieron negativas en todo, empecé a darle plátano solo de nuevo, y cada vez hacía ascos

211

y no quería. No la he obligado en ningún momento, porque realmente parece que le repugne el sabor, pero la pediatra dice que es importante que se la mezcle por ejemplo con yogur o con avena, para que se la coma y se solucione lo del estreñimiento.

No sé qué hacer, no me atrevo a darle zumo de naranja natural de nuevo, por si realmente era esta la que le dio alergia. Y también quisiera saber su opinión sobre empezar a darle yogur (he comprado uno de cabra ecológico, que todavía tengo en la nevera), ya que a mí me parecía que darle leche materna era suficiente por lo que respecta a lácteos. ¿Es bueno empezar a darle yogures si todavía mama, como excusa para introducirle frutas mezcladas con él? ¿Los yogures le aportan algo que la leche materna no tenga? ¿Es mejor el de cabra que el de vaca? ¿Qué me aconseja que haga para solucionar el estreñimiento? ¿Qué otras cosas le podría dar de comer a mi hija con diez meses?

Otro tema que me gustaría saber es cómo hacer el destete. Había pensado darle el pecho como mínimo un año, pero tengo algún problema con un pecho, alguna obstrucción, me han dicho, que no llega a mastitis, ya que no tengo fiebre, solo me duele el pecho y se me pone morado (la parte inferior del pecho izquierdo), y hace dos semanas que lo arrastro: dos o tres días estoy bien, me saco leche con el sacaleches, voy con cuidado para que la niña se coja bien, y luego dos días estoy mal, hoy está mejor... Hace unos meses ya me ocurrió lo mismo, es la tercera o cuarta vez que me sucede en diez meses.

Me gustaría darle el pecho unos cuantos meses más, pero, si no se me acaba de solucionar este tema, quizá porque la niña nunca se ha acabado de coger bien al pecho, me gustaría iniciar el destete y saber con detalle cómo hacerlo. ¿Le doy el pecho solo un par de veces, por la mañana y por la noche, y hago lactancia mixta para cubrir todas sus necesidades? ¿Se traumatizará la niña, a quien le gusta tanto mamar, parece, y que también la tranquiliza para dormirse? ¿Qué haré por la noche, cuando se despierte, le doy el biberón? ¿Cómo se calma un bebé que se despierta por la noche sin darle el pecho? ¿Qué me aconseja?

Le agradecería una respuesta tan pronto como le sea posible, y también le agradecería que me recomendase todo tipo de bibliografía para aprender temas relacionados con la educación de los niños, cómo estimularles, sobre la lactancia y en concreto el destete.

Muchas gracias por todo y reciba un cordial saludo,
Adriana

30 de mayo de 200*

Apreciada amiga:

No nos dice desde cuándo está su hija estreñida. ¿Le ha pasado desde siempre, o ha comenzado con las papillas, o coincidió con el episodio de probable alergia, o ha empezado a raíz de algún otro suceso que no nos explica, o ha empezado de pronto, sin saber por qué?

Los niños que toman lactancia materna exclusiva casi nunca van estreñidos. Aprietan y se ponen rojos (como hacemos todos en semejante circunstancia), pero hacen la caca blanda. Suelen pasar dos o tres días, incluso más, sin hacer caca; pero al final la hacen blanda. No hacen bolas duras. Si su hija, tomando solo pecho, ha ido siempre estreñida, cabe pensar que tiene una fuerte tendencia al estreñimiento, y que por tanto lo tiene difícil.

En cambio, muchos niños se estriñen con lactancia artificial o mixta, y a veces basta una mínima cantidad de biberón para que se estriña un niño con lactancia materna. Creo entender que su hija no toma más leche que la materna. ¿No ha tomado nunca biberones, ni leche con las papillas? ¿Seguro que las papillas no son lacteadas, y que quien la cuida no le echa un chorrito de leche con los cereales?

Si el estreñimiento comenzó después de empezar con las papillas, ¿recuerda exactamente con qué papilla? Vale la pena eliminar al sospechoso (y esperar una semana a ver si mejora, porque tampoco va a mejorar de un día a otro).

El estreñimiento del biberón se debe normalmente a la misma composición de la leche; pero en algunos casos es un síntoma de alergia a la leche. Su hija parece que tiene una alergia a la naranja (es relativamente frecuente), y quién sabe si también tendrá alergia a otras cosas? ¿Hay algún otro alimento sospechoso? (no solo porque le salgan manchas al tomarlo, sino por ejemplo porque lo rechace especialmente, o porque esté llorosa y rara durante un buen rato después de tomarlo).

Es remotamente posible que algo que usted come le esté produciendo a la niña alergia y estreñimiento porque pasa a la leche. Si fallan las otras sugerencias, podría hacer la prueba de no tomar usted nada de leche o derivados ni cítricos durante una semana, a ver qué ocurre.

No, no creo que la falta de fruta sea la causa del problema. Su hija puede estar la mar de bien sin fruta. Espero que haya aprendido de la experiencia: la próxima vez, dele la fruta separada, o plátano o pera, como comemos los mayores, y no una mezcla rara de frutas, que luego pasa lo que pasa y no está segura de cuál le ha sentado mal; y la niña tampoco está segura y ahora rechaza el plátano porque ella cree que le sentó mal.

No entiendo qué objetivo pretende su pediatra al darle fruta con avena o yogur. Su hija puede seguir sin fruta durante años; los esquimales no comen fruta jamás. Si lo que pretendemos es que se acostumbre a la dieta normal de su familia y de su sociedad, ya se acostumbrará con el tiempo, y desde luego comer la fruta mezclada con avena o con yogur no la acerca nada a esa dieta normal, porque no creo que usted se coma así la fruta.

Hasta el año, conviene no dar a los niños leche de vaca (o de cabra) ni derivados. La leche materna es mil veces mejor que cualquier yogur, por ecológico que sea. Después del año, ya no es tan peligroso dar a los niños derivados lácteos (pues el riesgo de alergia es menor); pero tampoco hay ninguna necesidad, si están tomando suficiente pecho (es decir, si maman varias veces al día). Tampoco se me ocurre qué más le podría dar de comer a su hija, salvo tal vez dejar los cereales especiales y empezar a darle cereales normales, los que come usted (es decir, arroz con tomate, macarrones, pan...).

Si su hija ha ido siempre estreñida, incluso con el pecho, hay que armarse de paciencia. De vez en cuando se puede usar un supositorio de glicerina; no conviene abusar (es importante que no pierda la costumbre de hacer caca ella sola), pero tampoco conviene dejar pasar muchos días, porque la bola se hace más grande y más dura. Es posible que mejore aumentando la fibra de la dieta; y, contrariamente a la creencia popular, la fruta tiene fibra pero tampoco tanta. Los alimentos realmente ricos en fibra son las legumbres (lentejas, garbanzos, judías, guisantes...). Vaya probando.

Las obstrucciones del pecho se deben a veces a que el niño no mama bien, o a que no mama con suficiente frecuencia (a lo mejor le conviene sacarse leche en el trabajo, aunque no tenga dónde guardarla y la tire). El tratamiento, en efecto, consiste en poner al niño al pecho a menudo, vigilando que se coja bien, y en sacarse más leche. Hay que ser persistente, porque si en dos días parece que mejora y se relaja en el tratamiento, enseguida puede volver a recaer.

Ahora mismo, cuando precisamente hablábamos de suprimir toda la leche de vaca, no parece muy prudente intentar el destete. Cuando todo esté más claro, y si parece que la leche de vaca, pobre, no ha tenido ninguna culpa, la manera de destetar a su hija es ir reduciendo tomas poco a poco, substituyéndolas por leche en vaso (no le empiece a dar biberón justo cuando ya se lo tendría que quitar) o por otros alimentos. El pecho no sirve solo para comer (muy fácil sería entonces el destete), sino que también transmite cariño, confianza, consuelo, calor, contacto... Habrá que darle a su hija todo eso por otras vías: cogerla más en brazos, contarle más cuentos, dibujar más con ella, su padre que también participe..., así probablemente no se acuerde tanto de pedir el pecho. Pero, si lo pide, lo mejor es dárselo enseguida. Si se les empiezan a dar largas, normalmente solo se consigue que se mosqueen y lo pidan con más insistencia. En resumen, para destetar a su hija, el truco sería no ofrecerle nunca el pecho, pero tampoco negárselo cuando lo pida, y ofrecerle (antes de que lo pida) otros substitutos.

El problema, ha puesto usted el dedo en la llaga, es qué hacer si se despierta por la noche. No se me ocurre nada. Por eso es mejor darles el pecho dos o tres años, hasta que duermen bien.

Sobre lactancia y destete tal vez el mejor libro sea *El arte femenino de amamantar*, de la Liga de la Leche. Sobre educación de los niños, puede leer *Por tu propio bien*, de Alice Miller, donde explica por qué no hay que educarlos, y *Nuestros hijos y nosotros*, de Meredith Small, donde explica qué hay que hacer en vez de educarlos. Sobre la estimulación hay uno (menos ameno y más espeso de leer), *El mito de los tres primeros años*, de John Bruer, donde explica por qué no hay que estimularlos.

Espero que esta información le sea útil, y que sea muy feliz con su hija. Ya nos contará...

Cordialmente,

CARLOS GONZÁLEZ

Le escribo para pedirle consejo sobre cómo afrontar la actitud en la escuela de mi hija en relación con la comida. Mi preocupación y frustración van creciendo porque parece que mis argumentos pongan a la directora aún más inflexible a la hora de cambiar las cosas.

Soy madre de una niña de cuatro años y medio, Laura, que no tiene problemas con la comida porque come bastante variado, buenas cantidades y es altísima y fuerte. Aprovecho para decir orgullosa que tomó el pecho a demanda hasta los tres años y diez meses y nunca la hemos obligado a comer. Fue una suerte leer algunos de sus artículos y su libro sobre alimentación infantil para aprender sobre lactancia y sobre la actitud de los padres. En una ocasión ya me puse en contacto con usted y le estoy agradecida porque me aconsejó libros interesantísimos. Intentaré resumir al máximo el problema con la escuela pero sin dejarme detalles.

El año pasado, cuando Laura cursaba P3, me dijo llorando que la profesora le había dicho que si no se comía el quesito de la merienda no iría a jugar con los otros niños. Cuando le pregunté a la maestra me dijo que era una norma que tenía desde principio de curso e incluso me reconoció que había dos niños que no salían los últimos diez minutos de cada jueves a última hora (entre la merienda y la hora de ir a recoger a los niños) porque se negaban a comérselo. Cuando le dije que no me importaba que Laura no se comiera el quesito, pero que la dejara salir a jugar con los demás, me dijo que no podía hacer excepciones, que tenía que comérselo como todos, y de malos modos me dijo que fuera a hablar con la directora.

Mi marido y yo fuimos a hablar con la directora que defendió a la maestra diciendo que no hay que hacer mucho caso de lo que dicen los niños, que esos últimos diez minutos no son obligatorios, que estaba pidiendo que hicieran muchas excepciones: es cierto que había pedido que no le dieran plátano (es de las pocas cosas que no le gustan nada) ni canelones con bechamel y ahora el queso, y que esto no podía ser si lo empezaban a pedir todas las madres o padres. Yo solo lo pedí para que no la obligaran, porque me daba cuenta de que había demasiada rigidez respecto a la comida y así le ahorraba a mi hija el mal rato de luchar para que no la obligasen a comer algo que le da tanto asco como las comidas que he mencionado. Y la directora me dijo que estaba demasiado encima de la maestra y que no hay que sobreproteger a los niños. Es curioso, porque mi hija no tiene en absoluto ningún rasgo de sobreprotegida; su seguridad, su autonomía y su gran sociabilidad me sorprenden a mí misma. Además en el informe me decían que se esforzaba en comer las cosas que no le gustaban, y que todo el resto muy bien. Dije que me parecía injusto que una niña que según nos han dicho siempre es buena en todo, en algún momento los profesores no puedan tener el detalle de perdonarle algo.

Quizá, dígamelo usted si lo cree oportuno, esté algo obsesionada con el tema. Supongo que no puedo sacarme de la cabeza este problema porque yo misma, de niña, entre los siete y diez años, lo pasé muy mal en el comedor de la escuela. Es triste que sean estos los recuerdos más claros de mi infancia: cuando no me podía tragar la comida, me castigaban sola o con otra niña en una mesa mientras las otras se iban al patio, o también en otra ocasión me llevaron al comedor de los niños y otras medidas que vi y que prefiero no recordar.

Argumenté a la directora como pude la inutilidad de obligar a los niños a comer e incluso le pedí que leyera su libro *Mi niño no me come*, cosa que quizá no fuera demasiado oportuna porque debió de parecer que le daba lecciones. Se lo leyó, y al empezar este nuevo curso me lo devolvió diciendo que también había leído a otros autores que argumentaban la necesidad de forzar un poco, y que en la escuela las cosas funcionaban de distinta manera que en casa, que si no forzaban a comer a uno, este se contagiaba a todos y nadie comía, etc. Además me dijo que con la monitora de comedor se hacen pactos: «estos dos trozos te los comes, y estos otros, no». Pero supongo que esto no es un pacto, porque decide la monitora lo que deben acabarse.

Al empezar el curso, la nueva profesora, más flexible, aceptó cambiarle el plátano de la merienda de los jueves por una manzana, aunque fuera sin justificante médico, que es lo que requieren para hacer excepciones según me dijo la directora. Pero mi hija me contaba cómo a un niño que tampoco quería plátano la profesora de refuerzo le obligaba hasta que al tercer o cuarto jueves el niño vomitó y ya no le dieron más.

Otras medidas que toman en el comedor son, según mi hija: pasar comida que no se acaban del primer plato al segundo, amenazar con quedarse solos o ponerlos en la mesa de los que hacen un curso más.

Por suerte para mi hija, ella come bien y este curso no se queja casi nunca, más bien parece satisfecha. Sin embargo hay un niño (siempre hay alguno, que me recuerda a mí misma cuando era niña) por lo que me cuenta mi hija, a quien le ponen solo a veces (según mi hija) y que siempre tiene los mofletes hinchados de comida.

Antes de Navidad asistí a la primera reunión de la comisión del AMPA de comedor, donde también asistió la directora, justamente la persona con quien no quería hablar más, de momento, de estos temas. Conocí a dos madres, una dijo que el ayuntamiento les había felicitado por la dieta tan variada, y por introducir ensalada a diario para niños de estas edades. Ella está contentísima con la escuela porque sus hijos, gracias a la escuela, comen ensalada. Justamente la otra madre estaba algo desesperada porque su hijo de cinco años lo pasa fatal con la lechuga y le sigue rogando desde que empezó el curso que le den platos de régimen para que no le den lechuga. La respuesta de la escuela, de momento, es demasiado rígida: los niños han de acostumbrarse a comer de todo. Si ni a los adultos nos apetece comer cada día lechuga, ¿por qué fuerzan a los niños de estas edades a comer unas cuantas hojas de lechuga cada día? Incluso mi hija, a quien le gusta la lechuga, zanahoria, apio, etc., me ha dicho que está aburrida de comer ensalada cada día.

No encuentro manera de hacerles ver este punto de vista mucho menos rígido. El lunes día 17 tenemos otra reunión y lo cierto es que me siento bastante sola y acorralada en este tema. Incluso la directora me dijo que estaba contenta de que asistiera a las reuniones aunque no pensara como ellas, como si yo fuera la excepción o una madre con ideas extrañas (aunque a veces hablando con otras madres que no dejan en paz a sus hijos cuando comen sí que parezco extraña). Quizá se añade el problema de que me pongo bastante nerviosa y no sé defender ni encontrar respuestas rápidas ni convincentes cuando me argumentan sus razones.

Podría contarle más historias y detalles pero creo que con esto podrá hacerse una idea. Me gustaría saber si en alguna escuela del mundo han escrito alguna especie de manual o protocolo o normas a seguir en la hora de comedor de los niños, es decir, a qué tienen derecho, qué hay que respetarles a los niños y por qué, etc. Algo avalado por especialistas que tengan que aceptar mínimamente. O algún artículo o argumento o consejo sobre lo que usted haría en mi lugar. Sé que en caso de no entrar en razones tenemos la opción de cambiarla de colegio, pero ¿quién me asegura que no harán algo parecido en otra escuela? Una madre me habló de una escuela donde incluso habían obligado a una niña a comer chocolate.

Nuestra hija va a la escuela pública del barrio. No queremos cambiarla porque la vemos contentísima en la escuela y en general, exceptuando este tema, lo estamos. Creemos que a ella le costaría entenderlo porque seguramente no vive este tema con la preocupación y la tristeza con que lo vivo yo, además sabe cómo pienso sobre la comida y también que todos nos equivocamos, incluso los monitores o profesores cuando la obligan a comer a ella. Quizá la diferencia sea que ella tiene mi apoyo y yo de pequeña no tenía el de nadie. Además no creo que tenga nada que ver mi experiencia de hace veinticinco o treinta años con la de las escuelas actuales. Aunque intuyo que en la mayoría de las escuelas se repite con más o menos intensidad la misma historia. Si no es así, dígame en qué escuela de nuestra ciudad existe una actitud más en esta línea que usted siempre defiende, la del respeto a los niños.

Me he decidido a escribir porque ha caído en mis manos la gota que faltaba: el resumen de una conferencia sobre la disciplina en casa y en la escuela que hizo un psicólogo para las escuelas del distrito a la que asistieron algunos padres de la clase de Laura. Le transcribo solo un párrafo aunque el resto del artículo tampoco me ha gustado demasiado. Dígame por favor qué opina de esto: «Si no hay jerarquía, hay desorden. Si tienes jerarquía eres fiable. No se ha de permitir que un niño de tres o cuatro años elija nada, ni siquiera que decida si quiere tortilla o macarrones para cenar. Pensemos que los niños se mueven a un nivel muy primitivo de satisfacción-insatisfacción y toman sus decisiones en función de ello».

Le estaré muy agradecida por su respuesta y atención,

Adriana

10 de marzo de 200*

Apreciada amiga:

Me dice que si conozco alguna escuela de su ciudad donde no obliguen a comer a los niños. En realidad, no tengo datos directos ni apenas experiencia personal. Pero tenía la sensación de que en ninguna escuela hacían esas cosas. Precisamente comento en mi libro que los niños suelen comer mejor en la guardería, porque allí saben que no se les puede obligar.

De modo que su historia me ha sorprendido, y me ha indignado. Sería ridícula si no fuera trágica. ¿Obligatorio comerse un quesito? ¿Quedarse sin recreo por no comer? ¿«Negociaciones» sobre cuántos trozos de pollo se pueden comer y cuántos se pueden dejar? ¿Certificado médico para cambiar un plátano por una manzana? Es todo un absurdo, un disparate, una locura. Kafkiano. Si a mí me viene una madre a la consulta a pedirme un certificado para cambiar un plátano por una manzana, creo que lo que le hago es un volante para el psiquiatra. No toleraríamos que ocurrieran esas cosas en un restaurante. Ni en un comedor de empresa. Ni en un cuartel. Ni en una cárcel. Ni siquiera en el comedor del instituto. Esas cosas solo se les hacen a los niños pequeños. Porque no estamos hablando de nutrición (¿acaso no es buena la lechuga para los adultos, los obreros, los soldados, los presos o los adolescentes?). Estamos hablando del ejercicio del poder. De gente tan mezquina que necesita doblegar la voluntad de los niños de cuatro años. Es muy triste.

Y en cuanto al psicólogo ese, espero que no tenga hijos. Qué frases más terribles.

¿No tiene posibilidad de sacar a su hija del comedor? Cogiendo uno de los padres una jornada partida. O comiendo en casa de la abuela.

Suerte, en efecto, que su hija al menos tiene una madre que la defiende.

Le deseo toda la felicidad con esa hija encantadora.

Saludos cordiales,

CARLOS GONZÁLEZ

Queridos amigos, soy una madre de dos hijos de cinco y tres años.

Yo no bebo alcohol, pero alguna vez tomo cerveza sin alcohol. He oído muchas veces las propiedades que tiene la cerveza y siempre han hablado bien de ella si se bebe con moderación.

Mi consulta es si los niños de la edad de mis hijos podrían beber cerveza en pequeñas cantidades (naturalmente sin alcohol).

Agradeciendo vuestra respuesta se despide atentamente,

Luisa

2 de septiembre de 200*

Apreciada amiga:

Sí, sus hijos pueden tomar tranquilamente cerveza sin alcohol. Se puede considerar un simple refresco, no creo que sea peor que la cola o el zumo. Eso sí, como todos los refrescos (incluyendo los zumos), conviene que sea un «extra»; la bebida básica y cotidiana debe ser el agua pura.

Ahora bien, una cosa es que en su casa les guste la cerveza, y lo normal es que sus hijos se vayan acostumbrando a la dieta familiar, y otra cosa es dársela por sus «propiedades». La cerveza no es ninguna medicina ni ningún remedio mágico, y todas las «propiedades» de las que ha oído hablar provienen de una llamada «Fundación Cerveza y Salud», creada por los fabricantes de cerveza (a imitación de otra fundación, más antigua, de los fabricantes de vino), que se dedica a repartir «información» y becas a médicos y periodistas para que canten alabanzas de sus productos, sabiendo que mucha gente cree que toda palabra que sale de la boca de un médico es ciencia, y toda la que sale de la boca de un periodista es información. Con mucho dinero y un poco de imaginación es posible encontrarle «propiedades» a cualquier cosa, y si los fabricantes de garbanzos o de berenjenas tuvieran el mismo presupuesto de relaciones públicas, oiría usted maravillas de ellos. En Estados Unidos, los fabricantes de chocolate tienen una fundación, que ha convencido a mucha gente de que el chocolate previene la caries; y sin duda ha leído también los anuncios de los fabricantes de azúcar, asegurando que el cerebro necesita azúcar.

Créame, sus hijos pueden criarse sanísimos sin probar la cerveza.

Espero que esta información le sea útil, y le deseo toda la felicidad con esos hijos encantadores.

Saludos cordiales,

CARLOS GONZÁLEZ

Queremos empezar a darle cereales a nuestro niño (Jorge) de seis meses. Pero, si en general recomiendan no añadir sacarosa a los alimentos infantiles, ¿por qué las papillas de cereales comerciales sí la añaden? ¿Es mejor que no lleven sacarosa, o es indiferente?

¿O es que cuando figura la palabra «azúcar» en sus ingredientes se trata de otro azúcar distinto a la sacarosa? ¿Existe alguna papilla de cereales sin sacarosa?

(Por cierto, nos encanta su sentido del humor.)

Muchas gracias por adelantado,

Isabel y Arturo (papás corroídos por la duda).

6 de mayo de 200*

Apreciados y corroídos amigos:

Plantean ustedes una pregunta política (y económicamente) incorrecta. ¿Por qué las papillas de cereales comerciales llevan azúcar si a los bebés es mejor no darles azúcar? Hay varias respuestas, a cuál más turbadora:

1.- El azúcar es barato.

2.- Si está dulce, el niño se la come, y si el niño se la come la madre la vuelve a comprar. Y cuando la papilla preparada en casa, sin azúcar (por orden del pediatra), tiene que competir con la mermelada industrial, no hay nada que hacer.

3.- A los fabricantes les importa un pepino la salud de los bebés.

He usado la palabra «mermelada» porque su pregunta me ha impulsado a buscar más información, y me he quedado asombrado. La mayoría de las papillas llevan más de un 10% (de producto seco) de azúcar, y algunas llevan más del 20% y hasta casi el 30%.

Hay algunas papillas sin azúcar añadido (y así lo ponen en grandes letras en la caja), pero te lees la composición y siguen teniendo en torno al 20% de azúcar, proveniente de la hidrólisis de los cereales o de zumo de fruta añadido. Por suerte, no hay ninguna necesidad de dar esas cosas a los niños. Ustedes comen cada día cereales sin azúcar, mucho más sanos: arroz, macarrones, pan...

Espero haber contribuido a despejar sus dudas (o, al menos, a darles un baño anticorrosión), y les deseo toda la felicidad con Jorge.

Saludos cordiales,

CARLOS GONZÁLEZ

Buenos días, mi mujer, Aloma, es suscriptora de su revista *Ser Padres* y queríamos plantear la siguiente cuestión:

Tenemos una hija que el día 25 de diciembre cumplirá dos meses. El día 19 de diciembre pesaba 4.130 g (está siendo alimentada con leche «maternizada» (cada toma de 90 ml) cada tres horas, excepto durante la noche que la dejamos dormir). Tiene regurgitaciones al terminar su biberón, incluso tomando Motilium (prescrito por su pediatra). Debo añadir que la niña tiene un carácter inquieto y que el día 25 de noviembre tuvo una gastroenteritis aguda y tuvo que ingresar por urgencias porque tenía fiebre de 40°.

Alguna amiga nos ha recomendado que le diéramos antes de cada toma una cucharadita de leche condensada (alrededor de 1 ml). ¿Es correcto?

Quisiéramos saber si esto es normal, si está bien de peso o si debemos considerar que fuese a un especialista del aparato digestivo.

Agradeciéndole de antemano su ayuda, le saluda atentamente,

Fernando

22 de diciembre de 200*

Apreciado amigo:

El peso de su hija parece normal; pero, claro, también habría que saber cuánto pesó al nacer. Si nació con menos de 3.500 g, muy bien, pero si nació con 4.000 g, pues habría aumentado poquísimo.

En cuanto a lo de la leche condensada, por nada del mundo. La leche condensada no es buena para los bebés. Hasta los seis meses, o teta o biberón; ninguna otra cosa. Ni agua. Claro que por una cucharadita de leche condensada tampoco se iba a morir..., pero lo mismo podría decirse de una cucharadita de coñac, ¿no?

El biberón, lo mismo que el pecho, se da a demanda. Olvídense de mililitros, y olvídense de horas. Solamente que tiene que estar correctamente preparado: cuando vean que se acaba los 90 con 3 medidas, pues le dan 120 con 4 medidas; y, claro, sobrará.

Las regurgitaciones después de comer son normales, todos los niños tienen. Por eso las abuelitas hacían preciosos baberos de ganchillo. No, desde luego, solo por eso no necesita ir a un especialista (ni tomar ningún tratamiento).

No nos dice por qué no toma el pecho su hija. ¿Dejó de tomar cuando estuvo en el hospital, o ya no tomaba? A lo mejor le interesaría volver a dar el pecho. Puede hacerse, y encontrará muchísima información con solo buscar en Google la palabra «relactación». Si la madre se anima a dar el pecho otra vez, le será muy útil contactar con un grupo de madres.

Espero que esta información le sea útil, y le deseo unas felices fiestas con su familia.

Cordialmente,

CARLOS GONZÁLEZ

Soy lectora habitual de vuestra revista. Hasta ahora había podido responder todas mis dudas, pero tengo una a la que no encuentro respuesta.

Mi pediatra me ha comentado que los niños deben tomar un vaso de leche al día, y hasta llegar al medio litro de leche, se debe completar con lácteos. Mi hijo tiene veintiún meses y le encanta la leche, toma hasta casi tres cuartos de litro al día.

¿De verdad es cierto que es malo tomarla?

Gracias por resolver todas mis dudas,

Silvina

1 de marzo de 200*

Apreciada amiga:

No se me ocurre ninguna posible ventaja de los derivados lácteos sobre la leche normal. El yogur blanco no está mal, incluso hay quien lo prefiere a la leche (aunque no veo muy claro que sea mejor). Pero todos los demás lácteos: yogures de colores, yogures azucarados, batidos, flanes, natillas, quesos y quesitos, bebedizos «reforzantes» y «naturales»... no son más que leche con azúcar, colorantes y alguna otra porquería. Tampoco es que estén prohibidos, porquerías más grandes comemos cada día; pero desde luego es mejor que un niño tome leche pura sin azúcar a que tome flan o Actimel o natillas o helados. No logro imaginar por qué un pediatra ha de perder su tiempo en recomendar lácteos en vez de leche.

Lo del medio litro de leche es para los menores de un año. Después del año, las cosas no están muy claras. Muchos expertos lo que dicen es «máximo medio litro de leche». Si un niño se pasa del medio litro, tampoco es el fin del mundo; peor sería tomar más de medio kilo de caramelos. Pero el exceso de leche hace que los niños mayores coman menos de otras cosas, y por tanto su dieta es menos variada.

No hace falta «prohibirle» la leche a su hijo; ojalá sea ese el mayor «vicio» que tenga en su vida. Pero sí que convendría tomar un par de medidas (que a lo mejor ya ha tomado, no nos da detalles en su carta): primero, nada de biberones, si quiere leche que se la beba en vaso. Segundo, nada de azúcar y cacao, si quiere leche, que la tome pura. («Es que en vaso y sin azúcar toma menos leche...» ¡Magnífico! De eso se trata.)

Espero que estas reflexiones le sean útiles, y le deseo toda la felicidad con su hijo.

Un cordial saludo,

CARLOS GONZÁLEZ

Me gustaría que intentasen resolver el siguiente problema:

Tengo un niño de tres años y cinco meses que desde pequeño ha dado signos evidentes de ser muy mal comedor. El destete se produjo a los cinco meses y desde entonces apenas come de forma continuada y abundante. En la actualidad es imposible que coma ningún primer plato. Toda la comida tiene que estar triturada en forma de puré. Ni siquiera las lentejas o la sopa consigo que se la coma ya que la escupe porque se siente incapaz de tragarla. Sin embargo, los filetes tanto de carne como de pescado aunque tarda mucho los mastica y los come, pero es capaz de estar masticando sin tragar durante más de una hora. Incluso después de comerse el puré y un yogur, le quedan los restos de carne en el lateral de la boca.

Sí es cierto que tiene una mayor predisposición a comer mal, ya que ambos padres hemos sido muy malos comedores de pequeños, pero en la actualidad ambos comemos de todo.

¿Qué podemos hacer? ¿Continuamos dándole todos los primeros platos a base de purés o seguimos intentando que se trague lentejas, macarrones o sopa? También hemos intentado llevarle al comedor infantil para que se animase con otros niños, pero ocurría lo mismo, que solo comía los segundos platos o, como mucho, el día que había puré comía algo más.

Lo cierto es que estamos desesperados. Yo soy psicopedagogo y he intentado a través de refuerzos contingentes positivos que el niño comiese, pero no he conseguido nada positivo. Solo obtengo algún resultado con amenazas de castigo e incluso he tenido que alejarle de la mesa y retirarle al cuarto de baño (técnica del tiempo fuera) para intentar romper la rutina creada, y de esa forma después de un berrinche come algo.

He de añadir que todavía no he conseguido eliminar el pañal por las noches y que en ocasiones se hace pis de día, sobre todo con la llegada de su nueva hermanita (de cuatro meses) y tras la entrada en el colegio, lo cual ha venido a complicar aún más si cabe la situación.

Le agradecería que me orientase sobre cómo puedo reconducir esta situación ya que toda la bibliografía consultada y las técnicas empleadas hasta la fecha no han dado buen resultado.

Muchas gracias por su atención,

Cosme

17 de noviembre de 200*

Apreciado amigo:

Está usted preocupado porque su hijo solo quiere comer triturados y se hace pis; y está sorprendido porque las técnicas que recomiendan los libros no parecen dar resultado.

Una antigua norma de mi profesión dice que nunca seas pediatra de tus propios hijos. Sospecho que lo mismo debe aplicarse a los psicopedagogos. Los niños necesitan un padre, no un pediatra, ni un psicólogo, ni un pedagogo; y mucho menos uno que aplique teorías... ¿cómo decirlo...?, teorías teóricas.

Yo también creía en el conductismo, antes de tener hijos. La paternidad es muy útil para los profesionales que trabajan con niños; nos abre los ojos, humilla nuestra arrogancia y nos ayuda a comprender y respetar a los padres más que a los libros. Pues la triste realidad es que la mayoría de los libros fueron escritos por sabios muy sabios, que se dedicaban a escribir mientras sus esposas criaban a sus hijos como a ellas les daba la gana.

El conductismo es útil para analizar la conducta de una rata enjaulada, sometida a experimentos sin sentido. Las ratas en libertad muestran una conducta mucho más rica, de cuyo estudio (que no manipulación) se encarga la etología. Muchos sospechamos que la conducta humana es incluso más compleja que la de la rata.

Pero incluso partiendo de postulados conductistas, no creo posible aplicarlos a la alimentación (aunque no dudo que habrá encontrado algún libro muy serio que recomiende aplicarlos).

La rata aprieta la palanca para que le den comida, que es el refuerzo. Pero no come para que le aprieten la palanca. Si la rata no tiene hambre, sencillamente ni come ni aprieta la palanca. Como los niños.

Comer no es una conducta aprendida, sino innata. Todos los animales comen. En general, los niños necesitan mucha menos comida de la que creen sus padres, o de la que dicen los libros o recomiendan los pediatras. Esto lleva a muchos padres a intentar dar a sus hijos de comer a la fuerza, lo que tiene tan poco sentido como hacerles respirar más deprisa. Los niños, lógicamente, se rebelan, no por espíritu de oposición ni porque quieran llamar la atención, sino simplemente porque no pueden comer tanto. Cuanto más se les obliga, más rechazan los alimentos que les obligan a comer.

He escrito un libro, *Mi niño no me come*, que creo que le será útil. Básicamente, explica que jamás de los jamases, bajo ningún pretexto y con ningún método, se ha de obligar a un niño a comer.

Cuando a un niño no le obligan a comer, normalmente a los tres años come alimentos sin triturar. De hecho, muchos niños nunca comen triturados. Pero, en este momento, tras todo lo que su hijo ha sufrido con la comida durante estos tres años (y seguro que él ha sufrido como mínimo tanto como usted), creo que cualquier intento de negarle los triturados o hacerle comer trozos sería contraproducente. Incluso por las buenas (animándole, felicitándole, premiándole...). Creo que lo mejor es darle los triturados, que al fin y al cabo alimentan lo mismo que sin triturar, y esperar tranquilamente. Ni nombrar el tema. Me juego un café a que, antes de los quince años, su hijo come macarrones. Hasta es posible que los coma antes de los cinco.

La bola que hace su hijo con la carne es signo inequívoco de que no quiere más carne. Y si no quiere, no hay que darle. No se trata de una nueva técnica de hacerle pasar hambre para que así coma, ni de hacerle «sentir las consecuencias de sus actos», ni nada por el estilo. Simplemente, se trata de mostrarle al niño nuestro cariño, nuestra confianza y nuestro respeto.

En cuanto a la técnica del tiempo fuera, cuando leí la descripción en un artículo de Christophersen (*Clínicas Pediátricas de Norteamérica*, 1986, n.º 4), me pareció una completa memez, con perdón. «No decirle una palabra, no mirarle y no hablarle.» «No habrá explicaciones ni regaños, amenazas o reprimendas.» Realmente kafkiano, la angustia del detenido incomunicado al que no se le informa de cuál fue su crimen. La violencia técnica, sin ira, mucho más difícil de soportar, por su propia irracionalidad, que los gritos y los golpes; el desprecio, la exclusión de todo contacto humano. Si tuviera usted una diferencia con su esposa, ¿la trataría así?, ¿cómo respondería ella a semejante trato? Las personas hablan para solucionar sus problemas. Una memez además inútil, como usted mismo ha comprobado, como comprobó también Christophersen (aunque su propio fracaso no le hizo bajarse del burro). Pues este buen hombre aplicó sus métodos en las guarderías de Kansas, y afirma con orgullo que «la atmósfera de la guardería mejora impresionantemente después que uno o dos de los niños problema han mejorado su conducta o se han salido». Está hablando de «niños problema» de menos de dieciocho meses, expulsados de la guardería por mala conducta, ¡brillante comienzo para una carrera criminal, y brillante éxito del tiempo de exclusión!

La llegada de un hermanito siempre causa malestar en los niños. El comienzo del colegio, también. Las dos cosas a la vez..., pues ya ve. Como a su hermanita no la pueden devolver, tal vez sea útil no llevarlo al colegio durante un tiempo. Solo tal vez, pues no conozco más detalles. Es él el que mejor sabe lo que le conviene; yo le preguntaría sencillamente: «¿Quieres ir al colegio mañana, o prefieres quedarte en casa?». A veces los niños necesitan un respiro; otras veces prefieren enfrentarse a las dificultades, aunque duela un poco, pero lo hacen más confiados si saben que también podrían retirarse, y que serían aceptados. De todos modos, muchos niños de tres años se hacen pis de día, y no digamos de noche. Yo me hice hasta los siete.

Pregunta usted por bibliografía. Lea todo lo que pueda encontrar de Bowlby: *Una base segura*, *Vínculos afectivos* y los tres rotundos volúmenes de *Attachment and loss* (hay traducción). Entre libros para padres, *Los 25 principios de la nueva madre*, de Sears.

Espero que estas reflexiones le resulten útiles, y no dude en volver a contactar para cualquier aclaración, o para contarnos cómo le va.

Saludos cordiales,

CARLOS GONZÁLEZ

Apreciado amigo:

Y digo amigo porque desde que leí su libro, *Bésame mucho,* tiene toda mi admiración. Por ello quiero felicitarte por tu manera de tratar con respeto a nuestros hijos.

Yo soy una adicta a la lectura, y como es «natural» me regalaron y me dejaron (tengo dos ejemplares) el libro *Duérmete, niño,* el cual no solo no entiendo sino que lo encuentro cruel, pero claro, parece que es el libro de moda, no estando bien visto por los padres «modernos» el que lo critiques. Así que Dios es testigo de las discusiones que he tenido con amigos, familiares y demás seres vivos, los cuales siempre dándonos sus más cariñosos consejos nos han advertido de que esto lo pagaremos cuando nuestro hijo sea más mayor. Así que ya puedes imaginar la alegría interior que me causó el hecho de que un día por casualidad este magnífico libro, *Bésame mucho,* cayera en mis manos.

Me gustaría que me dieras tu consejo en un tema del cual no estoy muy informada: «alimentación vegetariana para bebés».

Mi hijo tiene seis meses. La base de su alimentación es la leche materna, la cual le pienso seguir dando hasta que él quiera. Con cuatro meses comenzó con la papilla de cereales, a los cinco meses con la de fruta y ahora a los seis meses ha empezado con la de verduras. Pero he consultado a dos pediatras y los dos me han dicho que es totalmente necesario que empiece ya a darle 50 g de pollo cada día con las verduras. Otro pediatra me dijo que todavía no es necesario, que puedo esperar uno o dos meses.

La cuestión es que yo soy ovo-lacto-vegetariana (también como pescado), y quiero que mi hijo tenga una dieta sin carne, por razones de salud, de creencia... Yo no veo dónde está el problema, siempre y cuando se consiga una dieta equilibrada, pero no soy ni mucho menos una experta en alimentación infantil, pero sé que sus necesidades nutricionales son muy diferentes de las de un adulto, y que también hay mucha falsa creencia al respecto.

He conseguido un libro titulado *La alimentación infantil natural*, creo que es un libro muy bien documentado.

¿Es verdad que un bebé necesita la carne para su desarrollo? ¿Realmente es tan buena la proteína animal como nos quieren hacer creer? ¿No están demasiado hormonados? ¿Hay estudios suficientes al respecto?

Un abrazo muy fuerte,

Consuelo

6 de julio de 200*

Apreciada amiga:

Me alegra saber que mi libro te ha servido de algo; y más aún que dos ejemplares de *Duérmete, niño* están en tus manos y por tanto ya no se aplicarán.

¿Cómo exactamente te dicen que «lo pagaréis» cuando vuestro hijo sea grande? Porque es una buena ocasión para hacer apuestas: que digan exactamente a qué edad va a pasar qué catástrofe, que lo pongan por escrito y que se jueguen mil euros.

Lamento decirte que *La alimentación infantil natural* no está nada bien documentado. A menos que lo hayan cambiado todo (yo tengo la primera edición, de 1988, y me consta que la segunda, hacia 1993, no había cambiado ni una coma), es el libro más infame sobre el tema que he visto en mi vida. Ni siquiera los libros publicitarios de las compañías lecheras llegan a decir tantas estupideces: que no des el pecho a demanda, que no des el pecho por la noche, que destetes antes de los once meses, que introduzcas otros alimentos desde los dos meses, que la «leche» de soja (¡hecha en casa!) o la «leche» de almendras pueden usarse en el biberón, como única leche... Verdaderos disparates.

Hoy en día se recomienda no dar a los niños absolutamente nada más que pecho hasta los seis meses (de hecho, muchos ni-

231

ños no quieren nada más que pecho hasta los ocho o diez meses, o más). A los seis meses se empiezan a ofrecer, después de las mamadas, pequeñas cantidades de otros alimentos, de uno en uno (es decir, un solo cereal o una sola fruta, no una mezcla de varios). Se ofrecen sin forzar, y si el niño no quiere, pues mejor (porque la leche materna alimenta mucho más que cualquier otra cosa que se le pueda dar). A los niños de pecho, los cereales se les dan sin leche, pues no necesitan ni les conviene ninguna otra leche más que la materna.

Una dieta ovo-lacto-vegetariana es perfectamente normal y adecuada para un niño de cualquier edad. Una dieta vegetariana estricta también podría ser adecuada, pero habría que dar el pecho al menos dos o tres años (bueno, eso siempre es conveniente), vigilar la composición de la dieta con cierta gracia y darle suplementos de vitamina B_{12} (que por cierto también deben tomar todos los adultos vegetarianos estrictos, y muy especialmente las embarazadas y madres lactantes). Tu hijo no necesita para nada las proteínas del pollo, solo con el pecho tendría suficientes proteínas (animales, y mucho mejores que las del pollo) hasta el año, y probablemente también hasta los dos. En realidad, el motivo por el que se insiste en la carne no es por las proteínas, sino por el hierro. Pero hay otras fuentes de hierro, y en realidad los vegetarianos con una dieta adecuada toman tanto hierro como los carnívoros. El hierro de la carne se absorbe mejor; pero la vitamina C ayuda a la absorción del hierro de los vegetales. Por eso es conveniente tomar la fruta repartida en todas las comidas (como hacemos los mayores, que no somos tontos), en vez de esa absurda costumbre de darles a los bebés una comida solo de fruta, otra solo de verdura...

Mi otro libro, tal vez te interese, trata precisamente de la alimentación de los niños, y menciona un excelente artículo de las Clínicas Pediátricas de Norteamérica de 1995, página 955, sobre nutrición para niños vegetarianos (encontrarás las Clínicas Pediátricas en cualquier biblioteca médica). La sección de nutrición de la Unión Vegetariana Española tiene muy buena información (http://www.unionvegetariana.org/nutricion.html). Seguro que también encuentras información interesante en la web de la American Dietetic Association (www.eatright.org; busca «vegetarian children» en «search») o en las excelentes páginas de Virginia Messina (http://vegrd.vegan.com).

Espero que esta información te sea útil, y que disfrutes mucho con tu hijo.

Saludos cordiales,

CARLOS GONZÁLEZ

Ayer estaba escuchando a un médico por la televisión hablar sobre la muerte de dos bebés a causa de beber leche en polvo de soja preparada para bebés. El laboratorio es alemán, y dieron un comunicado para decir que confirmaban el hecho.

La causa, según ellos y el doctor, era por la carencia que tiene la soja en vitamina B_1 y porque además la soja inhibe la absorción de ciertos minerales. Esta noticia me ha dejado muy sorprendida y preocupada. Tengo un bebé de once meses, y desde los seis o siete meses, para desayunar, le estoy dando leche de soja (líquida) con los cereales. Hasta hace unas semanas también lo alimentaba con leche materna, él la ha ido descartando progresivamente, al ofrecerle no la quería y se me ha acabado de retirar. También le doy leche adaptada de farmacia.

Creo saber que la soja tiene vitamina B_1, por esta razón me sorprende la noticia. He decidido, de momento, no darle más leche de soja a mi hijo por prevención.

Por este motivo me dirijo a vosotros, si me podéis sacar de esta confusión: ¿es real la muerte de estos dos bebés por ingerir leche de soja? ¿La soja no tiene vitamina B_1? ¿La soja inhibe la absorción de ciertos minerales? ¿Le podré dar a mi hijo tofu a partir del año? ¿La soja es incompatible con otros alimentos?

Un fuerte abrazo. Y gracias por vuestra revista,

Consuelo

1 de diciembre de 200*

Apreciada amiga:

En efecto, el mes pasado se retiró del mercado en Israel una leche de soja de la marca Remedia (filial de Heinz), tras la muerte de dos niños (tres según otras fuentes) y la hospitalización de diez o veinte por problemas neurológicos graves debidos a la falta de vitamina B_1. Parece que se olvidaron de ponerla. La leche era fabricada en Alemania por la empresa Humana, y solo se vendía en Israel y en algunas comunidades ultraortodoxas de Estados Unidos, porque está fabricada siguiendo las normas religiosas judías.

La soja natural tiene vitamina B_1; no sé si en cantidad suficiente para un bebé o no. O tal vez el problema sea que se destruye al preparar la leche y hay que volver a añadirla.

Por desgracia, no es más que el último de una larga serie de incidentes. Regularmente, cada pocos años, en algún lugar del mundo hay niños enfermos y a veces muertos porque se olvidaron de poner algún ingrediente en una marca de leche. El caso más famoso se produjo en Estados Unidos hace unos veinticinco años, cuando se olvidaron del cloro; hubo decenas de muertos y cientos de niños con graves secuelas neurológicas.

El que un determinado alimento concreto no tenga tal o cual vitamina o mineral no tiene ninguna importancia para el adulto, porque tomamos una dieta variada, y lo que no venga por un lado vendrá por otro. El problema es que los niños pequeños, sobre todo los seis primeros meses, comen un solo alimento, la leche. Y, por desgracia, está muy extendida la absurda creencia de que los bebés tienen que tomar siempre la misma marca. Sería mucho mejor ir alternando varias marcas; tres o seis días al mes sin vitamina B_1 tampoco tendrían ninguna importancia. Cuando los niños empiezan a comer otras cosas, el peligro disminuye; todos los afectados tenían menos de diez meses. La primera muerte fue en junio; pero la causa del problema no se descubrió hasta ahora (y por casualidad, porque las madres se dieron cuenta, hablando en la sala de espera, de que sus hijos tomaban la misma leche). Siempre es lo mismo, la falta absoluta de vitamina B_1 (o de cloro) no existe en la naturaleza, a ningún médico se le ocurre pensar en esa posibilidad.

El problema, por tanto, no fue debido a la soja, sino a un error en esa marca concreta. El próximo error podría ser en una leche de vaca. De todos modos, algunos expertos recomiendan no usar leche de soja si no es por orden médica, para niños alérgicos a la de vaca. La soja lleva, de forma natural, fitoestrógenos, substancias con efecto estrogénico. No se ha observado nunca un problema en los bebés, pero la misma cantidad de soja por kilo de peso sí que produce feminización en los ratones machos, así que se recomienda prudencia.

Muchos vegetales (cereales, verduras, legumbres...) inhiben la absorción de ciertos minerales, sobre todo del hierro. No me sorprendería que la soja también, aunque no lo había oído. Dentro de una dieta variada, este efecto no suele tener consecuencias.

Otra cosa es darle tofu a un niño de un año. Puede comerlo, por supuesto, como parte de una dieta variada. El problema sería comer todos los días, a todas horas, soja y solo soja. Eso no es bueno, como tampoco sería bueno comer manzanas y solo manzanas, o lentejas y solo lentejas.

No creo que existan alimentos incompatibles. Eso no es un concepto científico, sino de diversas teorías más o menos seudorreligiosas (parece como si la gente, decepcionada porque la Iglesia católica ya no prohíbe comer carne en cuaresma, se busque otras prohibiciones para ser feliz). Supongo que hay tantas incompatibilidades como sectas, y que las recomendaciones de unos y de otros acabarán siendo «incompatibles» (perdón por el chiste fácil). Hace años me dieron una tabla de alimentos incompatibles, creo que se basaba en el yin y el yang, y entre otras lindezas no podías mezclar tomate y cereales. Pero a mí que no me toquen el pan con tomate.

Espero que esta información le sea útil, y le deseo toda la felicidad junto a su hijo.

Saludos cordiales,

CARLOS GONZÁLEZ

Me llamo Melisa. Tengo un bebé de ocho meses, el día 12 comienza la guardería. Sigue con lactancia materna, solo al mediodía le doy una papilla de verduras. Por la tarde, algunos días le doy una papilla

de frutas, y solo a veces le añado cereales sin gluten. A ambos preparados de papillas añado siempre leche materna. Otras veces la
fruta se la doy en un masticador antiahogos, ya que le han salido
cuatro dientes y le encanta masticar e imitarnos cuando comemos.

Las preguntas son las siguientes:

1. En la guardería me han dicho que Sanidad no deja introducir
leche materna. La leche la quieren para los desayunos, nada más.
Lo único que admiten es leche industrial. Mi duda es si tengo que
llevar esa leche, ¿cuál es menos mala, la de inicio o la de continuación?

2. Como le gusta masticar y roer la comida, ¿le puedo dar gluten con corteza de pan? ¿El pan debe ser sin sal?

Muchas gracias, me he leído sus libros y nos han ayudado
mucho,

Melisa

9 de enero de 200*

Apreciada amiga:

Pasmadito me quedé. ¿Sanidad, en su comunidad autónoma, no deja introducir leche materna en la guardería? ¿Los de
la guardería están deseando darle leche materna, pero no pueden porque Sanidad no les deja, porque como todo el mundo
sabe la leche materna es tóxica? Y ¿ya le dejan a usted dar el
pecho en casa? Porque, si la leche materna es tóxica, el día menos pensado viene una asistente social con dos policías y le quita al niño.

Si eso, como espero, es mentira, le están metiendo un gol
de narices. Y si, como temo, es verdad, es una vergüenza nacional.

En Cataluña, Sanidad exige que las guarderías acepten leche
materna. Lo puede ver aquí, en este folleto bilingüe que por
tanto se entiende perfectamente, y que puede imprimir y llevar
a su guardería:

www.gencat.cat/salut/depsalut/pdf/folletoalletament2007.pdf

Como verá, bien clarito lo pone: «Los centros de educación
infantil... tienen que garantizar...» No «pueden», sino «tienen
que», y no «facilitar», sino «garantizar».

236

Le decía, lleve esto a su guardería, y que le enseñen a cambio un escrito firmado por Sanidad de su comunidad autónoma que diga bien clarito que no está permitido llevar leche materna a la guardería. Si no le enseñan tal documento escrito, ya los ha pillado: «¡Qué bien, vosotras, que estabais deseando aceptar mi leche, y pensabais que estaba prohibido, pues mira qué bien, no está prohibido, sí que la podéis aceptar! ¿A que estáis contentas?». Y si por casualidad consiguen enseñarle un documento escrito que diga eso, no deje de enviárnoslo, para el museo de los horrores.

En cualquier caso, la buena noticia es que en realidad su hijo no necesita tomar leche en la guardería, ni materna ni artificial. Eso solo es necesario para bebés más pequeños, que solo toman leche. Pero su hijo ya come otras cosas. Así que en la guardería puede comer un montón de cosas: arroz con tomate, fideos, pollo, plátano, pan, galletas, patatas, lentejas, guisantes, garbanzos..., lo que le quieran dar. Y en casa ya tomará el pecho el resto del día, la noche y los fines de semana. No necesita tomar más leche en la guardería. Su hijo ya saldrá desayunado de casa. Pongamos un ejemplo: se pone el despertador a las siete, le da el pecho en la cama, se ducha, desayuna usted, le vuelve a dar el pecho a las ocho menos cuarto, lo deja en la guardería a las ocho, lleno de leche a rebosar, y se va a trabajar. ¿Que en la guardería su hijo quiere comer a las once o a las doce? Lo dudo, más probable es que no quiera comer nada en la guardería; pero si de verdad quiere, pues eso, que le den cualquier cosa comestible. Llega usted a recogerlo, y si es preciso en la puerta misma de la guardería le da el pecho (probablemente le dará tiempo a llegar a casa). Como suele ocurrir en estos casos, su hijo, al empezar la guardería, intentará compensar la separación despertándose más por la noche; si se lo mete usted en la cama, podrá descansar relativamente bien mientras él mama todo lo que quiera.

Si en la guardería se ponen tontos, «no, es que aquí no le podemos dar ningún alimento que no sea leche antes de la una, porque Sanidad y el Imperio Galáctico lo prohíben expresamente, y no tenemos ni galletas, ni pan, ni plátanos, ni nada», pues exija usted que le dejen llevar su leche, y que bajo ningún concepto le den ninguna otra. ¿Motivo? Simplemente que a usted, que es la madre, no le da la gana. Si fuera al revés, si usted estuviera criando a su hijo con biberón, ¿cree acaso que en la guardería tendrían el atrevimiento de decir «no, aquí no damos leche de biberón, su hijo tomará leche materna, como todo el mundo». Por favor, un disparate así saldría en el telediario. «Es que a una madre le puede dar asco que a su hijo le den leche de otra mujer.» Pues bueno, a una madre también le puede dar asco que a su hijo le den leche de otro animal, ¿no? A ver si ahora hasta las vacas van a ser más respetables que las mujeres...

Si se huele usted que la explicación racional «no le den leche ni derivados porque yo no quiero, y punto» no va a ser aceptada en esa guardería (pero ¿es prudente dejar a su hijo al cuidado de unas personas de las que no se fía?), puede recurrir a asustarlas: «Mi hijo es alérgico a la leche de vaca, no puede probar ni gota, sería muy peligroso». «Bueno, pues entonces tráenos un bote de leche antialérgica.» «Pues eso, leche materna, es la única que toma mi hijo, me dijo el pediatra que no le diera ninguna otra; pero si no me dejáis que la traiga...»

Sí, le puede dar pan a su hijo, pan normal y corriente. Y, por cierto, creo que haría bien en olvidarse de «antiahogos» y de papillas, y darle a su hijo comida decente. Si busca «baby-led weaning» en Google, verá que los bebés pueden comer, si les dejan, lo mismo que comen sus padres. Que es mucho más sano, que está mucho más bueno, y que es precisamente lo que ellos quieren comer.

Espero que estas sugerencias le sirvan de ayuda, y que sea muy feliz con su hijo.

Un cordial saludo,

Carlos González

El crecimiento, el desarrollo, el percentil

Somos padres recientes de una maravillosa niña de un mes. Padres primerizos y, por lo tanto, totalmente inexpertos. Tenemos gran angustia cuando nuestra hija, después de la toma (pecho), se queda inquieta. Máxime si llora y no hay forma de calmarla. El caso es que algunas veces, sobre todo por la noche, la única solución que encontramos es ofrecerle después de la toma, cuando está inquieta, un biberón. Normalmente, no siempre, se calma y duerme mucho tiempo seguido. Cierto es que cuando toma del biberón no suele tomarse más de 30 o 40 ml, que es muy poco. Me da la sensación que así se sacia y se queda como narcotizada, como si un adulto se comiera un cocido en agosto a las tres de la tarde.

No todos los días le damos biberón, cuando se lo damos solo son un par de ellos al día. La niña no suele tomar más que 80 o 90 ml de líquido. Mi mujer dice que por la noche siente que tiene poca leche, mientras que en otros momentos del día moja la camiseta y gotea moderadamente de uno o los dos pechos.

No sabemos si esta práctica de ofrecer biberón es correcta. Tenemos la sensación de no estar haciéndolo bien. Mi mujer se ha sacado leche algunas veces para darle un biberón de su leche en lugar de leche de farmacia. Lo que pasa es que algunas veces se saca leche y otras no, nunca más de 40 ml en diez minutos. La niña ha aumentado de peso la última semana 170 g. Con veinticinco días estaba en 3.870 g (nació con 3.680 g y perdió hasta 3.350 g).

Me he puesto en contacto con grupos de apoyo a la lactancia y me dicen que lo estamos haciendo mal. Tenemos mucho miedo, nos sentimos inseguros y no sabemos si esta lactancia mixta es una mala práctica.

Por favor, os solicito orientación al respecto.

Mil gracias de nuevo y un saludo,

Rodolfo

Apreciado amigo:

Realmente, no parece que vuestra hija necesite mucho biberón. Está engordando normalmente, cuando le dais el biberón no toma casi, y más bien parece que lo acepta por educación. La madre se saca leche con facilidad (solo un mes, y a veces le salen 40..., muchas mujeres no logran sacar tanto después de practicar varias veces al día durante semanas). Y cuando se calma con el biberón (lo que tampoco ocurre siempre), tú mismo comentas que, más que satisfecha en sus necesidades, parece que se quede «narcotizada». Dejémoslo en «un poco empachada», por tomar demasiada leche que no necesitaba.

Cuanto más mama el niño (o más leche saca el sacaleches), más leche se fabrica. Así es como funciona el asunto. Si un bebé tiene hambre, lo que hace es mamar más veces, volver a pedir al cuarto de hora o a la media hora, y así sale más leche. Si se le da un biberón, lógicamente está mucho tiempo sin mamar, y eso hace que salga menos leche. Automáticamente, porque si no sería un desastre. Si unos días le dais 90 de biberón, y otros días nada, ella tiene que tomar unos días 90 más de pecho, y otros días 90 menos. Y si el pecho fabricase cada día la misma cantidad de leche, el día que la niña mama 90 menos la madre iba a ver la gracia que hace. Por fortuna, el pecho se adapta al consumo del bebé de forma casi inmediata.

Por eso se recomienda la lactancia a demanda. Las veces que el bebé quiera, el tiempo que quiera. Si quiere un pecho, uno; si quiere dos, dos. Si al cuarto de hora pide, pues se le da; si duerme cinco horas, pues magnífico (si es que gana peso; si no ganan y duermen mucho, hay que intentar despertarlos).

No hay que esperar a que un niño llore para darle el pecho. Antes de llorar ya empiezan a moverse, a hacer ruiditos, a mover la boquita, a buscar... es entonces cuando hay que darles. (¿Y si no estamos seguros, y si en realidad no estaba buscando? Pues se le da el pecho, y si no quiere, es que quería otra cosa.)

A la inversa, muchas veces un niño llora y no es por hambre. En la duda, lo más práctico suele ser darle el pecho, por si acaso. Además del hambre, el pecho soluciona muchos otros problemas de la infancia. Pero si no quiere pecho y sigue llorando, pues será que quiere brazos, o que le canten, o que le acaricien, o que le duerman... A esta edad, muchos niños tienen el «cólico», que simplemente es una manera de decir que lloran mucho, sobre todo por las tardes. Se ha visto que la mejor manera de aliviar el cólico es cogerlos mucho en brazos (también cuando no lloran), hacerles mucho caso, estar mucho por ellos. Los bebés necesitan estar con sus padres (bueno, con su madre, no nos engañemos) día y noche.

Espero que estas reflexiones les sirvan de ayuda, y que sean muy felices con su hija.

Un cordial saludo,

Carlos González

Es para nosotros un placer entrar en contacto con usted. Somos Elisa y Rodolfo, padres de una niña de catorce meses llamada Silvia. Le escribimos para rogarle ayuda. Hemos querido darle cuantos más datos mejor, por eso el mensaje es un poco extenso. Lo que a continuación vamos a contarle seguro que le es de sobra conocido y habrá recibido cientos de consultas semejantes, tal y como ya avanza en su libro *Mi niño no me come*. Por cierto, hemos leído los tres, y sobre todo *Un regalo para toda la vida* ha sido un útil manual de referencia para nosotros los primeros meses. Le expongo el problema en primer lugar, y en segundo lugar le hago dos preguntas muy concretas y, por último, le damos datos para que pueda valorar las respuestas que, si lo tiene a bien, le rogamos nos haga llegar.

El problema es, efectivamente, que Silvia come muy mal. Las dos preguntas son: ¿con los datos que a continuación le ofrecemos y, dada su experiencia, cree que hay motivos para estar tan desesperados como estamos?, ¿nos podría usted, si es tan amable, recomendar algún pediatra en nuestra ciudad donde poder llevar a la niña?

Más adelante podrá comprobar por qué, después de catorce meses, la niña todavía no tiene un pediatra fijo. No sé si usted pasa consulta, pero, si es así, nos pasaríamos por Barcelona sin dudarlo.

Comenzamos con la historia: ¿por qué estamos preocupados con lo que come la niña? Silvia nació con 3.680 g de peso y 52 cm de altura. Hasta los diez días de vida no empezó a ganar peso y empezó a remontar desde los 3.300 g en los que se quedó. Es decir, perdió algo más del 10% del peso al nacer. La niña se ha alimentado de manera exclusiva con leche materna durante los seis primeros meses de vida.

Esto con algunas salvedades: ya en la maternidad nos daban biberones de «refuerzo» porque la niña lloraba. Todo nuestro entorno nos decía que le teníamos que dar biberones. Algunas veces lo intentamos, pero la niña parecía no querer. Lloraba más al sentir la tetina en la boca. Después de pasarlo mal un par de meses, Silvia le agarró el modo a eso de mamar y la cosa se estabilizó. Ahora, con catorce meses, sigue mamando y aborreciendo los biberones (solo coge el de agua) y chupetes. El motivo de nuestra permanente angustia desde que Silvia nació es y ha sido su alimentación.

Hasta hace poco también era el sueño, pues dormía muy mal, se despertaba muchas veces por la noche y al final terminaba en nuestra cama enganchada al pecho de su madre. Hace dos meses empezó a dormir del tirón, ocho, diez o más horas. Hay días que se sigue despertando, pero normalmente duerme bien. La niña se ha ido manteniendo en un percentil entre el 15 y el 5, más o menos. El bajón lo dio nada más nacer, que bajó del veintitantos hasta el 10-15. Durante los seis primeros meses de lactancia materna exclusiva, ganaba aproximadamente 500 g al mes de forma constante. Una vez que a los seis meses empezamos con alimentación complementaria, empezó a ganar mucho menos. A los seis meses pesaba 6.800 g, a los nueve meses 7.400 g, a los doce meses 8.000 g (estuvo mala un par de veces tomando antibiótico) y ahora, a los catorce está en 8.500 g. Desde los seis meses, la niña ha estado mamando a demanda y su madre le daba puré de verduras en la comida y de frutas por la tarde. No le daba nada para desayunar ni para cenar (nada excepto el pecho, claro). Poco a poco, cerca de los nueve o diez meses le fue preparando papillas para desayunar y, un poco más adelante, para cenar. Prácticamente nunca las ha tomado. Le solemos preparar 120 de agua, con una buena cantidad de cereales para que quede espesa. En el desayuno no suele probarla y por la noche se come la mitad, si hay suerte.

Dos o tres semanas antes de cumplir un año vivimos un sueño. Un sueño maravilloso. La niña empezó a comer más o menos bien. No hacía falta que otra persona la estuviera entreteniendo, no usaba la mano derecha como defensa y se comía casi todo lo que su madre le preparaba. La papilla de 120 espesa para desayunar; 200 o 250 g de puré de verduras con pollo, o carne, o pescado, o huevo; 150 o 200 de papilla de frutas, y la papilla de la noche. Cuando cumplió el año, ese sueño desapareció y, en lugar de volver a lo de antes, empezó a no comer prácticamente nada. Apenas unas cucharadas en cada comida, a veces nada de nada (y cuando digo nada es nada, solo pecho). Así ha estado cerca de un mes y hace una semana la hemos llevado al pediatra.

Al contarle toda la historia y ver las gráficas de peso nos dijo: «Me juego la bata a que tiene anemia». Nos ha dicho que le hagamos análisis de sangre y, mientras tanto, nos ha dado unas gotas de hierro (tres o cuatro días, ocho gotas de Fer-in-sol cada doce horas; luego, dieciséis gotas cada doce horas durante un mes). Después de empezar el tratamiento ha recuperado ligeramente el apetito, el poco que tenía. Podemos decir que solo hace una comida bien al día; el puré, que se puede tomar 200 o 250 y, si hay suerte, medio yogur o un petit suisse. La merienda la hace regular, 100 o 125 de fruta, la cena mal ya que come unas cucharadas de puré de verduras y el desayuno muy mal, no come nada. Ahora estamos echando la leche de fórmula en los purés para que así tome algo de leche. Esta se une a la que mama de su madre. La niña mama fundamentalmente para dormirse por la noche, en la siesta y al levantarse. Si se despierta por la noche y su madre la trae a la cama, entonces mama más. Mamará cuatro o cinco veces al día, no más. Lógicamente, no tengo ni idea de lo que saca. La niña hasta el año no tenía ni un diente, ahora está empezando con la dentición, lo que supongo que puede influir para mal, aunque ella no babea nada ni parece que le moleste. Muerde la cuchara de vez en cuando con ganas como para calmarse. Nada semisólido que le entre en la boca lo quiere, lo rechaza todo, no le llama la atención nada de comer, no tiene el impulso de meterse nada en la boca y no pide que le des a probar cosas cuando te ve comer a ti. Si se las ofreces, lo rechaza casi todo. Lo poco que come lo hace si hay alguien que la entretiene, en caso contrario, no hay nada que hacer, ya que siempre está con la mano derecha atacando a la pobre cuchara.

Además de todo esto, la niña es muy estreñida. Si dejamos de darle Eupeptina un par de días, ya no hace caquita. Nos tememos que tiene que ver con lo espeso que le damos los alimentos para que coma cereales. Seguro que usted, doctor González, ha escuchado cientos de testimonios en este sentido. Yo también he estado hablando con personas que dicen haber tenido el mismo problema. Pero este calvario hay que vivirlo para hacerse una idea de lo que es. Hay momentos en los que su madre, totalmente desesperada y deprimida, le echa la culpa a la lactancia. Tanto nos lo dice todo el mundo que terminas por dudarlo. Lógicamente, lo único que nos importa es que la niña esté bien y sana. Si hay que dedicar tiempo a darle de comer, se hace, pero necesitamos saber si la niña está bien.

El nivel de desesperación al que llegas después de un desayuno o una cena hace que tu vida se convierta en un vía crucis cada día. Te levantas con miedo porque te tienes que enfrentar a cuatro comidas al día. Un día después de otro. ¿Por qué no estamos contentos con ningún pediatra? De la consulta de la primera pediatra a la que llevamos a Silvia a los pocos días de nacer salimos con un bote de leche de fórmula como «obsequio». No volvimos. Estuvimos dos meses llevando a la niña a otra pediatra, a su consulta privada. A los dos meses y medio nos dijo que la niña tenía que comer a las ocho, doce, tres, siete y diez horas, y que ya no había que darle lactancia materna porque todos los anticuerpos ya se los había pasado su madre hasta ese momento. Había que comer a esas horas, sin discusión, y biberón (por la mañana un poco de zumo de naranja). No volvimos.

Hemos tenido experiencias similares con otros pediatras. El penúltimo al que fuimos nos dijo que dar el pecho más de un año era tercermundista. Que la OMS recomienda dar el pecho, al menos hasta los dos años porque en países pobres es lo único que las madres pueden ofrecer a sus hijos. La respuesta fue la misma de siempre: «estáis cometiendo un error grave, ya no podéis dar el pecho más a la niña, no engorda lo suficiente por este motivo y hasta que no se tome sus buenas papillas con cereales no engordará». Por último, hemos intentado con su pediatra de cabecera, que ha cambiado (la anterior nos dio una lista de tres marcas de leche en las que ella confiaba) nos ha dicho que habíamos convertido el pecho en una religión, que la niña está enganchada al pecho y que esto es un círculo vicioso que hay que romper. Dar el pecho a esta edad no es bueno ni para la niña ni para la madre. La niña está «chupando la sangre» a su madre y no está sacando alimento suficiente.

Además, nos ha metido miedo porque su madre toma leche de vaca, pero no fresca sino de la UHT, que según ella no es leche ni es nada, que le estamos pasando cosas malas a la niña a través de la leche materna. Hasta ahora, todo lo que hemos podido, lo hemos intentado resolver con homeopatía. Hemos atacado el problema del sueño y el apetito de esta manera y en algunos momentos parece que va mejor pero no se soluciona. Nos hemos dado cuenta de que lo que estamos buscando es un pediatra que nos diga lo que queremos oír, que estamos haciendo bien, que la leche sí alimenta y que no nos preocupemos de nada. Esa es la conclusión que yo saco al leer su libro, pero ese subidón solo dura hasta la siguiente comida.

Por favor doctor, le ruego que nos ayude.

Un fuerte abrazo,

Elisa, Rodolfo y Silvia

27 de marzo de 200*

Apreciados amigos:

La lectura de su carta me ha suscitado emociones complejas. Resulta halagador ver que a unos padres les han gustado mis libros. Resulta perturbador ver que les han gustado aunque no los hayan entendido.

Porque, vamos a ver, ¿no les suena haber leído, en alguna página de *Mi niño no me come*, algo sobre no obligar a los niños a comer? ¿Sobre no obligarles de ninguna manera, ni por las buenas ni por las malas, ni con insistencia, promesas y distracciones, ni con premios o castigos, ni con medicamentos para abrir el apetito?

¿Pues qué es lo que han estado haciendo? Eso de que «hacía falta que otra persona la estuviera entreteniendo», ¿no es distraerla para comer? Eso de «usaba la mano derecha como defensa», ¿no parece indicar que la niña se estaba defendiendo?, ¿de qué?, ¿de quién? ¿Y esos «tratamientos» homeopáticos para el apetito?

El peso de su hija es totalmente normal. Es normal estar entre el percentil 5 y el 15. En España hay 400.000 bebés de menos de un año, de los cuales 20.000 tienen que estar por debajo del percentil 5, y 40.000 tienen que estar entre el 5 y el 15. Es tan normal estar por debajo del percentil 15 como estar por encima; y por lo tanto es solo para que la verdad resplandezca, y no para «tranquilizarles» ni nada por el estilo, si les digo que en realidad su hija está por encima del percentil 15, como pueden ustedes mismos comprobar con las gráficas de la OMS: www.who.int/childgrowth.

Por otra parte, me sorprende la cantidad de comida que llega a tragar su hija. Casi 250 g de puré, y eso ahora, cuando no come. Y eso con solo ocho kilos y medio de peso. ¿Han probado ustedes a comerse de una sentada siete u ocho veces más, casi dos litros de puré, que es la dosis que les tocaría para su tamaño? Por el amor de Dios, ¿cómo puede sorprenderles que solo haga una comida así al día?

Debo discrepar de su valoración en otro aspecto: el que un niño se coma medio yogur no me parece una especial suerte. Y el que se coma medio petisuis ya casi me parece un infortunio. Yo no le daría petisuis a un hijo mío a no ser que montase una pataleta (es decir, en los mismos casos en que le daría un sugus, con la ventaja de que el sugus es más pequeño).

A ver, volvamos a lo básico. El principal alimento de un niño pequeño es el pecho. Todo lo que pida, a cualquier hora. Si un niño mama de cinco a siete veces al día, y no pide más, podemos suponer que ya está tomando suficiente.

El resto de los alimentos se ofrecen después del pecho (con catorce meses no hace falta que tome el pecho antes de cada comida, ni siquiera después. Pero tampoco es malo que lo haga. Lo que Silvia quiera), en pequeñas cantidades, con el objetivo de que se vaya acostumbrando a la comida normal de los adultos (de los adultos de su casa, que no tienen por qué comer lo mismo que en casa del pediatra). Por eso, no tiene mucho sentido darles comidas distintas de las que comen sus padres (como purés, «cereales» y cosas raras). De entrada, hay dos tipos de niños: los que comen, y los que no comen. Los que no comen no prueban nada, nada de nada, absolutamente nada más que el pecho hasta los ocho o diez meses o más. Los que sí que comen suelen tomar tres a cinco cucharadas en cada comida. Se habla de un tercer tipo, los que comen más de cinco cucharadas, raramente avistados en la naturaleza. Los que comen suelen dejar de comer hacia el año.

Así que en la evolución de su hija no veo nada raro, salvo el extraño hecho de que, en algunos periodos, ha comido sorprendentemente demasiado. Pero como por lo demás parece sana, y fue solo un breve periodo, no creo que sea motivo de preocupación.

A los niños que toman el pecho no es necesario ni conveniente darles ninguna otra leche ni derivado. ¿Para qué meterle con los cereales leche de mala calidad, si puede tomar la mejor leche del mundo en el pecho?

Es normal que su hija no tome biberones. Lo normal es que un niño no tome biberón en su vida; solo aquellos niños que por algún motivo no toman el pecho necesitan el biberón. Pero el que toma el pecho, cuando lo deja, o cuando empieza a beber agua, puede beber con un vaso, como las personas. De hecho, a los bebés criados con biberón se recomienda quitarles el biberón al año, y darles la leche con vaso.

No he entendido lo de la anemia. ¿Le han hecho ya el análisis, o no? Al menos, ¿le han sacado ya la sangre? Darle el hierro antes de sacarle sangre me parece inadecuado, falsea los resultados. Si ya le han sacado sangre, tampoco corre tanta prisa darle el hierro antes de tener los resultados; total, los tendrán en menos de una semana. Además, el hierro suele producir estreñimiento, y me dicen que su hija es propensa. No vale la pena arriesgarse hasta saber seguro si necesita hierro o no. Por cierto, ¿qué harán si ganan una bata? Sobre todo, no dejen de escribirnos y contarnos los resultados completos (¡completos!, pidan una fotocopia) en cuanto los tengan.

No creo que necesiten ustedes un pediatra. Y mucho menos venirse a Barcelona para ver a un pediatra chiflado que hay por aquí. Los pediatras chiflados abundan como las estrellas del cielo y las arenas del mar, seguro que hay alguno más cerca de su casa. No creo que necesiten ustedes un pediatra, porque su hija no está enferma, y particularmente no tiene ningún problema de alimentación, como demuestra su peso absolutamente normal y la actitud decidida con que rechaza el exceso de comida. Si algún día su hija tiene fiebre o algo, cualquier pediatra medianamente decente les servirá.

Deben comprender que los pediatras funcionamos como las amebas: estímulo-respuesta. Si le dicen «nuestra hija está muy grave, estamos angustiados y desesperados, no come nada, pero es que nada de nada, es un calvario lo que estamos pasando, se va a morir...», ¿qué esperan que conteste, el pobre? Pues claro, les dirá que tiene que comer como sea y que la culpa es del pecho. A ver, que hay que ir al pediatra con un poco más de picardía. Aprovechando que ahora a los quince meses toca vacuna, pueden decir: «La traemos para revisión». Y que la mire. «¿Ha tenido alguna enfermedad?» «No, siempre ha estado perfecta.» «¿Qué tal come?» «Normal» (lo que es estrictamente cierto, por más que ustedes no quieran admitirlo). «Pero ¿come de todo?» «Sí, de todo un poco, sobre todo le gusta la leche» (pueden sonreír internamente cuando digan «un poco», pero que no se les note, y no hace falta que especifiquen que la leche es del pecho; si específicamente pregunta: «¿Le dan ya leche de vaca?», pueden contestar con toda inocencia «No, todavía le damos leche especial para bebés». Y a ver cuál es el guapo de pediatra que, tras mirar a la niña, exclame: «¡No me engañen, padres desnaturalizados, esta niña está gravemente desnutrida, se nota que no come nada, y especialmente tiene los terribles estigmas de los niños que todavía toman pecho, que, como todo el mundo sabe, a esta edad ya no alimenta!».

Bueno, en conclusión, dejen de una vez de intentar obligar a comer a la niña. Pecho, todo el que quiera. Y del resto, lo mismo que comen ustedes. Algunos niños prefieren sentarse en las rodillas de sus padres y pescar de su plato; otros prefieren sentarse en su trona y tener su propio platito con tres macarrones o cinco lentejas (raramente comen más). Y otros prefieren no comer nada, y es normal. Y ya sabe, la pueden pesar, y si no pierde un kilo, es que está bien. Ya nos contarán dentro de unas semanas.

Espero que estas sugerencias les sean útiles, y les deseo toda la felicidad con su hija.

Saludos cordiales,

CARLOS GONZÁLEZ

Ante todo, tanto mi mujer Elisa como yo mismo le agradecemos en el alma el tratamiento dado a nuestra carta. Nosotros no lo vemos como una consulta, sino como un grito de auxilio. La experiencia es un grado, como se suele decir; nosotros somos padres novatos, no tenemos experiencia, la situación ya nos ha sobrepasado y estamos viviendo, ironía del destino, una de las peores épocas de nuestra vida. Cuatro veces al día vivimos nuestra paternidad con angustia, desesperación y muchísima ansiedad. Ya nos hemos puesto en manos de un psicólogo a ver si nos ayuda a remontar el vuelo. Necesitamos amueblar la cabeza de otra manera para poder sobrellevar esta situación.

Entiendo su perturbación, doctor González, respecto a lo que comenta de no haber entendido el libro. Usted habrá oído en multitud de ocasiones la misma expresión y en efecto todos los padres desesperados tendemos a pensar que «sí, sí, pero mi hija es diferente; no puede haber nadie como ella en relación a la comida». Seguro que también habrá oído: «si hago la prueba de no forzarle a comer ya sé lo que pasará: no comerá nada de nada, literalmente hablando y solo se mantendrá con el pecho». Esto es, en efecto, lo que Elisa y yo pensamos sobre nuestra hija Silvia. La vemos tan delgadita que no nos la imaginamos con un kilo menos. ¡No, no, no puede ser...! ¡Se quedaría en siete kilitos y poco con catorce meses! El desconocimiento que tenemos nos hace no entender lo que está pasando. Y esa es la angustia. No saber dónde está el problema.

Le voy a contar el día de ayer, que es un día típico con alguna excepción (como los días, muy pocos pero los hay, en que se come un puré de 250 g). La niña se despierta pronto, a las siete de la mañana. Ha dormido ocho horas seguidas, se acostó tarde, como siempre, cerca de las once. Su madre se levanta, la carga, la abraza, la cubre de besos y se la lleva a la cama. Allí le ofrece el pecho y la niña se deleita disfrutando de lo que más le gusta en este mundo: cuerpo a cuerpo con su madre, recién despertada, juntas en la cama y mamando. Papá está al lado, pero de momento no le presta atención; lo que tiene entre manos es demasiado tentador como para distraerse con otras cosas.

Su madre está muy cansada porque se acostó cerca de las dos de la mañana. No ha tenido ni un solo minuto a lo largo del día para hacer nada de nada. Le gustaría que Silvia durmiera un poco más para que ella pudiera a su vez descansar, pero es difícil dormir de nuevo a Silvia cuando esta se despierta con marcha.

Ahora sí... ahora que la pequeña se ha dado su traguito, está dispuesta a jugar al fútbol con la espalda de su papá. Este intenta esquivarla lo que puede, pero una vez en el borde de la cama ya no puede seguir huyendo. Él la deja hacer. Mamá se da por vencida y cerca de las nueve de la mañana se levanta. Tiene que desayunar rápidamente porque hay que bajar a la calle. No hay que hacer compra ni nada parecido. La única forma que tiene de que Silvia desayune algo es mirando al camión de basura o los autobuses que pasan por la calle. Mamá no empezó a darle papilla de cereales muy pronto. A partir de los seis meses se la ofrecía de vez en cuando, pero Silvia no quería ni hablar del tema. Hasta los nueve meses, nuestra protagonista desayunaba algunas cucharas de papilla con cereales sin gluten y solo cenaba pecho. A partir de los nueve meses, una señora que tiene por costumbre jugarse su bata blanca, su pediatra, dijo que había que desayunar y cenar como Dios manda y que era básico no saltarse ninguna comida. Nuestra abnegada madre empezó a hacerlo con suerte dispar. Algunas veces algo, algunas veces más, otras casi todo, la mayoría nada o casi nada. Las papillas eran de tres o cuatro cacitos de leche de continuación con cereales. Una papillita muy modesta, para bebés pequeñitos. Después de tantos fracasos, mamá pareció entender que no quería desayunar papilla de cereales y que el yogur, sin gustarle mucho más a la peque, parecía que le entraba algo mejor. Eso sí, siempre con algo de teatro por delante.

Son cerca de las once de la mañana y ha costado cerca de cuarenta y cinco minutos terminar un yogur, menos tres o cuatro cucharadas que ya no entraban de ninguna manera. Mamá ya empieza a tener un problema: ve que esto es como todos los días... se está haciendo demasiado tarde. Será imposible terminar hoy a las nueve de la noche con ella, tal y como sueña desde hace meses. Bueno, nuestra activa ardilla empieza a desplegar sus encantos. Ya ha empezado a andar, pero siempre necesita cogerse en un dedito de mamá; ella solita no se atreve todavía. Empieza a gritar y emocionarse cuando ve los columpios. Mamá va de aquí para allá complaciendo todos los deseos de Silvia. «Esto es genial, porque seguro que tanta actividad la dará hambre a la hora de la comida» piensa mamá. A las doce hay que ir pensando en dormirse un poco. En caso contrario, a la hora de la comida la pequeña estará tan cansada que solo pensará en dormirse con su chupete preferido (único en realidad): el pecho. Mamá intenta dormirla, pero no hay manera: «ahora me lo estoy pasando bien mamá, déjame en el suelo por favor...». Mamá se empieza a angustiar: esto no va bien, más de lo mismo, otro día igual. En efecto, a la una regresan a casa y cuando mamá se pone a preparar el puré, nuestra pequeña dictadora empieza a cogerla del pantalón, desde su sillita le tira de la camiseta y empieza a jadear pidiendo su comida, pidiendo su pecho. Mamá no se niega, le da el pecho y la niña cae dormida al instante en sus brazos.

Ya empiezan a llegar las primeras lágrimas del día. Mamá sabe que hasta las dos y media o tres la niña no se va a despertar y esas no son horas de comer. Aprovecha para comer ella junto con papá, que trabaja cerca de casa. Él viene todos los días a ayudar a mamá a darle la comida a la niña. Hoy se ha disgustado porque estaba dormida y no había comido. Otra vez igual, el mismo calvario, la misma angustia. Papá es muy analítico, siempre se le dieron bien las matemáticas; empieza a contar: no salen las cuentas, la niña solo ha comido un yogur con cereales desde que despertó a las siete de la mañana. Sí, también ha mamado, pero los médicos le han dicho que,

251

para una niña tan mayor, el pecho no es suficiente y tiene muchas carencias que deben ser completadas con otra alimentación. Si a papá no le salen las cuentas con algo, ya lo tiene grabado a fuego en su mente. Volverá al trabajo y no podrá olvidarse de esto ni un instante. Cuando llegue a casa por la tarde ya habrá rebasado otro día más su límite de ansiedad y estará totalmente abatido. Por fin, a las tres y veinte de la tarde, nuestra pequeña protagonista se despierta. «Oye mami, venga, enchúfame el pecho que he sudado un poco y tengo sed.» Mamá piensa que no debe hacerlo pero no puede negarse. Sabe que si lo hace no va a comer pero está segura de que, si no lo hace, no comerá tampoco. No está siguiendo las instrucciones de la señora de la bata blanca. Esta le comentó a mamá que nada de pecho, incluso le mandó unas inyecciones que se llaman «sin leche en dos días», para dejar el pecho radicalmente. Regresa la angustia: «La niña no comerá y encima no podré decirle a la pediatra lo que estoy haciendo porque no estoy siguiendo sus instrucciones. Nadie me puede ayudar, nadie me entiende, me siento sola...».

Por fin está sentada en las piernas de su madre, con un babero enorme puesto alrededor. Ella nació con vocación de pintora de brocha gorda. Decora con estilo las paredes de la cocina con un gotelé de puré de trazo grueso. Mamá empieza la segunda batalla del día. Silvia, ya desde el momento en que le fue puesto el babero, levantó la mano derecha para tenerla a punto. Primer intento, primer manotazo. «No Silvia, manita no», le repite una vez más su madre. Al oír esto, la niña jadea pidiendo la cuchara y cuando la tiene cerca, a su alcance, segura de que no va a fallar, lanza su mano con saña sobre ella y la cuchara sale volando. Mira a su madre como diciendo: «¿Otra vez más?, que no quiero, mujer, no seas pesada». Mamá sigue y sigue. Ha descubierto que si le deja meter la mano en un vaso de agua, puede que aguante dos o tres cucharadas. «¡Si por lo menos fueran dos o tres cucharadas soperas!», piensa mamá. De esa manera le cabría una buena cantidad. Pero Silvia sigue comiendo con esa cuchara que mamá le compró cuando tenía seis meses. Como no abre la boca, no le cabe nada más grande. Además, cada cucharada requiere recoger lo que va echando durante seis veces de media. Cuando mamá llega a la cucharada cuarta, dentro de la boca de Silvia ha entrado la cuchara veinticinco veces, la mitad lo tragó y la otra está en el babero. «Mala suerte, ya no me gusta el vaso de agua y ya no como más.» La siguiente hora y media se va en cambiarla de habitación, ponerla delante de la tele, del ordenador. Nada de nada. No hemos conseguido ni una sola cucharada. Se confirma, Silvia no ha comido, otro día más. Mamá se quiere morir, pero cree estar absolutamente segura de que dentro de un rato, a las seis, le entrarán las frutas porque ¡debe de tener hambre, no ha comido en todo el día! Guarda el puré para la noche. «¿Cómo no le puede gustar comer esto? Si hasta a mí me gusta. Hoy lo he hecho de calabaza, calabacín, judías verdes, acelgas, zanahoria, tomate, cebolla, puerro y patata. Además le he añadido un poco de arroz integral y un trozo de carne de ternera ecológica.» Llega la hora de la merienda. Mamá coge una pera, un trozo de manzana, un trozo de plátano, un poco de papaya, zumo de naranja y un petit suisse y lo mezcla todo. Papá siempre dice que por qué prepara tanto si siempre hay que tirar más de la mitad. Mamá responde que por si acaso algún día se lo come todo.

Silvia está en la cocina, con su madre, curioseando por ahí. Mamá prepara la papilla y a la calle. Vuelta a la lucha, mismo resultado. Papá ya se lo espera y sale de trabajar con esa angustia en el pecho. Por la tarde no se ha podido concentrar imaginándose lo que estaría pasando en casa. Confirma sus sospechas al pasarse por el parque. El mundo se hunde de nuevo. «No hay salida a esta situación, esto no va a cambiar y a mí me está quitando la vida.» Papá decide coger el coche e ir a un café que hay cerca de casa. Una vez, allí, comió bien. Ya son las siete de la tarde, sin comer, sin merendar. En el coche la niña pide el pecho pero mamá no se lo da. En la cafetería se despliega todo el arsenal de guerra. Llega una señora con su hija y se empiezan a enrollar con la niña. Esta se queda alucinada, no mueve ni un músculo y mamá aprovecha para meter una cucharada tras otra. A los diez minutos se ha tomado casi 200 g de papilla de frutas con cereales. Mamá y papá están muy contentos, pero saben que esto ha sido un golpe de suerte. Deciden pasear un rato. Hoy ha merendado bien, pero son las siete y media y no podrá cenar pronto. Habrá que dejar pasar el tiempo para que le entre hambre. A las nueve, de vuelta a casa. En el coche la niña pide el pecho y ahora mamá sí se lo da. En casa, se prepara todo, nuestra pequeña se da un baño reparador pero papá y mamá ya están nerviosos, mamá llora mientras baña a Silvia porque ha repasado su día. No ha hecho absolutamente nada excepto dar de comer a la niña e intentar dormirla. Hoy tampoco cena. El puré de la comida vuelve a irse por el fregadero. Ya no hay fuerzas para seguir luchando. Mamá sale de dormir a Silvia a las once y media. Papá tiene la cena preparada, pero ellos tampoco tienen hambre. Los dos lloran en la cocina como otros tantos días. La desesperación ya es demasiada. Además, no es posible irse a la cama todavía. Hay que preparar el puré para el día siguiente, colgar la ropa y hacer alguna cosa más. La casa está hecha un desastre. Papá intenta hacer algo los fines de semana, pero de una semana a otra la casa está sucia y la ropa sin planchar. Ambos están con el agua al cuello pero ¿mañana será otro día?

¿Desayunó? Sí, pecho al levantarse, con muchas ganas pero ¿es esto suficiente?

¿Comió? Sí, pecho antes y después de la siesta pero ¿es esto suficiente?

¿Merendó? Ese día sí, tuvimos suerte.

¿Cenó? Sí, pecho, pero la niña tiene catorce meses, por el amor de Dios.

Doctor González, de verdad que nos gustaría tener algo a lo que recurrir para no preocuparnos tanto, pero analizando esto, ¿de verdad piensa que la situación es normal?

Le mantendremos informado de los resultados de los análisis tan pronto como los tengamos.

De nuevo, mil gracias, un millón de gracias por su atención. Es usted una gran persona que ayuda a las personas,

Rodolfo

6 de abril de 200*

Apreciado amigo:

¡Dios mío, qué historia! Ganas me entran de ponerme a hacer de Doctor House. Porque ustedes no necesitan un psicólogo, sino un capataz de trirreme, alguien que les largue un buen latigazo cada vez que intenten obligar a comer a la niña.

Vamos a las preguntas concretas. ¿Es suficiente que desayune solo el pecho? Pues, evidentemente, sí que lo es. La prueba: que Silvia no quiere desayunar nada más. Eso de por sí ya es suficiente prueba para todo aquel que confíe en que Silvia es una niña sana de inteligencia normal. Aparentemente, todo el mundo confía en Silvia... menos su pediatra y sus padres. Para aquellos que no se fían de Silvia, hay una prueba complementaria: el peso, que es completa y absolutamente normal, y siempre lo ha sido. Es imposible tener un peso normal cuando no se ha comido lo suficiente; en África lo saben demasiado bien. (Ampliación de tema: ¿y cómo puede ser suficiente, solo con el pecho? Pues porque el pecho es el mejor alimento que existe, es un alimento completo que lleva todos los nutrientes, salvo tal vez el hierro, del que hablaremos luego, en perfecta proporción. Porque la composición de la leche materna cambia con el tiempo, aumentando progresivamente la concentración de grasas y por tanto de calorías, y después del año la leche contiene casi 90 calorías por 100 g, y subiendo, frente a las birriosas 69 calorías de la leche de vaca, 40 o 50 de la fruta, 20 o 30 de la verdura.)

¿Es suficiente el pecho como comida? Pues sí, *vide supra*. Además, ha tomado el pecho dos veces, es decir, ha comido dos veces en vez de una.

¿Merendó? Ese día no tan bien como otros, porque la niña se despistó, y en vez de tomar teta, con sus proteínas, su calcio, sus vitaminas variadas y sus 90 calorías, tomó 200 g de frutas con cereales, sin calcio, sin más vitamina que la C, sin grasas, con pocas proteínas de mala calidad, con un exceso de azúcar (el que llevan las frutas de forma natural y el que llevan los cereales industriales de forma artificial) y probablemente con bastantes menos calorías, a no ser que estuviera espesa como engrudo. Por suerte, parece que esos despistes solo suceden de tarde en tarde, y que en general sí que merienda bien. A ver si lo entendemos de una vez para siempre:

A. Mucha teta = buena alimentación.

B. Mucha teta + un poquitín de fruta = buena alimentación.

C. Mucha fruta + nada o casi nada de teta = mala alimentación.

Entre las opciones A y B no hay ninguna diferencia práctica desde el punto de vista nutricional. La fruta no aporta nada a su nutrición. Lo único que le puede faltar a la teta es hierro, y la fruta no tiene (casi) hierro. La única ventaja de la opción B es que así se van acostumbrando a comer como los adultos. Siempre y cuando el poquitín de fruta sea como la que comen los adultos: mordisquear un plátano, chupar un gajo de mandarina, roer un trozo de manzana..., si la fruta viene en forma de triturado con cereales, entonces ni siquiera sirve para acostumbrarse, porque los adultos no comemos esa porquería (o si no, ¿por qué dice que cada vez hay que tirar la papilla? ¿Por qué no se la comen ustedes, y así no se desperdicia?).

¿Cenó? Pues sí, el pecho, que, como hemos explicado y demostrado varias veces en los párrafos anteriores, es lo mejor que se puede cenar.

La Asociación Española de Pediatría recomienda, siguiendo a la OMS y al UNICEF, dar el pecho por lo menos dos años. Por motivos exclusivamente médicos, que son los únicos de los que se debe encargar una asociación de pediatría. Porque es la mejor nutrición. En España hay cientos de miles de niños que no llegan a mamar esos dos años. ¿Qué toman a cambio? Cosas peores. A un niño que solo toma teta, y nada más, le falta hierro. A un niño que toma todo lo demás, pero le falta teta, le faltan varias docenas de ingredientes, tal vez cientos, ingredientes que la leche materna contiene y que ninguna combinación de alimentos, naturales o artificiales, puede aportar. Y sin embargo, todavía en todos los años que llevo en este consultorio, no me ha escrito ninguna madre preocupada, «doctor, mi hija de catorce meses ya no toma el pecho, ¿qué nutrientes le van a faltar?, ¿puedo compensarlo de alguna manera?». ¡No, cuando los niños están mal alimentados, los padres siempre están tranquilos; solo se angustian los padres de los pocos niños que sí que están bien alimentados! ¡El mundo al revés!

¿Que si de verdad pienso que la situación es normal? A ver, es una situación compleja, con muchos matices que habría que analizar separadamente:

☞ Lo que come su hija: completamente normal, excepto por esos pocos días en los que come un exceso de papillas y porquerías. No me sorprende lo de las cuatro cucharadas; tengo tres hijos, y sé lo que come un niño normal, lo he visto con mis propios ojos; lo que me sorprende es lo de los 200 g, eso sí que es raro; pero, claro, si es solo de vez en cuando, tampoco creo que sea peligroso.

☞ Intentar seguir dándole de comer a una niña que evidentemente no quiere más: decididamente anormal. Si no fuera porque es una anormalidad muy extendida en nuestra sociedad, si no fuera porque están ustedes bajo la presión de la pediatra y probablemente de otras muchas personas..., diría que es una actitud decididamente neurótica. Pero, claro, neurótico no es el que hace cosas raras, sino solo el que hace cosas raras distintas de las cosas raras que hace la mayoría de la gente.

☞ Darle papillas y triturados a una niña de catorce meses: anormal. Para mi gusto, papillas y triturados no se darían jamás. Pero en todo caso, incluso cuando se dan papillas, se dejan de dar al año. O al menos eso es lo que me enseñaron mis profesores de pediatría: «Al año, el niño se sienta a la mesa con sus padres y come de su plato».

☞ Que un pediatra les diga a los nueve meses que la niña tiene que comer como sea, desencadenando así una catastrófica cascada de calamidades: como lo de antes, ontológicamente anormal, aunque por desgracia fenomenológicamente muy frecuente. (¿A que quedan cultas esas palabras?)

☞ Que una familia entera organice su vida en torno a las horas de las comidas de una pobre niña que ya ha comido suficiente y no necesita comer más, como demuestran su actitud, su peso y su salud: más que anormal, patético.

Dejen de preparar papillas, purés y triturados. Dejen de organizar visitas guiadas cultural-gastronómicas, que parecen el yaya-tours (sí, esos que se llevan a los abuelos en autocar, y con la disculpa de enseñarles el Valle de los Caídos o el Real Sitio de Aranjuez les arrean un banquete de cuatro platos y baile agarrado, que más de uno acaba la excursión en la UCI). Dejen de intentar darle de comer a su hija, que ya tiene catorce meses y ya puede comer, cuando quiera, ella solita. Dejen de obligarla a comer. Dejen de intentar obligarla a comer. Dejen de pensar cómo, cuándo o dónde comería más. Dejen de idear planes para que coma más, dejen de imaginar que come más. Dejen de fastidiar, vamos. Y dejen de darle leche artificial, leche de vaca, leche de crecimiento, yogures, petit suisse, Actimeles y otras tonterías. ¿Pues no quedamos en que toma teta a todas horas? ¿Pues no les gustaría que comiese un poco más variado? ¡Pues vaya variedad, teta, leche, yogur, Actimel, petit suisse! Solo falta la cuajada, el arroz con leche y la leche frita, y ya comerá «de todo».

Al final no me ha contado lo de la anemia; si le han hecho los análisis o no, si le están dando hierro o no. Con teta y unas gotas de hierro ya tiene absolutamente todos los nutrientes que necesita, puede seguir varios años sin comer absolutamente nada más. Si los análisis demuestran (como probablemente demostrarán, pero hasta que no se hagan no se sabe seguro) que no tiene anemia, ni las gotas de hierro necesita. Y si no toma hierro, con teta y una pequeña (muy pequeña, como un sello de correos) cantidad de carne ya tiene suficiente. Todo lo demás, insisto, no son cosas que se le den para su correcta alimentación, no las necesita para eso. Se le dan para que se vaya acostumbrando a la comida normal de los adultos. Si se come un solo guisante, uno solo, pero se lo come contenta, con sus propios deditos, ya se está acostumbrando, y vamos bien. Si se come 250 g de triturado de guisantes, patata, zanahoria, puerro y calabacín, pero para que se lo coma hay que coger un vuelo barato a Praga y esperar a que salgan los muñecotes del reloj del ayuntamiento, no hemos avanzado nada, porque ni se está aficionando a la comida (al contrario, le está cogiendo manía), ni está comiendo comida normal para adultos.

Bueno, a ver si esta vez les he convencido o tengo que ir con el látigo. Ardo en deseos de conocer el resultado de la analítica.

Un cordial saludo,

CARLOS GONZÁLEZ

Envío los resultados de los análisis que, en una carta anterior, le indiqué que íbamos a hacerle a la niña. Creo que los análisis son muy completos porque hemos aprovechado a hacérselos junto con un estudio hematológico que había que hacerle. Yo tengo algún problema en la sangre y la niña lo podía heredar.

Desde la última vez que usted tan amablemente me respondió, han pasado muchas cosas: como se acordará, la pediatra se jugó su bata a que la niña tendría anemia antes incluso de hacerle los análisis. Según ese diagnóstico «a ojo», nos dio doce gotitas de hierro Fer-in-Sol cada doce horas. Evidentemente, los niveles de hierro saldrían falseados en los análisis, no así los de ferritina, nos indicó.

Cuando le empezamos a dar hierro a la niña, un par de días después, ésta empezó a comer que daba gusto. Algo totalmente desconocido. Era glorioso, comía en veinte minutos o menos, sin entretenerla prácticamente con nada. Lo negativo es que, al comer más, mamaba menos, pero seguía con sus tres o cuatro tomas al día aunque, según su madre, sin tanta intensidad. La niña engordó y subió del percentil 5 al 13 en un mes. Estuvimos con el hierro un mes, mientras le hacían el estudio y esperábamos los resultados.

La pediatra perdió su bata, porque anemia no tenía. Nos dijo que ya no le diéramos hierro y nosotros así lo hicimos. En cuestión de semana, semana y media, la niña empezó de nuevo a comer poco, a dar manotazos y regresó la pena. Durante el mes que estuvo comiendo bien, la acostumbramos a comer sólido por la noche, con nosotros, y se lo pasaba muy bien. Aún ahora, que come peor, sale del baño por la noche con ganas de comer algo en trocitos. Las cantidades que come son totalmente ridículas. Cuando come pollo, por ejemplo, se puede comer lo que un adulto se comería al pinchar su tenedor una única vez y llevárselo a la boca. Un trocito de nada, muy picadito. Pero es feliz.

El tema es que la pediatra nos ha vuelto a mandar hierro. Dice que no pasa nada, que es inocuo y que se lo demos para que coma mejor. Doctor González, le ruego encarecidamente que me dé su opinión sobre los análisis que le envío. La pediatra dice que no pasa nada con los valores que están fuera de rango. Dice que la mayoría de ellos son normales por tramo etario. Sin embargo, me parece que es un poco pasota, usted ya me entiende...

Un dato importante es que la niña no fue en ayunas. Desde que se levantó hasta que la pincharon, estuvo mamando. No tomó otra cosa, solo leche materna, pero en abundancia. Ahora la niña tiene quince meses, pero los análisis se le hicieron con catorce.

Le agradezco de antemano, como siempre, su inestimable ayuda y su experto consejo.

Mil gracias de nuevo,

Elisa, Silvia y Rodolfo

22 de mayo de 200*

Apreciados amigos:

Pues sí, ¡han ganado ustedes una bata!

Porque no es que esté «bien por los pelos»; anemia, a esa edad, es una hemoglobina de menos de 11, así que 12,4 es perfecto. Creo que no tomó suficiente hierro para mejorar tanto. Nunca tuvo anemia.

Yo no le daría hierro. Y, desde luego, la cantidad que un adulto pincharía de una sola vez con el tenedor es la cantidad normal de carne que come un niño de quince meses, ¿cuánto pensaban que iba a comer?

En efecto, los análisis son normales. Los valores de inmunoglobulinas, proteínas, calcio, LDH y fosfatasas alcalinas son completamente normales para su edad.

Así que, venga, un último esfuerzo y la dejan de obligar a comer. Que ahora ya sabemos seguro que está sana como una rosa.

Un cordial saludo,

CARLOS GONZÁLEZ

Tengo dos hijos: una niña de dieciocho meses y un bebé de dos.

Mis consultas son:

1. Mi hija de dieciocho meses pesa 11.700 g y mide 83 cm. Come estupendamente desde pequeña (excepto cuando está malita, como es normal). Desayuna un biberón de leche y luego tostadas de pan o galletas o cereales en seco (copos de cereales de adultos). Come lo mismo que nosotros y no le gustan los alimentos triturados; los platos que se come son importantes (siempre la cantidad que ella quiere).

Merienda poco: una pieza de fruta y un trozo de queso (manchego, no le entusiasman las cosas cremosas como los quesitos o los yogures), o un batido de leche con cacao y una magdalena, o jamón serrano y una rebanada de pan...

Para cenar solo se toma un biberón de 250 ml con dos cazos de cereales y casi nunca se lo acaba todo. Duerme toda la noche de un tirón y jamás nos ha dado una mala noche.

¿Debo cambiar las cenas?, mi marido y yo siempre cenamos ligero (un yogur y una pieza de fruta, por ejemplo) y desayunamos más fuerte, y nos gustaría mantener con ella esa costumbre.

¿Puedo darle hortalizas crudas?, le encanta el tomate crudo, el pepino, el pimiento, la zanahoria... y no sé si son demasiado fuertes para ella. Le gusta la comida consistente y sólida, que tenga que masticar (es un poco atípica).

2. Mi hijo de dos meses pesa 6.000 g y mide 60 cm; las últimas dos semanas ha engordado 800 g y estamos muy contentos de cómo evoluciona todo. Le alimento solo con pecho, y hace tomas diurnas cada tres horas (rara vez tiene una de cuatro horas) de al menos quince minutos en cada pecho, aunque le dejo todo lo que quiera estar. Por la noche hace una dormida de unas seis horas y otra de cuatro o cinco horas.

El único problema es que tiene la tripa llena de gases (le hicieron una radiografía y aquello parecía un globo) pero la succión es correcta: abarca gran parte de la areola con la boca, su nariz y su barbilla tocan el pecho, sus labios se doblan un poco hacia afuera y no hace sonido de «besuqueo» al mamar. Al final de la toma en cada pecho está casi siempre parado y dormido, en realidad enteniéndose con el pezón por «puro gusto», pero si intento sacarlo de su boca lo retiene con fuerza. Siempre hace una toma (de ocho a once) que la pasa llorando (chillando) por los cólicos de los gases, y aunque le he dado Blevit Digest una temporada y otra Aero Red, no conseguimos casi ninguna mejoría. Ahora voy a cambiar al Carminativo Juventus.

¿Debo dejarle tanto tiempo al pecho?, ¿no será eso lo que le produzca los gases? hasta ahora le he alimentado a demanda, pero mi pediatra me ha recomendado en esta última visita que limite las tomas a quince minutos en cada pecho.

261

Enhorabuena por la revista y en especial por esta sección. Me río muchas veces con la fina ironía con la que el doctor González nos hace ver en ocasiones las absurdas preocupaciones que frecuentemente tenemos los padres.

Un saludo,

Carolina

12 de noviembre de 200*

Apreciada amiga:

Menos mal que no hay ahora por aquí ninguno de esos padres con absurdas preocupaciones. Así podemos centrarnos en temas realmente importantes: si el tomate es demasiado fuerte para una niña de dieciocho meses.

En serio, ¿cómo no va a poder comer hortalizas crudas? ¿No le dijeron que al año puede comer de todo? ¿Ha oído hablar alguna vez de una intoxicación por hortalizas? ¿No dice que ya las ha probado, y que le encantan? Pues, ¿qué más datos necesita?

En realidad, no creo que su hija sea «atípica». El preferir masticar a tomar triturados es bastante típico de los niños a los que no se ha obligado a comer.

En cuanto a lo de las cenas, no es que «deba» cambiar, pero tampoco está obligada a darle siempre lo mismo. Lo lógico es que su hija coma lo mismo que ustedes; aunque también puede encontrarse con que ella exija algo diferente. Los chicos de hoy en día, ya se sabe, no respetan las tradiciones, y a lo mejor un día de estos su hija le pide una tortilla de patatas, o las sobras del mediodía, o un bocata de chorizo. En todo caso, lo que sí que sería conveniente es dejarle de dar biberones. Un día u otro los ha de dejar, y seguro que puede beber leche en un vaso, y mojar todas las galletas y todo el pan que quiera.

En cuanto al menor, no me sorprende que en la radiografía se vieran gases en la tripa, pues la tripa siempre tiene gases. En el estómago hay aire porque nos lo tragamos, y cuando los bebés tragan demasiado, rápidamente lo vuelven a echar eructando. El gas que hay en el intestino no es en su mayor parte aire deglutido, sino que se forma por la digestión de los alimentos, y es totalmente normal. Parte de ese gas se vuelve a absorber en el mismo intestino; otra parte sale en forma de pedos. Ciertos alimentos producen más gas que otros, pero su hijo no creo que coma alubias. No creo que el gas, por sí solo, produzca ningún dolor. ¿Alguna vez ha llorado usted después de comer alubias, incluso cuando nota sus embarazosos efectos? ¿Alguna vez ha oído decir que un niño de tres años, o de doce, o un adulto, tiene gases? ¿Por qué los gases han de molestar precisamente a los bebés, y a nadie más? No creo que los gases puedan molestar mucho a un niño, no creo que su hijo tenga gases solo de ocho a once horas (¿por qué no iba a tener el resto del día?), y no creo que exista ningún medicamento que expulse, alivie, disminuya o evite los gases. Ya lo ha comprobado usted con dos medicamentos; por favor, deje de darle porquerías al niño, que al final alguno le va a sentar mal.

Muchos niños se ponen nerviosos y llorosos al final de la tarde o al comienzo de la noche. No parece tener nada que ver con la alimentación. A veces, cada vez que inspiran con fuerza para llorar, tragan un poco de aire; y al final, cuando dejan de llorar, hacen un gran eructo. Mucha gente cree que el niño tenía gases y no dejó de llorar hasta que los echó, pero en ese caso podrían eructar tranquilamente al principio y ahorrarse la escena. No, es justo al revés: no pueden eructar hasta que dejan de llorar.

No sabemos muy bien por qué lloran los niños, pero sí que sabemos que lloran menos cuando se les hace caso. Hay que tomarles mucho en brazos, hacerles cosquillas, cantarles canciones, mecerlos, pasearlos... y todo eso hay que hacerlo todo el día, no solo cuando lloran. No veo ningún motivo para limitar las tomas, si a usted no le molesta y él se calma con el pecho. Si pide muchas veces seguidas el pecho en esas «horas locas», puede probar a darle cada vez el mismo pecho, que se supone casi vacío. Algunos niños maman solo por consuelo, pero ya tienen la barriga llena. También hay niños que se calman si papá se los lleva a dar vueltas a la manzana y no vuelve en hora y media; si no se calman, al menos se calma mamá, que también tiene derecho.

Por último, y dada la hora a la que llora su hijo, ¿no será que es la hora de ponerlo a dormir? Muchos niños pequeños (y eso incluye a los dos suyos) necesitan dormir con la madre, y lloran si se les deja solos. Otros son todavía más sutiles: si saben que su madre intenta dormirles al pecho para dejarles solos en la cuna, se resisten activamente al sueño y se «pasan de rosca». El problema mejora (a veces tarda unos días) metiéndolos en la cama con los padres.

Espero que alguna de estas ideas le sea útil, aunque sea por pura casualidad. Un beso a esos niños encantadores.

Saludos cordiales,

CARLOS GONZÁLEZ

Mi niño sí me come... muchísimo. Mi hijo Pablo tiene doce meses, pesa 12 kg y mide 80 cm. Es un sol, feliz y activo, y además un grandote. Se alimentó por lactancia materna exclusiva y a demanda hasta los seis meses y continuó tomando el pecho hasta los diez. Lo dejó él por un error mío: me incorporé a trabajar cuando cumplió los seis meses (pedí una excedencia para poder mantener la lactancia hasta esa fecha), le mantuve las tomas de la mañana, comida y cena (trabajo por las tardes) y mi madre le daba un biberón y fruta en la merienda; como es tan comilón enseguida aprendió que con el biberón comía más y más rápido. Me vino la regla cuando tenía diez meses, y ese mismo día no quiso más pecho.

Bueno, el «problema» (algunas madres me matarían) es que come mucho; es más, todavía no sé dónde tiene límite su apetito, siempre tiene hambre. Me persigue por la casa (ya anda) para pedirme comida una hora después de merendar dos mandarinas y medio plátano (sin triturar, masticando), un yogur, dos lonchas de pechuga de pavo y una galleta (por poner un ejemplo).

Le doy un trozo de pan, un poco de jamón serrano, una zanahoria... y aguanta otra hora más. Solo llora para pedir comida (aunque más que llorar reclama).

Es evidente que a día de hoy no tengo ningún problema, sino un crío precioso y alegre, pero lo único que me preocupa es la sombra de una hipotética obesidad futura; a día de hoy sus percentiles, aunque altos, están equilibrados, a pesar de lucir una oronda barriguita. Me gustaría tener alguna orientación adicional a la de la alimentación a demanda que ya practicamos, porque su demanda es ilimitada.

Muchas gracias,
Carolina, madre de Pablo

21 de octubre de 200*

Apreciada amiga:

¡Un niño que sí que come! No sabe usted la alegría que me da. Hacía años que no oía esa frase.

No creo que deba preocuparse por la posibilidad de que se vuelva obeso.

Primero, la mayoría de los niños «dejan de comer» al año, cuando disminuye su velocidad de crecimiento. Sí que hay algunos tragones que siguen comiendo (aunque normalmente un poco menos), pero también se ve con frecuencia el caso opuesto: el que para en seco. Como diciendo: «Ya he comido para tres años, y ahora puedo estar dos años sin comer». Veremos cuál es su caso.

Segundo, como usted dice, no es que esté gordo; está grande. Si de mayor va a ser un tío cachas de dos metros de alto, no nos debe sorprender que se le note un poco. No es lo mismo ser obeso que ser fuerte.

Tercero, aunque la obesidad es un mal asunto, mucho peor hoy en día es la anorexia. Es decir, más vale que un niño se críe gordito a que se críe obsesionado con la comida (o con no comer).

Cuarto, incluso suponiendo que fuera obeso (que no lo es), poner una dieta para adelgazar a un niño pequeño siempre es una cosa delicada. No es cuestión de que le falte algún nutriente necesario para su crecimiento.

En conclusión, lo mejor es seguir dándole de comer a demanda, no negarle la comida ni reñirle ni darle vueltas al asunto. Eso sí, es prudente evitar las chucherías y golosinas. No tenga tales cosas en casa, advierta a las abuelas que no le den caramelos, para beber, solo agua pura (ni refrescos ni zumos, ni siquiera zumos naturales). Los ejemplos de piscolabis que cita usted en su carta me parecen muy acertados, creo que lo está haciendo usted muy bien.

Espero que estas reflexiones le sean útiles, y le deseo toda la felicidad junto a su hijo.

Saludos cordiales,

CARLOS GONZÁLEZ

Tengo una niña de trece meses que tiene un comportamiento un poco extraño a la hora de comer, y es que no come, es decir, que, aunque le doy distintas cosas, ella no se molesta en probarlo (como si le asustara la comida), pero lo raro no es eso, sino que si por último le hago un biberón también lo rechaza, pero si luego dormida se lo vuelvo a dar entonces sí se lo toma entero (con cereal incluido), 600 o 700 de leche es lo que toma en veinticuatro horas, con unos seis cacitos de cereal por biberón.

No sé si con eso tiene suficiente o tendrá a la larga alguna carencia nutricional. ¿Será un problema de manías? Ella es una niña que nunca parece tener hambre. En una ocasión consulté con un pediatra privado y él lo decía así, «ya comerá», pero si no le ofrezco el biberón dormida ella pasa los días sin comer, y el del seguro dice que tendrá suficiente. ¿Qué puedo hacer? ¿Puede aborrecer la comida un niño al que nunca se le ha obligado a comer?

Un saludo,

Ana

22 de enero de 199*

Apreciada amiga:

Casualmente, llevo también el consultorio de la revista *Ser Hijos Hoy*. El otro día recibí una carta de una niña de trece meses, que creo puede tener alguna relación con su caso. Le copiaré el párrafo central:

«Desde hace unas semanas, tengo unas pesadillas espantosas. Sueño que una especie de biberón alienígena sale de las tinieblas, se mete en mi boca y me llena la barriga de leche. Aunque en mi sueño la leche no sabe exactamente a leche, sino más bien a galleta, o a caramelo barato, no sé si me entiende. El sueño es increíblemente real, me despierto agotada, intranquila y con una extraña sensación de haber comido. Pero lo más curioso es que luego, cuando mi madre me da la comida, no tengo nada de hambre, y no consigo probar bocado. A veces veo también el biberón cuando estoy despierta, y huele igual que en el sueño, pero es mi madre, mi propia madre, la que está detrás; entonces me entra una especie de angustia y me pongo a llorar. Doctor, ¿usted cree que me estoy volviendo loca?».

¿Le suena la historia? Ponernos en el lugar de nuestros hijos siempre es un ejercicio útil.

A partir del año, más o menos, los niños dejan de comer. Un niño de año y medio come menos que uno de ocho meses, por la sencilla razón de que está creciendo más despacio. Desde luego, 600 o 700 de leche con cereales es más que suficiente para su hija. Es imposible que coma nada más después de comerse todo eso. Si lo duda, haga la prueba de tomarse usted otro tanto. Y usted debe de ser cinco o seis veces más grande, en realidad se tendría que tomar unos cuatro litros de leche con cereales cada día para comer lo mismo que su hija. ¿No se horroriza solo de pensarlo?

A su hija también le horroriza. Usted misma lo ha notado, «como si le asustara la comida». Haga que la comida deje de asustarla. Ponga fin a las pesadillas nocturnas. Permita que su hija decida cuánto y cuándo quiere comer. A su hija jamás le faltarán vitaminas si la deja comer lo que quiere, del mismo modo que jamás le faltará oxígeno si la deja respirar lo que quiere. En el número de febrero de la revista encontrará más información sobre el tema de los niños que no comen.

Espero que estas informaciones le sean de utilidad, y que su hija y usted puedan volver a disfrutar de la comida.

Un fuerte abrazo,

Carlos González

Soy una madre preocupada por su hijo, es un niño de once meses, mide 71 cm y pesa solo 7.340 g, tiene buen apetito. Le han diagnosticado «fallo de medro», pero todas las pruebas realizadas han salido bien: D-xilosa, cultivos de orina y heces, ecografías, prueba del sudor y demás analíticas. Le han cambiado su leche por una hidrolizada. Me gustaría que me explicara más sobre esta enfermedad y si todas las pruebas han salido bien qué es lo que pasa.

Gracias,

Adelina

8 de junio de 199*

Apreciada amiga:

Le han dicho que su hijo tiene «fallo de medro» porque su peso es bajo para su edad y para su talla. Por lo que explica en su carta, su hijo no tiene ningún otro problema, y todas las pruebas y análisis han sido normales.

«Fallo de medro», en este caso, no es más que una manera complicada de decir que su hijo pesa poco. Un niño puede pesar poco por tres motivos: porque no come lo suficiente, porque está enfermo o porque es de constitución delgada.

Niños con poco peso por no comer hay millones en el mundo; pero por suerte en España ya no se ven. Además, especifica usted en su carta que su hijo tiene buen apetito.

Los niños que pesan poco debido a alguna enfermedad suelen tener, además, algún otro síntoma: fiebres, diarreas, vómitos, dolores, o simplemente «tienen mala cara». Si su hijo se desarrolla normalmente (en cuanto a sentarse, gatear, hacer gorgoritos y todo eso...), está despierto y alegre, sonríe y ríe, se interesa por los juegos habituales de su edad, el aspecto de su piel y su mirada es normal..., en definitiva, si hasta que no lo pesa no ve nada raro, es poco probable que su hijo esté enfermo. Por si acaso, y puesto que algunas enfermedades dan pocos síntomas, su pediatra le ha mandado una serie de pruebas. Ahora está segura de que su hijo no tiene una mala absorción, ni una infección de orina, ni una malformación grave de los riñones, ni una diarrea infecciosa crónica, ni una fibrosis quística. Imagino que también han comprobado que no tiene anemia u otras alteraciones de la sangre, ni diabetes, ni hepatitis, ni parásitos (especialmente las lamblias; son unos bichos muy frecuentes y a veces se resisten a salir en los análisis)...

Todo esto nos deja solo la tercera posibilidad: que su hijo es delgado de por sí. Algunas personas son muy delgadas toda su vida. Otras tienen un ritmo especial de crecimiento, por ejemplo, engordando menos de lo habitual durante los primeros años, y compensándolo más adelante. ¿Hay otros miembros de su familia muy delgados? ¿Recuerdan las abuelas si los padres y tíos del niño fueron muy delgaditos también de pequeños?

Puesto que no se observan síntomas de ninguna enfermedad, parece que lo más prudente es dejar al niño tranquilo y esperar. Sobre todo, no caiga en la tentación de intentar hacerle comer a la fuerza; solo conseguiría que vomitase, y añadir un importante problema psicológico a un problema de alimentación que probablemente no tiene ninguna importancia.

Espero que esta información le sea de utilidad, y le deseo toda la felicidad con su hijo.

Saludos cordiales,

CARLOS GONZÁLEZ

Tenemos un niño de cinco meses y medio. Hasta los cuatro meses no comía muy bien pero tomaba todo, frutas, verduras y biberones.

Hará unos días empezó a vomitar y fuimos al pediatra, nos dijo que tenía infección en el oído y nos mandó darle un antibiótico, pero después empezó a tener diarreas y el pediatra nos dijo que tendría gastroenteritis y nos aconsejó que le diéramos unas gotas en los oídos y biberones con leche sin lactosa; pasaron varios días y el niño no quería comer nada. Ha perdido peso, está muy excitado y no duerme en todo el día, aunque se le han quitado los vómitos y las diarreas.

Los pediatras nos dicen que el niño está perfectamente pero cada día que pasa come menos y protesta más al comer.

¿Nos podrían decir alguna marca de estimulantes del apetito y si serían aconsejables?

¿Podrían darnos alguna dirección en nuestra zona donde podamos acudir para que nos vieran al niño?

Se lo agradeceríamos mucho ya que hemos visitado varios pediatras y no nos dan ninguna solución, por lo que estamos desesperados.

Muchas gracias,

Sergio

23 de diciembre de 199*

Apreciados amigos:

Están ustedes desesperados porque su hijo cada vez come menos. Sin embargo, lo han visto varios pediatras, y no le ven ninguna enfermedad.

Los niños, por lo general, comen menos de los que creemos que tendrían que comer, y engordan menos de lo que creemos que tendrían que engordar.

Los principales motivos por los que un niño no come son:

☞ No tiene hambre. Es decir, ya ha comido bastante y no tiene que comer más.

☞ Le han querido obligar a comer. Es una ley de la naturaleza que, cuanto más se intenta hacer comer a un niño, menos come.

☞ Está enfermo. En su caso, parece que tuvo una otitis y luego una diarrea, pero que ya está mejor. Dicen en su carta que perdió peso; supongo que fue durante la enfermedad, y que ahora ya lo ha recuperado.

En los dos primeros casos, lo único que hay que hacer es respetar al niño y no obligarle a comer. En el tercer caso, hay que buscar cuál es su enfermedad y darle el tratamiento oportuno; cuando se cura, el niño vuelve a comer.

Los estimulantes del apetito no deberían usarse en ningún caso. Si el niño está sano, no los necesita; y si está enfermo, no se va a curar por tomarlos. Además, pueden tener efectos secundarios graves (las ganas de comer no están en el estómago, sino en el cerebro).

¿Cómo va ahora el peso de su hijo? Si está perdiendo, lo mejor es volverlo a llevar al pediatra, mejor a uno que ya lo haya visto. Por supuesto, un médico puede equivocarse y otro acertar; pero mucho cambio de médico tampoco suele ser bueno, porque la evolución de los síntomas es uno de los datos más importantes que los médicos tenemos en cuenta.

Pero si su hijo está ganando peso normalmente (lo que significa unos 450 g al mes), entonces está totalmente normal y lo único que hay que hacer es no obligarle a comer. No obligarle de ninguna manera y por ningún motivo.

Y recuerde que cada vez ganará menos peso. Y, por lo tanto, cada vez comerá menos.

También es normal que su hijo no duerma tanto como antes. Los recién nacidos se pasan el día durmiendo, y a medida que crecen duermen cada vez menos.

Espero que esta información le resulte de utilidad.

Feliz Navidad,

CARLOS GONZÁLEZ

Lo primero que queremos es felicitarles por su maravillosa revista. Somos unos padres novatos que tenemos un bebé de casi once meses que nos tiene muy preocupados desde que nació. No ha comido bien (solo le pudo dar pecho mes y medio), y a los tres meses ya le teníamos que dar el biberón con la cuchara porque no quería comer y era la única manera de meterle algo. A los cinco meses lo llevé a un pediatra nuevo que me recetó un estimulante del apetito llamado Pantobamín, que le fue estupendo el mes y medio que se lo estuvimos dando pero al dejarlo volvimos a lo mismo.

Después, a los nueve meses, se lo volvimos a dar y no le hizo el mismo efecto pero comía mejor. Pero ahora, desde que se lo dejamos de dar es peor, porque hace lo que no había hecho nunca, que es vomitar. Además, desde que le metemos la cuchara (desde la primera) empieza con arcadas. El día que no me vomita el desayuno vomita la comida, sino la merienda, y si nos hemos librado, pues seguro que es la cena.

La hora de la comida se ha convertido en un infierno, su madre que es la que más está con él necesita un psiquiatra, porque además se angustia mucho porque dice que no va a crecer como los demás. Quisiéramos de verdad una ayuda.

¿Le ha podido perjudicar el estimulante al estómago?

¿Me podría decir cuáles son las comidas más nutritivas?

¿Me podría decir de algunos sistemas para que esté bien alimentado?

¿Me podría indicar algún producto homeopático que le abriera el apetito y no le hiciera daño?

Tiene casi once meses y come lo siguiente:

☞ Por la mañana, una toma de leche con cereales, 80 ml.

☞ A mediodía, verduras (pocas).

☞ A media tarde, fruta (la mitad de 225 ml).

☞ Por la noche, 90 o 100 ml.

¿Cree que está bien alimentado?

Ahora le han recetado Arcasin (cisaprida), y seguimos igual,

Sergio

8 de junio de 199*

Apreciados amigos:

Están ustedes preocupados porque piensan que su hijo no come lo necesario. Su hijo no quiere más papillas, lo mismo que antes no quería más biberones, y que en un principio no quiso más pecho (pues sospecho que ese mismo fue el motivo de que no le pudiera dar más tiempo de mamar).

No comentan nada en su carta sobre el peso y la talla de su hijo. Supongo, por tanto, que están más o menos normales.

Ustedes mismos explican en su carta la causa y fundamento de todo el problema: «La hora de la comida se ha convertido en un infierno».

Conozco ese infierno. Los ruegos, las súplicas, los llantos, la desesperación, los vómitos, los gritos. Apenas han dado por acabado el desayuno, y ya temen la comida para la que apenas faltan unas horas. Preparar la comida para su hijo, sentarlo en la trona, ponerle el babero, no son sino la antesala del infierno. Han tenido ustedes una infancia, una juventud, un noviazgo; pueden recordar un tiempo feliz en que la hora de la comida era una hora de reposo, compañía, conversación. Confían en que su problema irá desapareciendo con los años, en que su hijo comerá cuando sea mayor. Piensan que todos los esfuerzos, las horas pasadas con la cuchara en la mano, son «por su bien»,

272

que están haciendo lo mejor para su hijo. Pero sigue siendo un infierno.

¿Qué es la hora de la comida para su hijo? Es cerrar la boca, volver la cabeza, escupir, llorar, vomitar. Es acabar de comer y temer ya la cena. Es sentarse en la trona y empezar a temblar. Pero él no logra recordar ninguna época en que comer fuera agradable. Él no entiende cuál es el objetivo de todo este sufrimiento, por qué insisten en darle comida cuando ya no tiene hambre. Su hijo ha pasado toda su vida en el infierno.

Y ese infierno va a empeorar. Porque los niños, a partir de los nueve o doce meses, comen menos que antes. Un niño no puede comer lo mismo cuando engorda casi un kilo al mes que cuando engorda un kilo cada seis meses. Durante los próximos años, su hijo va a comer bastante menos de lo que ha comido hasta ahora.

Su hijo no puede hacer nada. Primero, no tiene más hambre. Segundo, no conoce otra forma de comer. Tercero, no es capaz de elaborar planes complejos ni de comunicarlos. Su hijo no puede levantarse un día y decir: «Papá, mamá, se me ha ocurrido una idea para arreglar lo de las comidas...».

Su hijo no puede salir del infierno. Solo ustedes pueden. Necesitarán mucha fuerza, mucha paciencia y mucha fe. Pero pueden salir. Porque pueden ver la puerta, y lo que hay al otro lado.

Es preciso, ante todo, que comprendan que su hijo ya está comiendo lo que necesita. Puede que sea menos que lo que comen otros niños, o menos de lo que dicen los libros que ha de comer..., pero es lo que él necesita. Porque, si su hijo hubiera comido cada día un poco menos de lo que necesita, hubiera perdido, digamos, 10 g al día, 3.650 g en un año. ¿Pesa ahora siete u ocho kilos? Pues imagínenselo con tres kilos y medio menos.

En segundo lugar, hay que comprender que todo lo que ha vomitado no le ha servido de nada. La cantidad que su hijo necesitaba no es la que ha comido, sino la que le ha quedado dentro después de vomitar. Si su hijo no hubiera vomitado, si toda esa comida se le hubiera quedado dentro, habría engordado más.

Digamos 10 g al día…, ahora pesaría tres kilos y medio más. Una obesidad en ciernes. Su hijo no tiene más remedio que vomitar si no quiere ponerse realmente enfermo.

En tercer lugar, tienen que reconocer que todos sus esfuerzos no han conseguido (por fortuna) que su hijo comiese ni una cucharada más de las que tenía que comer. Todo lo que comió de más con el medicamento para abrir el apetito lo compensó comiendo todavía menos tan pronto como dejó de tomar la medicina. (Y, claro, no puede tomar toda la vida una medicina que no es ninguna tontería, pues las ganas de comer están en el cerebro. Los medicamentos para abrir el apetito son primos de las pastillas para dormir.) Todo lo que come de más cuando intentan obligarle con cualquier otro método lo vomita al cabo de unos minutos.

Hay que hacer algo para que la hora de comer deje de ser un infierno. Hay que hacer algo definitivo, hay que hacerlo ya. Y tienen que hacerlo ustedes. Tienen que dejar de intentar obligar a su hijo a comer. Ni con ruegos, ni con súplicas, ni con amenazas, ni con promesas, ni con reproches, ni con gritos. Ni distrayéndolo, ni haciendo el avión con la cuchara, ni con castigos, ni con premios, ni guardando en la nevera para la cena lo que no quiso en la comida.

No se trata de «que sepa lo que es el hambre, y ya pedirá». No es una nueva estrategia para que coma. Va a comer lo mismo. O, más bien, va a comer menos, y así no tendrá necesidad de vomitarlo luego. Se trata de reconocer y respetar que su hijo sabe cuánta hambre tiene, y tiene derecho a comer lo que necesita, ni más ni menos.

¿Cómo puede saber lo que ha de comer? ¿No es solo un niño? ¿No lo sabremos mejor sus padres? No. Su hijo no sabe matemáticas; no sabe ni siquiera hablar, pero sabe lo que necesita comer. Del mismo modo que sabe cuántas veces por minuto tiene que respirar. Para saber lo que tiene que comer no se necesita estudiar, ni practicar, ni siquiera inteligencia. Los conejos comen lo que necesitan, los peces comen lo que necesitan, los gusanos comen lo que necesitan. Es una capacidad de todos los seres vivos, y su hijo también puede hacerlo.

Posiblemente estarán ustedes angustiados pensando que su hijo, si no le obligan a comer, puede coger una anemia, enfermar, tal vez morirse de hambre... Pero no puede pasarle nada si antes no pierde peso. Pueden pesarlo antes de empezar, y después todas las veces que quieran. Mientras no pierda un kilo, no pasa nada (digo un kilo porque, si no, las pequeñas oscilaciones de la báscula, o el pesarlo antes o después de hacer pipí, les pueden traer locos. Cuando nació perdió casi un cuarto de kilo; no le pasó nada y lo recuperó en pocos días).

Si no quiere ni una cucharada, pues no le dan ni una cucharada. Y si solo quiere cuatro, pues no le dan la quinta. Siempre que sea posible, dejen que sea él mismo quien coja la comida con los deditos y coma: trocitos pequeños de fruta, miguitas de pan. Se ponen solo dos o tres en el plato; no hay nada que quite más el apetito que ver un plato lleno de comida. Y si un determinado alimento no le gusta, pues no se lo dan y punto. No pueden cambiárselo por caramelos y golosinas, claro; pero dentro de lo que es una alimentación «normal» su hijo tiene todo el derecho a elegir.

Naturalmente, si no le obligan a comer, no tendrá ningún motivo para vomitar, así que tampoco necesitará el Arcasin.*

Les va a quedar mucho tiempo libre. Las «horas» de las comidas pueden verse reducidas a solo unos minutos. Piensen en cosas agradables que puedan hacer con todo este tiempo: cons-

---

* Años después, la cisaprida, que se había promocionado y usado como la maravillosa solución para las regurgitaciones y vómitos de los bebés (incluso de los bebés sanos), fue retirada del mercado por sus gravísimos (aunque, por suerte, poco frecuentes) efectos secundarios. Una nueva lección de prudencia. Muchos medicamentos tienen efectos secundarios graves, y eso puede aceptarse cuando se trata de curar un cáncer o una meningitis..., pero es inaceptable para «curar» una simple regurgitación.
http://www.agemed.es/actividad/alertas/usoHumano/seguridad/cisaprida.htm.

Notarán que, al contestar esta carta, no me di cuenta de que había otra carta previa de los mismos padres. Solo lo he visto ahora, al revisar mis archivos para preparar esta recopilación.

trucciones, dibujar, jugar al escondite, destrozar revistas... Seguro que lo pasarán mejor.

En el número de febrero de la revista apareció un artículo sobre los niños que no comen. Les adjuntamos una fotocopia.

Espero que esta información les haya sido de utilidad, y que disfruten plenamente con su hijo. Ya nos contarán cómo les va.

Un fuerte abrazo,

CARLOS GONZÁLEZ

Me llamo Pilar y tengo una niña de cuatro meses.

Según el pediatra y las tablas orientativas, mi hija se encuentra por debajo de la media tanto en estatura como en el peso. Mide 59 cm y pesa unos 5.600 g.

El pediatra dice que está compensado su peso con su estatura, pero yo estoy un poco preocupada pues es muy mala para comer, pocas veces se bebe el biberón entero y ya le estoy dando cereales por la noche.

Les agradecería que me mandaran su opinión y si debo preocuparme o, de lo contrario, acostumbrarme a que ella es así de constitución.

Un cordial saludo,
Pilar

11 de febrero de 199*

Apreciada Pilar:

Efectivamente, su hija está por debajo de la media. Como la mitad de los niños. Es exactamente igual de normal estar por debajo como estar por encima. El peso y la talla de su hija son completísimamente normales.

¿Cómo puede decir que es «mala» para comer? ¡Su propia hija! Uno puede ser malo porque roba o asesina, decir que un niño es malo porque no recoge o porque se pelea con otros ya sería un poco exagerado, pero ser malo porque no se acaba los biberones... Eso es un juicio de valor completamente inapropiado.

276

Y por supuesto que no se acaba los biberones. Los niños que crecen despacio necesitan menos comida que los que crecen deprisa. La cantidad de leche que viene en la lata o que le ha recomendado su pediatra está calculada para los niños más gordos y tragones; a su hija le tiene que sobrar por fuerza. Si siempre se deja bastante, lo mejor es prepararle menos, para no tener que tirar la leche.

Vamos, que tiene usted razón: no debe preocuparse, y ella es así de constitución.

Espero haber ayudado a despejar sus dudas, y le deseo toda la felicidad con su hija.

Saludos cordiales,

CARLOS GONZÁLEZ

Soy madre de un niño de tres años y medio y una niña de seis meses y los dos son malos comedores. La pediatra me dice que es que son niños inapetentes, es decir, nunca tienen hambre. Me gustaría recibir información sobre pautas de alimentación y cómo alimentar a niños inapetentes sin perder los nervios. ¿Es malo forzar a los niños a comer? ¿Qué hacer? Siempre están por debajo de su peso.

Gracias,

Inmaculada

14 de diciembre de 200*

Apreciada amiga:

Efectivamente, es malo forzar a los niños a comer. Es una afrenta, una injuria, una falta de respeto, una humillación. Sobre todo, les duele.

Obligar a un niño a hacer algo que le conviene, como ir al colegio o lavarse los dientes, también es malo. Es mejor enseñarle con el ejemplo, o explicarle los motivos, o pedírselo por favor. Pero obligarle a hacer algo que le perjudica, como darse de golpes contra la pared o comer más de lo que necesita, ya es el colmo.

En efecto, a sus hijos les perjudicaría comer más de lo que están comiendo en la actualidad. Lo que ahora comen es exactamente lo que necesitan, y comer más les haría daño. ¿Que cómo sé que han comido lo que necesitan? Indirectamente, porque están sanos y bien nutridos. (¿Y como sé eso? Porque usted no lo dice en su carta; y si estuvieran enfermos o desnutridos no se habría olvidado de decirlo.) Directamente, sé que han comido lo que necesitan porque ellos me lo han dicho. Bueno, se lo han dicho a usted, y usted me lo ha contado. Le han dicho que no quieren comer más, que no tienen hambre. El único motivo por el que un niño sano no tiene hambre es porque ya ha comido bastante.

¿Por qué, entonces, cree usted que comen poco? Hay una diferencia entre lo que ellos necesitan comer y lo que usted cree que necesitan. Dicho finamente: está usted equivocada. No sé de dónde se ha sacado sus ideas, si de un libro o de comparar con algún vecinito tragón, pero en cualquier caso sus hijos necesitan comer menos de lo que usted piensa. Y si se comieran todo lo que usted les quiere dar, se pondrían enfermos. Porque usted no quiere que coman un 5% más, no se hubiera molestado en escribir por eso. No es que su hija coma cinco cucharadas y usted quiera que coma cinco y cuarto (eso ya es un 5% más, y solo con eso acabaría su hija obesa). Es que su hija come cinco cucharadas y usted quiere que coma diez, o quizá veinte. Y eso es el doble, o cuatro veces más, y si su hija comiera cada día el doble de lo que necesita, se moriría (y, al revés, si hubiera comido cada día la mitad de lo que necesita, se habría muerto hace ya años).

La manera de dar de comer a los niños inapetentes (es decir, a los niños normales) es bien sencilla: ponerles la comida delante, y dejar que coman lo que les dé la gana. Ni más ni menos. Cómo hacer eso sin perder los nervios ya es cuestión de cada cual, porque depende de la facilidad con que pierda los nervios cada uno. Hay madres que se ponen a mirar la tele, otras se encierran en el lavabo, algunas prefieren apretar fuertemente las mandíbulas y contar hasta dos millones. Sea como sea, no pierda los nervios: no les haga el avión con la cuchara, no les grite, ni castigue, ni amenace, ni chantajee, ni les intente comprar con premios y promesas...

He escrito un libro que creo que le será útil; se titula *Mi niño no me come*. Además, hay un artículo sobre niños que no comen en el último número de la revista (diciembre).

No sé si ha notado que hay una inconsistencia lógica en su mensaje. Dice: «Siempre están por debajo de su peso». Imposible. El niño A puede estar por debajo del peso del niño B; pero el niño A no puede estar por debajo del peso del niño A. Lo que pesan sus hijos, ese es «su» peso, el suyo personal, y si los niños de las vecinas pesan más, peor para ellos, que, además de no ser tan guapos como los suyos, resulta que son «pesados». Por cierto, ¿usted qué prefiere?, ¿estar por debajo o estar por encima del peso de sus vecinas?

Espero que esta información le sea útil, y que disfrute mucho con sus hijos.

Feliz Navidad,

Carlos González

Me he atrevido a hacerle una consulta al pediatra porque ninguno de los casos que cuentan de otros niños lo puedo aplicar al mío. Mi hijo está extremadamente delgado, tiene dos años y medio, pesa 7,5 kg y mide 83 cm. Bueno, tengo que decir que nació prematuro de veintisiete semanas y 900 g. Después de cinco meses salió del hospital con 2.800 g. Yo sé que tiene que tener un retraso de peso, pero no tanto. El problema es que siempre ha comido muy poco, y si se resfría o tiene otro problema come aún menos.

Toma unos 200-300 ml de leche (entre por la mañana, la tarde y la noche), un potito pequeño a mediodía (de comida casera que se la hago bien concentrada) y por la noche o bien huevo pasado por agua muy machacado o medio potito pequeño de pescado y leche; no toma fruta, no admite cambios, no mastica (las galletas o pan que le doy entre comidas los chupa sin masticarlos) y no le puedo dar trocitos con la comida porque como se lo traga sin masticar se atraganta o vomita. Y además, como tiene gran vitalidad, se pasa todo el día correteando y jugando, y debe de gastar bastantes calorías.

Me pregunto si en estos casos extremos podrían estar indicados los estimulantes de ciproheptadina durante cortos periodos de tiempo (por ejemplo, un mes, descansar un tiempo, luego otro mes, etc.) para ir ganando poco a poco peso, o si se puede hacer alguna otra cosa.

Además de darle pan o galletas fuera de horas para que aprenda a masticar, ¿puedo hacer algo más? No admite que le dé trozos de manzana o plátano ni nada de nada.

Gracias anticipadas por su respuesta,

Selma

14 de febrero de 200*

Apreciada amiga:

Piensa usted que el caso de su hijo es diferente de otros que se comentan en la revista, tal vez porque fue prematuro.

Pero eso fue hace dos años y medio. Ahora su hijo ya no es prematuro. Es un niño sano que corre y juega. Es cierto que el peso es bajo, aunque teniendo en cuenta los antecedentes resulta aceptable. Ante otro niño que a su edad pesase solo siete kilos y medio, lo primero que haría sería decirle a la madre que lo lleve al pediatra para que lo miren bien, no vaya a estar enfermo. Pero, habiendo sido prematuro, seguro que durante todo este tiempo los pediatras del hospital, los neurólogos y algunos otros especialistas le habrán estado haciendo visitas periódicas, y probablemente también varios análisis. Y no le han encontrado nada. Así que su hijo está comprobadamente sano.

No, no creo que en su caso esté indicada la ciproheptadina. A priori, uno tiende a pensar «si en algún caso ha de estar indicada, sería en este». Pero lo cierto es que jamás he visto a los neonatólogos recomendar estimulantes del apetito en casos similares, ni tampoco he visto que se use en otros casos «desesperados», como en el cáncer, el sida, la anorexia nerviosa... Si la ciproheptadina sirviera de algo en estos casos, el neonatólogo del hospital sería el primero que se la habría recetado (y si algún día otro pediatra se la recomienda, más vale que consulte al neonatólogo antes de dársela). Si su hijo la tomase, supongo que pasaría como siempre: en el mejor de los casos engordaría un poco mientras la toma (que a veces ni eso), y luego lo volvería a perder todo al dejársela de dar. Y si se la dieran de manera continua para evitar el retroceso, a la larga podría tener efectos secundarios importantes (somnolencia, retraso escolar, a veces disminución del crecimiento).

Su hijo está sano y feliz, y se le aplican las mismas recomendaciones que a cualquier otro: no obligarle jamás a comer, dejarle que coma por sí mismo la cantidad que él quiera. Si él pide la comida triturada, pues se la tritura. Pero si él la acepta a trozos, déjele que coma, aunque a veces se atragante. Para nadar hay que echarse al agua, y no puede aprender a masticar y a tragar si no lo intenta y si no se atraganta al principio, como todos los niños.

Haga usted lo que haga, tanto si lo hace todo bien como si lo hace todo mal, su hijo masticará. Seguro que a los quince años no se hace triturar la pizza y las patatas fritas (y, si fuera así, sería una manía bien inocente; más vale eso que el botellón). Así que lo importante no es qué hacer para que mastique, ni cuándo va a masticar (no viene de unos meses), sino si en este tiempo que falta hasta que mastique van a ser los dos felices, o desgraciados. Lo mejor es que pase olímpicamente del tema, y espere feliz y despreocupada.

Espero que estos comentarios le sean útiles, y le deseo toda la felicidad junto a su hijo.

Saludos cordiales,

CARLOS GONZÁLEZ

Me llamo Josefina, y estoy muy angustiada porque mi hijo de tres meses desde que nació ha tenido el siguiente peso:

El primer mes engordó algo más de 1 kg, pero a partir de entonces y hasta ahora ha engordado 300 g (en dos meses). Solo le doy pecho y a demanda, aunque el pediatra me ha dicho que le dé cada dos horas excepto por la noche, que duerme unas siete horas seguidas. Vale, yo le doy, pero es que está completamente inapetente, mama dos o tres minutos y luego se queda con la teta en la boca sin hacer el menor esfuerzo, hasta que al cabo de dos o tres minutos vuelve a mamar diez segundos...

Ahora me ha dicho el médico que no lo tenga tanto rato con la teta en la boca, solo unos diez minutos en cada pecho, porque él la quiere porque está muy a gusto, pero se tiene que dar cuenta que solo se la daré para comer. Hoy lo estoy haciendo así, pero a él le da igual: llora un poco cuando se la quito, pero le pongo el chupete y se queda tan fresco.

A los dos meses de vida le descubrieron un poquito de infección de orina; tomó Augmentine y ahora está bien. Mañana le haremos un análisis de sangre para quedarme tranquila, pero en principio él es un niño que está contento, se ríe, se mueve, duerme bien.

El médico me ha dicho que si sigue con tan poco peso tendremos que darle ayuda, pero yo me pregunto: si no tiene hambre de teta, ¿va a tener hambre de biberón? Yo lo que quisiera es que comiera mejor y más, pero de pecho.

Estoy muy presionada por todo el mundo. Me dicen que le dé biberón, y no sé si voy a aguantar mucho tiempo más así...

Por favor, le pido que me diga algo: he tenido desgarro en los pezones, grietas, tres principios de mastitis. Ahora la postura del bebé es la correcta, eso lo he superado y no quisiera quitarle el pecho. A mi hija de cuatro años la alimenté hasta los seis meses solo de pecho. Combinado después con otras comidas estuvo tomándolo hasta que tuvo más de un año. Con ella no tuve problemas ni de mastitis, ni de peso ni de nada.

Por favor, contésteme pronto si puede. Gracias,
Josefina

23 de julio de 200*

Apreciada amiga:

Realmente, el peso de su hijo no va muy bien. Un kilo el primer mes es magnífico, hasta sobra. Pero luego, ¿quiere decir que ha hecho 300 g cada mes, o que ha hecho 150 g cada mes, 300 g entre los dos? Trescientos cada mes es poco, pero podría incluso pensarse que hubo un error al pesarlo el primer mes: si en vez de 1.000, 300 y 300 fueran 700, 500 y 300, sería casi aceptable. Pero si han sido 300 en los dos meses, realmente es preocupante.

Como usted muy bien dice, si no quiere teta tampoco parece que fuera a querer mucho el biberón. No creo que sea cuestión de falta de leche, puesto que engordó un kilo y por tanto usted tenía leche. Es casi imposible que la leche «se retire» porque sí, la única causa que se me ocurre es el hipotiroidismo de la madre (puede que le convenga hacerse pruebas). Pero, de todos modos, no me cuadra: si un niño sano y normal ve de pronto que su madre tiene menos leche que antes, lo lógico es que se quede con hambre, que pida pecho a todas horas... En vez de eso, su hijo se queda tan tranquilo y no protesta. No parece que tenga hambre.

Por si acaso, vamos a probar un par de cosas para intentar que su hijo tome más pecho: apretarse el pecho durante la toma, y sacarse leche. Pero, francamente, lo veo difícil: creo que no mama más porque no quiere.

Al ponerle al pecho, en esos dos o tres minutos en que mama con fuerza, usted no haga nada. Cuando vea que se queda parado con el pecho en la boca, o que mama flojo y no traga, apriete el pecho con la mano bien abierta, el pulgar por arriba y los otros dedos por abajo. No apriete cerca del pezón, sino en la base del pecho, con la mano pegada a las costillas. No bombee (apretar-soltar-apretar-soltar), sino apriete una sola vez y mantenga la mano apretada. Apriete fuerte, sin hacerse daño pero que se note. Al apretar, notará que el niño espabila y se pone a tragar la leche que sale. Mantenga la mano apretada mientras vea que el niño mama con ganas; cuando vea que vuelve a parar, suelte el pecho y espere un momento. Muchas veces, al soltar el pecho, sale otro chorro, y el niño mama un poco más. Cuando vea que vuelve a quedarse parado, repita la operación apretando en cruz (es decir, si primero apretó arriba y abajo, ahora aprieta a los lados, o viceversa). Lo repite una y otra vez hasta que deja de funcionar, hasta que, al apretar, su hijo sigue sin mamar porque no sale nada; entonces lo saca de ese pecho y le ofrece el otro.

Este método da muy buen resultado cuando el problema es que el niño no tiene fuerzas y no mama bien. Veremos qué pasa. Si funciona, mamará más y engordará más. Pero si no tiene hambre, lo que hará es tomar más leche en cada toma, y por tanto estar más horas sin mamar, y engordará lo mismo.

El otro método, sacarse leche (a mano, si sabe cómo se hace, o con un buen sacaleches), es más que nada para tener un argumento frente al pediatra. La leche que se saca puede intentar dársela con un vasito, jeringa o cuentagotas, no con biberón, porque si se acostumbra al biberón luego mama aún peor. Si se toma la leche, se supone que engordará. En su caso, más bien me da la impresión de que no se la querrá tomar... y así demostrará que no es falta de leche. Hasta puede darle la leche materna con biberón un día, para que el pediatra vea que realmente no quiere. (Y que no le digan que es que la artificial sí que la tomaría, porque lógicamente tomará mejor la que conoce por su sabor.)

Estos dos trucos hay que probarlos por si acaso, y para que su pediatra, su familia y usted misma estén más tranquilos, y no se queden pensando «está tan delgado por mi culpa, porque no le doy biberones». Cuando tenga usted que tirar cada día por el desagüe la leche que él no quiere, quedará claro que el problema no es ese.

Y entonces, ¿cuál es el problema? Siempre cabe la posibilidad de que sea todo normal, pura casualidad, y que el niño se ponga ahora a engordar sin saber por qué. Pero, si solo ha ganado 300 g entre el mes y los tres meses, es posible que esté enfermo. Tal vez fue la infección de orina (¿han comprobado con nuevos análisis que está bien curado? ¿Le han hecho pruebas del riñón para descartar malformaciones y reflujo?), o es posible que tenga otra cosa. Insista para que le hagan las pruebas necesarias y se lo miren a fondo. Por desgracia, cuando un niño toma el pecho y no engorda, muchos pediatras se limitan a mandarle biberón; y solo cuando con el biberón tampoco engorda se preocupan de verdad y llegan al diagnóstico.

Espero que estas sugerencias le sean útiles, y que su hijo mejore pronto. Cuéntenos cómo le va. Por cierto, también le sería muy útil contactar con algún grupo de madres; en la página www.fedalma.org, encontrará una lista de todos los grupos de España.

Saludos cordiales,

CARLOS GONZÁLEZ

Muchas gracias. Se me saltan las lágrimas de gratitud. Tengo muchas cosas que contarle.

En el grupo de madres me indicaron casi en la misma fecha en la que le escribí mi carta lo mismo que me dice usted, que me sacara la leche, etc.

Pues bien, eso hago: me saco la leche después de las tomas para vaciarme los pechos completamente, se la ofrezco y ¡eureka! El primer día no sabía si reír o llorar, porque se la bebió de la jeringuilla desesperado. En unos diez días ha ganado más de 400 g.

Esto es todo lo que hago, aparte de vaciarme los pechos. Intento darle cada dos horas, y aunque a veces mama con más fuerza que antes, otras sigue sin hacer mucho esfuerzo. Entre las tomas intento sacarme algo de leche aunque me sale muy poca (unos 100 ml en todo el día).

Después del pecho y de darle mi leche en jeringuilla le doy leche de bote también en jeringuilla (unos 180 cl aproximadamente repartidos en todas las tomas). Le hago ejercicios para la succión y deglución. Tomo Dogmatil (empecé con dos capsulitas y ahora tomo tres de 50 mg al día). Me exprimo durante las tomas de la manera que me indicó.

Contestando a su pregunta: sí, aumentó solo 300 g en dos meses. Nació con 3.100 g; al mes tenía un kilo más, y dos meses más tarde 300 g más. Ahora se va recuperando pero a mí me da mucha pena pensar el tiempo que ha estado, desde los dos meses (en que me percaté que no crecía) hasta los tres meses, sin darle ayuda porque pensaba que no tenía más hambre. Creo que debería haber empezado a los dos meses con el sistema de sacarme la leche.

Con todo, no sé si seré capaz de fabricar la misma cantidad de leche que le doy de la artificial, porque no me sale más leche y no puedo suplir con la mía los mismos ml que tan fácilmente le preparo

285

con la otra. No me sale más leche. Ni siquiera cuando llora se me activa el flujo: hasta que no lleva unos segundos mamando no noto la subida de leche. El resultado de tanta historia es que estoy agotada físicamente y anímicamente estoy un poco frustrada (y eso que el Dogmatil es antidepresivo).

¿Qué pasa si no me saco más leche y después de la tetada le doy la que él quiera de biberón? Yo soy una fanática de la teta pero por eso mismo mi niño casi se me va.

Porque él es muy bueno ya que sobre el mes de vida —aparte de que la leve infección de orina quizá le quitó un poco el apetito— yo le ofrecía menos el pecho porque había tenido tres mastitis y pensaba que era porque no me vaciaba bien los pechos, y que era mejor darle cuando tuviese realmente ganas. El pobre se me dormía al pecho, lo quitaba y, aunque debía de tener hambre, no lloraba ni nada y se dormía, y cada vez dormía más, y así entramos en un círculo vicioso. Cuando lo pienso lo paso fatal.

En fin, así voy. En vez de disfrutar con mi niño el tiempo de licencia por el nacimiento de hijo, estoy todo el día con la teta para arriba y para abajo, jeringuilla va y jeringuilla viene.

Bueno, muchas gracias por escucharme y si me puede contestar la pregunta se lo agradecería,

Josefina

8 de agosto de 200*

Apreciada amiga:

Me alegra saber que su hijo ya va engordando. Seguro que en unos pocos días conseguirá sacarse cada vez más leche.

Ya ve, yo pensaba que si no se quejaba era porque no quería comer más, y resulta que sí quería más. Siempre se aprende.

Supongo que aquella infección de orina desencadenó un círculo vicioso: primero perdió peso porque estaba enfermo, y luego estaba débil por haber perdido peso y no tenía fuerzas ni para llorar ni para mamar. Aunque no lo sabremos jamás porque no se le pesó cada día, es probable que aquellos 300 g que hizo en dos meses no hayan sido un aumento mantenido, sino que igual perdió digamos 200 g con la infección, y luego recuperó 500.

Ahora, al recuperar peso tan rápidamente, recuperará también las fuerzas. Mamará cada vez mejor (con lo que usted se notará los pechos más vacíos), y pedirá el pecho con más energía. En estos momentos es fácil asustarse y tirar la toalla: «Cada vez llora más, se queda con hambre, tengo los pechos vacíos, esto no funciona». Pero no se desespere, porque precisamente esos son síntomas de que la cosa va bien.

Es también normal que pasen unos segundos hasta que usted note la subida de la leche. Algunas madres no notan jamás la subida, no pasa nada.

Creo que en su desesperación lo ve todo demasiado negro. «Mi niño casi se me va», dice, cuando estaba aumentando de peso (pero poco). Lo realmente grave es cuando pierden.

Su hijo no necesita más suplementos. Si ha aumentado 400 g en diez días, ¿cree que puede engordar aún más rápido? Es más, ahora está recuperando peso atrasado, hambre atrasada, y está comiendo, por tanto, más de lo normal. Cuando el peso se estabilice (y debe de faltar poco), entre los cuatro y los cinco meses, lo normal es que solo engorde unos 200 a 500 g. Entre los cuatro y los siete meses, el «mínimo» aceptable de engorde son unos 190 g al mes (eso hubiera sido muy poco en los meses pasados, pero cada vez engordan menos). Es decir, que incluso suponiendo que usted no tuviera más leche que ahora, probablemente podría quitarle todo o casi todo el suplemento de leche artificial.

Pero es que sí tendrá más leche. Se preocupa usted porque solo se saca 100 ml al día; pero antes no se sacaba nada, así que ha pasado de 0 a 100 en diez días. ¿Por qué dentro de una semana no iba a llegar a 200? Además, el aumento total de leche no ha sido solo de 100; eso es lo que se saca, pero hay que tener en cuenta que le está dando el pecho con más frecuencia, que el niño al estar más fuerte debe de estar mamando cada vez mejor, y que se está usted exprimiendo el pecho en su boca. Todo junto representa un aumento impresionante de la cantidad de leche.

¿Cuántas veces se saca leche al día? Cuántas más veces se saque, más leche saldrá. Si usa un sacaleches eléctrico, lo más eficaz es sacarse de un pecho mientras el niño mama del otro. Y luego, cambio (es decir, le da al niño el segundo pecho, que aunque se haya sacado, siempre queda algo, y se saca del primero, que también queda algo). Luego le da al niño con jeringuilla la leche que se acaba de sacar, que es leche del final, con más calorías, y por último le da la leche que se sacó al principio (así, si no se la acaba, será esa la que sobre). En unos pocos días notará que no se acaba su propia leche, y eso significa que ya no necesita para nada la leche artificial. Luego será cuestión de irse sacando cada vez menos, para que su hijo mame más, y en unos días más habrá vuelto a la lactancia normal, sin sacarse nada de leche.

Y si deja de sacarse leche y le da solo suplemento con biberón, ¿qué pasaría? Es difícil de decir. Cabe la remota posibilidad de que el niño, al mamar cada vez mejor, obtenga del pecho toda su leche y acabe rechazando los biberones. Pero yo no me haría ilusiones. Es más probable que en vez de 180 de biberón le dé 280 al día (es decir, más los 100 que ahora le está dando de su propia leche), que el niño se acostumbre al biberón y acabe mamando cada vez peor. Si tuviera usted la firmeza de ir dándole cada día menos biberón, también se los podría quitar (conocí a una madre que le daba a su hijo 120 cada cuatro horas, y en solo tres días le quitó todos los biberones y siguió solo con pecho, sin problemas); pero si se deja llevar por el temor y le da cada día un poco más de biberón, la lactancia terminará en dos o tres semanas.

Sería una lástima, ahora que todo va tan bien.

Saludos cordiales,

CARLOS GONZÁLEZ

Tengo un bebé de seis meses, y pesa 3,945 kg, está muy baja de peso, pero le han hecho análisis y está bien. Le cuesta mucho trabajo comer, y le han cambiado la leche (ahora toma una tratada, de farmacia) no sé qué hacer, estoy muy preocupada.

Un cordial saludo,

Conchi

28 de octubre de 200*

Apreciada amiga:

Muchas gracias por escribirnos y por la confianza con que nos honra. Su carta da muy poca información, no nos dice cuánto pesó su hija al nacer, ni cómo han ido el peso, la talla y el perímetro craneal en este tiempo, ni qué ha comido, ni cómo está la niña de salud, ni qué análisis le han hecho y qué resultados ha dado. Por otra parte, el peso es sorprendente. ¿Menos de cuatro kilos con seis meses, no se ha equivocado al teclear? Si su hija fue muy prematura, y si esos análisis que dice son las pruebas que le han ido haciendo los especialistas del hospital donde estuvo ingresada, pues lo único que hay que hacer es seguir sus indicaciones. Pero si su hija nació a los nueve meses y con un peso normal, y si ese análisis es un simple análisis de sangre que le han hecho en el centro de salud, me parece que debería llevarla lo antes posible a un buen hospital pediátrico, para que la visiten los especialistas y le hagan un estudio a fondo. Le deseo toda la felicidad con su hija. Saludos cordiales,

CARLOS GONZÁLEZ

Tengo una niña con cuatro meses y medio, nació a las treinta y cuatro semanas con 1.330 g, le cuesta mucho trabajo comer y ahora pesa 3.945 g y mide 55 cm, toma leche artificial y le he empezado a dar comida y fruta, pero sigue igual. La hicieron una analítica de orina y sangre y los resultados fueron buenos.

No sé qué hacer para que coma más y gane peso.

Un cordial saludo,

Conchi

2 de noviembre de 200*

Apreciada amiga:

¡Ah, bueno! Ya decía yo si sería muy prematura... No se olvide otra vez de contar esos «detallitos», que nos da unos sustos...

Su hija no solo fue prematura, sino además de bajo peso para su edad gestacional. Según las tablas canadienses, el peso medio

289

para treinta y cuatro semanas de gestación es de 2.266 g; el límite del bajo peso (percentil 10) está en 1.768 g, y el percentil 3 está en 1.467 g. Nació con un peso muy bajo.

En este momento, tanto el peso como la talla de su hija son bajos, incluso para una edad corregida de cuatro meses y medio. Pero el peso está dentro de lo normal en relación a la talla. Son un peso y una talla perfectamente comprensibles, dadas sus circunstancias. La evolución desde que nació ha sido buena. Y la han visitado los especialistas del hospital montones de veces, le han hecho las pruebas que han considerado oportunas, y han dicho que, aparte de su prematuridad, por lo demás está bien.

Pues ya está. Su hija no es pequeña porque no come, sino al revés. Su hija es pequeña porque nació prematura y de muy bajo peso. Y no come porque, con ese tamaño, no puede comer tanto como una niña de 65 cm y de 7 kg. No hay nada que pueda usted hacer para que coma más, aunque por desgracia sí que hay algo que puede hacer para que coma menos: intentar obligarla. Cuanto más se obliga a comer a un niño, menos come.

Eso sí, es importante darle los nuevos alimentos (y especialmente la fruta y la verdura) después de la leche, no substituyendo a la leche. Recuerde que en realidad todavía no tiene seis meses, y recuerde que la leche alimenta mucho más que los sólidos, a cualquier edad, y que la fruta y la verdura son casi todo agua. Primero el pecho o el biberón, lo que tome ella, hasta que no quiera más, y luego la papilla. Y si de fruta solo come dos cucharadas, pues mejor. Porque lo grave sería comerse un plato lleno de fruta y no tomar leche, entonces sí que iba a tener problemas de nutrición.

Un cordial saludo,

CARLOS GONZÁLEZ

Mi hijo tiene seis meses y mide 61 cm y pesa 6 kg más o menos. Hemos consultado con su pediatra habitual que nos aconsejó que fuéramos al hospital a que le hicieran la prueba de sudor que dio negativa, y una analítica completa que salió perfecta.

En el hospital me dijeron que no me preocupara por su peso y su talla, que tenía un pequeño retraso de crecimiento, pero que hasta que no cumpla el año de edad no podrán determinar nada.

Yo la verdad es que estoy muy perdida, mi pediatra me alarma, y en el hospital me dicen que no pasa nada y la realidad es que mi hijo come papillas de 90 ml cada cuatro o cinco horas y hace pocas cacas.

Aparentemente mi hijo no tiene problema alguno, pero está muy por debajo del peso y de la talla según el pediatra para un niño de su edad.

Al nacer pesó 2.490 g y midió 46 cm. En el último mes de embarazo creció y cogió poco peso.

Mi pregunta es la siguiente: ¿hay algún patrón de peso y talla que tenga que tener mi hijo? ¿Está tan por debajo de la media en peso y talla? Mi hijo come cereales desde los tres meses, y hace dos semanas empezó con la papilla de frutas: media naranja, medio plátano y media pera. No le hace mucha gracia la fruta, pero se la come a regañadientes. Sufre de estreñimiento y la pediatra le dio Eupeptina dos veces al día para regular su tránsito intestinal, además de leche de continuación 2 antiestreñimiento, y, aun así, mi hijo hace caca una vez cada dos o tres días y con ayuda de supositorio (además de todo el procedimiento que os he contado).

No sé qué más hacer para ayudarle a que haga caca todos los días, sin dolor y sin tanto esfuerzo, ni cómo calmarle el dolor de la hemorroide que le ha salido.

La verdad es que estoy desesperada, mi hijo está muy contento y muy animado pero intranquilo, ya que no hace caca una vez al día y engorda unos 400 g al mes. ¿Qué puedo hacer?

Esperanza

23 de abril de 200*

Apreciada amiga:

En efecto, la talla de su hijo es un poco baja para su edad. Pero el peso es completamente normal para su talla. Por tanto, no es un problema de alimentación (entonces estaría delgado, pero con talla normal), sino de crecimiento. Si es que es un problema.

Lo más probable es que tenga un retraso constitucional de crecimiento, que es un patrón normal de crecimiento que se da en muchos niños que crecen de forma distinta a los demás. Durante toda su infancia se mantienen en la última rayita de la gráfica o por debajo, pero a partir del año o así crecen paralelos a la gráfica (es decir, no debería irse separando más todavía). Tienen la adolescencia más tarde, y por lo tanto más tiempo para crecer, y la talla adulta es normal. Suele haber alguien en la familia que ha crecido igual (pregunte a las abuelas).

También podría tratarse de una talla baja familiar, es decir, que el padre o la madre u otros familiares son bajitos y punto.

Por supuesto, también podría ser un problema de hormona de crecimiento. Pero eso no es una urgencia, no necesita empezar el tratamiento (que consiste en una inyección diaria, así que comprenderá que a los niños pequeños no les hace ninguna gracia) ahora mismo; el resultado será el mismo si empieza el tratamiento dentro de unos años.

En el hospital ya lo han mirado, ya le han hecho análisis, ya han visto que no tiene nada grave ni urgente, además el niño está sano y contento. ¿Que dicen que hasta el año no se puede saber más? Pues me parece muy razonable. Al año lo vuelve a llevar, y según cómo haya ido en este tiempo verán si hace falta hacerle más pruebas o si no hay que hacer nada. Tranquilamente y sin ninguna angustia.

Es normal que su hijo no quiera fruta. Casi ninguno quiere. La fruta no alimenta, es casi toda agua. Lo normal sería darle la leche, que es lo que alimenta, y luego, de postre, unos días dos cucharaditas de manzana, otros días un mordisquito de plátano...

Espero haberle servido de ayuda, y que sea muy feliz con su hijo.

Saludos cordiales,

CARLOS GONZÁLEZ

Escribo porque estoy muy preocupada... Tengo un bebé de tres meses y diez días. Bueno, primero le diré que nació con 4.450 g y que yo soy diabética tipo 1 y me cuidé bastante durante el embarazo. La evolución de peso y talla del bebé ha sido:

FECHA	EDAD	PESO	TALLA
1 de julio	0	4.470 g	52,5 cm
8 de julio	8 días	4.650 g	54,5 cm
15 de julio	14 días	4.650 g	57 cm
31 de julio	1 mes	5.050 g	60 cm
4 de septiembre	2 meses	5.550 g	62 cm
9 de octubre	3 meses	6.200 g	

El niño estuvo ingresado ocho días por hipoglucemia, bajó a 4.350 g y al final salió con 4.500 g... Durante su ingreso le dieron leche artificial, yo lo ponía al pecho pero no lo cogía casi nada, me sacaba la leche y se la daba en biberón... En casa, seguí con la leche artificial y sacándome leche y poniéndolo al pecho, y así estaba hasta que me lo cogía. Sinceramente, me costó bastante.

Al final conseguí reducir las tomas de leche artificial hasta que solo tomó pecho. Cuando cumplió el primer mes ya tomaba solamente pecho. Cuando fui a la revisión del segundo mes mi bebé solo había subido 500 g (él está bien, hace caca todos los días, orina bien y está bastante alegre).

La pediatra me dijo que había que darle un apoyo tres veces al día... A mí se me cayó el mundo encima, porque había leído muchos casos de bebés que suben aún menos peso que el mío y no les mandan el «apoyo». Por suerte, hacía una semana que había contactado con un grupo de apoyo a la lactancia. La monitora me dijo que, según los datos, el niño engordaba unos 100 g semanales y estaba bien. Acudí a una pediatra más prolactancia, y me dijo que mi bebé estaba bien y podía seguir con el pecho exclusivamente...

Ayer le tocó otra revisión, además de la vacuna, y la pediatra me dijo que mi bebé está flacucho, que a los niños no solo les crecen los brazos y las piernas, que también tienen que desarrollar el cerebro, que para eso es el apoyo.

Le dije entonces que estaba en un grupo de apoyo y me contestó: «Que estos grupos están orientados a países tercermundistas y no están adaptados a la sociedad donde se imparten, que si nosotras podemos complementar la alimentación de nuestros hijos, ¿por qué no hacerlo?». (Y yo digo que mejor que la leche materna no hay nada, y que yo quiero lo mejor para mi hijo)... No, no le dije nada, creo que ella de lactancia no sabe mucho pero me hace dudar.

También me dijo que el niño ha bajado de percentiles (nació con un percentil 97 y ha bajado al 60. Ahora está en el 25) ella me argumentaba su opinión con estos datos, y enseñándome la gráfica se veía que bajaba. Me dice entonces que tengo que incorporarle cereales una vez al día con leche Nutriben Natal (ni siquiera con mi leche), ya que se tiene que ir acostumbrando, que es para que suba de peso. La verdad es que esta mujer siembra la duda en mí.

Me gustaría muchísimo saber su opinión (le doy el pecho a demanda día y noche y duerme conmigo).

Muchísimas gracias,

Yolanda

16 de octubre de 200*

Apreciada amiga:

Le contaré una historia. A veces nacen niños que pesan menos de lo normal. Los médicos, que somos muy poco originales, les llamamos «niños con bajo peso al nacer». Básicamente hay dos posibles grupos de causas para que un recién nacido pese menos de lo normal. Pueden ser causas relacionadas con el propio niño (que está enfermo, o que simplemente es pequeño porque sí), o pueden ser causas relacionadas con la madre (enfermedades, problemas del útero o de la placenta, complicaciones del embarazo...). Cuando el problema es del niño, pues normalmente nace y sigue siendo delgado (y muchas veces también bajito) durante años, tal vez toda la vida, porque es así y punto. Pero cuando el problema es de la madre, el niño al salir dice: «Por fin, ahora sí que puedo comer todo lo que quiero», y se pone a mamar como una fiera y sube rápidamente de percentil, hasta alcanzar el que habría tenido desde el principio pero no pudo alcanzar porque dentro del útero estaba pasando hambre. A ese rápido crecimiento de los recién nacidos de bajo peso se le llama en inglés *catch-up*, «pillarlo hacia arriba».

Pues bien, cuando un niño nace con más peso de lo normal, también puede ser por causas del mismo niño o por causas de la madre. Si es que el niño es así, enorme, porque el padre juega al baloncesto, pues probablemente seguirá siendo un niño enorme durante años. Pero si el problema era de la madre, si al niño le «obligaron» a crecer mientras estaba dentro de la barriga, al salir dice «por fin, ahora sí que puedo comer solo lo que quiera», y rápidamente baja de percentil, lo que en inglés se llama *catch-down*, «pillarlo hacia abajo».

Eso es lo que le ha ocurrido a su hijo. Los hijos de madre diabética crecen demasiado en el útero. El exceso de azúcar pasa a la placenta y obliga al feto a fabricar más insulina. Y la insulina es una de las principales hormonas que intervienen en el crecimiento fetal (curiosamente, la hormona del crecimiento casi no interviene a esa edad). El feto crece demasiado (en peso y en talla) por culpa del exceso de insulina, pero ese peso y esa talla no son normales para él. En cuanto puede, vuelve a la normalidad.

Por supuesto, su hijo habría hecho el mismo *catch-down* tomando biberón que tomando pecho. Y encima estaría peor alimentado y menos sano.

No es conveniente darle a un niño nada más que pecho hasta los seis meses. A los seis meses se empiezan a ofrecer otros alimentos, siempre sin forzar, y es muy fácil que su hijo no quiera nada más que pecho hasta los ocho o diez meses o más. Jamás, por nada del mundo, hay que obligar a comer a un niño.

Tiene una pediatra que la tranquiliza, otra que le causa angustia. Elija.

Espero que esta información le sea útil, y le deseo toda la felicidad con su hijo.

Un cordial saludo,

Carlos González

He sabido de usted a través de la revista *Ser Padres*, y me alegra saber que puedo realizar mis consultas sobre lactancia. Los médicos con los que he tratado no me aclaran demasiado, y hay muchos temas que me tienen muy preocupada, quizá no esté disfrutando todo lo que quisiera de mi hija, debido a todas las preocupaciones que su alimentación y engorde conllevan.

Soy madre de una preciosidad de cinco meses, al parecer mi leche no le ha hecho engordar lo suficiente y llevo un mes complementándola con biberones, según indicaciones de la pediatra en cuatro de las seis tomas que hace de unos 120 ml. También llevo, desde que ha hecho los cinco meses, una semana añadiendo a dos de los biberones una cucharada de cereales sin gluten. Ahora pesa unos 6.300 g y nació con 3.700. Ha pasado del percentil 75 (en el que nació) al 30 (en el que está ahora).

Mis dudas son las siguientes:

☞ ¿Por qué mi leche no le engorda? No quiero perder la leche por lo que trato de congelarla para luego utilizarla en las papillas, cuando se dé el caso, o para preparar algún biberón si salgo. También se me ocurrió utilizarla tipo agua cuando preparo un biberón de leche artificial, añadiendo la mitad de agua y la otra mitad de leche mía, pero con tantas cucharas por 30 ml como líquido total haya, incluida mi leche, he pensado que igual está demasiado concentrado. Ya no sé qué hacer.

☞ ¿Cuánto tiempo se puede conservar la leche artificial y la materna a temperatura ambiente, en la nevera y en el congelador?

☞ ¿Se puede recalentar cualquiera de ellas?

☞ ¿Cuántos ml sería ideal congelar?, ¿valen recipientes de cristal, por ejemplo, tipo el de los potitos?

☞ ¿Cuánto tarda en retirarse la leche que no me extraigo o ella no succiona?, aunque solo haga dos tomas, puedo mantenerla por largo tiempo aunque no le engorde; como dicen, le paso otros nutrientes y defensas, creo, ¿no?

☞ ¿Puede ser que se retire la leche de un pecho y que el otro siga produciendo leche?

☞ ¿Qué tomas del día son mejores para seguir dándole el pecho?

☞ Me quedan menos de veinte días para volver al trabajo, ¿cómo me aconseja que haga la extracción? Las tomas del biberón las hará con mi madre por la mañana (trabajo de siete a dos). Sigue haciendo unas dos tomas por la noche, a las tres, a las seis, el resto de las tomas aproximadamente suelen ser sobre las once, las dos, las seis y las nueve. Lo cierto es que ha sido siempre muy irregular en los horarios, las cantidades, el sueño... Por la noche, aunque no del tirón, pero sí se puede estar de unas doce horas en la cuna, de nueve de la noche a nueve de la mañana, pero por el día no conseguimos que en total duerma más de dos horas y en tramos de unos veinte minutos.

☞ El biberón no le gusta caliente y se lo suele tomar del tiempo, ¿alimenta más, menos o igual de esta manera?

Si me pudiera contestar se lo agradecería, atentamente,

Paqui

17 de noviembre de 200*

Apreciada amiga:

Para empezar, ¿cuándo dice que no ganó peso su hija? Los únicos datos que nos da, 3.700 g al nacer y 6.300 g a los cinco meses, son completamente normales. Y encima parece que se está sacando leche y congelándola, mientras a la niña le da otra leche de peor calidad..., de verdad que no entiendo nada. ¿Por qué dice su pediatra que no engorda? ¿Acaso ha engordado más desde que está con biberones?

Por favor, vuelva a escribirnos y nos dice todos los pesos y tallas que ha tenido la niña. Y mientras tanto lo mejor sería que le fuera suprimiendo por completo la leche artificial: si le está dando 120, pues un día 90, otro día 60, otro día 30 y fuera. Y pecho a todas horas, claro. Ya verá como en un momento vuelve a tener tanta leche como antes.

No, no hay que añadir leche artificial a la leche materna. Lo que hay que hacer es darle solo leche materna, sin contaminar.

Y si por algún motivo alguien quisiera mezclarlas (no se me ocurre por qué), lo que habría que hacer es preparar medio biberón de leche artificial, bien preparado, digamos 60 de agua con dos medidas, y añadir el otro medio de leche materna. Pero 60 de leche materna con 60 de agua y cuatro medidas daría una cosa demasiado concentrada, y para un recién nacido muy peligrosa (aunque con cinco meses, y siendo solo ocasional, tampoco habrá pasado nada). Si un niño toma leche materna y leche artificial, lo lógico es no mezclarlas, sino darle primero la materna, para que se lo tome todo, y luego la artificial, y así si sobra se tira sin problemas. Porque la materna, aunque algunos no lo sepan, es mil veces mejor.

La leche artificial, una vez preparada, se ha de usar de inmediato, nunca se ha de conservar, ni en la nevera. La leche materna podría conservarse a temperatura ambiente desde unas horas hasta un día, según el calor que haga, pero siempre será mejor meterla en la nevera si puede.

La leche materna se puede guardar cinco días en la nevera (pero, si no prevé usarla en dos días, lo mejor es congelarla de entrada) y dura meses en el congelador, según la potencia.

Se podría recalentar, pero no tiene sentido. Porque lo que no conviene reutilizar es un biberón a medio chupar, porque se llena de babas y microbios. Hay que poner en el biberón un poco de leche, si se la acaba se pone un poco más, pero no guardar leche babeada.

Por eso conviene congelarla en recipientes no muy grandes, de 50 a 150 ml, para poder descongelar solo la que se va a usar.

Si no se saca leche de los pechos, la producción desaparece casi por completo en unos pocos días. Si se vuelve a sacar leche, la leche vuelve a salir.

A ver, volvamos a la racionalidad porque está usted haciendo preguntas muy raras:

☞ Suprimir los biberones y volver a la lactancia exclusiva, como antes. Durante los primeros días probablemente la niña querrá mamar a todas horas, porque esa es la manera de tener más leche, que mame más. Cuando su producción de leche se vuelva a normalizar, su hija volverá a mamar más o menos como antes.

☞ Para cuando vaya a trabajar, puede sacarse cada día la leche que tomará su hija al día siguiente. Esa leche no se congela. Los primeros días procure que queden unos 150-200 ml, probablemente sobrará y luego ya podrá saber más o menos cuánto se va a tomar. Puede sacarse leche varias veces al día y juntarla. La leche que se saque antes de empezar el trabajo se congela para emergencias, y si la tiene que gastar, la repone con la que se saque el viernes y el sábado.

☞ De todos modos, muchos niños no quieren tomar nada, pero nada de nada, mientras su madre no está. Prefieren pasar la mañana durmiendo, y luego compensan mamando mucho por la tarde y por la noche. Sobre todo, que la abuela no intente obligarla, ni se asuste si no come. Es normal. Si varios días seguidos ve que la niña no come por el día, pues no hace falta que se saque leche. Ya tendrá suficiente congelada por si un día cambia de idea y quiere algo.

☞ Es muy probable que su hija cambie un poco el ritmo, que duerma más por la mañana cuando usted no está y esté más animada por la tarde y por la noche. Muchas madres que trabajan se meten a su hijo en la cama, así el bebé puede mamar mientras la madre duerme.

☞ Es normal que las tomas sean irregulares. Los niños maman de forma irregular, es lo normal. Con un poco de habilidad probablemente podrá darle dos tomas por la mañana, antes de salir, y dejarla llena de leche hasta la bandera.

A partir de los seis meses se les puede empezar a ofrecer otros alimentos. Nunca en biberón, el biberón es solo para la leche, y solo durante el primer año. Las demás cosas se comen con los dedos o con cubiertos. Porque el objetivo no es nutricional, su hija no necesita fruta y no necesita cereales (que es la forma fina de decir «harina»), al contrario, cuanto menos coma de eso mejor, porque la leche (incluso la leche artificial) alimenta mucho más que la harina, la fruta o la verdura. El objetivo al darle otra comida es educativo: que vaya aprendiendo a comer como las personas. Si come un garbanzo aplastado con el tenedor está aprendiendo; si se toma un biberón con cereales, no aprende nada. Es mejor darle comida de verdad: arroz con tomate, fideos, lentejas...

Al principio, lógicamente, no comerá casi nada. Algunos niños no quieren nada, solo pecho hasta los ocho o diez meses o más. No hay que obligarles jamás. Por supuesto, los nuevos alimentos se los da la abuela por la mañana, y por la tarde solo tomará pecho (hasta que, dentro de unos meses, la misma niña empezará a pedir otros alimentos también por la tarde). No hace falta hacer comidas monográficas, a tal hora los cereales, a tal hora las verduras..., los niños pueden comer como nosotros: un poco de arroz con tomate, media albóndiga y de postre una puntita de plátano. Comida decente, la que a nosotros nos gusta, y no triturados que no nos comeríamos ni locos. Cuando su hija coma suficiente cantidad de comida sólida por la mañana, ya no hará falta que se saque usted leche.

No hay ninguna necesidad de que los biberones estén calientes, se pueden tomar del tiempo perfectamente.

Espero que esta información le sea útil, y quedo a la espera de que nos diga los pesos y tallas.

Un cordial saludo,

CARLOS GONZÁLEZ

Gracias por todo, ha sido de gran ayuda, perdone por las preguntas tan raras como dice, pero es mi primer hijo y todo es un mundo, además, he tenido una operación de acoso y derribo de todo mi entorno con respecto a mi leche, desde la familia hasta el pediatra: «tu leche no vale, no le alimenta, tiene poca grasa, no le engorda, es mala, etc.», y la verdad es que agobia bastante.

Tengo que decir de todos modos que tengo alteraciones en la glándula tiroides desde hace años, y no sé si ha podido afectarme con todo esto. No sé si sabrá decirme algo sobre ello, antes de quedarme embarazada tenía hipotiroidismo, me lo han estado tratando durante el embarazo, y actualmente se ha convertido en hipertiroidismo, me han detectado nódulos que están segregando hormona tiroidea sin parar.

Le adjunto los pesos y tallas de mi hija:

EDAD	PESO	TALLA
0	3.670 g	50 cm
1 mes	4.450 g	54,5 cm
2 meses	5.000 g	57,5 cm
3 meses	5.430 g	60 cm
4 meses	5.800 g	61 cm
5 meses	6.095 g	62 cm
	percentil 10	percentil 25
Actualmente	6.550 g	64 cm

Al parecer ha pasado, según las gráficas de la cartilla de salud, del percentil 75 al nacer hasta el 10.

Ha habido veces que en quince días solo ha engordado 50 g, cuando creo que la media está entre 150-200 g por semana. Esto han hecho que lo vea como preocupante, qué quiere que le diga, yo no entiendo, pero veo a mi hija estupenda de salud y de alegría, es muy risueña y juguetona, no está gorda, pero tampoco la veo delgada, es inquieta, patalea mucho, pero supongo que es parte de su desarrollo esta actividad continua, no sé, ¿cómo lo ve?

Gracias de nuevo,

Paqui

20 de noviembre de 200*

Apreciada amiga:

Me alegra volver a tener noticias suyas, y comprobar que su hija está y siempre ha estado perfectamente.

En efecto, el percentil 75 es normal, y el 10 también es normal, y puede comprobar usted misma, mirando las gráficas de la OMS (www.who.int/childgrowth), que el peso siempre ha sido normal, la talla siempre ha sido normal, y la relación peso/talla siempre ha sido normal.

Supongo que la confusión de su pediatra se debe al hecho de haber bajado de percentil. Algunas personas tienen la absurda idea de que los niños están siempre en el mismo percentil. Pero resulta que no solo tenemos curvas de peso para niños pequeños; tenemos curvas hasta los dieciocho o veinte años, y luego se supone que uno ya se queda igual. De modo que su pediatra, en el mismo momento de nacer la niña, podría haberle dicho: «Enhorabuena, señora, veo que su hija está en el percentil 55 de talla y en el percentil 80 de peso. Por lo tanto, a los tres años pesará tanto y medirá tanto; a los cinco años pesará tanto y medirá tanto; en octubre de 2021 pesará tanto y medirá tanto...». Usted podría acercarse a las rebajas, comprar toda la ropa que su hija va a necesitar hasta los treinta y cinco años, incluyendo el traje de comunión y el de novia, meterlo todo en bolsas al vacío y etiquetarlo: «verano 2013», «comienzo curso 2.º de ESO»... Se ahorraría un pastón en ropa (que va a subir) y en desplazamientos para ir de compras.

¿A que es ridículo? ¿A que es imposible saber cuánto va a pesar y a medir un recién nacido a los catorce años? Pues si siguieran en el mismo percentil, sería posible. Pero no siguen los percentiles, y no hay manera de saber cuánto pesará a los catorce años, ni a los cuatro años, ni a los cuatro meses.

Y es precisamente en los primeros meses cuando menos siguen las curvas. Es decir, hay más relación entre el peso a los seis meses y a los seis años que entre el peso al nacer y a los seis meses. Porque los factores que determinan el crecimiento de un feto son muy distintos de los que controlan su crecimiento después de nacer. Muchos niños nacen en un percentil bajo y luego suben rápidamente, y muchos otros nacen en un percentil alto y luego bajan rápidamente. Ambas cosas son completamente normales.

Si lo he entendido bien, empezó a darle suplementos a su hija a los cuatro meses. Pues bien, entre los cuatro y los cinco todavía bajó más de percentil. Simplemente, su aumento de peso no tiene nada que ver con la dieta. No es que su hija engorde poco porque usted no tiene suficiente leche, o porque tiene mala leche. Su hija engorda lo que tiene que engordar, y ni todas las leches del infierno conseguirían que engordase más, y si no toma más pecho es porque no tiene más hambre.

Así que lo dicho: tire a la basura los biberones lo antes posible, dele solo pecho a demanda, búsquese un pediatra que sepa interpretar correctamente una gráfica de peso (y si no lo encuentra, recuerde que no es obligatorio ir al pediatra), y no haga caso de las críticas más o menos bienintencionadas. Que, en toda esta historia, la que menos mala leche tiene es usted.

También le sería muy útil contactar con un grupo de madres, encontrará direcciones de toda España en www.fedalma.org.

Un cordial saludo,

Carlos González

4

La lactancia

Los mitos, las dudas, las críticas, los problemas

Nunca habláis en vuestra revista de los niños que continúan tomando el pecho después del primer año. ¿Por qué?

Tengo una hija de dos años que, además de comer de casi todo lo que come el resto de la familia, sigue tomando el pecho.

A lo largo de este tiempo hemos comprobado las dos las ventajas que conlleva disfrutar de una lactancia materna prolongada.

Sin embargo me encuentro con algunas personas que critican esta voluntad de seguir con la teta: «ya es un vicio», «va a depender de ti toda la vida», «es una manía», etc.

En ocasiones han conseguido angustiarme, pues no pocas veces estas críticas han venido de pediatras.

Nosotras, apoyadas por la familia, hemos tenido suerte. Pero ¿cuántas madres se desaniman y dejan de dar el pecho a sus hijos influidas por esa presión social?

¿Qué actitud tomar ante este problema?

¿Qué debemos responder a esas críticas?

Gracias de antemano por vuestra ayuda,

Marta

22 de abril de 199*

Apreciada amiga:

Plantea usted un problema candente: las presiones y críticas que reciben aquellas madres que dan el pecho más de un año. O muchas veces, más de seis meses (por no hablar de las que reciben presiones y críticas desde el primer día).

Pero, sí, es cierto, dar el pecho más de un año es uno de los más fuertes tabúes de nuestra sociedad. Hoy en día, poca gente (y, desde luego, ningún médico) la criticaría por llevar pantalones, por tener un amante o por ser lesbiana. Pero dar el pecho, aunque sea solo en casa y aunque el niño coma de todo... eso es algo que a mucha gente le pone los pelos de punta.

Poca gente, sin embargo, quiere reconocer que se trata de un prejuicio: «No des el pecho porque no me da la gana». Intentan siempre racionalizarlo, dar una explicación más o menos peregrina, explicaciones que a veces hacen dudar a la madre:

☞ «Que ya no lo necesita.» ¿Por qué no? ¿Y qué si no lo necesitase, acaso le perjudica?

☞ «Que ya no alimenta.» ¡Magia *potagia*! La misma leche que hace unos meses era el mejor alimento del mundo, ahora resulta que no alimenta.

☞ «Que ya no tienes leche.» Bueno, pues no le hará daño. ¿Acaso hay leche en el chupete?

☞ «Que la leche no tiene suficientes calorías.» Pues claro, por eso le doy otras comidas. ¿Está prohibida la fruta, que lleva menos calorías que la leche?

☞ «Que irá a la mili y seguirá con el pecho.» Pues nuestros bisabuelos mamaban todos tres años, y en la mili nunca vieron a uno que todavía mamase.

☞ «Que se hará demasiado dependiente.» Los niños que toman más el pecho suelen ser más independientes, ¿no lo ha notado?

☞ «Que es agotador para la madre.» Pues eso lo decidirá cada una, ¿no?

Bueno, para qué seguir... Probablemente, una de las ventajas que tiene para la madre el dar el pecho es que se va haciendo más fuerte y más paciente, hasta que las críticas de los envidiosos le resbalan.

Espero que estas reflexiones le resulten útiles, y le deseo toda la felicidad con su hija.

Saludos cordiales,

CARLOS GONZÁLEZ

Tengo una hija de ocho meses a la que alimento a demanda, pero tengo una duda, ¿a qué edad tengo que empezar a darle primero el sólido, y luego el pecho si quiere?

Ahora su horario es el siguiente:

07.00: pecho.

08.30: pequeña papilla de 90 de leche y harina.

13.30: cuatro o cinco cucharadas de puré casero (no quiere más).

15.00: pecho antes de la siesta.

17.00: pecho después de la siesta.

17.30: una pieza de fruta con dos galletas (triturado).

21.00: pecho.

23.00: pecho.

Por la noche le doy a demanda, si se despierta un par de veces, o ninguna si duerme. Mi pediatra dice que tengo que darle otra papilla por la noche y sustituir las tomas, ¿a qué edad me recomienda usted?

Después, tengo otro problema, mi hija a los dos meses dormía desde la toma de las once hasta las siete de la mañana, así continuó hasta los seis meses, a partir de entonces se empezó a despertar una o dos veces durante la noche y yo la amamantaba, pero ahora se despierta hasta cuatro veces y no para de llorar desconsolada hasta que le doy de mamar, luego se duerme tan pancha. Durante el día sigue comiendo lo mismo, ¿a qué se debe esta demanda?, ¿debo continuar o tengo que ponerle límites a las tomas nocturnas? Tengo miedo de que me asocie a dormir, y que cada vez que se despierte me pida el pecho. He probado a ponerla en mi cama sin darle de comer pero no funciona y el chupete no lo quiere, ¿qué debo hacer?, empiezo a estar cansada y me da pánico que esta situación se alargue años.

Gracias,

Lourdes

3 de julio de 200*

Apreciada amiga:

Muchas gracias por escribirnos y por confiarnos sus dudas.

Dudas que, por cierto, comparto, pues yo tampoco sé a qué edad hay que darle el pecho después de la papilla. Creo que en algún libro hablaba de los diez meses, pero por supuesto lo decían «porque sí», y seguro que otros expertos, otras madres y otros niños tienen diferente opinión. También supongo que no existe una edad óptima; es decir, que hacerlo un poco antes o un poco después no debe de tener importancia; y que cada niño será distinto. En conclusión, la única que puede responder a esa pregunta es su hija. Dele el pecho cuando ella lo pida, dele las papillas cuando le venga bien, y el día menos pensado se dará cuenta de que acaba de tomarse una papilla sin mamar antes..., lo mismo que otras veces mamará y no querrá nada después.

También es su hija la única que sabe si necesita otra papilla por la noche. ¿La ha pedido? ¿Come si se la ofrece? En cuanto a lo de substituir tomas, ¿por qué cosa las quiere substituir su pediatra? Si se trata de substituir la manzana por pera, pues muy bien (aunque no sé para qué, aparte de para ir variando). Si se trata de substituir el pecho por otra cosa, no se me ocurre nada mejor que el pecho, así que seguro que su hija sale perdiendo en el cambio.

En cuanto a lo de las noches, lo que le ha ocurrido es completamente normal. Los niños sanos normalmente se despiertan más por la noche a los seis meses que a los tres. Eso forma parte del proceso de maduración: su hija se está haciendo independiente. Los recién nacidos son tan desvalidos que es la madre la que se tiene que encargar de ir a verlos cada pocas horas (¿a que alguna vez ha ido «a ver si respira»?). A medida que crecen, la madre va perdiendo este instinto, y el bebé se hace responsable de su propio destino. Ahora es su hija la que se despierta cada dos horas (lo que corresponde a los ciclos de sueño espontáneos de los niños) para comprobar si usted está allí. Lo hace porque está grabado en sus genes; así se han comportado los niños durante un millón de años, porque pasar la noche solo y desnudo en el suelo de la selva significaba la muerte segura. El bebé no soporta separarse de su madre.

Cuando el niño se despierta y su madre está a su lado, la toca, la huele, la oye, si tiene hambre mama, y se vuelve a dormir.

A veces ni siquiera se despierta del todo (es lo que se llama un «despertar parcial», una fase de sueño muy ligero). Cuando no encuentra a su madre, se despierta del todo y se pone a llorar, y entonces por supuesto solo se calmará con el pecho, tanto si tiene hambre como si no. Si, además, la madre tarda demasiado en acudir (o si el niño es especialmente sensible), estará «pasado de rosca» y además del pecho habrá que mecerlo, pasearlo, cantarle y hacerle compañía para que se tranquilice.

¿Límites a las tomas nocturnas? Hombre, si son límites razonables (por ejemplo, que no se meta los dos pechos a la vez en la boca...). Los niños no llaman a su madre «por asociación», eso es un mito absurdo e inhumano. Quieren hacernos creer que los niños son autómatas: «Si cada vez que se despierta le dan el pecho, aprenderá a asociarlo y lo necesitará para dormirse». Y si cada vez que se despierta le da un bofetón, ¿cree que le pedirá llorando «mamá, dame un bofetón, por favor»? Y los niños que han estado en el hospital y cada vez que se despiertan ven una enfermera y un suero, ¿lo asocian y luego no pueden dormir sin enfermera y sin suero? Su hija no la llama por asociación, sino porque usted es su madre y ella la quiere y confía en usted.

La mayoría de las madres encuentran que lo más cómodo es dormir con el bebé y con el camisón abierto, y que se sirva. Se ha observado en laboratorios del sueño que en muchas de las tomas ni el niño ni la madre se despiertan. A partir de los dos años, las tomas nocturnas se suelen ir espaciando, y pocos niños piden el pecho por la noche después de los tres (aunque supongo que habrá alguno).

Hay un libro muy interesante sobre las necesidades de los niños y la manera de criarlos, *Nuestros hijos y nosotros*, de Meredith Small.

Espero que estas reflexiones le sean útiles, y que sea muy feliz con su hija. Ya nos contará.

Saludos cordiales,

CARLOS GONZÁLEZ

Ayer envié un mensaje, se me olvidó comentar otra duda bastante importante que hace que me cuestione si debo seguir dando el pecho o no. Lo cual me apenaría ya que quería seguir dándolo hasta que mi hija decidiera ponerle fin.

Desde hace años padezco una alopecia de carácter hereditario que me obliga, en las caídas de cabello estacionarias, a medicarme con complejos vitamínicos y una crema con 2% de minoxidil micronizado que me aplico localmente a diario. A los cuatro meses del parto empezó una fuerte caída que todavía me dura (ocho meses tiene la niña).

A pesar de que sé que estas caídas son normales, en mi caso son más exageradas. El dermatólogo me aconseja empezar a aplicar minoxidil en el área donde tengo menos cabello (zona frontal), pues dice que en caso de que pasara a la leche serían cantidades muy pequeñas. Quiero asegurarme de que esto es cierto y saber qué efectos tendría si mi hija ingiere pequeñas dosis.

El tratamiento es largo, y le doy todavía, tal como te indico en el anterior mensaje, unas cinco o seis diarias. Procuro ponerme el minoxidil después de la toma de las siete de la mañana, ya que hasta las dos o tres de la tarde no vuelve a tomar el pecho. ¿Cuántas horas tarda mi organismo en limpiar el fármaco de la sangre? ¿O no lo elimina por completo? Estoy muy preocupada por esta cuestión, tengo miedo de ocasionarle daño a mi hija.

Perdona que no te hiciera todas las preguntas de una vez, si son demasiadas te rogaría me contestaras solo esta última que es la más importante. Aunque no salga en la revista te estaría muy agradecida si me enviaras la contestación.

Muchas gracias.

Me gustó mucho tu libro que me prestaron en las reuniones de la Liga de la Leche,

Lourdes

4 de julio de 200*

Apreciada amiga:

Cuando ayer le dije que «ya nos contará», no esperaba recibir noticias tan pronto... En efecto, aunque la caída del cabello es normal después del parto, algunas mujeres con propensión a la alopecia pueden necesitar tratamiento. El minoxidil se usa en pastillas para el tratamiento de la hipertensión. Después de una dosis de 7,5 mg, el nivel máximo en la leche es de unos 50 mg por litro (al cabo de una hora), y luego disminuye rápidamente. Es decir, que, en el peor de los casos, un bebé tendría que tomarse 100 litros de leche al día para tomar 5 mg, lo mismo que toma si a su madre se le cae una pastilla al suelo y el angelito se la traga. (El cálculo solo sirve a efectos ilustrativos; porque en realidad, si una mujer pudiera producir 100 litros de leche al día, la concentración del fármaco en la leche sería menor, pues evidentemente parte de la dosis se ha de excretar por la orina o por la bilis o destruirse en el hígado o lo que diablos haga el minoxidil, que ahora no tengo tiempo de buscarlo en el libro; así que imagino que por muchas toneladas de leche que tome el niño, jamás conseguirá más de la tercera parte de lo que se tomó la madre.) Se considera que una madre que toma el minoxidil por vía oral puede dar el pecho (aunque, si ha de ser mucho tiempo, se prefiere otro antihipertensivo).

Pero es que por vía oral la madre absorbe el 90% o más del minoxidil, mientras que por vía tópica solo se absorbe el 1,4%. Por tanto, si te untas un gramo de pomada al 2%, serán 20 mg, de los que solo se absorberán 0,3 mg, de los que pasará a la leche... una birria.

Conclusión: no hay absolutamente ningún problema; puedes ponerte la pomada en todas las zonas donde sea necesaria, y (aunque tampoco es muy peligroso), probablemente tu hija absorberá más fármaco si la tocas sin lavarte bien las manos después de ponerte la pomada que si le das el pecho (más que nada, que no le empiecen a salir pelos allí donde la toques...)

Saludos cordiales (y recuerdos a las de la Liga),

CARLOS GONZÁLEZ

Nuevamente me dirijo a vosotros porque tengo un problema bastante importante. Gracias por vuestra rápida contestación.

El otro día, llevé a mi hija al pediatra porque llevaba unas tres semanas haciendo más deposiciones de lo habitual, desde que empezó con sólidos hacía una al día, y ahora estaba en unas tres deposiciones diarias, un poco más líquidas que antes pero sin llegar a ser diarrea. La pesó y solo había engordado desde la revisión de los ocho meses diez gramos (le faltaba una semana para la revisión de los nueve meses). El pediatra decidió mandarle unos análisis de heces para ver el total de grasa, parásitos, cuerpos reductores, etc.

Precisamente ahora estaba comiendo mucho más que antes; además, dos de las tomas que por la noche había dejado de hacer ahora las había recuperado, por lo demás la niña está muy activa y contenta.

Los resultados de los análisis ha salido todo normal excepto los cuerpos reductores que daban un resultado de 25 mg/dl (valores de referencia: «no se detectan»). Me dijo que eso era señal de que no estaba digiriendo bien la lactosa. Me ha cambiado la leche que utilizo para hacer la papilla además de la mía por una de fórmula sin lactosa, también le ha quitado los yogures y cualquier alimento derivado de la leche. Que volviera a la semana siguiente que le tocaba la revisión de los nueve meses.

Cuando volví la pesó y había engordado esa semana, haciendo lo que él me había dicho, 70 g y las deposiciones se han reducido a dos al día. Aquí viene la cuestión: me dijo que si la niña no seguía aumentando de peso sería conveniente suprimir también la lactancia materna porque también tiene lactosa.

Yo no quiero dejar de darle el pecho hasta que ella se destete sola, ¿es totalmente necesario destetarla por lo de la lactosa? De momento ha suprimido de su dieta todos los derivados hasta el año, luego se le irán introduciendo poco a poco para ver si su falta de lactasa es transitoria o se debe a un déficit congénito (he leído que esto último es raro). En el análisis de heces la flora intestinal no estaba alterada, por lo que no se sospecha de ninguna infección reciente que explicara lo de los cuerpos reductores. Espero no haberme dejado ningún dato para que puedas contestarme, ¿tendré que dejar de darle el pecho? Temo que si el mes que viene no ha cogido el peso esperado el médico tome esa decisión. Realmente no existen muchos médicos que apoyen la lactancia, ante cualquier problema la suspenden.

De hecho, no estoy siguiendo las indicaciones que dan normalmente casi todos los pediatras, me refiero por ejemplo a introducir

papilla a los cuatro meses y suprimir tomas, cada vez que se intro-
duce un sólido nuevo te dicen que elimines esa toma. Por suerte yo
no seguí esas indicaciones, pero sí muchísimas madres, y acaban
viendo cómo sus bebes se destetan antes de lo que ellas quisieran,
he decidido que yo también quiero ayudar a otras madres.

Mi hija ahora, con nueve meses, pesa 8.100 g y mide 72,5 cm.
Percentil 43.7.

Muchísimas gracias,

Lourdes

4 de agosto de 200*

Apreciada amiga:

¡Claro que no tendrás que dejar de darle el pecho a tu hija!
Pero ¿no ves que está perfectamente, que no le pasa nada?

Tres cacas al día no son un problema, y si sigue así toda la
vida, todo se arregla con un rollo de papel higiénico cada tres
días.

Ganar 10 g en tres semanas es normal, y 70 g en la siguiente semana es más normal todavía. Entre los ocho y los nueve
meses, es normal (menos dos desviaciones típicas) que una niña
pierda (¡pierda!) 70 g. Por supuesto, es una excepción, y enseguida lo vuelve a recuperar, no es normal aumentar el «mínimo»
(es decir, perder) varios meses seguidos. Hay otras tablas que
dan el aumento de tres en tres meses; entre los siete y los diez,
es completamente normal que una niña aumente 70 g al mes
cada mes, 210 en total en los tres meses.

Tu hija no tiene intolerancia a la lactosa. Los valores de referencia que ponen entre paréntesis en las analíticas suelen dejar bastante que desear, y un médico no debería realizar un diagnóstico basándose solo en eso. Me bastaron treinta segundos en
Internet para encontrar varias páginas y libros serios que dicen que es normal hasta 0,25 g/dl (es decir, hasta 250 mg), que
entre 250 y 500 son «indicios» y que solo se considera «aumentado» si hay más de 500 mg/dl. ¡Y tu hija tiene 25!

Si tu hija aumentó más la semana siguiente con la leche sin
lactosa, probablemente es solo por casualidad. 10 g, 70 g, son
cantidades muy pequeñas, inferiores al error de medición (error

de la báscula más variación intrínseca del peso), de modo que no se pueden valorar con exactitud. Estadísticamente, los valores extremos tienden hacia la media, y después de un aumento pequeño viene uno mayor, lo mismo que la bolsa, cuando ha bajado mucho, vuelve a subir.

Pero si quisiéramos ser muy malos, y admitir que sí, que tu hija ha aumentado más de peso a consecuencia del «tratamiento», ¿qué tratamiento fue ese? No la leche sin lactosa, puesto que no tenía intolerancia a la lactosa; eso no pudo influir. ¡Tu hija ha ganado más peso gracias a que le quitaron los yogures y otros derivados de la leche! Porque gracias a eso tomó más pecho, que es lo que más alimenta. Pero insisto, eso lo digo solo para hacer rabiar a tu pediatra; en realidad creo que aumentó por pura casualidad.

Como no hay mal que por bien no venga, la falsa diarrea de tu hija, acompañada de falso estancamiento de peso y de un análisis falso positivo (¡y tan falso!) ha tenido un efecto beneficioso: le has quitado los yogures y otros lácteos, y no por consejo de la Liga de la Leche, sino por orden médica. Ya solo falta quitarle la leche esa sin lactosa (o con lactosa, es lo mismo) y hacerle la papilla sin leche, y por fin tu hija estará tomando una dieta normal para su edad: leche materna y otros alimentos, sin ninguna otra leche.

Por cierto, incluso si tu hija de verdad tuviera intolerancia a la lactosa, si en el análisis no salieran 25, sino 520, no sería motivo para quitarle el pecho. La intolerancia adquirida a la lactosa (no puede ser congénita, esa es una enfermedad muy grave y tu hija hubiera ingresado en el hospital hace meses) es parcial, y los síntomas dependen de la cantidad de lactosa que se ingiera. Ya ves que los «síntomas» de tu hija eran muy leves, en todo caso.

Me dices «temo que el médico tome esa decisión», pero la decisión de dar el pecho o de destetar no la toma el médico, sino la madre. Incluso si el médico, por motivos médicos reales y justificados, aconseja el destete, es la madre la que toma la decisión. La clave es preguntar: «Doctor, ¿qué le pasará a mi hija si le sigo dando el pecho?». Si te dice «cogerá el sida» o «tendrá un cáncer» (y si te da pruebas de que eso es así, y otros médicos son de la misma opinión), probablemente seguirás su consejo. Pero si lo único que puede decirte es «¡Como te atrevas a seguir dando el pecho, pecadora, tu hija seguirá haciendo tres cacas al día, un poco más líquidas sin llegar a ser diarrea, seguirá engordando normalmente, y seguirá estando contenta y feliz!», ¿por qué diablos habrías de hacerle caso?

Así que venga, a ver si te animas a fundar tu propio grupo de ayuda a la lactancia.

Saludos cordiales,

CARLOS GONZÁLEZ

He seguido tu consejo y he dejado de darle las papillas con leche (se las preparo con agua), y no la fuerzo porque como antes ya ha tomado pecho la dejo a su aire, si son dos cucharadas o si se la come entera (120 ml de agua espesada con cereales) pero ahora tengo un problema al sustituir la leche solo hace una deposición al día y muy seca como bolitas de cabra (ella antes de los seis meses que le introduje los sólidos hacía la típica caca deshecha, no tenía estreñimiento) de los seis hasta ahora hacía casi tres al día con una papilla de leche de farmacia, ¿por qué al quitarle la leche y sustituirla por agua le cuesta tanto ir de vientre? Verdura come muy poquita, yo cada día se la ofrezco pero come a bocaditos: una judía, patata; generalmente de mi plato, pero enseguida se cansa y ya no quiere seguir comiendo. Por la tarde, después del pecho toma pera con tres o cuatro galletas y plátano también con galletas. Su principal ingesta proviene del pecho como ves, ¿a qué se debe este estreñimiento? ¿Qué puedo hacer?

Perdona que te consulte tanto pero con mi pediatra no puedo porque no sigo la dieta que me ha puesto, estoy haciendo caso a los consejos de la Liga de la Leche. Te preguntarás el porqué no cambio de médico, la respuesta es que aquí no conozco ninguno que respete las pautas para seguir dando el pecho hasta que el bebé quiera, todos te dictan: «papilla a los cuatro meses, sustituir toma de pecho por sólido que se introduzca». De este modo, casi todas las madres que no asisten a las reuniones tienen niños de ocho meses a los que con suerte les dan una toma de pecho al día. Como verás no lo tenemos nada fácil.

Gracias,

Lourdes

23 de agosto de 200*

Apreciada Lourdes:

La verdad es que no sé por qué tu hija hace ahora las cacas más duras. Pero, en todo caso, ni será para siempre ni tiene importancia. No tiene importancia porque, lo mismo que tres cacas al día un poco líquidas no son diarrea, una caca al día como bolitas de cabra en un niño contento y feliz tampoco es estreñimiento. El estreñimiento consiste en hacer bolas grandes y duras, que resultan molestas y dolorosas para la víctima. Las bolitas de cabra resultan una novedad, y es posible que, acostumbrada a unas cacas más blandas, tu hija parezca ahora hacer grandes esfuerzos; pero no creo que le produzcan dolor, ni fisuras anales, ni hemorroides. Para eso, en vez de bolitas de cabra, hay que hacer bolas de billar. No será para siempre porque ya has visto qué cambios espectaculares hacen las deposiciones según lo que come tu hija. En los próximos meses, cada vez va a comer más cosas. ¿Cómo serán las cacas cuando coma macarrones, garbanzos, pollo asado, leche con cacao, helado de fresa, sopa, pan con tomate? Más vale no darle vueltas: mientras ella sea feliz, que cague como quiera.

Saludos cordiales,

Carlos González

Mi nombre es Nuria, y soy una «recién parida» de veintiséis años y de oficio profesora. Antes de nada quisiera felicitarle por su libro *Mi niño no me come*, que me ha dejado una amiga y que me ha parecido muy instructivo en cuestiones de nutrición infantil, muy útil por sus consejos prácticos para afrontar la alimentación de los hijos, y hasta divertido en muchos casos. Me alegro de haber podido leerlo antes del nacimiento de mi hija Amelia porque ha cambiado mi forma de entender mi papel en este tema: hubiera tendido desde un primer momento a ser bastante espartana, imponiendo horarios y menús. Además, el libro me ha aportado una actitud de tranquilidad y de confianza en las señales de mi hija.

Mi consulta tiene que ver justamente con la interpretación de esas señales. Amelia nació hace diecisiete días, y ya en el sanatorio dormía de un tirón cinco o seis horas entre las tomas. Desde entonces sigue haciendo cinco tomas diarias, aunque se alargan bastante en el tiempo porque tienen interrupciones, y quizá puedan ser más bien «tomas múltiples». En parte es debido a que le cambio el pañal entre pecho y pecho, porque cuando se despierta está todavía limpia (o casi), y defeca y expulsa gases mientras mama. También hemos adoptado esta rutina porque la niña mama diez o quince minutos de un pecho con mucha energía, y después no suele querer ya del otro (ni del mismo) y se queda dormida. Entonces es cuando la cambio y se despierta, suele mamar otro poco. Pero hay ocasiones en que ya no vuelve a tomar, y sin embargo si la acuesto no se duerme y pasados veinte minutos o así vuelve a pedir, buscando con su boca y haciendo pucheros. A veces toma unos minutos y vuelve a dormirse, pero otras veces no llega ni a coger el pezón. La cuestión es que no sé si cuando no se duerme y llora en estos casos es por hambre o por otras causas, pues quizá quiera que la cojamos para estar con nosotros, o para expulsar gases y defecar mejor, ya que no conseguimos que eructe después de mamar, pero tampoco llora mucho como para estar dolorida. Quisiera que me comentara qué le parece el ritmo de Amelia, y cómo saber cuándo no se duerme porque tiene hambre y cuándo se debe a otras causas. También me gustaría que me comentara de qué pecho darle al inicio de cada toma y en los «bises», y cómo saber cuándo la niña quiere cambiar de pecho.

Agradeciendo por adelantado su atención me despido.

Un cordial saludo,

Nuria

20 de marzo de 200*

Apreciada amiga:

Tener un hijo es como visitar un país lejano. Las primeras normas son: no extrañarse por nada de lo que vea, intentar hacer lo que hagan los nativos, no quejarse de las dificultades del viaje, y saber disfrutar de lo inesperado.

¿Que qué me parece el ritmo de Amelia? Pues magnífico. Un ritmo sabroso y tropical. Que además, casualmente, es un ritmo muy frecuente, pues los niños no suelen mamar ni cada cuatro horas, ni cada tres, ni cada dos, ni cada hora, sino de forma totalmente irregular. Y generalmente maman a rachas: dos a cuatro mamadas muy seguidas, y luego una pausa más larga. Pero aunque el ritmo de Amelia fuera más raro que un perro verde, me seguiría pareciendo magnífico. Ella sabrá lo que se hace.

No sé cómo podría saber cuándo no se duerme porque tiene hambre o cuándo no se duerme por otros motivos. Una respuesta simplista sería: pruebe a darle pecho, si mama es que tenía hambre, y si no mama es que no tenía. Pero no es del todo cierto, porque los niños también pueden mamar cuando no tienen hambre. Amelia sabe cómo mamar para que salga mucha leche, y cómo hacerlo para que no salga casi nada (la llamada succión no nutritiva). Por supuesto, cuando un niño no se duerme, siempre hay que tener en cuenta las dos causas más probables: primera, no tiene sueño; y segunda, no se siente seguro (los niños duermen a gusto en brazos o junto a su madre, pero les cuesta dormirse si están solos. De hecho, cuando están solos lo lógico es que no se duerman, sino que lloren y lloren hasta que acuda su madre. A veces se duermen, por agotamiento o por error). En cualquier caso, ¿para qué quiere saber por qué su hija no duerme? Más vale concentrarse en disfrutar la ocasión.

Lo de qué pecho darle cada vez es más fácil: pálpese someramente, y dele el que esté más gordo (si están igual de gordos, es que no importa de cuál le dé). Cuando ella no quiera un pecho, puede que sí quiera el otro; cuando no quiera ninguno, es que no tiene hambre.

Cuando un niño toma el biberón, es probable que trague aire, porque en el biberón hay aire. Pero en el pecho no hay (aunque de algunas actrices se dice que tienen pechos «neumáticos», en realidad es todo silicona), y un niño que mama bien sujeto no traga aire. Por eso no consiguen que eructe.

Espero que esta información le sea útil, y le deseo toda la felicidad junto a su hija.

Saludos cordiales,

CARLOS GONZÁLEZ

Me llamo Nuria, y soy madre de una niña de ocho meses y medio, Amelia. Ya le hice una consulta cuando la niña tenía veinte días, cuya respuesta me fue de gran ayuda. Ha sido una suerte para mi hija que hayamos conocido su libro, lleno de consejos útiles y sensatos. Amelia ha estado hasta ahora sanísima y se está adaptando de maravilla a los nuevos alimentos. Nació con 49 cm y 2.800 g, y ahora mide 68 y pesa 8.500. Por esto me animo de nuevo a consultarle algunas dudas. En primer lugar quisiera hacerle una pregunta sobre la alimentación de la niña. No sé si la leche que toma es suficiente para su edad. Solo toma pecho, unas tres veces al día (a veces, cuatro) alternando estas tomas con otros alimentos (un puré de pollo, patata y verduras; otro de frutas naturales y una papilla de cereales para hacer con leche pero preparada con agua). Tengo la duda por no poder saber la cantidad que toma la niña. Me noto el pecho mucho menos lleno que cuando solo comía leche, durante los seis primeros meses. ¿Debería darle algún biberón, o algún yogur? También me preocupa que está bastante estreñida desde hace varias semanas. Hace casi todos los días caca, pero muy poca, muy dura y con mucho esfuerzo y dolor. A veces no hubiera hecho si no le hacemos ejercicios, si no le ponemos un supositorio de glicerina o no le estimulamos el ano. Para evitar esto hemos empezado a ofrecerle más agua, zumo de naranja a veces, y hemos suprimido la manzana y la zanahoria de las papillas. No acaba de normalizar las deposiciones, y el pediatra nos ha recetado Eupeptina, que todavía no hemos empezado a darle. ¿Qué me aconseja al respecto? Por último quisiera saber si puedo darle ya legumbres o yogures.

Agradeciendo de antemano su atención me despido,

Nuria

Apreciada amiga:

Me alegra volver a tener noticias suyas, y saber que Amelia está hecha una señorita.

No todos los niños necesitan la misma cantidad de leche. Si su hija solo mama tres o cuatro veces al día porque no quiere más, pues magnífico. Ella sabrá. Pero hay que asegurarse de que no está mamando poco por falta de oportunidades.

No, desde luego que no ha de darle ni biberones ni yogures ni ningún otro derivado de la leche. Si ya toma leche de la buena, ¿para qué le iba a dar también de la mala? Pero sí conviene que le dé pecho más veces al día; al menos, antes de cada papilla (¿que entonces toma menos papilla? ¡Pues mejor, de eso se trata! La teta alimenta más que cualquier papilla). Es posible que algún alimento concreto le esté provocando estreñimiento a su hija (si los fue introduciendo poco a poco, ¿notó que alguno desencadenase el problema? ¿Seguro que no toma nada de leche?). Es probable que al tomar más pecho (y, por tanto, menos de otras cosas) mejore el estreñimiento. Y, en líneas generales, conviene ofrecerle alimentos ricos en fibra: fruta (en trozos, no en zumo) y verdura (incluyendo manzana y zanahoria, no provocan estreñimiento); pero sobre todo cereales integrales (hay alguna marca de papillas integrales para bebés, y también hay algunos tipos de galletas integrales que se comen bastante bien) y legumbres. Las legumbres contienen mucha más fibra que la verdura; puede darle tranquilamente lentejas, guisantes, garbanzos o alubias.

La Eupeptina es un laxante, no creo que llegue a necesitarlo.

Espero que estas sugerencias le sean útiles, y que siga disfrutando mucho con su hija.

Saludos cordiales,

CARLOS GONZÁLEZ

Ante todo felicitarte y agradecerte *Bésame mucho*, libro de cabecera en mi vida a partir de ahora y hasta que mis hijos crezcan un poco y decidan irse de casa...

Bueno, el auténtico tema de consulta es: mi hija pequeña de die-cinueve meses toma pecho a demanda, siempre que quiere y para consolarla. Tengo la sensación de que el pecho le quita el hambre para el resto de la comida, de hecho come tan poquito que no mere-ce la pena ponerle el plato en la mesa porque muchas veces se en-fada y lo acaba tirando por los aires. Y que conste que no se enfada porque la obligo sino porque, repito, no le interesa lo mas mínimo comer. El pediatra me recomienda destetarla afirmando que a estas alturas el pecho le va más mal que bien, pero la verdad es que yo me resisto porque cuando está enferma, que no son pocas veces, puedo darle pecho que algo le ayudará, ¡digo yo!

Duerme fatal por la noche y la pongo a mamar cada vez que se despierta. De esta forma llevo más de año y medio sin poder dormir una noche entera, y me da la sensación que va a más... Tenemos además un niño de tres años que por lo menos come y duerme bien, pero que me necesita descansada y feliz. Me siento agotadísima, y me pregunto cien veces al día qué es lo que estoy haciendo mal.

Gracias,

Yulina

21 de enero de 200*

Apreciada amiga:

Muchas gracias por tus amables palabras, es un honor ver mi libro convertido en «libro de cabecera», como *La guerra de las Galias*.

No me dices nada sobre el peso de tu hija, así que supongo que está normal. Y en tal caso, eso significa que su alimentación es perfecta. ¿De dónde saca tu pediatra que el pecho le va mal? ¿Ha perdido peso, está enferma, le da asco el pecho? Yo diría que le va perfectamente.

Podríamos decir que tomar mucha Coca-Cola te llena la ba-rriga y te quita el hambre, y luego no comes la comida normal. Un niño con ese problema (algún caso habrá habido) perdería peso y enfermaría.

Pero la situación de tu hija es muy distinta: el pecho le quita el hambre porque satisface sus necesidades, lo mismo que le quitaría el hambre un bistec con patatas. Está tomando la dieta más sana del mundo. Y no veo cómo dejar de comer lo único que come podría beneficiarla.

En cuanto al sueño, hay que tener claro que, si tu hija está contenta, no tiene ningún problema. El problema lo tienes tú, eres tú la que está agotada. Así que lo que hemos de ver no es la manera de que tu hija duerma más, sino de que tú duermas más.

No me dices cómo dormís. Desde luego, si tu hija está en otra habitación y tienes que ir cada vez que se despierta, debe de ser agotador. Si está en tu misma habitación, pero en su cuna (sospecho que es eso, porque dices «la pongo a mamar»), es un poco menos agotador. Para muchas madres lo más cómodo es dormir juntos en la misma cama, con un poco de práctica aprenden a no despertarse mientras el niño mama, y entonces ya no dicen «la pongo a mamar», sino «mama». Claro que igual ya lo has intentado y no te ha funcionado, hay gente que tiene el sueño muy ligero (supongo que podríamos llamarle «insomnio materno por malos hábitos aprendidos»). Es en esos casos cuando pienso que puede ser útil el libro de Elizabeth Pantley, *El sueño del bebé sin lágrimas*. No ofrece soluciones mágicas e instantáneas, pero sí una serie de consejos para conseguir, con semanas de esfuerzo y paciencia, que los niños no nos despierten tantas veces a medianoche.

Otras posibilidades que no explora Pantley: algunos niños duermen mejor con su hermano mayor (solos los dos, o ambos con mamá). Dormir con los dos es una manera de dedicar tiempo al mayor sin descuidar a la pequeña, y encima puedes hacerlo mientras duermes. Algunos matrimonios se turnan para dormir uno con los niños mientras el otro descansa.

Hasta ahora solo hemos hablado de cosas que puedes hacer para dormir más por la noche. Pero, claro, no es esa la única causa de tu agotamiento. Lo de las noches mejorará, tarde o temprano, tu hija dejará de llamarte; si no a los tres años, a los ocho. Entre tanto, a lo mejor puedes hacer algo para dormir, o al menos descansar, en otros momentos. Puedes hacer una lista de tus actividades a lo largo del día, y ver cuáles te agotan más y cuáles puedes reducir o eliminar. ¿Puedes barrer menos, fregar menos, trabajar menos, cocinar menos? Tal vez pueda ayudarte alguien, o puedas pagar a alguien, o tal vez simplemente puedas tener la casa un poco más sucia y desordenada. Tal vez puedas permitirte ir más a restaurantes, comprar más congelados, encargar más pizzas... También puedes hacer una lista de las cosas que te relajan. ¿Puedes escuchar más música, pasear más, bañarte más? ¿Te sentirías mejor si te metieses en la bañera con tus dos hijos? ¿O al revés, preferirías que tu marido se los llevase al parque y disfrutar de una hora tranquila en la bañera?

No te preguntes qué haces mal. No haces nada mal. Pero tus hijos tampoco.

Espero que estas reflexiones te sean útiles, y te deseo toda la felicidad con esos hijos encantadores.

Saludos cordiales,

CARLOS GONZÁLEZ

Le escribo agobiada, cansada y perdida en busca de ayuda.

Soy madre de una niña de tres años y un bebé de dos meses. A la niña le di pecho hasta los ocho meses y fue de maravilla. Gracias a su libro *Mi niño no me come*, no me agobié en absoluto, puesto que siempre ha sido una niña delgadita pero sana y feliz. Con ella no tuve ningún problema, pero el niño es otro mundo.

Es un niño grandote que nació con 3.630 g y 50 cm y ahora, con dos meses, pesa 5.410 g y mide 60 cm. El caso es que la cosa se va complicando porque come cada hora, cada media hora, cada hora y media, son pocas las tomas que aguanta más, y me da la sensación de que está todo el día con hambre, llora mucho, parece que le doliera algo. Le cuesta expulsar los gases y hace mucho esfuerzo para hacer caca aunque las hace líquidas. Por culpa de su hermana ha tenido bastantes mocos, y pienso que eso también influye.

Pero lo que me preocupa es que cuando coge el pecho parece que se pelee con él, llora no sé por qué, se retuerce y se separa del pecho, aunque veo que él tiene hambre.

A veces pienso que igual es que en cuanto llora yo le meto el pecho en la boca y él no tiene hambre. O que le duele algo, o no sé. El caso es que estoy todo el día con la «teta fuera», y no me preocuparía si no fuera porque tengo otra niña a la que atender.

Hoy por la noche, por ejemplo, me ha pedido cada dos horas.

No sé si ha entendido algo o no, no sé si me sé explicar, mi hijo siempre que está despierto está llorando y no sé si es por hambre o no, no sé qué es lo que le pasa y no sé qué hacer. Come a sorbos y está todo el día enganchado a la teta y yo no puedo más, mi hija también me pide ratitos y no se los puedo dar. ¿Algún consejo?

Merche

31 de enero de 200*

Apreciada amiga:

De entrada, el número de tomas que hace su hijo, más o menos cada hora por el día y cada dos por la noche, no sorprende lo más mínimo. Es normal. ¿Que la hermana hacía muchas menos? Bueno, cada niño es diferente. Por eso se dice «lactancia a demanda», porque es imprevisible; si creyéramos que lo normal son entre dos y cuatro horas no diríamos «a demanda», sino «entre dos y cuatro horas».

Lo que llama la atención es que llore tanto; si mamase cada hora sin llorar, sería totalmente normal.

Y no me queda muy claro cómo es lo del llanto, porque primero dice que llora y se retuerce y se pelea con el pecho, y luego dice que llora siempre que está despierto, es decir, con pecho o sin pecho.

Si se pelea con el pecho, repase en mi libro lo de la «crisis de los tres meses» (que también puede empezar a los dos, claro). Los niños maman cada vez más rápido, y llegan a acabar el pecho en cinco minutos, en dos o incluso en menos. Cuando un niño acaba de mamar en dos minutos, suelta el pecho. Pero si la madre piensa «no puede haber acabado, ha estado muy poco rato, tiene que mamar un poco más», y le intenta dar a la fuerza, el niño se enfada como una mona. Exactamente lo mismo que si le intentan dar papilla cuando no quiere. Y, lo mismo que ocurre con las papillas, el niño al que repetidamente han intentado obligar llega un momento en que ya se enfada solo de ver la cuchara o el pecho, y ya no toma en paz ni esos primeros dos minutos. Pero si hace memoria, había un tiempo en que mamaba a gusto dos minutos, y solo se enfadaba al intentar que mamase más.

Por otra parte, cuando un niño se enfada y siempre se ha enfadado desde el principio de la toma, puede ser porque hay algo en la leche que le molesta. Podría ser el sabor de alguna crema en el pezón, un jabón, un desodorante... Podría ser el sabor de algo que comió la madre (alimento o medicamento), pero entonces no suele ocurrir cada día, sino solo cuando la madre toma algo que no suele tomar habitualmente. Podría ser alergia a algo que ha comido la madre, y lo más frecuente es la leche de vaca y derivados, aunque también podría ser la soja, el pescado, el huevo... y casi cualquier otra cosa. Típicamente, el niño alérgico a algo que comió la madre empieza a mamar contento, pero a los pocos segundos («en cuanto le cae la leche en el estómago») empieza a protestar, pelearse con el pecho, llorar..., como no ha acabado de mamar, al poco rato vuelve a pedir, vuelve a soltar, vuelve a pedir, y así todo el santo día. Puede llegar a estar llorando casi siempre, entre el dolor de barriga y el hambre. Si es alergia a algún alimento que la madre toma todos los días, como leche o huevos, el niño estará siempre igual. Si es alergia a algo que la madre solo toma de vez en cuando, como el pescado, tendrá días mejores y peores. También puede haber alergia a varios alimentos a la vez.

Si se sospecha alergia, la madre tiene que hacer dieta de exclusión. De entrada puede ser conveniente no tomar nada de leche ni derivados, incluyendo bollería y otros productos que lleven leche, comprobar bien las etiquetas, y tampoco tomar soja, huevos ni pescado. Ni otros alimentos que parezcan especialmente sospechosos en su caso concreto, o a los que sea alérgico algún otro miembro de la familia. Si en una semana de hacer esta dieta el niño no mejora nada de nada, podría suponerse que el problema no es alergia. O podría ser alergia a otra cosa, claro; si los síntomas son muy sospechosos, a veces hay que seguir probando. Si en una semana mejora, es cosa de volver a introducir los alimentos retirados en la dieta de la madre, de uno en uno con varios días de diferencia, para ver si el niño reacciona o no. Hay que introducirlos en suficiente cantidad, un vaso de leche, para ver si realmente hay un cambio o no, porque si solo se toma (la madre) tres gotas de leche, igual el resultado no es claro y no sale de dudas. Si después de reintroducir todos los alimentos el niño sigue bien, pues magnífico, se «curó» por casualidad.

También puede ocurrir que un niño se pase el día llorando y no tenga relación con la comida. Le molesta algo o simplemente es más propenso a llorar y necesita más contacto físico. Algunos niños necesitan estar todo el día en brazos, hay bandoleras muy prácticas para poderlos llevar con las manos libres. Verá distintos modelos en www.crianzanatural.com (se lo digo para que vea los modelos; muchos se venden en cualquier tienda de artículos para el bebé).

También puede ser que el niño se pelee con el pecho porque tiene la nariz tapada con moquitos, o porque le duele al tragar porque tiene faringitis. Paciencia, y en unos día se le pasa. A veces, si parece claro que están resfriaditos y les duele algo, conviene darles Apiretal o Dalsy, aunque no tengan fiebre. Los bebés también pueden tener dolor de cabeza y malestar general, pero no lo pueden explicar.

Por último, algunos niños se pelean con el pecho porque tienen reflujo gastroesofágico y esofagitis por reflujo. A veces vomitan, pero no es necesario; el continuo reflujo del ácido del estómago puede irritar el esófago aunque no vomite, mientras que los que vomitan «y ya está» no tienen reflujo entre un vómito y otro, no les duele nada. Típicamente hacen un movimiento arqueando todo el cuerpo hacia atrás con expresión de dolor. Están mejor en posición vertical (otra razón para llevarlos en brazos). Si sospecha que es eso, coménteselo a su pediatra, a lo mejor tiene que ver a un especialista de digestivo.

Espero que algo de esto le sirva. Ya nos contará.

Saludos cordiales,

Carlos González

Soy una madre primeriza. Estoy dando el pecho a mi pequeña Tania de dos meses, en cada toma siempre le pongo a eructar, pero mi pregunta es:

Por las noches, sobre todo a eso de las tres de la madrugada, siempre se despierta hambrienta y le doy de comer, pero enseguida se vuelve a dormir. ¿Estoy obligada a hacerla eructar?, aunque muchas veces la he despertado para hacerla eructar, pero veo que mi pequeña se pone nerviosa y después la cuesta mucho volver a conciliar el sueño... ¿Qué es lo que debo de hacer?

Gracias,

Amanda

3 de enero de 200*

Apreciada amiga:

Pregunta usted si «está obligada» a hacer eructar a su hija (aunque sea despertándola a medianoche). Vamos a ver, ¿qué cree usted que le pasaría a su hija si no eructa?

¿Cree que va a tener un cáncer, o una pulmonía, porque no eructó? ¡Claro que no! Ni se va a quedar ciega, ni paralítica, ni nada parecido. ¿Qué le podría pasar entonces?

Muchos creemos que no le podría pasar nada, absolutamente nada. Ahora bien, incluso creyendo la teoría «tradicional» sobre el eructo, ¿qué es lo que se supone que le podría pasar, entonces? Podría estar incómoda por los gases en la tripita, podría tener molestias y podría despertarse.

Es decir: si no la hace eructar, a lo mejor se despierta y a lo mejor no. Y eso es lo peor que puede ocurrir, que se despierte. Pero si la hace eructar, se despierta seguro. ¡Pues ya está! ¿Ve qué fácil? Más vale dejarla en paz, que a lo mejor se duerme tranquila, y si se despierta, pues mala suerte.

Los niños de pecho, si están bien agarrados, casi no tragan aire, por lo que luego no eructan. No hay que «hacer eructar» a los niños. Todo lo más, durante el día, tenerlos un rato en brazos, en posición vertical, después de mamar. Si tienen gases, saldrán en pocos minutos. Y si no eructan, es porque no tenían gases.

Por la noche, lógicamente, es mucho más cómodo darle el pecho estirada en la cama. Muchas veces, la madre se duerme

329

antes que el bebé, y ya se quedan juntos en la cama. A veces el bebé se duerme primero, y entonces la madre puede dejarle en la cuna. Pero no vale la pena esforzarse por mantenerse despierta para poder dejarle en la cuna. Descansará usted mucho más si, en vez de concentrarse en dejarla en la cuna (o en hacerla eructar), se concentra en dormir usted.

Con dos meses, es normal que se despierte una vez cada noche. Pero probablemente a partir de los cuatro o cinco meses se despertará mucho más, cuatro a seis veces cada noche. Los niños, según crecen, cada vez duermen menos. Por eso es muy importante aprender a dar el pecho en la cama, moviéndose lo menos posible, y aprender a seguir durmiendo mientras el bebé mama.

Creo que le sería útil contactar con un grupo de madres, encontrará una lista en

www.fedalma.org

Espero que esta información le sea útil, y le deseo toda la felicidad con su hija.

Un cordial saludo,

CARLOS GONZÁLEZ

Mi nombre es Raquel, tengo veintiocho años y soy la mamá de un precioso niño llamado Antonio, de tres meses.

Lo primero de todo, felicitarle por sus libros. El mejor regalo que nos han hecho fue el libro *Un regalo para toda la vida*, donde le conocimos. Tras leerlo, rápidamente adquirí *Bésame mucho* y *Mi niño no me come*, los cuales prácticamente he devorado.

Mi hijo se está criando exclusivamente con lactancia materna. No he tenido ningún problema a la hora de darle el pecho desde sus primeros minutos de vida y pienso hacerlo hasta que mi hijo y yo queramos...

Mi hijo nació con 3.600 g y midió 51 centímetros. A los quince días pesaba 4.300 y medía 54. Al mes: 5.070 g y 55,5 cm. A los dos meses: 6.450 g y 61 cm. Le he pesado hoy con tres meses en la farmacia y pesa 7.650 g y mide unos 66 cm.

Le doy a demanda, cuando él quiere, a veces cada dos horas, otras cada tres o cada seis alguna noche...

La gente me está volviendo loca con que no le dé tanto pecho, o que le ayude con biberón (¡pero si está ganando peso fenomenal con mi pecho!) y miles de historias como las que cuentas en tu libro.

En el embarazo me tiré los primeros seis meses vomitando con frecuencia (he de reconocer por primera vez que soy bulímica) pero a partir de los seis meses de embarazo, la fuerza que me dio mi hijo hizo que dejara de vomitar. He leído en algún sitio que por ese motivo los bebés pueden ser en un futuro obesos, puesto que se acostumbran a aprovechar muy bien la comida por si vienen épocas de escasez...

La verdad es que estoy muy preocupada por los problemas que haya podido ocasionar a mi hijo o lo que le deparará el futuro.

Es un niño precioso, muy despierto y sano.

Gracias por su respuesta y por toda la ayuda que me está ofreciendo a través de sus maravillosos libros,

Raquel

28 de febrero de 200*

Apreciada amiga:

No he entendido lo de la obesidad. ¿Ha leído usted que los niños se vuelven obesos si su madre vomitó mucho durante el embarazo? Nunca lo había oído, y en todo caso hay muchas embarazadas que se pasan meses vomitando, sin necesidad de tener bulimia. He buscado en Medline y no encuentro ningún estudio científico que relacione los vómitos de la madre con la obesidad del bebé.

Sí que parece haber cierta tendencia a engordar demasiado (solo «cierta tendencia», lo que no es lo mismo que «condena a muerte») en niños que nacieron con bajo peso y luego lo recuperaron muy rápidamente. Pero su hijo no nació con bajo peso.

El peso y la talla de su hijo son completamente normales (desde luego, también sería normal con varios centímetros y kilos menos, pero todavía le falta bastante para salirse de la gráfica). Los niños de pecho suelen crecer y engordar mucho durante los primeros meses, y luego «paran» (no del todo, por supuesto). Si ya ahora le están diciendo que le dé una «ayuda», no quiero ni pensar lo que le dirán dentro de unas semanas o meses, cuando empiece a engordar menos.

Ya sabe, ni caso. No veo ningún motivo para pensar que su hijo vaya a ser obeso, y estadísticamente la obesidad es mucho menos frecuente en niños que han tomado pecho (cuanto más tiempo, mejor).

Espero que esta información le sea útil, y le deseo toda la felicidad con su hijo.

Saludos cordiales,

CARLOS GONZÁLEZ

Tengo un hijo de veinticuatro meses que estuvo mamando hasta los dieciséis (lo dejó el solito a pesar de que me hubiera gustado que continuara más tiempo). Desde los cuatro meses lo hizo de un solo pecho pues el otro lo rechazó drásticamente. Imagínate la diferencia de tamaño...

Ahora acabo de tener otro bebé, tiene un mes y medio y mama de ambos pechos a demanda, pero claro, un pecho tiene muchísima leche (tuve durante todo el embarazo) y el otro casi nada, y ya empieza a enfadarse cuando le pongo al pecho «pequeño». Mi miedo es que me pase como con mi anterior hijo y deje de mamar y por tanto de tener leche en un pecho. Fue muy dura la incorporación al trabajo y conseguir leche para mi ausencia con un solo pecho (necesitaba dos o tres tomas al día y en el trabajo no podía sacarme leche).

Ya he empezado a sacarme leche y a congelar y he observado que del pecho grande salen muchísimos chorritos (siete u ocho) mientras que del pequeño solo dos (igual me pasaba en mi anterior lactancia). No sé, ¿será un defecto anatómico?, ¿cómo puedo conseguir más? ¿Le pongo a mamar solo de ese pecho y me saco la leche del grande?

Gracias,
Raquel

Apreciada amiga:

¿Darle solo del pecho pequeño, y sacarse leche del grande? Hombre, se podría probar, y a lo mejor hasta funciona. Pero, si dices que ya empieza a no querer mucho el pequeño, igual coge un cabreo tremendo. Si ves que el intento no va bien, no insistas, no sea que aún lo acabemos de estropear. Porque, al fin y al cabo, tú misma ya has podido comprobar que, aunque sea difícil, es posible dar un solo pecho, y durante dieciséis meses nada menos.

Un cordial saludo,

CARLOS GONZÁLEZ

Voy a ser madre por segunda vez dentro de muy poco. En un libro: *Todo lo que necesita para saber amamantar bien*, de Kathleen Huggins, dice que tomarse dos o tres cápsulas al día de fenogreco (de venta en tiendas de productos naturales) puede ir bien para aumentar la producción de la leche.

Quería saber su opinión sobre estas pastillas,

América

23 de enero de 200*

Apreciada amiga:

He oído más de una vez eso de que el fenogreco (alholva) aumenta la cantidad de leche.

No conozco ningún estudio científico que demuestre que eso es verdad.

Pero podría ser. Quién sabe.

Si estuviera completamente seguro de que el fenogreco no sirve para nada, le podría decir con toda confianza que tome todo lo que quiera, que no pasa nada.

Pero ¿y si funciona? ¿Qué ocurriría si una madre tuviese de verdad más leche? Solo con 10 ml de más al día, en un mes son 300 ml, 150 a cada lado, como una prótesis de silicona grandecita. En un año de lactancia, 3.650 ml, casi dos litros de leche acumulados en cada pecho, ¡la madre revienta!

Así que, por si acaso es verdad que esas pastillas producen más leche, debo advertirle encarecidamente que no se las tome.

Porque es muy peligroso tener «más leche». Hay que tener la cantidad exacta de leche, ni más ni menos. Por suerte, la manera de conseguirlo es bien sencilla: dar el pecho a demanda, las veces que el niño quiera, el rato que quiera, un pecho cuando solo quiera uno y los dos cuando quiera los dos. Cuando se da el pecho a demanda, la producción se adapta exactamente a las necesidades del bebé.

Espero que estas reflexiones le sean útiles, y le deseo toda la felicidad con su creciente familia.

Un cordial saludo,

Carlos González

Tengo una hija de casi diez meses. Está muy bien de peso, 9.400 g. Le doy el pecho desde que nació. No conoce un biberón. Ahora además, desde los seis meses come más cosas. Come bien. Es una niña alegre y sana. El problema es que desde que nació se despierta muchas veces y cada vez que llora yo me la llevo a la cama y le doy el pecho. Pero mi marido, que desde el principio se ha negado en rotundo a esto, y lleva nueve meses «dejándome hacer lo que me da la gana» como dice él, ya se ha cansado de esta situación.

No hay otra cama donde se pueda ir él, y tampoco quiero que lo haga. Me gustaría que Andrea no quisiese mamar tanto por las noches y que durmiese del tirón. No sé cómo hacerlo. En el fondo creo que no es que quiera comer, sino que lo que quiere es estar conmigo. Yo también quiero estar con ella, pero también está mi marido y la situación es límite.

Tengo varias opciones:

a. Darle un biberón para que aguante más y probar si así duerme del tirón, aunque ya he leído en tus libros que dices que no.

b. No dárselo, pero dejarla llorar que es lo que me dice mi marido, también he leído en tus libros que no eres partidario.

Le doy bastante cena: puré de verduras con patata, zanahoria, pescado, y pecho.

No sé si, dado que ya tiene diez meses, debería «educarla» para que mamase durante el día, pero no por la noche ya que está muy bien de peso. No sé cómo hacerlo.

Muchas gracias,

América

11 de diciembre de 200*

Apreciada amiga:

En efecto, los niños de esta edad no se despiertan por hambre, sino porque quieren estar con su madre. Se despiertan con el pecho y con el biberón. Se despiertan con cinco meses, cuando solo toman leche, y se despiertan con quince meses, cuando cenan tortilla de patatas o fabada.

Se despiertan para comprobar que su madre sigue allí. Si su madre está a su lado, la oyen, la notan, la tocan, tal vez maman y se vuelven a dormir. Si su madre no está, lloran hasta que viene, y cuanto más tarda la madre, más desvelados están y más les cuesta volverse a dormir. La mayoría de las familias encuentran que la opción más cómoda es dormir con el niño desde el principio, o bien tener la cunita al lado y pasarlo rápidamente en cuanto se despierta. Tenerlos en otra habitación es mucho más cansado, hay que levantarse cuando lloran y además les cuesta volver a dormir. Volverlos a sacar de la cama cuando se duermen es muchísimo más cansado, hay que esperar a que se duerman profundamente para poderlos sacar, y eso obliga a los padres a mantenerse despiertos esperando el momento (en circunstancias normales, la madre se duerme antes que el bebé). Además, los niños a los que repetidamente se saca de la cama es probable que se despierten más: se sienten obligados a vigilar toda la noche («aquí, a la que te descuidas, te sacan de la cama»).

No entiendo muy bien por qué tu marido no está conforme. ¿Es una cuestión de principios, opina que los niños no deben dormir en la cama de sus padres, o es una cuestión práctica, la niña le da patadas o no le deja dormir? Normalmente, el que menos motivo tiene para quejarse es el padre. Eres tú la que se tiene que levantar, eres tú la que tiene que dar el pecho, él puede seguir durmiendo. De hecho, muchas madres se quejan de que sus maridos siguen roncando plácidamente mientras ellas se ocupan de todo. Claro que también habrá maridos con el sueño más ligero.

¿O es por lo del sexo? Pero, aparte de que la casa tiene muchas habitaciones y el día muchas horas, en tu caso concreto no debería haber ningún problema. Si lo he entendido bien, la niña no está con vosotros desde el principio, sino que empieza la noche en su cuna y tú la traes cuando llora. La hora del sexo ya ha pasado.

¿O son, simplemente, celos? Todos los padres sentimos celos, pero no todos llegan a reconocerlo.

Aparte de todo, encuentro que dormir con los niños es uno de los aspectos más agradables de la paternidad. Ser padre tiene cosas buenas y cosas malas. Supongo que nadie disfruta comprando y limpiando y cocinando y planchando y recogiendo juguetes y pagando facturas. Disfrutas jugando con tus hijos, llevándolos al parque, contándoles cuentos, durmiendo a su lado... Son esas cosas las que echas de menos cuando crecen. Si alguien inventase un método para no tener que fregar los platos o para no tener que pagar colegios y libros, sería maravilloso. Pero ¿un método para no dormir con tus hijos? Y entonces, ¿qué te queda?

El caso es que tenemos un conflicto. Tu hija te pide una cosa, tu marido te pide otra. ¿Con cuál de los dos puedes hablar y negociar? ¿Cuál de los dos, tu hija o tu marido, está lo bastante maduro para comprender y ceder? Me preguntas cómo educar a una niña de diez meses..., una niña que no habla ni entiende lo que le dicen, que no sabe andar, que no tiene en el mundo ninguna afición ni ocupación aparte de estar con sus padres. Pues en principio debería ser mucho más fácil educar a un marido de treinta...

No sé si tu marido podría cambiar de opinión, si puedes conseguir que lea un libro, o si lo puedes llevar a alguna reunión de un grupo de madres, donde conocería a otros padres que sí que duermen con sus hijos. También se puede hacer por las malas: «Cariño, tienes razón, se acabó lo de darle pecho y meterla en nuestra cama cada vez que se despierta. A partir de ahora, te encargas tú, que tienes las ideas más claras sobre educación. Si la niña llora, yo no me moveré de la cama; tú haces lo que creas que tienes que hacer para educarla». A ver cuánto tarda en decir: «Anda, dale el pecho, que no se calla con nada».

Espero que estas reflexiones te sirvan de ayuda, y que seas muy feliz con tu familia.

Un cordial saludo,

CARLOS GONZÁLEZ

Le escribo por no haber encontrado respuesta a mi problema tras leer varios libros sobre lactancia materna. Agradecería lo leyera y me contestase.

Soy madre de un niño de nueve meses, nacido por cesárea, también tengo otra hija mayor, ambos están sanos. He tenido y tengo problemas con la lactancia al pecho, estoy muy agobiada y muchos días pienso en abandonarla, pero eso me pondría aún más triste.

Mi problema es con el reflejo de eyección, a veces tarda mucho tiempo, incluso media hora, no es cuestión de un minuto o dos. He leído varios libros sobre la lactancia natural, incluido el suyo *Un regalo para toda la vida*. Ya que este me pareció genial, también he leído *Bésame mucho* y he comenzado ahora *Mi niño no me come*. He encontrado información sobre por qué se inhibe este reflejo, pero no encuentro respuesta para mi caso, pues no estoy estresada.

Mi madre vive en casa con nosotros y se ocupa de muchas cosas, puede hacer la comida, llevar a mi hija al colegio, etc. Estoy actualmente de excedencia, con lo cual tengo todo el tiempo del mundo para dar el pecho.

Los primeros quince días de vida de mi hijo fueron los más felices de mi vida, después se complicó un poquito la cosa porque todas las noches le dio por llorar un ratito (una media hora) entre las nueve horas y las diez, ¿sería el famoso cólico del lactante? Los días en que a esa hora estaba durmiendo no se producía el episodio de llanto, así que pienso que simplemente el niño tenía sueño y teníamos que haberlo dormido antes. A raíz de esto se acostumbró a dormirse en los brazos, cosa que continuamos haciendo y que gracias

337

a sus libros no nos incomoda en absoluto (salvo que ya va pesando un poco).

Mi sorpresa fue cuando alrededor del segundo mes, no sé el momento exacto, empezó a tardar el reflejo de eyección. Desde entonces hasta ahora hay días en que se retrasa mucho y al final el niño se duerme, con lo que se salta una toma, especialmente de noche. Otras veces me ha funcionado hacerme un masaje en el pecho previamente a la toma (me lo aconsejaron en el grupo de lactancia) lo que mejor me ha funcionado es dormir al niño (me ponía nerviosa si veía su carita interrogándome, ¿qué pasa mamá?) así en la primera etapa del sueño mamaba muy bien.

A partir del séptimo mes parece que el reflejo de eyección es más débil, lo noto menos y no me funciona hacerme el masaje, no sé si es normal que a estas alturas lo note tan flojo o no lo note.

No me siento estresada, ¿por qué me bloqueo y no sale la leche?, ¿el miedo es a fallar y no ser capaz de amamantar a mi hijo? Me he estado sacando la leche pero ahora me sale mucha menos leche que al principio de la lactancia (antes 80-100 ml entre ambos pechos frente a 40-50 ml ahora).

Lo que hice fue adelantar la papilla de fruta a los cinco meses, aunque ya sé que tiene muy pocas calorías, fue por enseñarle la cuchara cuanto antes.

La semana pasada, que el pecho o bien mi cabeza funcionaba estupendamente mi hijo mamó bien. El problema es que me encuentro bien una o dos semanas, el niño mama estupendamente y de repente caigo en una especie de bloqueo que tarda en desaparecer dos, tres, o cuatro días en el que me cuesta mucho amamantar. Alguna vecina me dice que tengo mal de ojo, pero en eso prefiero no creer. Fui a mi médico de cabecera pero no se atrevió a mandarme ansiolíticos ni antidepresivos por miedo a que se los pasase al bebé a través de la leche (anteriormente nunca he precisado esta medicación, siempre me he encontrado bien, me considero luchadora y optimista). Me envió a la consulta de psiquiatría, y la psiquiatra me aconsejó destetar y empezar un tratamiento con Sertralina 50 mg/24h porque me encontró con ansiedad y un poco de depresión. Le insistí en que quería seguir amamantando, entonces me dijo que vigilara estrechamente al bebé, así que todavía no he empezado ningún tratamiento, me da miedo, también he leído en su libro que este fármaco es seguro.

Me han hecho analíticas, incluidas de tiroides, y está todo normal. Como antecedente tuve una diabetes gestacional en ambos embarazos, controlada con dieta.

Me gustaría que me contestara si mi problema se debe a que tengo miedo a fallar, o a que esté nerviosa, o si hay alguna causa física que pueda contribuir a ello.

Si no me puede contestar le doy las gracias por los maravillosos libros que ha escrito.

Un saludo,

Amalia

2 de diciembre de 200*

Apreciada amiga:

Pero ¿cómo que lo que le pasa no lo ha encontrado en mi libro? Pues bien claro está, *Un regalo para toda la vida*, página 28, abajo: algunas madres no se notan el reflejo de eyección jamás, y casi todas dejan de notárselo hacia los tres meses.

Lo que usted tiene es ansiedad. No tiene absolutamente ningún problema con la lactancia. Su hijo mama perfectamente, engorda perfectamente, no explica en su carta ni un solo síntoma que pudiera indicar que no sale leche o que sale menos leche.

Si me dijera «hay días en que la leche no sale, y el bebé pierde un cuarto de kilo» (lo que pierde cualquier recién nacido en uno o dos días, y eso que algo comen). O bien «hay días en que no sale leche, y mi hijo está horas y horas llorando de hambre». O incluso «antes, cuando no salía leche, pobrecito, se pasaba el día llorando; ahora, como ya come otras cosas, lo noto en que hay días que come tres o cuatro veces más cantidad de papilla».

Pero no. Lo único que pasa en esas largas temporadas en que no sale leche (pues si lo he entendido bien los días en que «sí que sale» son las excepciones) es que:

☞ «al final el niño se duerme» (explicación: se duerme mamando, como todos los bebés, porque sí que sale leche);

☞ «con lo que se salta una toma» (explicación: está dos, tres, cuatro horas sin mamar... es decir, había comido perfectamente. Si de verdad en una toma no sale nada, le aseguro que no se salta ninguna toma: a los quince minutos lo tiene otra vez pidiendo el pecho);

☞ «me ponía nerviosa si veía su carita interrogándome, ¿qué pasa, mamá?» (explicación: su hijo está tan asombrado como yo, no entiende por qué usted se pone nerviosa, cuando él ha mamado perfectamente).

Y a todo esto, su hijo sano, feliz y engordando perfectamente. Si de verdad tuviera usted un problema con la lactancia, habría sido justo al revés: a los cinco meses, pobrecito, no engordó nada, y fue empezar a darle las papillas y engordó dos kilos en un mes, el hambre que llevaba atrasada... Si estuviera tres o cuatro días sin salir la leche, perdería un kilo en ese tiempo.

Usted lo que tiene es ansiedad. Pasa temporadas en que se imagina que no tiene leche, pero su hijo no es de la misma opinión: él sigue mamando, y durmiéndose en el pecho, y engordando, y simplemente se asombra de verla a usted tan preocupada. Y su médico sabe que es ansiedad, no un problema de lactancia, y por eso no la envía al ginecólogo ni al endocrino, ni siquiera le manda biberones (como haría cualquier médico que no tuviera idea de lactancia y creyera que de verdad usted no tiene o no le sale la leche), sino que la envía al psiquiatra. Y la psiquiatra ve claramente que lo que usted necesita no es un tratamiento para tener más leche, sino para la ansiedad, para dejar de preocuparse sin motivo.

No sé si la explicación racional bastará para que se le pasen a usted las preocupaciones, o si necesitará tomar Sertralina. No sé si ese tipo de preocupaciones sin fundamento le ocurren solamente ahora, y solamente en relación con la lactancia, o si le habían ocurrido en otras épocas y referidos a otros aspectos de la vida, sensaciones irracionales de incapacidad, de impotencia, de fracaso, de culpa... Depresión, vamos. La Sertralina, si de verdad necesita tomarla, es plenamente compatible con la lactancia, de hecho, es uno de los antidepresivos de elección durante la lactancia, puede buscarlo en LactMed, la base de datos del ministerio de salud norteamericano:

http://toxnet.nlm.nih.gov/cgi-bin/sis/htmlgen?LACT.

Espero que estas reflexiones le sean útiles, y le deseo toda la felicidad con sus hijos.

Saludos cordiales,

Carlos González

La relactancia. La posición

Soy la mamá de Ignacio, un bebé de ocho meses, que nació de veintinueve semanas de gestación, es trillizo. Ahora es gemelo pues perdió a una de sus hermanitas.

Mi hijo tiene una hidrocefalia y una válvula de derivación peritoneal, hace una semana ha estado ingresado muy grave, durante veinte días, por un brote agudo de hidrocefalia con parada respiratoria incluida. Tras una semana en la UCI, y cuando pasó a la planta, el niño se negó a tomar sus biberones, por lo que empezaron a darle papillas de cereales y de verdura, a pesar de mi preocupación porque siguiera tomando fundamentalmente leche. Además, sin ningún control sobre el tipo de verduras que el niño tomaba.

Como la situación del hospital en muchos aspectos da para escribir un libro, y no es el caso, ahora que estamos en casa puedo hacer lo que yo crea conveniente para él, y pensando que lo mejor es que tome leche como él estaba haciendo antes de que le ingresaran (unas siete u ocho tomas diarias de 120-150 ml).

¿Qué puedo hacer ahora que solo quiere comer sólido con cuchara? (le añado leche en el puré de verdura y también con los cereales, pero me da la impresión de que no es suficiente leche en cuatro comidas al día).

La otra niña está alimentada solo de pecho y aún no le he introducido ningún alimento, a pesar de las muchas presiones que estoy recibiendo, pero la niña está fenomenal. También me saco leche para el niño.

Espero su respuesta.

Gracias,

Almudena

Apreciada amiga:

Muchas gracias por escribirnos y por compartir con nosotros su historia. Debe de ser terrible perder a una hija, lo siento muchísimo.

Si lo he entendido bien, su hija mama normalmente del pecho, pero su hijo tomaba la leche materna en biberón. ¿Solo leche materna, o también tomaba leche artificial? Imagino que la diferencia se debe a que su hijo estuvo mucho tiempo hospitalizado al nacer. De todos modos, ¿ha intentado volver a darle el pecho? Con ocho meses no se puede decir que sea fácil; pero ha habido niños que con doce meses han vuelto a tomar el pecho.

A algunos niños basta con ponerlos al pecho, y empiezan a mamar. Es más probable, si llevan semanas sin hacerlo o si no han mamado nunca, que rechacen el pecho o que no sepan qué hacer con él. En esos casos no es bueno intentar forzarlos o atosigarlos, ni hacerles pasar hambre para que así se cojan. Todo lo contrario, un método que muchas veces da buen resultado es primero darle de comer como mejor pueda (ahora hablaremos), y después meterse en la cama con él, los dos en *topless*, a dormir la siesta. Lo coloca sobre usted, con la cabecita entre los dos pechos, le acaricia y le dice cositas bonitas (en su caso, tendría además a la niña al lado). Muchos niños, al cabo de media hora o más, se van hacia uno de los pechos y se ponen a mamar. Y si no, al menos ha pasado una horita descansando y disfrutando de ellos, y al día siguiente puede volver a probar. Supongo que su hijo ha ingresado repetidamente en el hospital, y que además del dolor de su propia enfermedad, y de los pinchazos e intervenciones, lo que más le ha dolido ha sido tener que pasar muchas horas separado de usted. Probablemente, el rechazo al biberón tiene algo que ver con esa angustia de encontrarse solo. Sus hijos necesitan mucho contacto y muchos mimos para recuperar el tiempo perdido.

Y de momento, si no mama y no quiere biberón, ¿cómo le damos la leche? No hay inconveniente en que coma también otras cosas (incluso teniendo en cuenta que nació con adelanto, ya tiene edad de empezar a tomar otras cosas), pero convendría ofrecerle cada día medio litro de leche, por lo menos. Ofrecerle, que no quiere decir obligarle; la cantidad ya está calculada generosamente, y seguro que muchos niños tienen suficiente con menos de 400. Pero, si no toma más, que no sea porque no le han dado, sino porque él no la ha querido.

¿Ha probado a darle la leche con un vasito? Ya sé que suena raro, pero incluso los recién nacidos y los prematuros pueden beber con un vasito. Hay que mantenerlo bien derecho, sentado sobre su muslo, y darle un vaso pequeño (como los de licor) lleno hasta la mitad de leche. El truco es meter el vaso bien adentro de la boca, hasta tocar las comisuras; si solo apoya el vaso en el borde del labio, se caerá todo por fuera. Incline el vaso hasta que llegue al nivel, y deje que él beba. Con un poco de práctica, pronto le encontrará el truco.

Otras opciones son darle la leche con una jeringuilla, con un cuentagotas, con un biberón-cuchara, con un vaso de pico... Y si no hay manera, pues espesada con cereales y con cucharilla.

No nos dice cómo está el peso de su hijo. Imagino que, entre la prematuridad y la enfermedad, no debe de estar muy gordo. Así que no tiene mucho sentido darle verdura, que es prácticamente agua. Más vale concentrarse en los alimentos que engordan: leche, cereales, pollo, plátanos, guisantes, lentejas...

Tampoco nos dice en dónde vive. Si en su localidad hay un grupo de madres lactantes, le sería muy útil contactar con ellas. Encontrará una lista de direcciones en

www.fedalma.org

Espero que estas sugerencias le sean útiles, y le deseo toda la felicidad con esos hijos encantadores. A ver si dentro de unos días encuentra un hueco para escribirnos y contarnos cómo le va.

Un fuerte abrazo,

CARLOS GONZÁLEZ

Al nacer mi hijo pesó 4.700 g, ahora tiene dos meses y medio y pesa 7.900 g. El pediatra me asegura que con lo que ha ganado de peso es prácticamente imposible que se quede con hambre, pero estoy preocupada porque no aguanta más de dos horas sin comer de día, y tres de noche. Si fuese por él, comería a todas horas. Cuando se duerme, aunque solo duerma media hora, al despertar quiere comer. Le doy también antes del baño, y tras este también quiere comer.

¿Es que come por necesidad o por costumbre?

¿Qué puedo hacer para separarle más las tomas? Me han dicho que con leche artificial tardan más tiempo en pedir la siguiente toma, aunque yo quisiera continuar con la lactancia materna cuatro o cinco meses más. Por cierto, no admite chupetes de ninguna forma.

Gracias,

Aurora

11 de junio de 199*

Apreciada amiga:

Enhorabuena, ante todo, por ese hijo tan guapo. Está usted preocupada porque mama con mucha frecuencia, como si se quedase con hambre, aunque ha engordado más de un kilo al mes.

Realmente, eso es mucho engordar. Es posible que, sencillamente, necesite mamar muy a menudo. Hay niños que hacen pocas mamadas grandes, y otros que hacen muchas pequeñas. La mayoría de los niños maman de diez a doce veces al día, algunos más y otros menos. Si es así, pues cuestión de irle dando cada vez que pide, y ya está.

Pero también es posible que se trate de un problema de posición. En estos casos, corrigiendo la posición, las mamadas se espacian un poco. En estos casos suele haber otros síntomas:

☞ se está mucho rato a cada pecho, veinte minutos o más; si no lo saca, él sigue

☞ a usted le duelen los pezones, tiene o ha tenido grietas

☞ tiene mucha leche, se le hinchan los pechos y le duelen, le gotea o chorrea uno mientras mama del otro

☞ su hijo traga demasiado, se pasa el rato echando y vomitando.

Si tiene la mayoría de estos síntomas, es posible que su hijo esté mamando en mala posición. En estos casos, no pueden sacar

344

la leche del final, que es más rica en grasas, y para compensarlo toman mucha leche del principio, que es más aguada. Como las grasas son las que más calman el hambre, es posible que estos niños mamen incluso más de la cuenta, pues notan hambre aunque hayan mamado mucho y engorden mucho.

Junto con esta carta recibirá una copia de un artículo que apareció hace unos meses en la revista, donde explicaban con más detalles esto de la posición. Con su ayuda y un poco de paciencia, espero que logre una solución satisfactoria.

En todo caso, lo de la posición, si el niño va bien de peso, no es un problema grave, todo lo más una pesadez. Si le sigue dando el pecho siempre que pida, su hijo se criará la mar de bien.

Espero que esta información le sea de utilidad, y le deseo toda la felicidad con su hijo.

Cordialmente,

CARLOS GONZÁLEZ

Soy madre de dos niños de cuatro años y veinte meses y le sigo desde mi primer embarazo. He aprendido mucho de sus respuestas y, por qué no decirlo, me he reído un montón, pues me parecen cargadas de sentido común y del humor. Ahora estoy de nuevo embarazada y he recordado las dificultades que tuve al principio de la lactancia con mis dos hijos, y me he decidido a escribirle. Durante los dos embarazos el ginecólogo me recomendó darme en los pezones, en los últimos meses, una mezcla de alcohol boricado y glicerina para no tener grietas. No me sirvió de nada, pues a los tres días de nacer mi hija mayor tenía ya grietas en ambos pezones, muy dolorosas por cierto. Me apliqué una crema que me dieron en la clínica, Antigrietum, y la verdad es que se me quitaron enseguida. Estuve hasta los nueve meses dándole el pecho, encantada.

Al nacer mi segundo hijo, la matrona nos había enseñado que nada de cremas, que simplemente extendiendo la leche tras cada toma el pezón quedaba protegido. Y otra vez las grietas. Como estaba convencida de lo de la leche, no me di crema y acabé en urgencias con una contractura en el cuello, del dolor tan intenso que me producía el hecho de darle de mamar al niño. Se me quitaron con la crema. Tras la contractura tuve mastitis dos veces, a pesar de lo cual seguí con la lactancia, y superados estos problemas, le di de mamar siete meses al niño. Está claro que soy una madre «lactante» convencida, ¿no?, pero también está claro que hay algo que hago mal.

Ustedes los especialistas en lactancia insisten en la postura, pero yo creo haber entendido bien la postura que tiene que tener el niño. En fin, he seguido todos los capítulos que ha dedicado su revista a la lactancia. ¿Quién me podría enseñar desde el primer día si lo estoy haciendo bien? En la clínica es un desastre, cada cambio de turno te dicen una cosa, si no estás muy convencida, acabarías dándole un biberón. La matrona de la preparación al parto esta vez nos ha hablado de aceite de rosa no-sé-qué tras cada toma, pero la verdad es que yo ya no estoy para experimentos...

¿Debería darme algo antes de que nazca? Ya estoy de siete meses, así que no tengo mucho tiempo. Había pensado que quizá el Antigrietum sería eficaz. ¿Qué me aconseja?

Muchísimas gracias por su atención, espero con ansia su respuesta.

Atentamente,

Pepi

28 de abril de 200*

Apreciada amiga:

En efecto, la principal causa de las grietas en el pezón es la mala posición, cuando el niño no tiene la boca lo bastante abierta, ni el pecho lo bastante metido. Una pomada de cortisona, como el Antigrietum, puede contribuir a aliviar las molestias; pero creo que si en los dos casos se le han quitado las grietas, será porque sus hijos, al crecer, han mamado cada vez mejor. Si el niño mama bien, la grieta se cura sola (si el niño mama bien desde el principio, la grieta no se produce), y no vale la pena poner ninguna pomada. Si el niño sigue mamando mal, las pomadas fracasarán, aunque puedan producir un ligero alivio durante unas horas.

Lo de la propia leche después de cada toma puede ayudar, pero solo si se corrige la postura; si no, también es inútil.

Puesto que ha estado meses dando el pecho sin tener grietas, y en cambio la primera semana sí que tuvo, es evidente que algo estaba haciendo distinto. El problema es que a veces la propia madre no es consciente de la diferencia, y es difícil verse una misma la posición. Le sería muy útil asistir a las reuniones de algún grupo de madres, ya desde el embarazo. Encontrará una lista de grupos en www.fedalma.es.

El problema más frecuente con la posición es que muchas madres cogen al niño con la mano en su culito, y la cabecita en el codo de la madre. Así, el niño está demasiado lejos del pecho, y le cuesta cogerse, sobre todo al principio. Es mejor que ponga su mano en la espalda del bebé, de modo que la cabecita esté en medio de su brazo, justo delante del pecho. Lo ideal es que, antes de abrir la boca, tenga el pezón en la nariz, sin necesidad de doblar ni girar la cabeza. Y si el pezón no está en la nariz, no hay que mover el pecho, sino al niño.

Muchos bebés maman mejor cuando la madre está boca arriba, en la cama o reclinada en un sillón, y ellos encima, boca abajo. Se le pone la cabecita cerca de los pechos y se espera a que él mismo busque y se enganche.

Un problema que a menudo contribuye a las grietas es que las madres se aguantan el dolor. Es decir, la grieta no aparece en cinco minutos, hacen falta varias mamadas, normalmente varios días. Y en esos días, las tomas duelen. Así es como nuestras antepasadas conseguían, durante millones de años, dar el pecho sin que nadie les explicase la posición: si les dolía, se sacaban al niño del pecho; si este lloraba, se lo volvían a poner; si les dolía, se lo volvían a sacar, y así seguían hasta que acertaban. Dar el pecho no debe doler. Nunca, nada, ni el primer día. Cada mamada que soporta aguantándose el dolor es un paso hacia las grietas.

Además, los niños tienen una tendencia instintiva a colocarse bien al pecho, pero se hacen un lío si se interfiere con la lactancia en los primeros días. Es importante que le den al niño para mamar en la misma sala de partos; que le dé usted tiempo para buscar el pecho y cogerse a su gusto, y que no le dé biberones ni chupetes en los primeros días.

347

Espero que estas sugerencias le sean útiles, y que pueda disfrutar por fin de las primeras semanas de lactancia. Ya nos contará cómo le va.

Saludos cordiales,

CARLOS GONZÁLEZ

Me dirijo a usted con la confianza que me merece después de haber leído uno de sus libros. Me gustaría exponerle mi situación actual con mi hija de diez semanas. Esta carta puede resultar un poco larga pero he intentado darle todos los detalles para que pueda valorar mejor la situación.

Durante el embarazo leí mucho sobre lactancia materna. Mi madre era una de esas madres que «no tenían leche» y nos alimentó a mis hermanos y a mí con lactancia artificial. Pero yo quería probar con el pecho a pesar del continuo mensaje repetido de que me pasaría lo mismo. En mi caso además se juntaba otro factor: pezones invertidos.

Cuando nació Natalia con un peso de 2.730 g, la puse al pecho y con gran gusto vi que mi nena se enganchaba muy bien. Estuvo durante una hora en el pecho. Pasaron dos semanas y la nena me pedía pecho continuamente. Era muy cansado pero sabía que ella necesita mamar cuando quiera. Siempre se quedaba dormida después de mamar. Fuimos al pediatra en su primera visita y la niña pesaba 2.580 g. Hacía tres o cuatro cacas diarias de un color muy oscuro. Me comentó que era normal que los niños perdieran peso al principio, así que me animó a seguir con la lactancia. Una semana después la niña no había aumentado nada, estaba muy delgadita, tenía el culete (como me comentaron los médicos después) como «sacos de tabaco», vamos, un pellejito. Nos envió directamente al hospital pensando que podía ser una infección de orina.

Allí la pesaron y en su báscula la cifra era aún menor: 2.400 g.

Ingresó en cuidados medios durante cinco días. Los primeros análisis de sangre dieron 850 de transaminasas. Me hicieron darle el pecho, le hicieron doble pesada y parecía que la niña no ganaba más que ocho gramos después de mamar durante cuarenta minutos. Ellos no se fiaban de la báscula, así que me dijeron que le da-

348

rían mi leche en biberón. Y comprobaron que no tenía más que para la mitad de los biberones del día (dosis de 50 ml). El resto, lactancia artificial. Después de cinco días la niña engordó 300 g. Le diagnosticaron hipotonía muscular, mala técnica alimentaria (a pesar de que comentaron que mamaba muy bien) e hiperelasticidad de la piel (que luego se comprobó que en realidad estaba muy delgadita y por eso parecía que le sobraba piel por todas partes). Se descartó cualquier otra enfermedad. Las transaminasas habían bajado a 160.

Las enfermeras me aconsejaron darle primero el pecho y extraerme el resto de la leche con un sacaleches. Después completar con biberón. Pero en casa fue un poco duro. Me extraía siete veces al día, coincidiendo con sus tomas, mientras mi marido le daba el biberón. Ella no tenía mucho interés por mi pecho, así que finalmente le dimos solo biberón. Me di cuenta de que no disfrutaba nada de mi hija, no le daba ningún biberón, y siempre estaba sacándome leche. Así que lo reduje a tres extracciones.

Ahora tiene diez semanas y la producción ha aumentado mucho, de manera que me extraigo unos 750 ml al día. Sus biberones son de 110 ml, y come siete veces al día (le doy de comer cuando ella pide, cada tres horas aproximadamente, a veces más a veces menos). Hace unos días mientras tenía a la niña abrazada, se me ocurrió darle de mamar en esa toma y comenzó a mamar. Para mí fue un gusto a pesar del dolor, puesto que su forma de mamar no es la misma que antes, ahora no abre mucho la boca. Y empecé a pensar que quizá pudiese empezar de nuevo a darle el pecho.

Esta noche ha mamado durante una hora y pico (bueno, eso creo porque después de ese tiempo me he quedado dormida). Y no se ha despertado hasta cinco horas y media después. Al extraerme la leche por la mañana he sacado como 130 o 140 ml menos que el día anterior. Por lo que imagino que eso será aproximadamente lo que ha comido, aunque sé que esto no es muy exacto.

El peso de Natalia es de 4.250 g, ahora. Y el caso es que me da un poco de miedo relactarla porque no me gustaría repetir la experiencia y que ella sufriese otro aumento de las transaminasas.

Después de toda esta larga explicación me gustaría que me dijese si cree que puede existir algún problema por relactarla, y cuál sería la mejor manera de hacerlo. He pensado darle el pecho cuando tenga más leche, justo antes de la extracción.

Disculpe por esta carta tan larga, no quería que se me olvidase ningún detalle. Estaría muy agradecida si me pudiese dar su opinión sobre este tema.

Quedamos muy agradecidos Natalia, mi pareja y yo no solo por su tiempo, también por su libro *Bésame mucho* que nos ha reafirmado en el placer de ser padres,

Lina

6 de febrero de 200*

Apreciada amiga:

Creo que lo primero es comprender qué es lo que le ocurrió a Natalia. Es evidente que no estaba mamando bien. Lo demuestra claramente su peso; si perdió tanto es porque no comía lo suficiente. Pero antes había otros síntomas: pedía el pecho continuamente. Los niños que maman bien sueltan el pecho al cabo de un rato, porque ya han acabado. Los primeros días, puede que tarden quince o veinte minutos, pero acaban. Su hija se pasaba muchísimo rato en el pecho, precisamente porque no estaba mamando.

El que usted ahora pueda sacarse 750 ml al día (¡y en solo tres veces!) demuestra que el problema no era falta de leche. El problema era que ella no mamaba bien, y que nadie en aquel momento supo asesorarla.

Lo segundo es comprender que usted no necesita relactar. «Relactar» se refiere a madres que han abandonado la lactancia, que han estado dando leche artificial durante semanas o meses, que no están produciendo nada de leche, y que han de empezar de cero. Usted está dando a su hija lactancia materna supongo que exclusiva (porque con 750 no creo que tome mucho más). Así que no se trata de una relactación, sino de un par de truquillos para conseguir que ella vuelva a mamar directamente al pecho, en vez de tenerse que sacar la leche y toda esa lata.

Y encima resulta que usted ya ha empezado, y se la ha puesto al pecho, y ella se ha cogido y ha mamado, aparentemente, al principio bastante mal y luego bastante mejor...

¡Pero si ya casi ha acabado! Solo le falta un 5% del proceso.

Sobre todo, póngase en contacto con un grupo de madres. Verá las direcciones en

www.fedalma.org

Allí podrán ayudarla a conseguir la posición correcta. Básicamente, se trata de que la niña tenga la boca muy abierta, y el pecho metido hasta el fondo.

Hacerle pasar hambre para que así mame siempre es contraproducente; cuanto más se enfade, peor mamará. Maman mejor si han comido antes.

Por lo mismo, no es conveniente insistir o atosigarla. Si mama contenta, cada vez mamará más y mejor. Si se enfada, en las próximas tomas tampoco querrá. Si se coge mal, es mejor sacarla y volver a empezar; pero si vemos que se le está agotando la paciencia, más vale dejarla mamar aunque sepamos que no está bien del todo que hacerla enfadar.

Si ella se coge al pecho, deje que mame mientras note que está mamando de verdad, se nota cómo traga. Si suelta el pecho, es que ya ha hecho una mamada perfecta. Si no lo suelta, deja de tragar y se queda enganchada, apriétese el pecho para que pueda tomar más. Sin sacarle el pecho, se pone la mano sobre sus costillas (las de usted) y aprieta el pecho por la base, bien apretado pero sin hacerse daño. No bombee; solo aprieta y mantiene apretado, sin soltar. Verá que la niña, al salir un chorro de leche, espabila y se pone a tragar durante unos segundos o minutos. Cuando se vuelva a quedar quieta, suelta el pecho. Al soltarlo, suele salir otro chorro y maman un poco más. Cuando se vuelva a quedar parada, apriete otra vez el pecho en cruz (si antes fue arriba y abajo, ahora a derecha e izquierda). Repita el proceso. Cuando al apretar ya no salga nada, la cambia de pecho y vuelta a empezar.

Con este truco, probablemente quedará muy poca leche para sacarse. Inténtelo los primeros días, por si acaso, y le da la que se saque después de las mamadas. Cuando vea que empieza a sobrar leche, que ya no se acaba la que se ha sacado, es que lo ha conseguido. En unos días dejará poco a poco de sacarse leche y de apretarse el pecho.

Si no se coge al pecho, dele la leche con vasito o con lo que pueda (ya no viene de un biberón más), y luego se mete en la cama con ella, en *topless* las dos, la cabecita entre los pechos, y dígale cosas bonitas. Muchas veces se ponen a mamar al cabo de un (largo) rato; y si no, al menos han pasado un rato muy agradable disfrutando y descansando.

Espero que estas sugerencias le sean útiles, y que disfrute mucho con su hija.

Saludos cordiales,

CARLOS GONZÁLEZ

Mi hija de mes y medio tiene problemas en sacar la leche gorda de mis pechos porque tiene retrognatia, se pasaría horas al pecho sin estar nunca satisfecha. Desde la segunda semana lo que hacemos es que mame y luego yo me saco la leche que queda y se la doy con jeringuilla en la siguiente toma.

Para mamar me han dicho de ponerla en la posición de caballito, pero aun así no consigo que llegue ella sola a sacar toda la leche.

¿Es cuestión de tiempo?, ¿podrá aprender o seguiremos así para siempre?, ¿si crece su boca podrá mamar correctamente? Me gustaría disfrutar de la lactancia materna sin sacaleches por el medio. ¿Es posible?

Le agradezco la atención,

Elena

4 de marzo de 200*

Apreciada Elena:

En efecto, el problema de retrognatia suele solucionarse con el tiempo, a medida que al bebé le va creciendo la boca.

Entre tanto, hay un par de cosas que pueden ser útiles y a lo mejor no ha probado.

La primera, dar el pecho boca arriba, con su hija encima, boca abajo. En esta posición, la cabeza se dobla ligeramente hacia atrás y pueden agarrarse mejor. Puede probar completamente estirada en la cama, o bien más o menos inclinada en un sillón o sofá.

La segunda, comprimir el pecho mientras mama su hija. Es mucho más cómodo que sacarse leche.

El método es el siguiente: probablemente su hija mama ella sola durante unos minutos, aunque no lo haga muy bien, y luego se queda quieta, sin mamar pero sin soltar el pecho, porque aún quiere más. Usted la deja que mame y, cuando se queda quieta, sin sacarla, comprime el pecho entre el índice y el pulgar, por la base (es decir, tocando las costillas con la mano). Aprieta bien el pecho, sin llegar a hacerse daño. Normalmente, al apretar sale un chorro de leche, y la niña que estaba quieta se pone a tragar. Mientras está tragando, mantiene el pecho apretado, sin soltarlo. La niña se queda quieta, usted suelta el pecho; a veces al soltar sale un poco más y la niña vuelve a tragar. La niña se vuelve a quedar quieta, usted aprieta el pecho, se vuelve a quedar quieta, lo vuelve a soltar... Puede ir apretando el pecho por distintos sitios, arriba y abajo o a lado y lado, colocando una u otra mano por donde pueda. Lo repite hasta que deje de funcionar, es decir, hasta que apriete y la niña se quede quieta porque ya no sale nada; entonces empieza con el otro pecho, lo mismo, la deja que mame y cuando se quede quieta empieza a apretar...

No a todo el mundo le funciona igual, pero vale la pena probarlo, porque en muchos casos es posible dejar de sacarse leche. Imagine, si en cada apretón salen 5 ml, y se da tres apretones en cada pecho (que pueden ser muchos más), en total la niña ya ha tomado 30 ml más.

Espero que estas sugerencias le sean útiles, y le deseo toda la felicidad con su hija. Ya nos contará.

Un cordial saludo,

Carlos González

La separación, el trabajo, el destete

Soy médico, y comenzaré a trabajar cuando mi hija tenga cinco meses. Mi horario es de ocho a tres horas, pero cada ocho días haré guardias de veinticuatro horas. Tengo mucha leche congelada, y sacaré cada día para el siguiente, pero no sé si seré capaz de mantener la lactancia materna en estas circunstancias.

No cuento con nadie que tenga experiencia en lactancia y guardias en mi hospital, ni encuentro información en revistas ni en la red.

Conozco de memoria sus libros, y he «obligado» a mi marido y a las abuelas a leerlos, así que creo que formaremos un gran equipo en la crianza de nuestra niña, pero necesitamos su ayuda.

¿Algún consejo práctico? Sobre todo en cuanto a pautas de extracción de la leche y la alimentación complementaria.

Un saludo y muchísimas gracias,

Carmen

27 de marzo de 200*

Apreciada colega:

Existe una sentencia de 1998 que reconoce que en una guardia de veinticuatro horas la trabajadora tiene derecho a tres horas de lactancia, porque se entiende que es una hora de cada ocho:

http://www.medynet.com/elmedico/informes/informe/mujermedica.htm

Ahora bien, creo que puede ir más lejos todavía y solicitar la exención de guardias. La famosa Ley de Conciliación dice:

«Si los resultados de la evaluación revelasen un riesgo para la seguridad y la salud o una posible repercusión sobre el embarazo o la lactancia de las citadas trabajadoras, el empresario adoptará las medidas necesarias para evitar la exposición a dicho riesgo, a través de una adaptación de las condiciones o del tiempo de trabajo de la trabajadora afectada. Dichas medidas incluirán, cuando resulte necesario, la no realización de trabajo nocturno o de trabajo a turnos».

A mí me parece evidente que una guardia de veinticuatro horas puede repercutir sobre la lactancia, y que por lo tanto las condiciones y el tiempo de trabajo se deben adaptar. Ignoro si los gerentes (¿del sistema público o privado?) lo verán igual, si alguien ha reclamado y conseguido algo parecido, si existen sentencias. Pero la ley está bien clara, y alguien tiene que ser la primera en exigir su cumplimiento. Lo lógico sería no hacer guardias, solo la asistencia normal y que contraten a un suplente para las guardias, o bien repartir las guardias, con la misma carga horaria semanal pero repartidas entre todos los días (seguro que esto segundo no lo quiere la empresa, porque les lía toda la organización de las guardias). Supongo que se puede probar a pedirlo por las buenas, y si no contactar con el sindicato médico, con el instituto de la mujer de la autonomía correspondiente (¡una empresa se niega a reconocer los derechos de la Ley de Conciliación! Eso suena muy feo...).

Me gustaría mucho saber cómo acaba la historia...

Si consigue no hacer guardias, no habrá ningún problema. En siete horas, lo más probable es que la niña no quiera comer nada mientras usted no está. Pueden ofrecerle cada día la leche que se sacó el día antes, y la congelada para emergencias; pero, insisto, probablemente no tome casi nada.

Si no le quedase más remedio que hacer guardias..., conozco a una pediatra a la que la abuela le llevaba a la niña a urgencias varias veces por guardia, haciendo papeles y todo: «Traigo a esta niña porque llora mucho», y la doctora le aplicaba el tratamiento... Como al menos tiene las tres horas de lactancia (eso sí que no lo puede negar nadie, ya hay jurisprudencia), repartidas en seis medias horas, hasta los seis meses le pueden traer a la niña seis veces por guardia, «legalmente», y dar el pecho tranquilamente en la sala de descanso o en la cafetería, eso más las «visitas» de urgencia.

Espero que esta información le sea útil, y que sea muy feliz con su hija.

Saludos cordiales,

CARLOS GONZÁLEZ

Querido doctor Carlos González:

Soy Carmen, médico de un hospital.

Hace unos meses le consulté una duda sobre «lactancia y guardias» a través de la revista *Ser Padres*, y me decía que le gustaría saber cómo acababa mi caso. Bueno, pues por suerte mi caso «no ha acabado». Mi hija cumple el jueves ocho meses, y hoy hago la primera guardia (así que estoy muuuy triste por separarme de mi princesita, aunque con la tranquilidad de que se queda con su padre que está de vacaciones).

Tuve la suerte de que la persona que me sustituyó durante el permiso de maternidad no tiene otro trabajo, así que se quedó haciendo mis guardias, a lo que tanto el hospital como mi servicio no pusieron ningún problema.

Me incorporé al trabajo cuando Laura tenía casi cinco meses, y conseguimos seguir hasta los seis con lactancia materna exclusiva (cosa de la que, aunque suene un poco ridículo, estoy muy orgullosa).

Trabajando en un servicio de mayoría masculina como el mío, es muy divertido ver la curiosidad que a todos les causa eso del «sacaleches». Cuando entre intervención e intervención se van a tomar un pincho, pues yo me voy a la habitación de las guardias a sacar la leche, y a la vuelta tengo que contarles cuánto me saqué.

Lo triste es que compañeras de otras especialidades, o enfermeras, me preguntan «ah, ¿pero se puede seguir dando el pecho y trabajar?, es que yo no tenía leche...». Me da mucha rabia la absoluta falta de información que hay sobre la lactancia, y eso entre los sanitarios, que se supone que somos los que deberíamos saber algo del tema.

Ahora en verano ya hace falta que yo haga guardias, pero ahora creo que no tendremos problemas. Laura se toma mi leche en un vasito (de Medela, lo más parecido a una paladai que encontramos. Lo compré por Internet) como una campeona, y le ofrecemos otras cosas tres veces al día, aunque con cuatro cucharadas dice que ya tiene bastante.

Además mi marido me la va a traer al hospital dos veces al día para que le dé el pecho directamente, y para recoger la leche que me saque, así que iremos tirando hasta que coma algo más.

Ahora estamos en la fase de «¿y hasta cuándo le vas a dar?», y yo les explico que esto es como cuando empiezas a jugar al tenis, no te sale bien el saque, tienes que practicar mucho, tienes agujetas... y que luego cuando lo dominas es cuando lo disfrutas. Pues lo mismo, ahora lo estamos disfrutando, así que lo dejaremos cuando dejemos de hacerlo.

Ya sé que le estoy soltando un rollo terrible, pero aún tengo que decirle lo agradecidísima que estoy por sus libros. Soy muy responsable y metódica y hubiese cumplido a rajatabla lo que siempre he visto a mi alrededor (diez minutos de pecho cada tres horas, nada de brazos...) pero por suerte le encontré a usted, y, además de darle a mi niña el mejor alimento en todos los sentidos, disfrutamos de ella muchísimo, todo el día achuchándola, llevándola en brazos, durmiendo con ella... es genial. La única pega que le pone mi marido es que él no tiene pechos.

No hubiese sido así sin usted, no lo dude. Además mi hermana está ahora embarazada, y gracias al famosísimo doctor González, también voy a tener un sobrino «malcriado».

Quisiera poder comunicarle lo que ha influido en nuestras vidas. El éxito de nuestra lactancia lo compartimos mi niña y yo con mi marido y usted.

Pues eso, que muchíííísimas gracias por todo, que aquí me tiene para lo que quiera y hasta siempre.

Querido doctor González:

Como me pareció que tenías interés en saber cómo iba a arreglármelas para hacer las guardias y seguir con la lactancia, te envío este mensaje ahora que ya cumplimos ¡DOS AÑOS!

Me parece increíble.

Lo más difícil fueron las primeras guardias, cuando estábamos con lactancia materna exclusiva, pero gracias a los 10 l que llegué a tener congelados (sí, ahora ya sé que era innecesario, pero la ansiedad anticipatoria es lo peor en estos casos) y sobre todo a mi marido, que es un sol, salimos adelante. Como mis guardias no son de puerta, sino de segunda llamada y tengo una habitación bastante cómoda, pues venían a comer y a cenar conmigo, y así recogían lo extraído y hacía varias tomas el ratito que me acompañaban.

Cuando la alimentación complementaria ya estaba más o menos instaurada empezaron a venir solo a cenar, y se llevaban una «dosis» extraída. Esto más o menos hasta el año, que ya no me extraje más y con lo que ella toma cuando vienen a cenar es suficiente. Y eso que cuando estamos juntas la tengo todo el día colgada del pecho, que le encanta (incluso más que a mí), pero parece que se adapta bien, y no me da problemas.

Ella lleva bastante bien que yo esté de guardia, porque se queda con sus abuelos y se lo pasa pipa, pero al día siguiente me las hace pagar todas juntas, no se separa de mí, está muy demandante... pero qué le vamos a hacer.

Seguimos colechando, y se duerme al pecho, por lo que lo peor es lo de dormir cuando yo no estoy. Familia y amigos empiezan a decir que sería mejor ir dejándolo, que aprenda a dormir sola... pero de momento somos fuertes.

La gran duda ahora es cómo vamos a hacerlo si viene un hermanito. No sé si mi marido tendrá fuerzas para pasar mis guardias con dos fieras... Improvisaremos, supongo.

Muchas gracias por estar ahí (en *Ser Padres*, *Tu bebé*, los libros...) y seguir siendo un apoyo.

Besos y Feliz Año Nuevo,

Carmen

Soy madre de un bebé de siete meses y medio y quería consultarle acerca de los problemas que tiene para dormir. Para ponerle en antecedentes, le diré que Santiago fue criado exclusivamente con pecho hasta los cuatro meses y medio. Entonces tuve que reincorporarme al trabajo y pasó a que su padre le cuidara por las mañanas. A la vez, empezó a tomar leche artificial y paulatinamente empezamos a introducirle las papillas.

Hasta entonces, prácticamente siempre era yo la persona que lo dormía y muchas veces se quedaba dormido durante las tomas.

Más o menos coincidiendo con mi reincorporación al trabajo, Santiago empezó a tener dificultades para dormir (y también para comer, pero estas se han ido solucionando más deprisa). La cuestión es que ahora mismo no quiere dormirse si no es tomando pecho. Y aun así, sus espacios de sueño son cortos: se despierta unas cuatro o cinco veces durante la noche, y casi siempre tengo que acabar dándole el pecho de nuevo para que vuelva a dormirse, (aunque previamente intento calmarlo con palabras suaves y acariciándolo, no suele funcionar).

Cuando empecé a trabajar su padre lo dormía con bastante trabajo, cogido en brazos... y la verdad es que paulatinamente fue mejorando, pues inicialmente se despertaba en cuanto lo colocaba en la cuna, pero luego aguantaba más tiempo, incluso empezamos a dejarlo algunos momentos solo en la cuna para que conciliara el sueño y, aunque le costaba y lloraba, lo logró varias veces. Pero este proceso se vio interrumpido cuando a mediados de septiembre entró en la guardería.

Allí las maestras se han encontrado con que no quiere dormirse y llora un montón si lo dejan solo. Únicamente está dispuesto a dormirse si es en brazos de la educadora, y aun así, en cuanto lo quiere dejar en la cuna, se despierta y llora. Digamos que está muy inquieto, pendiente de todo, y tiene un sueño superficial. A mí me da la impresión de que tiene miedo de que lo abandonemos o algo así, y por eso no quiere dormirse, es más, a veces está muy cansado pero se niega a dormir.

En estos días no hemos querido presionarle más dejándole solo en la cuna, porque creemos que ya está sufriendo demasiados cambios y no queremos que esté llorando cada vez que se tiene que dormir. Sin embargo, esta situación no puede prolongarse mucho, pues todos estamos estresados (tampoco quiere el chupete desde hace unos meses).

Ojalá pueda sugerirnos alguna idea en cuanto a cómo abordar esta situación.

Cordialmente,

Asunción

5 de octubre de 200*

Apreciada amiga:

Los niños necesitan estar con su madre. Continuamente. Es una necesidad más importante incluso que la de comer.

Cuando los niños son pequeños, es la madre la que procura mantener un contacto continuo. Muy pocas madres estarían dispuestas a dejar a su niño de tres semanas para irse a una excursión de ocho horas, o ni siquiera para ir al cine. Ahora mismo, si usted no tuviera que trabajar, seguro que no se iría cada día de casa.

A medida que el niño crece, se va haciendo más independiente, y por tanto pasa a asumir la responsabilidad de su vida y de mantener el contacto con su madre. El mismo niño que a los dos meses dormía casi seis horas, a los cuatro meses se despierta cada hora y media. Porque ya no es un ser pasivo, dependiente, que se queda quieto confiando en que su madre le cuidará, sino que es un ser activo e independiente, que se despierta periódicamente para comprobar si su madre está allí. Si está (es decir, si duermen juntos en la misma cama), la huele, la oye, la toca, a veces mama, y enseguida se vuelve a dormir, muchas veces sin que ninguno de los dos se despierte del todo. Si no está, la llama hasta que viene, y luego está «pasado de rosca» y necesita más mimos, más pecho y más de todo para volver a dormirse.

Este proceso, que es normal en cualquier niño, se ha visto potenciado en el suyo por el hecho traumático de la separación. La respuesta normal y sana de un niño cuando su madre se va por unas horas es pegarse a ella en cuanto vuelve, exigir más contacto y más caricias, y mostrarse receloso. No digamos si la separación se repite cada día.

Y luego la guardería. Es decir, ni mamá, ni tampoco papá. Usted misma ha ido viendo como, a cada separación, la situación empeora.

¿Puede dejar usted de trabajar durante unos meses? Si le pregunta usted a su hijo qué quiere que le compre con un millón de pesetas, seguro que prefiere seis meses de madre a la entrada de un coche nuevo. Si no puede dejar de trabajar, ¿puede su hijo quedarse con papá en vez de ir a la guardería?

En una mala, siempre hay algo que podrá hacer: compensar en el tiempo que tengan para estar juntos. Tenerlo en brazos todo el rato, dormir con él...Claro, todo el mundo la criticará, y le dirán que cuantos más «mimos» le dé, más «enganchado» lo tendrá. Pero usted misma ha comprobado que eso es falso: no son los mimos sino las separaciones la causa de su «enganchamiento»; empeoró al irse a trabajar, y empeoró mucho más al llevarlo a la guardería.

No se deje engañar por el lenguaje triunfalista de ciertos «expertos» en sueño. Dice: «Lloró, pero consiguió dormir solo», y eso es falsear la realidad. Dormir solo es una desgracia, como por ejemplo caerse. A uno «le ocurre» que se cae, o «acaba cayéndose», o incluso «se conforma con su suerte» cuando se cae; pero nadie «consigue caerse», porque nadie lo intenta. Los niños dejan de llorar cuando pierden la esperanza, cuando están convencidos de que, lloren lo que lloren, nadie les hará caso. Hay varios libros que explican la manera de hacerlo.

Los niños necesitan contacto físico continuo. Pueden sobrevivir con menos, pero no son igual de felices.

A las madres les pasa lo mismo. Descubrirá que duerme mucho mejor con su hijo en la cama que con la angustia de no tenerlo y el agotamiento de levantarse cada dos horas para ir a otra habitación.

Le será muy útil un libro de Meredith F. Small, *Nuestros hijos y nosotros*. Para leer en el trabajo, por supuesto, ¡no pierda el tiempo cuando pueda estar con su hijo!

Ya me contará cómo le va.

Saludos,

CARLOS GONZÁLEZ

Antes de nada, le agradezco mucho el interés que se tomó en responder a mi anterior carta y le pido disculpas por no haberle contestado antes.

Le escribo nuevamente para comentarle los progresos y retrocesos en el dormir de mi hijo Santiago, que tiene dieciséis meses y medio y sigue con lactancia materna.

A partir del mes de octubre o noviembre del año pasado lo trasladamos a dormir a nuestra cama. Esto me permitió a mí descansar más y él, aproximadamente un mes y medio o dos meses más tarde, empezó a entrar en una dinámica de mayor tranquilidad en lo que concierne a dormir en la guardería. Por fin lograron que se relajara más y que durmiera una siesta de una hora (más o menos «solo», aunque con las maestras cerca, unas veces cogiéndolo un poquito en brazos y otras acariciándolo un poco junto a su cuna).

En casa seguía y sigue despertándose por la noche cada hora y media o dos horas. Lo vuelvo a dormir siempre dándole el pecho (pues si no llora y no quiero que se desvele más).

En el mes de marzo hicimos un viaje a Argentina, el país de mi marido. Allí no tuvo ningún problema en especial, y se adaptó bien incluso a los cambios de horario. Pero al regresar a España hubo más cambios, su padre se quedó allí un mes más y nosotros nos instalamos en casa de mis padres durante ese mes. A partir de ahí, de nuevo empezó a manifestar dificultades para dormir en la guardería (que no se han superado ni siquiera después de que regresara mi marido y nos instaláramos en nuestra casa). Me comentan sus maestras que solo duerme como mucho unos veinte minutos, y que a menudo grita al despertarse para que lo saquen de la cuna, y que a veces también se muestra rebelde cuando lo llevan al cuartito donde duerme. Ellas me dicen que ya lo han probado todo (ponerlo a dormir a horas diferentes, acostarlo en distintos espacios, esperar a acostarlo a que esté más cansado o menos cansado...) pero no les ha funcionado. Aun cuando está muy cansado, me dicen que es como si se negara a dormir. Y evidentemente, esto va en detrimento de su estado de ánimo, pues luego se muestra irritable y demanda mucho al adulto.

Por otra parte, desde hace tiempo, estoy con ganas de destetarlo del todo, pues realmente ya es muy cansado para mí todo este ritmo. Y es que Santiago me busca mucho. Sin embargo, me está costando bastante iniciar el destete, debido a que veo que está muy ansioso con la retirada. A veces está a punto de dormirse o incluso ya se ha dormido, y en cuanto siente que me retiro se despierta inmediatamente con ansiedad buscando el pecho, y si no se lo vuelvo a dar enseguida se pone a llorar.

De hecho, las veces que he tratado de que no se durmiera mientras tomaba el pecho le han dado unos berrinches muy fuertes, así que en esas ocasiones finalmente he optado por «echarme para atrás».

El resultado es que no me atrevo a dejar al niño varias horas ni con sus abuelos ni con nadie (en lo de la guardería no tengo más remedio) porque sé que lo van a pasar mal todos.

He estado dejando pasar el tiempo con la esperanza de que él solo vaya madurando y se vaya calmando con respecto a ese miedo al abandono que tiene, y que perdiera interés en el pecho. Pero el caso es que el tiempo va pasando y él parece persistir en la misma actitud. Y no me veo con fuerzas como para esperar a que cumpla los dos años y pico o tres, que es cuando dicen que los niños se suelen destetar por sí mismos.

Hemos intentado también tratarlo con homeopatía, pero no parece haber dado muchos resultados (a excepción, quizá, de la primera vez que le recetaron Pulsatilla y coincidió más o menos con las vacaciones de Navidad y con el inicio de su mejoría en la guardería. Luego, este mismo medicamento parece no haber funcionado ya, y tampoco los otros que le han dado).

Por lo demás, le diré que Santiago es un niño normal, alegre y bastante tranquilo, que no da mayores problemas. Come bien en términos generales, pocas veces está enfermo, su desarrollo general (andar, comer con cuchara, mostrar curiosidad por su entorno, pronunciar algunas palabras, jugar...) está dentro de lo normal... Quizá algo que lo caracteriza es que es un niño sensible y que busca mucho el contacto, principalmente el de la madre (aunque también acepta bien a su padre y a bastantes personas —abuelos, tíos, amigas, etc.—). Aquí he de reconocer que tomo con él una actitud quizá demasiado sobreprotectora o condescendiente, ya que casi siempre trato de atender sus demandas de forma rápida y, por ejemplo, enseguida lo cojo en brazos o le hago caso cuando me lo pide. Así que me pregunto si en la guardería se rebela también contra el hecho de que siente que le ponen demasiados límites en relación a lo que recibe de mí.

Lo que más me desconcierta es que la cosa parece ir de mal en peor, y Santiago parece estar manifestando ahora más rechazo que antes a ir a la guardería, cosa que nos preocupa. Hoy precisamente hemos tenido una reunión con la psicóloga infantil de la guardería a petición de las maestras de Santiago. La recomendación de todas ellas es la de que separemos el acto de dormir con el de tomar el pecho. De hecho, mi intención es practicar esto en las vacaciones, espero que realmente el problema radique ahí y que podamos ponerle remedio.

Después de todo este «rollo», las preguntas concretas que quiero hacerle son:

1. Mi impresión es que es mejor iniciar el destete eliminando las tomas a las que él da relativamente menos importancia (las de la

tarde), y luego pasar a eliminar las de la noche. Pero también se me ocurre que tal vez sea mejor «negarle el pecho» por las noches y en un principio dejarle que en el día tome cuando quiera, para contrarrestar. ¿Qué opina de estas posibilidades?

2. ¿Qué hacer con respecto al hecho de que él duerme con nosotros? Me imagino que le será más difícil permanecer a mi lado si no puede tomar pecho...

3. ¿Tiene alguna otra alternativa o «truco» para realizar el destete de la manera menos traumática posible?

Muchas gracias por todo y reciba un cordial saludo,
Asunción

9 de julio de 200*

Apreciada amiga:

Me alegra volver a tener noticias suyas, aunque lamento observar que le siguen haciendo la vida imposible con consejos tontos.

Pasemos revista a la historia de Santiago:

1. Estaba con usted en casa: dormía bien.

2. Usted empezó a trabajar, lo cuidaba papá: empezó a dormir peor, pero con paciencia y los brazos de papá fue mejorando.

3. Entró en la guardería: durmió mucho peor.

4. Lo dejaron dormir con ustedes por la noche: fue mejor para usted desde el primer día, y él, al cabo de un par de meses, empezó a dormir mejor incluso en la guardería.

5. Se van a Argentina (donde supongo que no había guardería, y que usted no trabajaba): su hijo durmió de maravilla, a pesar del ambiente extraño.

6. A casa de los abuelos, sin papá y yendo a la guardería: vuelve a dormir mal en la guardería (pero en casa no).

7. Usted intenta algunas noches dormirlo sin el pecho: en esas noches, también duerme mal en casa.

Parece evidente que cuanta más madre, mejor duerme, y cuanta más guardería, peor duerme. Cuando no ha habido guardería, su hijo ha estado de fábula. El efecto de la guardería fue tan tremendo que su hijo durmió mal incluso en casa, y el efecto de dormir con ustedes fue tan bueno que empezó a mejorar incluso en la guardería. Además, las de la guardería, con sus profundos conocimientos de puericultura y asesoradas por su listísima psicóloga, «lo han probado todo, pero no les ha funcionado».

Y, a pesar de todo, aún tienen la cara dura de decirle que es usted la que lo hace mal, que el problema está en casa y que tiene que dormir a su hijo sin pecho (¿y cómo diablos, si ellas no han podido?).

Observa usted que, en la guardería, cada vez va peor. Claramente, se acuerda de las perrerías que le hicieron los días anteriores. Por algo no dejan a las madres entrar en las guarderías y ver lo que hacen, pero no cuesta mucho leer entre líneas. «Grita mucho al despertarse para que lo saquen de la cuna» quiere decir que Santiago se despierta y ellas lo dejan encerrado en la cuna, hasta que se ve obligado a gritar mucho. (¿Quieren venderlo como que se despierta con pesadillas o algo así? Entonces dirían más bien «se despierta, y aunque le sacamos de la cuna y le intentamos consolar, se pasa un rato gritando». Pero no, no es eso. Grita para que le dejen libre.) «Se muestra rebelde cuando lo llevan al cuartito» significa que lo han llevado a rastras. ¿Cree que en todos estos meses nunca le han reñido, nunca le han amenazado, nunca le han puesto en ridículo? («Como no te calles, vas a ver» «Que te estés quieto, te he dicho», «Mira, el bebé pequeñito, que le da miedo estar solo», «Estoy muy enfadada, hoy te has portado muy mal», «Si no te duermes ahora mismo, no saldrás al patio». Claro, todo esto no se lo contarán a usted; pero usted fue a la escuela de pequeña, y sabe las cosas que se dicen.) ¿Y pretenden que, al día siguiente, su hijo haga borrón y cuenta nueva, y duerma feliz y confiado?

Ahora tiene una oportunidad de hacer borrón y cuenta nueva: las vacaciones. En dos o tres meses de estar con mamá, papá y los abuelos, sin pisar la guardería, durmiendo con sus padres y mamando sin limitaciones, probablemente recuperaría bastante la confianza y la tranquilidad, hasta olvidar (parcialmente) lo pasado. Con esto, y con que sería tres meses mayor, si en la guardería fueran listos, cariñosos y sobre todo respetuosos, podrían restablecer una buena relación en septiembre. Respetuosos porque algunos niños no duermen la siesta, y punto (¿duerme su hijo siesta los domingos?), y otros la duermen en casa, pero no fuera. Dicen que si no duerme luego está muy nervioso; pero ¿han probado a respetarlo sin ninguna discusión, a dejarle jugando o contarle cuentos mientras los demás duermen? (en esa hora en que los demás duermen, las señoritas no deben de tener mucho trabajo, y están dentro de su horario laboral; ¿tanto esfuerzo es ocuparse del único que está despierto?). ¿O es después de las peleas, gritos y llantos, después de intentar durante media hora que se duerma, cuando el niño está muy nervioso? Sí, sé por experiencia que los niños están nerviosos cuando no duermen; pero también que, si se les respeta, el nerviosismo es bastante leve y tolerable. Pero claro, luego se muestra irritable y demanda mucho al adulto, y esto es tener que trabajar. Aquí está el problema. En las guarderías de Estados Unidos, por ley, hay cuatro niños por señorita hasta los dieciocho meses, y algunos expertos insisten en que son demasiados, y habría que bajar a tres. ¿Cuántos niños por señorita hay en su guardería?

Por desgracia, en vez de confiar en este periodo de vacaciones para que Santiago se recupere de sus desagradables experiencias, las de la guardería han preferido comerle a usted el coco para que continúe usted en casa la noble labor que ellas iniciaron y acabe de pisotearle el alma. Claro, muy bonito, como ellas no han podido, como no quieren soportar los gritos y las protestas del niño, y su sensación de fracaso, prefieren que usted pase todo eso en casa, mientras ellas disfrutan tranquilas de la playa, y que se lo devuelva en septiembre domesticado, domeñado, sometido...

Se muestra usted sorprendida de que su hijo «persista en la misma actitud» de exigir su pecho. Pero no es nada sorprendente, puesto que usted también persiste en querérselo quitar. Dice «he estado dejando pasar el tiempo»; pero ¿cuánto tiempo ha dejado pasar? ¿Años? No, estamos hablando de días, a lo sumo semanas. Imagínese que su marido le dice que se quiere divorciar, y usted se pone a llorar como una Magdalena. A él le da lástima: «Bueno, va, no me divorcio». Al cabo de una semana: «Al menos podríamos separarnos unos meses». Llanto.

«Bueno, pues no nos separamos.» A los tres días: «Al menos este fin de semana me podrías dejar pasarlo con Maribel». Llanto y reproches. «¡Que no, tonta, que ya me quedo, si era broma!» Y a todo esto su marido echándole miradas de esas de «¡Lo que estoy aguantando por ti!». ¿Estaría usted muy tranquila? Vamos, por favor, que su hijo no es tonto. Cada intento por quitarle el pecho hace que le dé más miedo quedarse sin pecho; cada intento por dejarlo solo hace que le dé más pánico quedarse solo.

Claro, está el problema de que para usted este ritmo empieza a ser cansado. Ojo, ni por un momento pongo en duda su derecho a destetar a su hijo cuando le dé la gana. En España, la duración media de la lactancia es de tres meses, y si jamás se me ocurriría hacerle un reproche a la que da el pecho dos semanas, ¿cómo voy a hacérselo a usted? Pero vale la pena que se pregunte qué aspectos de este ritmo son los que la cansan. ¿Le cansa madrugar? ¿Le cansa trabajar? ¿Le cansa oír las quejas de la guardería? ¿Le cansa hacer las cosas de la casa? ¿Le cansa ocuparse por las tardes de su hijo? ¿Le cansa hablar (o lo que sea) con su marido? ¿Le cansa que su hijo mame, o le cansan más los cirios que se han montado las veces que ha intentado que no mame? Hay que decidir qué es lo que realmente produce ese cansancio, y qué es lo que puede suprimir con más facilidad.

Solo conozco un medio no traumático de destetar: el que recomienda la Liga de la Leche, «no ofrecer, no negar». Es decir, no darle usted el pecho por propia iniciativa, pero no discutir ni hacerle esperar ni ponerle mala cara si lo pide él. Cada intento de negárselo hará que lo pida más todavía. Y también, por supuesto, hay que darle algo a cambio. El pecho no es solo comida (si fuera así, sería muy fácil destetar: «Cuando pida el pecho, dele un bocata»), sino también cariño, calor, contacto, consuelo... Hay que darle todo eso por otra vía. Cogerlo más en brazos, jugar más con él, asombrarse más de sus dibujos y descubrimientos, llevarlo más al parque, ayudarlo más a hacer construcciones, contarle más cuentos, enseñarle más canciones. Y todo eso hay que hacerlo con decisión, antes de que pida el pecho, en la esperanza de que así se olvide de pedirlo. Iniciar maniobras de distracción cuando ya ha pedido el pecho es contraproducente. Claro, todo eso es mucho trabajo, pero papá y los abuelos pueden colaborar.

No, no es usted sobreprotectora ni demasiado condescendiente. Eso no existe, puesto que los niños necesitan protección y condescendencia veinticuatro horas al día, y es imposible darles más. Por desgracia, en una extraña corrupción del lenguaje, se da a veces esos nombres a todo lo contrario. Si un niño quiere caminar solo y la madre no le deja y lo lleva en brazos, o le ata al cochecito, dicen que es sobreprotectora, cuando en realidad es autoritaria. Si a un niño le compran muchos juguetes para que no moleste, dicen que le están mimando cuando en realidad le están desatendiendo. Pero de verdadero cariño y de verdadero respeto no existe la sobredosis.

Espero que estas reflexiones le sean útiles, y que sea muy feliz con su hijo. Ya nos contará.

Cordialmente,

CARLOS GONZÁLEZ

En primer lugar felicitarle por esta sección en la que se puede encontrar respuesta a numerosas dudas, y solución a tantos problemas. Esta felicitación también hace referencia a la revista en su conjunto.

La duda que me invade es posiblemente el resultado de mi falta de experiencia en este tema, pues somos unos futuros padres novatos. Mi problema consiste en que no tengo un trabajo estable y me dedico a dar clases en casa, por ello no cuento con mucho tiempo libre. Me gustaría dar el pecho a mi hijo pero no puedo abandonar el trabajo, por tanto desearía saber si es posible combinar la lactancia materna con biberones en aquellos momentos en que me fuera imposible dar el pecho. Otra posibilidad que se me ocurre es utilizar un sacaleches para dar esa leche al niño posteriormente.

Agradeceré enormemente que me resuelva estas dudas y me ofrezca la mejor solución,

Marlene

Apreciada amiga:

No crean que son del todo novatos: todos los padres han sido antes, y durante muchos años, hijos. En el fondo de nuestra memoria hay una ventana hacia los remotos parajes de la infancia; asómese a ella y encontrará destellos del alma de un niño: lo que la hacía feliz o desgraciada, lo que esperaba de sus padres o lo que se sorprendió en encontrar, las horas más amargas y las más felices, los sueños y las pesadillas, los anhelos y los temores. Hay mucha angustia allí, pero también una luz dorada.

¡Cielos, qué cursi! Pues al grano: no me dice en su carta qué tipo de clases da, si son a niños o a adultos, cuántas horas al día le ocupan, si son horas seguidas o salteadas, qué edad tendrá el bebé cuando reanude las clases, quién cuidará a su hijo mientras usted dé clases..., de todo ello depende la actitud a tomar. Intentaré ofrecerle varias posibilidades; solo usted puede decidir cuál es la que más le conviene.

Los niños pequeños necesitan mucho a su madre. Cuando es absolutamente imposible que estén con la madre, debería cuidarlos una persona responsable, a la que el niño ya conozca de antemano, y que le pueda dedicar plena atención. Si esa persona es de la familia (lo que suele ser ideal), hay que pensar en si, aunque nos digan que lo hacen encantados, no estamos abusando un poco de la abuela. Si ha de pagar a una persona, se gastará una buena parte de lo que gane con las clases (si es que busca a una persona que sepa tanto de cuidar niños y lo haga tan bien como usted sabe de dar clases; no se puede confiar un bebé de meses a una chiquilla inexperta que cobra cuatro duros).

Dar el biberón durante un año cuesta más de mil euros, solo en leche, más biberones, tetinas, esterilizadores y todo lo que le quiera echar..., por no hablar de los gastos o de los días de trabajo perdidos si el niño coge diarreas o resfriados, aunque sean leves.

Tal vez, haciendo cuentas, pueda retrasar lo de las clases unos meses para estar más con su hijo al principio. O tal vez le sea imposible, porque perdería los clientes y luego no volvería a encontrar.

Tal vez pueda disminuir el número de clases, o distribuirlas a lo largo del día de modo que nunca hubiera de pasar más de un par de horas separada del niño. Un recién nacido exige atención inmediata, pero cuando el niño crece, «lactancia a demanda» significa «a demanda del hijo o a demanda de la madre». Es decir, puede despertar al niño y darle pecho, dejarlo con la cuidadora (o dormido, si tiene uno de esos santitos) e ir a dar la clase. Y si despierta y llora antes de una hora, la mayoría de los niños se dejan entretener con paseos y canciones hasta que vuelve mamá.

Tal vez pueda dar la clase con el niño en brazos, o durmiendo en un cuco al lado. Si su plan era dejar al niño durmiendo solo en otra habitación mientras usted daba la clase, cuanto más cerca lo tenga, más rápido le podrá dar el pecho antes de que se despierte del todo. Para la mayoría de los niños, el pecho parece realmente anestesiante. Claro que hay niños muy llorones que exigen atención constante (¡precisamente los que más necesitan a su madre!); pero la mayoría de los bebés pueden asistir sin excesivos problemas a una clase de repaso de la ESO, de inglés o de piano.

Ningún alumno, sea niño o adulto, debería enfadarse ni ofenderse porque usted diera el pecho durante la clase. Y cualquiera que haya estado en una playa habrá visto mucho más de lo que verá cuando usted dé el pecho. Si es que a usted le da vergüenza, piense que no es necesario ir medio desnuda para dar el pecho, como se suele ver en la revista. Eso lo hacen para que los maridos también la compremos. En vez de desabrochar el escote de una blusa, lo que se hace es subirse una camiseta o jersey; el niño y el pecho quedan tapados por la misma ropa, y de hecho mucha gente ni siquiera se da cuenta de que el bebé está mamando.

Todo esto son posibles ventajas de trabajar en casa y no tener jefe. Si a pesar de todo no le queda más remedio que estar varias horas seguidas completamente separada de su hijo, tendrá que usar los mismos métodos que la que trabaja en la fábrica: si el niño es pequeño, sacarse leche el día antes, o en el lugar de trabajo; dejarla en la nevera y que se la den al niño con un vaso (mejor no con biberón, pues muchos niños se acostumbran a chupar de la otra manera y luego les cuesta mamar). Si el niño es mayor, que le den otra comida y saltarse la mamada. Muchas madres tienen que sacarse leche en el trabajo para que no les duelan los pechos; en su caso, tiempo por tiempo, más le vale ir a darle el pecho directamente.

Si necesitase más información para sacarse leche o algo, puede contactar con un grupo de madres.

Espero que esta información le sea de alguna utilidad, y le deseo toda la felicidad del mundo en su nueva función de madre.

Un abrazo,

CARLOS GONZÁLEZ

5

Salud de madre e hijo

Varios: estética, dientes, gateo, sistema gastrointestinal

Me gustaría saber cómo puedo cuidar mi cabello después del embarazo.

Tengo el pelo muy fino y después del parto, hace cinco meses, se me está cayendo muchísimo. Me han dicho que tomar pastillas de alfalfa es bueno, pero estoy dando el pecho y no sé si puede perjudicar a mi bebé.

Muchas gracias,

Pamela

14 de julio de 200*

Apreciada amiga:

Lo que le está ocurriendo es completamente normal, es el llamado efluvio telógeno, la caída del cabello que sigue al parto.

Los pelos no duran eternamente. Tienen un ciclo; nacen, crecen y se caen. Durante toda la vida, cada día, se nos caen unos cuantos pelos y nos crecen otros nuevos. Y a las mujeres, hasta edad muy avanzada, les crecen tantos como se les caen, cosa que no siempre podemos decir los hombres.

Normalmente, cada pelo va por libre. Pero, durante el embarazo, todos los pelos se ponen de acuerdo: entran en fase de reposo, y casi ninguno se cae. Después del parto, en unos pocos meses, se caen todos los que no se habían caído antes, y las madres se espantan: cada vez que se pasan el peine salen diez veces más pelos que de costumbre. «¡Me voy a quedar calva!» Pero al mismo tiempo que caen aparatosamente los pelos largos, otros nuevos están creciendo, sin que nadie los note. Al cabo de unos meses, cuando termina la fase de caída masiva y los nuevos pelos ya han crecido lo suficiente, la cabellera está como siempre.

El efluvio telógeno es causado por los cambios hormonales durante el embarazo. No tiene nada que ver con dar el pecho (a las que dan el biberón les pasa exactamente lo mismo), no se debe a falta de hierro, ni a falta de ninguna vitamina o nutriente, ni a que la madre se esté «desgastando». No hay ningún medicamento, suplemento, champú, crema o método que lo evite. Por supuesto, encontrará muchas madres que aseguran «yo tomé tal cosa durante unos meses y me fue de maravilla, al final el pelo me volvió a crecer». Pero, créame, si no toma nada de nada, le crecerá el pelo igual en unos meses, y habrá ahorrado un dinerito para otras cosas más útiles.

Espero que esta información le resulte útil, y que sea muy feliz con su hijo.

Saludos cordiales,

CARLOS GONZÁLEZ

Quería hacerle una consulta acerca de los dientes de mi hijo, tiene diecinueve meses.

En los incisivos superiores, en el hueco que hay en cada uno de ellos, tiene una caries que aumenta rapidísimamente. Empezó en febrero o marzo y ahora están afectados todos los dientes (cuatro). La primera caries ya está tan grande y negra que da miedo.

Comenzamos a lavarle los dientes antes de que empezaran las caries, para que aprendiera, y porque ya tenía manchas blancas de descalcificación. Lo hicimos jugando, dejándole chupar el cepillo... Actualmente le lavamos los dientes dos veces al día, por la mañana con una gasa húmeda y por la noche con cepillo. A mi hijo no le gusta nada, a veces se niega desesperadamente, como si le quisiéramos agredir, y otras veces, se deja entretener con alguna cosa y se los limpiamos rápida y superficialmente.

Vamos a ir al dentista, pero antes quería preguntarle: ¿cuál cree que puede ser la causa de que le afecten tanto las bacterias? Tengo claro que he cometido errores en cuanto a la higiene, por ejemplo, le dejaba jugar con mi cepillo de dientes (dejaba que lo chupara) pero ¿por qué esta bacteria le ha comido un cuarto de un diente en solo tres meses?

Más preguntas: ¿debo destetarle por las noches dándole agua en vez de pecho?, ¿puede ser un error a esta edad no darle lácteos además de la leche materna? (es que tiene una disposición atópica y queríamos evitar los alimentos más alergénicos). Yo tampoco tomo lácteos, tomo un suplemento de calcio-magnesio, ¿puede ser que mi leche no le llegue a cubrir todas sus necesidades de calcio? Es que desde hace más o menos un mes está mamando muchísimo (lo pide cada hora aproximadamente, y por la noche cada dos o tres horas). ¿Es posible que esté tratando de cubrir unas necesidades de calcio que no consigue cubrir?

Muchas gracias de antemano,

Teresa

5 de junio de 200*

Apreciada amiga:

Las manchas blancas que veía usted en los dientes de su hijo no eran debidas a la falta de calcio, sino probablemente la misma caries, que empieza con una mancha blanca. Si ha oído decir que es «descalcificación», bueno, pues en eso consiste: una zona del diente se descalcifica por acción de los ácidos y de las bacterias, y se produce la caries. Pero eso no significa que haya falta de calcio en la dieta.

Este tipo de caries tremendas en los dientes de leche se conoce como «caries del biberón», porque suele aparecer cuando los niños se pasan el día (y especialmente cuando se pasan la noche) con un biberón en la boca, con leche o, peor aún, con zumo o con azúcar (como las famosas infusiones de la farmacia para los gases). En ocasiones se ve el mismo problema en niños que no toman ningún biberón, y algunos han llegado a decir que mamar por la noche también produce caries. No lo creo. La leche materna no resulta cariogénica en el laboratorio; hay más caries en niños que toman el biberón que en niños de pecho, y mamar por la noche es normal en el ser humano y no suele dar problemas. Pienso que los niños que tienen caries tomando

377

solo pecho no tienen caries por culpa del pecho, sino a pesar del pecho. Son niños con una fuerte predisposición, a veces genética (¿hay caries en la familia?) y a veces debida a hipoplasia del esmalte (una anomalía del esmalte que se produce durante el embarazo, por ejemplo porque la madre tiene un virus justo en la semana en que se está formando determinada parte del diente; los dientes tienen manchas raras desde el nacimiento).

No creo que haya cometido usted muchos errores. Un estudio científico demostró que, cuando la madre intercambia saliva con el bebé, este tiene menos caries; se cree que así se inmuniza contra las bacterias de la boca:

www.ncbi.nlm.nih.gov/pubmed/8015951

No creo que necesite destetar a su hijo por la noche. Si es de los que se pasan la noche con la teta en la boca, tal vez (solo tal vez) sería prudente intentar que solo haga mamadas cortas; sacarle el pecho de la boca cuando acaba de mamar y consolarlo con caricias.

Desde luego, su hijo no necesita ninguna otra leche. La cantidad de calcio en la leche materna no depende de la ingesta de calcio de la madre, y probablemente usted no necesita tomar ningún suplemento. El mamar a todas horas es algo típico de esta edad; los niños de dos años maman mucho más que los de dos meses. Dentro de unos meses empezará a bajar la frecuencia, y dentro de unos años lo dejará.

La Academia Americana de Pediatría recomienda no dar suplementos de flúor a los menores de seis meses. Pero, a partir de esa edad, está demostrado que un consumo adecuado de flúor previene la caries, y para su hijo podría ser muy útil, porque justo ahora se están formando los dientes definitivos, los que le saldrán dentro de seis años. El dar o no suplementos de flúor depende de qué cantidad haya en el agua del grifo de su zona, o en el agua mineral si es esa la que beben. Pregunte al dentista. El exceso de flúor también es malo, y los niños pequeños se tragan la pasta. Hay que poner muy poquita pasta, especialmente si ya toma suplementos de flúor.

No creo que valga la pena pelearse con su hijo por la limpieza de los dientes. Al fin y al cabo, caries ya tiene, y no se le va a quitar porque se lave. Si el cepillo le causa más sufrimiento que la caries, ¿qué sentido tiene?

Espero que esta información le sea útil, y le deseo toda la felicidad junto a su hijo.

Saludos cordiales,

CARLOS GONZÁLEZ

En primer lugar gracias por sus libros sobre lactancia materna que me regalaron mis compañeras de trabajo y que me han permitido, de veras creo que no lo habría conseguido sola, amamantar a mi hijo hasta hoy, y por *Bésame mucho*, que me compré cuando mi hijo tenía seis meses, y que me ha dado argumentos para responder a todos los que cuestionan cómo trato a mi hijo. También me ha ayudado a confiar en que no hago nada malo por no dejar a mi hijo llorar, por permitirle hacer lo que él considere que ha de hacer, es decir, comer o no comer, tirar veinte veces la misma cosa al suelo..., sin recriminaciones, por no haberle gritado nunca, ni castigado nunca, etc.

Mi problema es que con diez meses y medio ha empezado a morderme los pezones, primero mama un poco y después me muerde, yo lo retiro del pecho y le digo que no se muerde a mamá con semblante serio (él se ríe, por supuesto) y no le dejo mamar más. Evidentemente todos los que me dicen que ya no hace falta que mame, que para qué tanto esfuerzo y que con esos dientes (tiene cuatro arriba y cuatro abajo) ya no hay que darle el pecho, están encantados.

En el trabajo me saco una toma, y me da lástima pensar en sacarme el resto de la leche para dársela en biberón, porque me gusta amamantarlo, pero no sé qué voy a hacer si no deja de morderme. Pienso que me rendiré y acabaré por darle leche artificial. ¿Qué puedo hacer para que no me muerda?, evidentemente está en fase de morder todas las cosas, no solo mi pecho,

Enriqueta

17 de diciembre de 200*

Apreciada amiga:

Le agradezco su amable carta, y me alegro de que mis libros le hayan resultado útiles.

Los niños suelen pasar por una etapa en que muerden el pezón, poco después de salirles los dientes. Sospecho que en realidad siempre han mordido, pero antes no dolía. Ahora tienen que aprender una nueva forma de mamar, sin morder.

Es una fase pasajera, en un par de semanas dejan de morder. Básicamente, lo que se recomienda es lo que usted ya está haciendo: decirle que no muerda, y sacarlo del pecho cuando muerde. Y repetirlo una y otra vez.

Habitualmente muerden cuando ya han acabado de mamar y están «jugando con el pezón». Mientras maman, conviene apretarlos bien contra el pecho: con la boca muy abierta y el pecho metido hasta el fondo, no se puede físicamente morder. Algunas madres, por miedo, se lo ponen demasiado separado, y es peor. Tenerlo bien apretado cuando se ve que está mamando, y cuando se nota que ya acaba, antes de que empiece a jugar y a morder, sacarlo. Adelantarse al mordisco (no lo conseguirá todas las veces, pero algunas sí, y eso que se ahorra).

Verá como antes de acabar las fiestas ya lo tiene solucionado.

Espero que esta información le sea útil, y le deseo toda la felicidad con su hijo.

Un cordial saludo,

CARLOS GONZÁLEZ

He decidido dirigirme a usted para pedirle por favor su opinión sobre lo que le ocurre a mi hijo pequeño. Tiene diecinueve meses y, desde hace casi seis semanas, está con diarreas y dieta intermitente. Las diarreas remiten unos días y vuelven de nuevo. No ha hecho en ningún momento más de tres o cuatro al día, y solo han sido totalmente líquidas (como mucho) una vez al día, algunos días ninguna.

Le están saliendo las muelas, que sé que influye, y sigue un tratamiento de homeopatía que el pediatra le mandó. Está con dieta blanda y el pobre ya está harto, además de que ha perdido algo de peso como es normal.

En ningún momento ha tenido fiebre y le hemos hecho un análisis de heces que ha dado negativo tanto en parásitos como en bacterias (cultivo).

Mi pregunta es si, según su experiencia, le parece normal que este proceso, aparentemente debido solo a la dentición, dure ya tanto tiempo y, por otra parte, si se puede abandonar la dieta blanda, ya que de todos modos ese tipo de alimentación parece no ser necesaria porque no atajamos la diarrea, ni tiene ningún problema de estómago...

Le agradeceré mucho su respuesta, porque empiezo a estar algo agobiada con este tema y mi médico (en el cual confío mucho) solo me dice que dejemos seguir el proceso.

Para finalizar, reciba mi enhorabuena por sus libros: *Mi niño no me come* (o «Mi madre ya no me atosiga para que coma», como yo le llamo) y *Bésame mucho* (con este discrepo en varios puntos, pero he disfrutado mucho leyéndolo).

Muchas gracias,

Liliana

13 de noviembre de 200*

Apreciada amiga:

No nos dice exactamente en qué consiste esa dieta blanda que toma su hijo; pero desde luego puede (y debe) abandonarla.

Una dieta blanda que llevase de todo (pero reblandecido o triturado) no haría ni bien ni mal. La diarrea no tiene nada que ver con la dureza de la comida; la dieta blanda sería para los que tienen dolor de muelas. Pero la dieta que muchas veces se da en España para la diarrea (mucho arroz y mucha zanahoria, muy poca grasa, poca carne, a veces nada de leche...) suele empeorar la diarrea. Muchos niños con diarrea prolongada no tienen más que hambre, y mejoran espectacularmente al darles de comer normal.

Así que lo primero es darle de comer absolutamente de todo. Leche, patatas fritas, macarrones, bocatas de chorizo, tortilla de patatas..., lo que le guste a él.

Si a pesar de todo sigue con diarrea, la siguiente causa más frecuente es un parásito, las lamblias. Es un bicho muy extendido, y a veces cuesta mucho encontrarlo en el laboratorio. A veces hay que repetir los análisis de heces varias veces; y algunos pediatras optan por pasar de análisis y hacer el tratamiento «por si acaso», especialmente si el niño está «enfermo».

Porque esta es otra: si el niño, aparte de la diarrea, está feliz y contento, juega y ríe, no le duele nada y no pierde peso, tal vez lo mejor sea olvidarse del asunto. Hay niños que tienen las cacas más sueltas que otros, y no tienen nada; y hay niños que tiene lamblias pero conviven con ellas en paz y armonía. Pero si su hijo tiene retortijones, o pierde peso, o se encuentra apagado y sin fuerzas, habría que seguir investigando, probar con las lamblias o incluso acudir a un gastroenterólogo infantil. Varias enfermedades, como la celiaquía, pueden dar diarrea crónica, pérdida de peso y malestar importante.

A ver si dentro de un tiempo nos cuenta cómo le ha ido.

Espero que estas sugerencias le sean útiles, y le deseo toda la felicidad con su hijo.

Saludos cordiales,

CARLOS GONZÁLEZ

Tengo dos hijos, uno de cuatro años y otro de dieciséis meses (este último solo toma pecho y casi nada más). A principios de verano el pequeño empezó con vómitos y diarrea, que le duró solo un día, y al día siguiente empezó mi hijo de cuatro años con los mismos síntomas. Se pusieron bien enseguida, pero a la semana siguiente volvió a pasar lo mismo, primero el pequeño y al día siguiente el mayor. A la tercera semana, volvieron otra vez a lo mismo, solo que el pequeño esta vez tuvo diarrea nada más, y el mayor vómitos y diarrea. A los trece días (cuarta vez) el mayor se despertó con los vómitos y diarrea de siempre (incluso a la misma hora, aproximadamente a las seis de la madrugada). Le han analizado las heces a los dos (tres veces) y no han encontrado nada, el pediatra dice que no me preocupe. Sin embargo estoy muy preocupada y me gustaría saber si usted con los datos que le indico tiene alguna «pista» sobre lo que puede ser, o si hay alguna prueba más que pueda hacerse para saber qué es lo que les pasa.

Jamás les obligo a comer, y mucho menos al pequeño que solo toma pecho (y parece que se ha recuperado). Sin embargo, cada pediatra al que voy se escandaliza de que todavía no coma otra cosa.

Como he leído sus libros, estoy tranquila, aunque lo cierto es que no conozco ningún niño de esta edad que todavía no quiera comer (bueno, come una galleta, dos o tres garbanzos, dos o tres bocados a un melocotón o un trozo de pan).

Ojalá tenga alguna idea de lo que le pasa al mayor. Espero su respuesta.

Muchas gracias de antemano,

Josefa

9 de agosto de 200*

Apreciada amiga:

Sus hijos tienen diarrea de vez en cuando, solo un día cada vez. El que lo cojan los dos a la vez resulta muy tranquilizador (quiero decir, si fuera la celiaquía o algún otro problema grave, no lo iban a pillar los dos el mismo día). Tampoco debe de ser por nada que han comido, porque el pequeño no come. Nos queda la respuesta obvia: algo infeccioso.

Como no han tenido fiebre, y mejoran espontáneamente, lo más probable es algún virus tonto y muy, muy leve. Bueno, más exactamente, tres o cuatro virus tontos distintos, porque me inclino a pensar que cada episodio es totalmente independiente de los anteriores. ¿Que es mucha casualidad un virus nuevo cada semana? Es cierto; pero al fin y al cabo es usted la primera que nos consulta por este motivo en ocho años. También es mucha casualidad acertar catorce en las quinielas, y casi cada semana aciertan varios.

Seguro que su pediatra se ha hecho el mismo razonamiento, y por eso le dice que no se preocupe.

Otra posibilidad, más remota, es que se trate de lamblias. Son frecuentes a estas edades, y suelen dar diarrea leve intermitente. Normalmente no es tan exagerado; no es pasar de estar un día perfectos a otro con mucha diarrea y vómitos, sino que más bien suele ser una oscilación. Entre medio no suelen estar bien del todo, sino decaídos, sin apetito, con retortijones...

No sé si ya han descartado las lamblias. Esos tres análisis de heces, ¿fueron «coprocultivos», o «parásitos», o las dos cosas? Las lamblias solo se ven entre los «parásitos» (y los virus no se ven con ninguno de los dos). Si ya les han mirado parásitos, y no sale nada, lo mejor es olvidarse completamente del asunto. Que sea lo que Dios quiera; de todas formas, ya ha visto que es muy leve y se les pasa enseguida.

En cuanto a la comida del pequeño, una galleta, dos o tres garbanzos, bocados a un melocotón y pan es una dieta variada y equilibrada. Eso es comer. No comer es otra cosa. Su pediatra estará escandalizado; pero ¿ha perdido peso, o está normal? Y ¿por qué será que la diarrea esa se le ha curado antes al mayor?

Espero que esta información le sea útil, y le deseo toda la felicidad con sus hijos.

Un cordial saludo,

CARLOS GONZÁLEZ

Leo muy a menudo su revista y concretamente los artículos del doctor Carlos González, además de haber leído sus libros: *Bésame mucho* y *Mi niño no me come*.

Voy a intentar explicar mi caso lo menos extenso posible. Como madre que soy, defiendo plenamente a mi hijo, pero también quisiera que se nos defendiera un poco a nosotras, ¿o acaso nosotras no lo pasamos mal? He estado al borde de una depresión por dar el pecho y todavía tengo mis ratos malos.

Mi hijo tiene cuatro meses y medio. El primer mes, mi hijo me pedía el pecho cada media hora, cada hora, cada hora y media, hasta hace una semana cada dos horas o dos horas y media, y ahora cada tres o tres y media.

Ha sido muy duro el no poder salir de casa o el tener que volver corriendo para darle el pecho (estamos en una sociedad en la que está mal visto dar el pecho en público; yo no lo puedo disimular porque tengo mucho pecho). No me queda más remedio que estar en mi casa.

Además, noto que mi hijo está siempre muy inquieto, que duerme mal, como si nunca estuviera satisfecho del todo (hoy en día todavía tarda media hora o más en mamar en cada toma). Le doy todo lo que le apetece, pero no me quedo satisfecha del todo.

Ahora he empezado a trabajar por las mañanas. Me saco la leche y a media mañana se suele tomar un biberón de 150 ml. Trabajando hay que marcar un horario, le doy antes de marcharme y cuando regreso.

Eso de dar el pecho a demanda es muy relativo, si quiere uno llevar una vida adaptada a nuestra era, no se puede llevar al niño colgado como lo hacen en África, y «sacar la teta» cuando el niño lo pide, solo si se está en casa. Así que insisto que es muy duro.

Hablándolo con más mujeres y con las personas que están en la Liga de Leche, estamos de acuerdo que hay que aguantar mucho.

No sé hasta cuándo le daré el pecho a mi hijo, pero más de una vez he pensado en dejarlo. Si aguanto es por él y porque es bueno para su salud, y de verdad necesitamos más apoyo, ayuda y comprensión en esta sociedad en que vivimos.

Sí que me gustaría que me diera su opinión al respecto.

Gracias y un saludo,

Manoli

5 de julio de 200*

Apreciada amiga:

En efecto, las madres reciben ahora muchas presiones y muy poca ayuda. Un permiso de maternidad miserablemente corto, las críticas constantes de familia y amigos, y una falta absoluta de reconocimiento social.

Mientras está usted en el trabajo, no puede salir. Pero no se queja de eso, lo ha asumido, le parece normal. ¿Tal vez porque todo el mundo le dice que es normal, porque nadie la critica por ello? Si usted pasase diez horas diarias en una oficina, cobrando un pastón como secretaria de dirección o como ejecutiva de ventas; si tuviera que traerse trabajo a casa, asistir a reuniones y a cenas con clientes hasta las tantas de la noche, si pasase las noches preocupada por los proyectos y los contratos, tomando unas pastillas para la ansiedad y otras para la úlcera, si tuviera que estar dispuesta para coger un avión en cualquier momento y plantarse en Berlín o en Nueva York, ¿quién la criticaría? ¿Quién le diría que se está sacrificando sin motivo, que se están aprovechando de usted, que su jefe se las puede arreglar solo porque ya es mayorcito? No, antes bien, le darían la enhorabuena, la halagarían, la envidiarían. Incluso con su depresión, su hipertensión y su úlcera, se seguiría considerando una triunfadora, porque haría cosas «importantes».

Pero si dedica ese tiempo, o aunque solo sea la mitad de ese tiempo, a cuidar a su propio hijo, ¿quién la va a felicitar? No es más que una maruja, no hace nada importante, le preguntan «¿cuándo vuelves a trabajar?» como si no estuviera dando un palo al agua.

Todo eso contribuye a la depresión posparto: la soledad, la fatiga, la falta de apoyo y de reconocimiento, las hormonas hechas un torbellino. Pero no piense que la culpa es de la lactancia; se han hecho numerosos estudios sobre el tema, y la incidencia de depresión es más o menos la misma en las madres que dan el pecho que en las que dan el biberón. En una cosa, sin embargo, creo que se equivoca. En España no está mal visto dar el pecho. Por lo menos, no en general. Siempre puede encontrar algún imbécil que la critique; pero bueno, también la mirarán mal según como lleve el pelo, o le echarán en cara si el bebé lleva o no lleva zapatos. Y la criticarán más cuando su hijo tenga un año, pero no por dar el pecho en público, sino por dar el pecho en general, en cualquier momento o lugar. Pero ahora, con un bebé pequeño, si se decide a dar el pecho en la calle, en el metro o en un café, verá que dos tercios de las personas pasarán olímpicamente, y que el tercio restante sonreirá con aprobación.

¿De verdad solo da el pecho porque es bueno para la salud de su hijo? Si es así, si está usted haciendo un sacrificio, lo mejor es que no dé el pecho. Nunca es bueno sacrificarse por nadie, y mucho menos por sus hijos. ¿Cómo lo explicaría yo? El atleta profesional que cada día entrena seis horas, aunque acabe reventado y sudoroso, no se está sacrificando; está haciendo lo que más le gusta en la vida. Si no le gustase, no lo haría. Si yo entrenase seis horas al día, o aunque fueran quince minutos, para mí sí que sería un sacrificio, porque no me gusta nada. Por eso no lo hago. Pero yo contesto cartas de madres que hacen preguntas. Posiblemente el atleta ese que entrena tanto se moriría de asco si tuviera que pasarse, como yo, varias horas seguidas delante del ordenador, pensando sobre problemas que no le conciernen de gente a la que no conoce e intentando contestar algo adecuado. Por eso no lo hace. Pero a mí me gusta, y por eso lo hago. Dentro de treinta años, no diré «qué manera de desperdiciar mi vida, contestando a aquellas madres pesadas», sino «qué agradecido estoy a aquellas madres que confiaron en mí y me consultaron sus problemas». Pues eso, si usted piensa «gracias a mi hijo pude disfrutar de una cosa tan bonita como dar el pecho», adelante. Pero si piensa «por culpa de mi hijo tengo que pasarme el día dando el pecho», más vale que le dé el biberón, que, total, tampoco es tan malo.

Espero que estas reflexiones le sean útiles, y le deseo toda la felicidad con su hijo.

Saludos cordiales,

CARLOS GONZÁLEZ

Alergias, intolerancias, contagios

Tengo un bebé de ocho meses cuyo régimen alimenticio es el siguiente: pecho de madrugada; pecho y cereales cuando se levanta; pecho y verdura con carne a mediodía; pecho y fruta por la tarde, y pecho antes de ir a dormir. Pesa 8.500 g. ¡Está precioso!

Aunque en cada toma le doy primero el pecho, se come muy bien después la alimentación complementaria, por lo que entiendo que se puede decir que su alimentación es completa.

El caso es que el pediatra, en la revisión de los seis meses y sin hacerle análisis le recetó hierro, porque, según me explicó después su enfermera, la leche materna es muy buena pero carece del hierro con el que vienen enriquecidas las leches de fórmula. Por ahora, yo no se lo he dado porque el niño aparenta estar fenomenal y creo que, comiendo de todo como come, ya sacará él el hierro de donde lo tenga que sacar. Por otra parte, he leído que el hierro produce estreñimiento, y mi hijo ha tenido algún pequeño problema al respecto, por lo que no creo que le compensen los beneficios que le pueda aportar el suplemento de hierro si a cambio se estriñe.

La cosa es que no se lo puedo contar a mi pediatra, porque él, aunque en teoría apoya la lactancia, en la práctica nada de nada. Mucho cartelito en la consulta pero pretendía que con los cereales, la verdura y la fruta sustituyese las tomas correspondientes y que le dejase al niño solo dos tomas de pecho.

El caso es que me siento un poco culpable por «desobedecer» a mi pediatra: ¿puede faltarle hierro al niño?

Un saludo,

Judith

8 de septiembre de 200*

Apreciada amiga:

Vaya preguntita, que si puede faltarle hierro a su hijo. Pues puede que sí, y puede que no.

A muchos niños les falta hierro. En algunos estudios, a casi la tercera parte de los que toman pecho y otros alimentos no especialmente ricos en hierro (como hígado, carne, pollo o cereales enriquecidos con hierro) les falta hierro antes de los doce meses. Pero sigue habiendo dos terceras partes que sí tienen suficiente hierro, lo que depende en parte de las reservas al nacer (muchas anemias de los nueve o los doce meses son en realidad causadas por la mala costumbre de cortar el cordón enseguida; cuando se espera unos minutos para cortar el cordón, el recién nacido recibe más sangre, y nace con más reservas de hierro).

Personalmente, no suelo recomendar suplementos de hierro de forma general, y hay muchos otros pediatras que no lo hacen. También hay pediatras que sí los recomiendan, como el suyo, y no puedo decir que esté mal.

El hierro que mejor se absorbe en la dieta es el de origen animal (hígado, carne, pollo). El hierro de origen vegetal se absorbe mal, excepto si va acompañado de vitamina C (unas gotas de limón en las verduras).

Es curioso con qué facilidad puede una madre que da el pecho «sentirse culpable por desobedecer a su pediatra»; con qué

388

facilidad nos preocupamos todos por la falta de hierro. Miles de niños no toman pecho en su vida, o solo un mes, y llevan una dieta absolutamente deficitaria en inmunoglobulinas, complemento, factor de crecimiento epitelial, factor bífido, ácido docosohexaenoico, lactoferrina, interferón, gangliósidos, interleuquinas, citoquinas, alfa-1 antitripsina, prostaglandinas, sales biliares, gastrina, neurotensina, lisozima, amilasa, lipasa... y cientos de otros ingredientes de la leche materna. ¿Por qué esas madres no están preocupadas? ¿Tal vez porque sus pediatras no las asustan?

Espero haber contribuido a despejar sus dudas, y que sea muy feliz con su hijo.

Saludos cordiales,

CARLOS GONZÁLEZ

Tengo un bebé de trece meses al que sigo amamantando (antes de cada comida y siempre que me lo pide).

Hace dos días amaneció con fiebre (39,5°) y luego empezó con diarrea. En urgencias (era la primera vez que le pasaba algo y nos asustamos) el pediatra de guardia nos recomendó darle mucho líquido (suero) una dieta astringente y nada de leche. Ante mi pregunta: «¿le puedo seguir dando pecho?», me miró como si fuera un bicho raro (supongo que porque en este hospital no se fomenta nada la lactancia natural y hay pocas madres por aquí que sigan amamantando a niños de más de un año) y me dijo: «No, tampoco. Pecho tampoco».

El caso es que el niño solo quiere pecho. Ni arroz, ni plátano, ni suero, ni agua... ni nada. Y yo... le estoy dando pecho, pero me siento un poco culpable por «desobedecer» al médico. Necesito oír, digo leer, que lo estoy haciendo bien o que, por lo menos, no lo estoy haciendo mal.

Muchas gracias de antemano, porque no será la primera vez que su respuesta me ayude a seguir disfrutando del placer de «criar» a mi hijo.

Un saludo,

Judith

Apreciada amiga:

Nunca deja de sorprenderme la increíble facilidad de las mujeres para sentirse culpables. No sé si es cosa de los genes o de la educación. Ya es la segunda vez que se siente usted culpable por «desobedecer» al pediatra. Ni que hubiera matado a alguien.

En la página http://www.aeped.es/protocolos/gastroentero/index.htm, encontrará el protocolo de la Asociación Española de Pediatría sobre tratamiento de la diarrea aguda, en el que se dice bien claro que los niños han de tomar dieta normal, no se menciona la dieta «astringente» en todo el documento (es que no existe tal dieta, es un simple mito médico) y se dice también muy claro que se ha de continuar la lactancia materna. Suprimir la leche (incluso la que no es materna) en caso de diarrea es una tontería. Si su hijo tuviera tres meses en vez de trece, ¿le suprimirían la leche? ¿Qué iba a comer entonces, paella o hamburguesas? ¿Qué se supone que le va a pasar a un niño de trece meses con diarrea si toma leche? ¿Se le va a caer el pelo, le va a dar un infarto, se va a deshidratar? Si cualquiera de estos peligros fuera real, ¿no sería mucho más peligroso a los tres meses? Tal vez pueda hacer algo para mejorar las cosas. Puede imprimir el protocolo ese sobre la diarrea, y enviárselo al director del hospital acompañado de una carta amable explicando la situación: «Hace unos días acudí a su servicio de urgencias... diarrea... el pediatra de guardia me recomendó... cuál no sería mi sorpresa al observar que estas recomendaciones contradicen frontalmente el protocolo de la AEP, que le adjunto... creo que sería necesario actualizar los conocimientos de los profesionales sobre este tema... Disculpe que no firme con mi nombre, lo hago para que no pueda identificarse al médico responsable del error, pues mi intención no es que se tomen represalias, sino medidas para evitar que esto vuelva a suceder... saludos cordiales: La madre de un paciente». Fíjese con qué habilidad diplomática puede usted evitar dar su nombre (evitando posibles situaciones difíciles si tiene que volver a ver a ese médico), y al mismo tiempo quedar como una reina. Lo crea o no, estas cosas tienen un efecto; el director del hospital no dejará de llamar a su presencia al jefe de pediatría y pedirle explicaciones.

Espero que estas sugerencias le sean útiles, y le deseo toda la felicidad con su hijo.

Saludos cordiales,

CARLOS GONZÁLEZ

Le estoy dando pecho a mi hija de nueve meses y mi intención es seguir con ello, pero tengo un eccema en la espalda y el médico me ha dicho que hay que tratarlo con corticoides. ¿Cómo afectaría este tratamiento a mi hija? Estoy preocupada. ¿Qué puedo hacer?

Gracias,

Rosa

9 de septiembre de 200*

Apreciada amiga:

El tratamiento con corticoides no afecta para nada a la lactancia. Se ha comprobado que, incluso cuando la madre toma prednisona en pastillas a dosis altas, la cantidad de corticoides que pasa a la leche es mínima y no tiene importancia. En cuanto a las cremas de corticoides, la cantidad que se absorbe a la sangre de la madre ya es mínima, por lo que la cantidad que pueda pasar a la leche es ridícula tendiendo a imaginaria.

Para que se haga una idea, algunas cremas usadas para las grietas del pezón (que no recomendamos porque no sirven para nada) llevan corticoides.

Por lo tanto, puede usted ponerse todos los corticoides que necesite, y seguir dando el pecho con total confianza, incluso si en el prospecto del medicamento dijera otra cosa (tienen la costumbre de decir siempre «precaución durante el embarazo y la lactancia» o algo parecido, por puras ganas de fastidiar).

Eso sí, después de untarse la crema, lávese las manos antes de tocar a la niña.

Espero haber ayudado a despejar sus dudas, y que sea usted muy feliz con su hija.

Saludos cordiales,

CARLOS GONZÁLEZ

Mi hijo en noviembre hará un año, y siempre para merendar ha tomado papilla de frutas del tiempo, lógicamente preparada justo antes de comerla. Pero ahora en la guardería no es posible y la llevo preparada porque me han dicho que en un par de horitas no se pasan las vitaminas. De hecho la preparo a las tres menos veinte y a las cuatro se la dan.

Por otra parte, en la escuela donde ahora empieza mi hija (en diciembre cumplirá tres años) también me han dicho que lleve la fruta a trocitos y en un «taper».

Por lo tanto mis dudas son: ¿a partir de cuánto tiempo se pasan las vitaminas en una papilla de frutas, o en un zumo? ¿Hay algunas frutas que pierden los nutrientes y otras no? La fruta pelada y cortada a trozos, ¿también pierde las vitaminas? ¿Hay manera de conservar una papilla de frutas? Por ejemplo: en un recipiente bien cerrado y opaco, o en un bote de vidrio cerrado herméticamente y al baño maría. ¿O así es menos nutritiva? Y en caso de que no sea recomendable preparar la papilla con anterioridad, ¿Por qué me aconseja sustituir la merienda de mi hijo?

Muy agradecida por su atención, cordialmente,

Rosalía

14 de octubre de 200*

Apreciada amiga:

Con lo de pasarse las vitaminas y perderse los nutrientes, supongo que se refiere usted al problema de la oxidación de la vitamina C. Esta vitamina se estropea en contacto con el oxígeno, y por tanto el grado de destrucción depende de la superficie de contacto, del tiempo y de la cantidad de oxígeno.

Es decir, una manzana entera pero pelada solo tiene la superficie externa expuesta al aire; el interior de la manzana no se puede oxidar. Si la parte en cuartos, también están expuestas las superficies interiores. Si la parte en trozos más pequeños, la superficie expuesta aumenta (aunque, si esos trozos están unos encima de otros, se tapan unos a otros). Si la manzana está triturada, toda ella entra en contacto con el aire; pero al dejarla en el plato solo se expone al aire la capa superficial. Habría que ir removiendo todo el rato para que se destruyese la vitamina C de debajo.

En cuanto a la cantidad de oxígeno, dentro de una fiambrera herméticamente cerrada no puede quedar mucho. Es como el típico experimento de apagar una vela poniendo un vaso encima. En cambio, si está al aire libre, la oxidación es mayor.

Aparte de la vitamina C, muchas frutas, si están cortadas o trituradas y al aire, pierden el color y el sabor, y se ponen un poco feas. Por lo demás, no sé que pierdan ninguna otra cosa.

Es más preocupante el asunto del sabor y el color (a mí al menos me da un poco de repelús) que el de la vitamina C. La dieta de nuestros hijos ya lleva vitamina C más que de sobra.

Así que una manzana cortada y a trozos, en un recipiente cerrado, no solo no va a perder casi nada de vitamina C, sino que en general no perderá su buen aspecto (aunque supongo que unas frutas aguantan mejor que otras, puede ir probando). No hace falta cerrar nada al baño maría; solo está preparando la merienda de su hijo, no una conserva para el año que viene. La mayor puede llevarse la manzana entera y comérsela a mordiscos. O un plátano (dentro de una fiambrera, o llegará hecho papilla en la mochila), o dos o tres mandarinas.

Aunque, evidentemente, también le puede dar a sus hijos otras cosas para merendar. La mayor podría comer el clásico bocadillo; y el pequeño, palitos de pan (venden de varios tipos, finos o gruesos, rizados o en rosquilla...). Las galletas tienen la desventaja de que llevan azúcar, y otras típicas meriendas infantiles llevan aún más azúcar y chocolate. Ya se lo pedirán, y tiempo habrá de darles; pero mientras no lo pidan (¡pobres inocentes!) el simple pan puede servir.

Y, desde luego, siempre puede preguntarles: «¿Qué quieres mañana para merendar?».

Espero que estas sugerencias le sean útiles, y le deseo toda la felicidad con sus hijos.

Cordialmente,

Carlos González

Soy madre de un bebé de seis meses, hasta ahora alimentado con pecho solamente.

Me incorporo el día 2 de abril al trabajo, soy enfermera y mi servicio es oncología pediátrica, administro quimioterapia en planta con los medios de protección adecuados: guantes, mascarillas, etc. No reconstituyo ningún citostático, solo los pongo. Mi turno será el de la noche y solo trabajaré siete noches al mes. En este turno apenas se ponen tratamientos, pues se hace normalmente por la tarde.

Me gustaría saber si mi hija puede correr algún riesgo de contaminación a través de la leche.

Muchas gracias por su atención y por su respuesta a mi anterior correo, me quedé más tranquila, aunque ahora que se acerca la fecha de la incorporación no puedo evitar preocuparme por cómo pasará la noche la niña.

Un saludo,

Nati

28 de marzo de 200*

Apreciada amiga:

Gusto en verla de nuevo.

No, no hay ningún peligro para la niña por la contaminación a través de la leche. A la leche no puede pasar más que una pequeña parte (habitualmente entre la centésima y la milésima parte) de cualquier cosa que absorba usted. De modo que, si de verdad hubiera un peligro para la niña, usted tendría un peligro cien veces mayor. Si alguien le dice que no puede dar el pecho debido a su trabajo, entonces es que su trabajo es un auténtico suicidio.

En cuanto a cómo reaccionará por las noches..., pues pronto lo sabrá. Tal vez duerma como una bendita. Tal vez le dé a su padre la «noche del loro». O cualquier otra cosa.

Un cordial saludo,

CARLOS GONZÁLEZ

Soy madre de una niña de dos años y medio, a la que aún doy el pecho a demanda.

En diciembre noté una dureza encima de la areola del pecho izquierdo, ese pecho se me hinchaba más que el derecho y la niña lo vaciaba menos también.

No usé el sacaleches porque estábamos de vacaciones y no lo tenía conmigo. En enero todo fue en aumento, el pecho, la dureza y el rechazo de la niña, solo alguna vez por la noche la podía engañar, y al mamar, me dolía la zona de la dureza. El sacaleches extraía muy poco y manualmente conseguía sacar un poquito más.

En todo momento pensé que era un problema de la lactancia. Nunca he tenido fiebre, ni me he sentido mal. El pecho solo me dolía cuando la niña mamaba, pues apretaba la dureza, que cada vez ha sido más grande. Me ha salido alguna heridita, y donde está la dureza tengo la piel un poco roja.

Fui a urgencias en febrero, y me derivaron a patología mamaria, este viernes me hacen una mamografía y más adelante una ecografía. Ahora tengo el pecho hinchado, la dureza no se me quita, y continúa un poco enrojecido. No me duele ni tengo fiebre, la niña ya no quiere mamar y el sacaleches no extrae nada, y manualmente tampoco. Ni con paños calientes, ni cuando la niña mama del otro pecho ni nada, solo unas gotitas.

Estoy asustada, pues en los volantes que cité de las pruebas ponía que sospechaban de un cáncer en estado avanzado. Yo siempre lo he relacionado con la lactancia y ahora estoy asustada. Me dicen que destete a la niña, pero nos cuesta mucho. Si le doy el pecho, solo el derecho, supongo que al izquierdo también le llega la subida de la leche, y si no tiene salida, ¿qué ocurre?, ¿es un foco de infección?, ¿empeorará el estado del pecho? Hasta que tenga un diagnóstico certero y un tratamiento adecuado, ¿qué debo hacer?

Muchas gracias por su ayuda, un saludo afectuoso,
Nati

10 de marzo de 200*

Apreciada amiga:

Disculpe el retraso, estaba de viaje cuando llegó su pregunta.

Ahora ya le han hecho la mamografía, quizá también la ecografía. Al menos habrá salido de dudas. Espero de todo corazón que fuera un galactocele o alguna otra cosa sin importancia.

Si de verdad era un cáncer, y si no ha destetado todavía, tampoco corre prisa. Ni a su hija ni a usted les perjudica la lactancia. Es posible dar un solo pecho, ya ha podido ver que la niña no quiere el pecho izquierdo y la producción de leche se inhibe; no es que se le quede lleno de leche, sino todo lo contrario, ya casi no logra sacarse. En unos días más, la producción de ese pecho habrá desaparecido por completo, y su hija podrá seguir mamando del derecho.

Así que los únicos motivos para destetar serían: o que la tuvieran que tratar con algún antineoplásico que de verdad esté contraindicado, o que la tuvieran que ingresar muchos días, o que usted llegase a sentirse tan mal que no quiera seguir.

Y en ese caso, si le dicen por ejemplo que tiene que empezar la quimioterapia dentro de una semana, ¿es mejor que empiece ya a destetar? Pues no sé. En principio, siempre es mejor que el destete no sea brusco, ir reduciendo cada día una toma hasta suprimirlas todas. Pero esa es la teoría, y está muy bien si a la niña no le importa que le quiten una toma. Pero si va a significar tener que pasar rato y rato, ella llorando y usted diciendo que no (y llorando también), pues trauma por trauma casi es mejor darle el pecho hasta el último momento. Si usted ingresa unos días, pues de todos modos la separación es muy dura para un niño tan pequeño, tanto con pecho como con biberón, y necesitará muchos mimos del padre y los abuelos para superarlo. Pero si no ver a tu madre es duro, verla y que ella se niegue a darte el pecho sin motivo aparente (porque a esta edad no va a entender el motivo) es más duro todavía. Así que si el destete gradual le resulta doloroso, más vale seguir dando el pecho y aprovechar hasta el último momento.

Espero que pronto pueda volver a escribirnos y darnos buenas noticias.

Un fuerte abrazo,

Carlos González

Le agradezco mucho su respuesta a mi carta. Me han diagnosticado un cáncer, aún no me lo creo. La semana que viene probablemente comienzo la quimioterapia.

El destete creo que no va mal, pero necesitaríamos más tiempo para hacerlo bien. La niña pide a veces el pecho, pero logramos entretenerla todo lo que podemos y se le olvida, aunque la pobre está más empachosa y llora enseguida por cualquier cosa. Lo que no perdona es tomar para dormir y cuando se despierta por la noche. Esto va a ser un drama, yo con los vómitos o hecha polvo y ella llorando por la teta... Supongo que se le pasará.

Bueno, muchas gracias por su atención. Y me queda la pregunta del millón, que se me pasa por la cabeza pero creo que no es posible, ¿ha sido malo para la niña darle el pecho con el cáncer? o ¿será malo para ella en un futuro?, vamos que si alguna célula ha podido pasar a la leche, imagínese que tengo metástasis, que las células cancerígenas están por ahí por mi cuerpo, ¿estarían entonces en la leche?

Muchas gracias por todo, por su apoyo y su atención,

Nati

1 de abril de 200*

Apreciada amiga:

Lamento que finalmente se confirmara el cáncer, espero que el tratamiento sea un éxito.

No, el haber tomado el pecho no perjudica para nada a su hija.

Es algo que se había planteado, estudiado y descartado hace años.

Como sabrá, hay un gen que predispone al cáncer de mama («predispone», que no «condena»), y en general hay más riesgo cuando existen antecedentes en la familia. Pero también hay algunos virus que contribuyen al cáncer, y se planteó la hipótesis, hace años, de que esos virus pudieran pasar a la leche y provocar cáncer en las hijas. Si fuera así, las mujeres que tomaron pecho tendrían más cánceres que las que tomaron biberón. Se hicieron estudios para comprobarlo, y se demostró que no es así. En algunos estudios no hay ninguna relación: http://www.ncbi.nlm.nih.gov/pubmed/11157415.

Y en otros estudios, el hecho de haber tomado pecho protege a la hija contra el cáncer:

http://www.ncbi.nlm.nih.gov/pubmed/8038247
http://www.ncbi.nlm.nih.gov/pubmed/9229211

Así que el haberle dado el pecho el tiempo que ha podido ha beneficiado a su hija, en muchos aspectos y tal vez incluso en este del cáncer.

Le deseo una pronta y total recuperación.

Un fuerte abrazo,

CARLOS GONZÁLEZ

Me llamo Ainhoa y tengo un bebé de casi siete meses al que nunca he dado la famosa vitamina Hidropolivit.

Cada vez que voy a las revisiones me preguntan si se la doy y yo contesto que sí aunque no se la dé.

Ha estado a lactancia materna exclusiva hasta los seis meses y medio y ningún problema, me la recetaron porque a todos se la recetan, ¿debería dársela?, ¿para qué sirve exactamente? Y otra pregunta: dejé de tomar Yoduk a los tres meses de lactancia, me canso rápido de tomar pastillas..., tomo sal yodada a diario, ¿cree que tendría que volver a tomar Yoduk?

Muchísimas gracias,

Ainhoa

2 de enero de 200*

Apreciada amiga:

El Hidropolivit, aunque es una mezcla de un montón de vitaminas, se da por la vitamina D (colecalciferol), que es la única que podría ser necesaria. La mayoría de los niños no necesitan, porque obtienen suficiente vitamina D de la luz solar. Para ello basta con pasar veinte minutos diarios al aire libre, sin sombrero y sin guantes; no importa si está nublado y no hace falta estar directamente al sol. Y para los que no pueden salir cada día, dos horas seguidas una vez por semana (es decir, el sábado por la mañana en el parque) también es suficiente. Ahora bien, en algunas zonas, durante el invierno, puede haber niños que no salgan de casa para nada en varios días, o que solo salgan tapados como astronautas, y en esos casos se recomienda darles doscientas unidades diarias de vitamina D.

En cuanto al yodo, en principio conviene tomarlo durante todo el embarazo y la lactancia, al menos mientras el pecho es una fuente importante de alimentación (lo que suele ser el primer año y parte del segundo). Que a ver, que tampoco es el fin del mundo por no tomarlo, que al fin y al cabo hace unos pocos años ni siquiera había pastillas de yodo en la farmacia..., pero conviene tomarlo. Con la sal yodada no se cubren las necesidades de yodo durante el embarazo y la lactancia, a no ser que se tome el doble de sal que de costumbre..., lo que tampoco sería bueno.

Espero que esta información le sea útil, y le deseo toda la felicidad con su hijo.

Un cordial saludo,

Carlos González

Mi primer hijo nació por ICSI (microinyección intracitoplasmática de espermatozoides) hace nueve meses. Le doy el pecho desde las tres de la tarde hasta las siete de la mañana (por la noche toma entre dos y seis veces).

La cuestión es que quiero someterme a otro tratamiento, pero no sé si será compatible.

Los medicamentos los he consultado en la página web www.e-lactancia.org y el Puregon y Decapeptyl son de riesgo 1. El Ovitrelle no está. Solo se pincha una vez para ovular. ¿Cuánto tiempo tendría que estar sin darle el pecho para evitar riesgos, un día, dos días, desde el pinchazo? El Puregon y Decapeptyl me los pinchan unos quince días, la dosis es pequeña.

Todavía no me ha venido la regla: ¿qué puedo hacer para que me venga? Por las mañanas no me saco leche en el trabajo, y en casa intento darle el pecho menos veces. Son ocho horas las que estoy sin dar el pecho ¿es normal que no me haya bajado ya?, ¿quizá haya otro problema?

Me encantaría que me dijeses cómo el niño se podría destetar solo.

Muchas gracias,

Marta

5 de enero de 200*

Apreciada amiga:

El Ovitrelle es gonadotropina coriónica, y es plenamente compatible con la lactancia. Es una proteína con alto peso molecular, por lo que probablemente no pasa a la leche, y si pasase sería destruida en el estómago como todas las proteínas. Por eso hay que darla en inyección. Por cierto, la gonadotropina también se administra a niños pequeños, por supuesto inyectada, para el tratamiento de la criptorquidia (testículos escondidos), a una dosis de 500 a 1000 UI a días alternos durante cuatro a seis semanas.

Todas esas hormonas que va a recibir son compatibles con la lactancia. No son más que hormonas, como las que tiene todo el mundo. No tiene que esperar ni un día, ni una hora, ni un minuto para dar el pecho.

Es completamente normal que a los nueve meses no le haya venido la regla. A algunas mujeres les viene antes, es cierto, pero otras están más de dos años sin regla. Depende en parte de la intensidad de la lactancia: cuantas más tomas al día hace el bebé, sobre todo por la noche, y cuanto menos come de otras cosas, más tarda la regla en venir. Pero también depende de las características de la mujer; a algunas la regla les viene pronto aunque el bebé mame como una fiera, a otras les tarda más aunque el bebé mame relativamente poco.

Espero que esta información le sea útil, y le deseo toda la felicidad con su hijo.

Saludos cordiales,

CARLOS GONZÁLEZ

Me dirijo a usted con el fin de tener su opinión como pediatra y experto en lactancia materna:

Tengo un niño de cuatro meses y medio que nació a las treinta y seis semanas de gestación, su peso fue 2.650 g, aunque salió del hospital con 2.500 g, me recomendaron lactancia mixta desde un principio puesto que tardé quince días en tener leche porque mi niño se quedaba dormido al pecho y no había forma de que mamara. He tenido muchas dificultades, pero con constancia, paciencia, y gracias al grupo de apoyo a la lactancia de mi ciudad las he ido superando. Ahora llevo dos meses dándole solo pecho.

Acudí al pediatra para una revisión, y en los últimos veinte días el niño no había engordado ni un gramo. Descubrimos que tenía infección de orina, por lo que tuvimos que ingresarle con fiebre muy alta y al primer antibiótico que tomó se le desató una diarrea muy fuerte que le ha durado catorce días (los siete que duró el antibiótico y siete más), durante todo este tiempo ha seguido sin ganar peso, le han revisado pediatras de dos hospitales y en los dos casos me han recomendado que vuelva a introducir lactancia mixta para que el niño remonte esta situación más rápidamente. Ahora pesa 4.700 g y mide 58 cm. También parece que ninguno de ellos tiene claro si tengo o no suficiente leche para alimentar a mi hijo, el niño pide mamar muy frecuentemente y hace tomas bastante largas, aunque creo que no está mamando de forma efectiva, sino de forma suave y con somnolencia, finalmente se queda dormido y como no hay forma de despertarle le acuesto, al poco rato vuelve a pedir y así sucesivamente.

Según los pediatras, el niño a estas alturas debería distanciar varias horas las tomas pero no es así, por lo demás el niño está feliz y ríe continuamente.

Ante esta situación me gustaría saber su opinión, ¿volvería a introducir la lactancia mixta? ¿En qué cantidades y cuántas tomas de biberón? ¿Durante cuánto tiempo? ¿Me aconsejaría algo más para superar este retraso en el peso? ¿Qué más puedo hacer para que funcione mejor la lactancia materna? Para mí es muy importante dar el pecho a mi hijo y estoy segura de que para él támbién, y no me gustaría perder lo que hasta ahora con tanto sacrificio había conseguido.

Muchísimas gracias,

Maite

Apreciada amiga:

El peso de su hijo es algo escaso para su altura; pero, sobre todo, su altura es muy baja para su edad. Tanto que sospecho que puede ser un error. ¿De verdad con cuatro meses y medio mide 58 cm? Claro que nació un poco antes de tiempo, pero incluso así es bajo, habrá que ver cómo evoluciona la talla en los próximos meses, y según cómo su pediatra le querrá hacer pruebas.

Si de verdad mide 58, entonces el peso está aún dentro de lo normal (por los pelos), porque siendo tan pequeñito es normal que pese poco. Pero si era un error y mide 60, pues el peso es muy escaso; y no digamos si mide 63.

En todo caso, los síntomas (estar mucho rato mamando y hacerlo con mucha frecuencia pero con escasa eficacia) indican que no está mamando bien. Así que habría que dar una serie de pasos, y habría que darlos ya:

1. Comprobar el peso y sobre todo la talla.

2. Volver a contactar con el grupo de lactancia, que la ayuden a conseguir la mejor posición posible del niño al pecho.

3. Comprimir el pecho cuando el niño mama. Al principio, cuando se ve que está mamando y tragando, dejar que mame; pero cuando deja de mamar y se queda quieto con el pecho en la boca, apretar el pecho por la base (con la mano tocando las costillas), sin sacárselo de la boca. Al apretar sale leche y se ve cómo el niño empieza a tragar; mientras esté mamando, mantiene apretado, sin soltar. Cuando se vuelve a quedar parado, suelta el pecho; al hacerlo puede que salga un poco más de leche. Cuando se vuelve a quedar parado, vuelve a apretar. Y así sucesivamente, hasta que deje de funcionar, es decir, hasta que vea que se queda parado a pesar del apretón. Entonces lo cambia de pecho.

4. Sacarse leche, con sacaleches o a mano (en el grupo le explicarán cómo se hace), varias veces al día. Al principio no sale nada, pero si es persistente, cinco o seis veces al día, pronto irá sacándose cada vez más. La leche que se saque se la da después de mamar.

5. Si mide más de 58, y si en tres o cuatro días de hacer todo lo anterior no consigue que engorde un poco más, convendría volver a darle suplementos. Puede comprobarlo en las gráficas de www.who.int/childgrowth/en/, debería estar dentro de la gráfica en la relación peso/talla.

Espero que estas sugerencias le sean útiles, y le deseo toda la felicidad con su hijo.

Un cordial saludo,

CARLOS GONZÁLEZ

Espero que me recuerde, le escribí hace unos meses porque mi hijo tuvo una infección de orina y con los antibióticos que le recetaron dejó de coger peso (estaba demasiado bajo). Mi bebé nació a las treinta y seis semanas de gestación con 2.650 g y 46 cm. Como la recomendación de los pediatras era la lactancia mixta, seguí los consejos que me dio en su respuesta, pero el niño siguió sin ganar peso y finalmente tuve que introducirla. Después de once días con lactancia mixta siguió sin ganar peso, además, el niño desarrolló un eccema en la mejilla muy virulento y marcó mucho la costra láctea (la diarrea continuaba), con estos nuevos síntomas, después de haberle introducido el biberón, los pediatras sospecharon que tenía una intolerancia a la proteína de la leche de vaca, retiraron el biberón y a mí me recomendaron eliminar de mi dieta todo producto lácteo. He seguido estas indicaciones estrictamente desde que el niño tenía cinco meses; me dijeron que si tenía que completar su alimentación con biberón tenía que ser con leche hidrolizada, pero consulté varias opiniones sobre este tipo de leche y a nadie parecía gustarle, nadie me la recomendó como un buen alimento para mi hijo, así que volvimos a la lactancia materna en exclusiva hasta los seis meses y medio que es cuando comencé con la alimentación complementaria, desde entonces el niño ha ganado peso dentro de lo normal, y al empezar a tomar el arroz de cultivo ecológico la deposición dejo de ser líquida, pero el eccema le ha seguido rebrotando cada pocos días, le duraba cuatro o cinco días, luego le disminuía, volvía... y así seguimos en la actualidad. Ahora el niño tiene nueve meses y su peso actual es de 6.380 g y su talla de 66 cm.

Le han realizado varias veces pruebas de alergia y han dado negativas a la leche, al huevo, a los cereales..., la última vez hace una semana, por lo que el alergólogo determinó que según su criterio el niño no es alérgico, me dijo que podía ser intolerante, pero que según todos los síntomas relatados no le coincidían con una intolerancia a la proteína de la leche de vaca si no más bien a la lactosa, ya que al haber retirado yo los lácteos de mi dieta desde hacía tanto tiempo el niño en pocos días ya tenía que haber experimentado una mejoría, pero no fue así.

Puede que el resultado sea el que me dan ahora, me gustaría saber su opinión sobre mi caso, todo este tiempo he continuado con la lactancia materna y mi pesar es si esto ha podido ser el causante de la enfermedad de mi hijo, queriéndolo hacer lo mejor posible tal vez, lo que he conseguido es prolongar su situación y no dejar que se cure, ya que la leche materna es muy rica en lactosa. Si realmente el niño es deficitario en lactasa, durante mucho tiempo le ha estado haciendo daño mi leche, ¿o el hecho de darle el pecho ha podido traerle algún beneficio más que otras leches? Próximamente tendré consulta con el pediatra para valorar esta nueva situación y no sé lo que me recomendará, ¿cuál es su opinión al respecto? ¿Teniendo en cuenta la edad actual del niño (nueve meses) recomendaría introducir otra leche y retirar la materna, o esperar al año de edad y probar el efecto en el niño de otras leches?, me gustaría tener algo más de información sobre esta dolencia y saber lo que debo hacer para beneficiar a mi hijo.

Le doy las gracias por anticipado,

Maite

28 de marzo de 200*

Apreciada amiga:

Gusto en verla de nuevo.

No, su hijo no tiene intolerancia a la lactosa. Creo que simplemente el alergólogo estaba «tirando balones fuera», en plan «no es de lo mío, puede ser cualquier otra cosa, por ejemplo, déjeme que piense...».

Hay cuatro tipos de intolerancia a la lactosa. Dos de ellos son congénitos, enfermedades rarísimas y muy graves, con solo unos pocos casos en el mundo. De tener algo de eso, su hijo habría ingresado en el hospital a los pocos días de nacer, y en el hospital habría estado, muy grave, hasta que hubieran descubierto lo que tenía y le hubieran dado una leche especial.

El tercer tipo de intolerancia a la lactosa es el normal. Es decir, lo normal en el ser humano, como en todos los mamíferos, es que los adultos no sean capaces de digerir la lactosa; el 15 o 20% de los españoles adultos no toleran la lactosa, y en otras razas el porcentaje es muchísimo mayor. Los que sí podemos tomar leche sin que nos duela la barriga somos mutantes. Pero esa intolerancia no comienza (lentamente) hasta los tres años o así, y se instaura completamente hacia los diez o doce años. Vamos, que es completamente imposible en un bebé.

Y nos queda el cuarto tipo, el que afecta a veces a los bebés, el que sí que podría haber tenido su hijo. Se produce después de una diarrea, porque en la diarrea se destruye la mucosa intestinal, y son precisamente las células de la mucosa las que producen la lactasa, la enzima que digiere la lactosa (en cambio, las enzimas que digieren las proteínas y las grasas se producen en el estómago y el páncreas, respectivamente). Durante unas semanas, hasta que la mucosa se recupera por completo, la lactosa no digerida provoca diarrea, gases, dolores de barriga... En todo caso es un problema leve, que se cura solo. En algunos casos, en niños que toman biberón, si las molestias son importantes, se les da durante unas semanas una leche sin lactosa. Pero se intenta no hacerlo, porque se ha demostrado que el dar leche sin lactosa prolonga el problema. Es decir, como en muchas otras funciones orgánicas, es la presencia de lactosa la que estimula la producción de lactasa, y los niños con intolerancia que siguen tomando leche normal se curan antes. Eso con el biberón, porque con el pecho no suele haber problemas, o en todo caso son leves (y el que un niño tenga un poco de diarrea, si por lo demás está bien, no tiene ninguna importancia). En los niños de pecho, incluso con intolerancia a la lactosa comprobada, se recomienda seguir con el pecho.

Puede que sea eso lo que tuvo su hijo: una diarrea al tomar antibiótico, probablemente por alteración de la flora intestinal, que se prolongó durante un par de meses, tal vez en parte porque la flora intestinal seguía mal, en parte porque tenía intolerancia a la lactosa. En todo caso, hizo el tratamiento correcto (seguir con el pecho) y se ha curado, puesto que ahora no tiene diarrea.

Mi recomendación: seguir con el pecho y otros alimentos, no darle leche artificial ni ningún otro lácteo (no por nada especial, sino porque es lo que se recomienda a todos los niños de pecho), y ya está. Usted podría, en principio, volver a tomar leche, a ver qué pasa. Pero no poco a poco, porque entonces el resultado podría ser dudoso, sino de golpe. Un vaso de leche al día, o más, y a ver qué pasa. Si hay un cambio claro y radical en su hijo, pues indicaría que, a pesar de las pruebas de alergia negativas, sí que tiene una intolerancia a las proteínas de vaca. También desaparece con el tiempo, cuestión de unos meses. Si su hijo sigue más o menos igual, pues al menos no tiene usted que hacer dietas raras.

De todos modos, casi me sorprende que lo haya visto un alergólogo y le hayan hecho pruebas, cuando los síntomas de alergia han sido muy leves (un poco de eccema cuando tomó biberón, una diarrea que puede deberse a muchas cosas antes que a la alergia...). El síntoma que realmente llama la atención en su hijo es la talla. Ya en la carta anterior le preguntaba si no sería un error. Veo que no, pues sigue teniendo una estatura inferior al percentil 3. Afortunadamente, parece que va mejorando; porque a los cuatro meses le faltaban 3 cm para «entrar en la gráfica», y ahora solo le faltan 2 cm. Si sigue así, 2 o 3 cm por debajo de la gráfica, probablemente no tiene importancia, podría tratarse de un retraso constitucional del crecimiento (una variante normal, en que los niños crecen lentamente pero tienen la pubertad un poco más tarde, con lo que al final alcanzan una talla adulta normal). Ahora bien, si en los próximos meses o años el crecimiento fuera todavía más lento, si se apartase cada vez más de la gráfica, convendría que lo viera un endocrino.

Desde luego, la talla no tiene nada que ver con una hipotética intolerancia a la lactosa, ni es culpa de la lactancia, ni es culpa de usted (no sé por qué a las madres les cuesta tanto admitir que ellas no tienen la culpa de algo).

Espero que esta información le sea útil, y le deseo toda la felicidad con su hijo.

Saludos cordiales,

CARLOS GONZÁLEZ

Tengo una hija que va a cumplir diez meses. Hasta casi los seis mamó exclusivamente. Fue entonces cuando comenzamos a darle leche de continuación con cereales por la noche con el fin de que aguantara más tiempo dormida; pero enseguida tuvimos que dejar de darle esta leche porque donde la tocaba (en la nariz, la barbilla, etc.) le dejaba un cerco rojo. Se lo comenté a su pediatra y me dijo que lo dejase de momento. Lo que no sé es si podría probar de nuevo a darle.

Ahora le doy puré con carne o pescado al mediodía y por la noche (unos 250 g cada vez) y frutas por la tarde; el resto del tiempo mama: por la mañana, unas tres veces por la noche, y a veces después de la fruta o en vez de ella.

El problema es que me tendré que incorporar al trabajo, y dándole de mamar por la noche, apenas descanso. Otro inconveniente es que no le gusta el biberón, yo creo que por la tetina.

Quisiera que me aconsejara para que aguante toda o casi toda la noche sin mamar.

También me pregunto cómo lo haré para que deje de mamar, ya que es lo que más le gusta. No me corre mucha prisa, ya que a mí también me gusta darle; el problema es que cuando le comenté a mi ginecólogo que me gustaría ser madre de nuevo, me dijo que debería pasar un tiempo desde que deje de amamantar. ¿Sabe de cuánto tiempo se puede tratar?

Además, hay veces que mi hija se queda dormida mamando una hora, me pregunto si puede salir leche durante tanto tiempo, aunque me imagino que no, que tendrá el pecho como un chupete.

También he oído a las mujeres mayores que si una madre que está amamantando se queda embarazada, la leche cambia de sabor, se pone más agria o más amarga; ¿es cierto?

Si no quiere perder tiempo con mi amplia curiosidad, le agradecería que aunque sea me contestara a la primera pregunta, y que me aconsejara sobre qué hacer para que mi hija aguante más tiempo por la noche sin mamar. (¡Ah!, ya hemos intentado ponerle solo el chupete cuando se despierta por la noche, y no se conforma: sigue llorando).

Muchas gracias,
Ingrid

15 de marzo de 199*

Apreciada amiga:

Está usted preocupada porque su hija no aguanta la noche sin mamar.

Yo, sin embargo, encuentro en su carta otra cosa bastante más preocupante: que al darle una papilla de leche adaptada y cereales le aparecía un cerco rojo allá donde le tocaba. Eso parece un síntoma muy claro de alergia a la leche de vaca. Si su hija es alérgica a la leche de vaca, no es de extrañar que no quiera los biberones. ¿No ha visto nunca un cerco rojo allí donde le salpica el biberón? No es la tetina, no; es que la leche le da dolor de barriga (esos mismos cercos rojos que usted le ve en la barbilla le salen en todo el tubo digestivo, ¿se imagina qué dolor?). Probablemente, si alguna vez ha tomado un poco de biberón, se ha quedado después un buen rato llorando. Puede hacer la prueba de ponerle una gota de leche en la piel; pero le recomiendo que no intente darle más biberón, pues podría ser muy peligroso.

Si con la leche del biberón no le pasa nada, podría ser alergia a otro componente de la papilla. ¿Conserva la caja? ¿O recuerda al menos la marca? Mire la composición y apunte todo lo que lleva. La alergia a los cereales es rara, pero no imposible; además, algunas papillas de cereales también llevan proteínas de soja, que producen muchísimas alergias.

Si su hija es alérgica a la leche, pruebe a dejar de tomar leche por completo. A veces, algo de leche de vaca pasa a la leche materna, y les produce dolor de barriga; incluso puede influir en que su hija se despierte por la noche (lo mismo puede ocurrir con la soja o con cualquier otra cosa). Y es muy importante que no le dé nada de leche, ni sola ni con papillas, hasta los dos años o así. De modo que mejor le da el pecho dos años, o va a tener problemas serios con la alimentación (hay leches especiales para los niños alérgicos, pero saben tan mal que los niños no las suelen querer).

Una vez aclarado lo de la probable alergia, veremos si su hija duerme mejor o sigue despertándose por la noche. En este último caso, todo suele ser más cómodo si su hija duerme con usted en la cama. De ese modo podrá mamar todo lo que necesite, incluso sin que usted se despierte; y usted podrá descansar (más o menos). Porque muchos niños, cuando su madre vuelve a trabajar, lo que hacen es dormir más de día y despertarse más de noche, para poder estar más con ella.

Oirá decir que los niños a esta edad no necesitan mamar por la noche y tienen que mamar solo de día. Eso es como decir que no necesitan mamar de día y tienen que mamar solo de noche. Cualquiera de las dos cosas se podría hacer, y con ninguna de ellas se moriría el niño..., pero no dejan de ser ideas muy tontas, tanto la una como la otra.

Vamos con su otra pregunta. No es necesario que deje de dar el pecho antes de quedarse embarazada. Muchas mujeres se quedan embarazadas mientras dan el pecho, y algunas siguen dando el pecho durante todo el embarazo, y luego dan el pecho a los dos, al grande y al pequeño.

Sí que es verdad que, durante el embarazo, la leche cambia de sabor. A algunos niños no les gusta, y se destetan durante el embarazo, sobre todo si ya son mayorcitos.

Y también es cierto que, durante la lactancia, cuesta más quedarse embarazada. Pero esto precisamente una medida de seguridad de la naturaleza, para que la madre no tenga los partos demasiado seguidos, lo que tampoco es bueno para su salud. Así que puede seguir dando el pecho todo el tiempo que quiera (y, si su hija es alérgica a la leche, mejor al menos un par de años).

Creo que le será muy útil contactar con un grupo de apoyo a la lactancia.

Espero que esta información le sea de utilidad, y le deseo mucha felicidad con su familia. Ya nos contará cómo le va.

Cordialmente,

CARLOS GONZÁLEZ

Tengo una niña de casi cuatro meses que solo toma pecho. No hemos tenido ningún problema con la alimentación, pero ahora cada vez que toma el pecho, al cabo de tres o cuatro minutos, se echa a llorar y no puede continuar. Además, cada vez tiene más problemas de piel, y los eccemas y las manchas se le ponen peor después de tomar el pecho. Me aconsejaron que no tomara ningún tipo de lácteo, y así lo hice, pero sustituí la leche de vaca por leche de soja, y los problemas de piel no han hecho más que empeorar. ¿Puede tener alguna relación con la leche de soja? ¿Tan importante es la alimentación de la madre? ¿Qué dieta debo seguir? ¿Sería mejor que le diera biberones de leche adaptada?

Un saludo,

Yolanda

11 de marzo de 199*

Apreciada amiga:

Su hija se pone a llorar cuando empieza a mamar, se ve obligada a soltar el pecho, y le empeoran los eccemas después de la mamada. Estos síntomas son muy sospechosos (casi seguros) de alergia a algo que ha comido la madre, como ya le habrán explicado quienes le recomendaron que evitase los lácteos. En efecto, la leche es la principal causa de este tipo de problemas, y con diferencia.

Ahora bien, dice que ha empeorado al dejar de tomar leche. Podría ser que no la haya dejado del todo: muchos alimentos hoy en día llevan leche (pan de molde, magdalenas, galletas, rebozados, embutidos, margarina...) y hay que leer las etiquetas con gran cuidado. También es muy probable que la soja sea la responsable; la soja produce las mismas o más alergias que la leche de vaca, y pasar de una a la otra puede ser caer de la sartén al fuego.

410

Conviene que evite totalmente tanto la leche de vaca como la de soja. Y no se preocupe por su dieta, las madres que dan el pecho no necesitan para nada tomar leche, ni suplementos de calcio. No intente tampoco tomar leche o queso de oveja o de cabra, dan también muchas alergias. Si los síntomas continuaran al quitar la soja, tal vez tendría usted que probar a suprimir también los huevos y el pescado, y en una tercera fase la ternera, las fresas, los cacahuetes, las naranjas, los tomates... Por suerte, raramente hace falta llegar tan lejos.

Si finalmente mejora su hija, habría que hacer dentro de un tiempo la prueba de volver a tomar leche (usted, no ella), a ver si realmente le sienta mal o si se le pasaron los eccemas por pura casualidad. Si se confirma que la leche le desencadena los síntomas, conviene que le dé pecho dos o tres años por lo menos, porque si no tendría que darle una leche especial, que son muy caras y saben a cuerno quemado, con lo que los niños las rechazan y no comen. Y desde luego nada de leche a la niña, ni en biberón ni mezclada con las papillas.

Espero haber ayudado a resolver su problema. Ya nos contará cómo le va.

Cordialmente,

Carlos González

Soy la madre de un niño de dos meses y medio. Hasta ahora todo iba bien, comía 180 de leche y sus cacas eran normales, pero hace una semana empezó a no tener hambre y a tener diarrea con mocos. Se lo comenté a su pediatra y empezamos con un régimen astringente basado en leche sin lactosa y harina de arroz, al cabo de cuatro días empezó a hacer las cacas bien y me dijo que dejara la harina de arroz y la cambiara por cereales sin gluten. Empezó a hacer las cacas más claras. Como me dijo que cuando se acabara el bote de leche de soja volviera a la que tomaba anteriormente, así lo hice, pero como no me gustaban sus cacas le añadía crema de arroz, al cabo de dos días empezó otra vez con diarrea y a no tener mucha hambre (ahora no se acaba los 150).

Mis preguntas son: ¿puede que mi hijo se haya convertido en alérgico a la lactosa?, y ¿por qué de buenas a primeras si hasta ahora no lo había sido, o solo está pasando una gastroenteritis? Si está pasando una gastroenteritis, ¿por qué se les receta leche de soja?, ¿qué propiedades tiene esta leche? Y por último, ¿hay alguna forma de que esta leche les guste más? Ya que mi hijo se toma la mitad, le da asco y no la quiere, con la consecuente pérdida de peso. Me gustaría que me respondiera lo antes posible, estoy un poco desesperada.

Adiós y muchas gracias,
Maribel

26 de julio de 200*

Apreciada amiga:

Está usted preocupada por las diarreas de su hijo, y pregunta si puede ser alergia a la lactosa. Pues no, porque son dos cosas muy distintas.

Por un lado, la intolerancia a la lactosa, que es un problema benigno que se da a veces a consecuencia de una diarrea por cualquier otra causa (normalmente por un virus). El intestino queda afectado por la diarrea, y durante unos días le cuesta digerir la lactosa, lo que a su vez aumenta la diarrea. Salvo el gran gasto en pañales, no suele tener grandes consecuencias, y se cura sola. A veces se da una leche sin lactosa, pero no es imprescindible. Algunos pediatras, en vez de una simple leche sin lactosa (es decir, como la otra pero sin lactosa), usan leche de soja, que tampoco lleva lactosa, pero es totalmente distinta. La mayoría de los pediatras pensamos que eso es un poco como matar moscas a cañonazos. Algunos dan leche sin lactosa (o de soja) a todos los niños con diarrea, sin comprobar primero si hay intolerancia a la lactosa o no. Eso podría estar justificado si el niño está muy grave; pero normalmente es una exageración.

Muy distinta es la alergia a la leche de vaca (concretamente a las proteínas de la leche), una enfermedad que puede ser muy grave. En estos casos, la leche sin lactosa no sirve de nada, y la leche de soja puede ir bien, aunque muchos pediatras prefieren usar una leche especial, hidrolizada (mucho más cara y de sabor espantoso), pues también existen alergias a la soja.

Por supuesto, no puedo saber desde aquí lo que tiene su hijo, y difícilmente lo sabría aunque pudiera verlo. Pero hay que tomarse las cosas con un poco de calma, y antes de pensar en enfermedades raras, lo lógico es que un bebé que tiene una diarrea leve de apenas dos semanas de evolución tenga una diarrea normal y corriente («gastroenteritis» es la manera fina de decir «diarrea»). Si su hijo empezase a perder peso de forma persistente, o si siguiese unas semanas con una diarrea importante (muchas deposiciones al día, y muy líquidas, tal vez sanguinolentas, con el culito escocido por la acidez...), tiempo habría de hacerle pruebas para ver si tiene algo más grave.

El tratamiento habitual de la diarrea es seguir con la dieta normal, y dar más líquidos (si hace falta, porque aquí a tres cacas bailando el sorondongo ya le llaman diarrea, y hace falta bastante más que eso para que el niño se deshidrate). Dieta normal del todo. Es decir, para un niño de dos meses, los biberones de la leche normal correctamente preparados con la misma cantidad de agua y de polvo que siempre. Si la diarrea es seria, ofrecer agua detrás de las tomas; y si es muy seria, añadir Sueroral (unos polvos que venden en la farmacia) al agua. Algunos pediatras, como le dije, tienen la costumbre de cambiar siempre la leche por una sin lactosa o por una de soja, lo que en general es un gasto inútil y una fuente de problemas (por el sabor, como usted ha comprobado). Lo que ya no entiendo es lo del arroz. Hoy en día se recomienda no dar a los niños absolutamente nada más que pecho o biberón hasta los seis meses. Como mucho, en niños que toman el biberón, a veces se puede empezar a los cuatro meses. Habrá visto en el envase de las papillas un «a partir de los cuatro meses» bien claro (es obligatorio por ley), y supongo que este mismo pediatra no le hubiera mandado estas papillas a su hijo hasta los cuatro meses o más si hubiera estado sano. Si usted le pregunta a casi cualquier pediatra: «¿Puedo darle cereales a mi hijo de dos meses?», le contestarán: «¡No, claro que no, es muy pequeño todavía!». Y si insiste usted en por qué no se puede, probablemente le dirán: «Le sentarían mal». «No los puede digerir» o «no es una alimento adecuado a esta edad, necesita tomar solo leche, que lleva más proteínas y vitaminas». Pues si encima el niño tiene diarrea, ¿no le sentarán aún peor, no le costará aún más digerirlos, no es aún más importante que lleve una buena nutrición?

En conclusión: dele la leche de siempre, la cantidad de siempre, preparada como siempre, y ninguna otra cosa. Si no quiere comer tanto como antes, no intente obligarle (debe de tener el estómago un poco revuelto); dentro de unos días recuperará el apetito y seguirá ganando peso (pero lentamente, a esta edad ya no engordan tanto como antes). Si pasados unos días de dieta normal sigue sin apetito y pierde más peso, que lo vea un buen pediatra.

Espero que esta información le sea útil, y le deseo toda la felicidad con su hijo.

Saludos cordiales,

CARLOS GONZÁLEZ

Tengo una niña de seis meses que fue operada de una hernia diafragmática nada más nacer. Desde el primer momento tomó leche materna, hasta que, debido a la frecuencia de sus vómitos, a los tres meses de edad nos aconsejaron combinarla con leche de fórmula antirreflujo. Al final del cuarto mes empezó a hacer caquitas sanguinolentas. Después de hacer varios cultivos, le hicieron una prueba de alergia y dio positivo. Le diagnosticaron intolerancia a la proteína de la leche de vaca.

Desde ese día combinamos leche materna con una leche especial adaptada. El problema es que también tiene alergia al plátano, que según nos han dicho esto indica que tiene alergia a todo lo que contenga proteína. ¿Me podrían dar, por favor, más información así como facilitar una lista con los alimentos que puede tomar y los que no? Todavía no hemos empezado con las verduras.

Gracias,

Merche

Apreciada amiga:

La leche antirreflujo no sirve para nada; es decir, puede conseguir que los niños se manchen un poco menos el baberito, pero no mejoran para nada su estado de salud; y la Asociación Española de Pediatría no la recomienda ni siquiera para niños con lactancia artificial:

http://db.doyma.es/cgi-bin/wdbcgi.exe/doyma/mrevista.fulltext?pident=10216

Dársela a un niño con lactancia materna, ya es ridículo. Tiene usted motivos de sobra para sentirse indignada, pues su hija ha sufrido un efecto secundario grave por el «tratamiento» de un problema banal (hay casos de vómitos que no son banales, pero en esos casos la leche antirreflujo tampoco hace nada, así que estamos en las mismas). Y ahora le dan una leche antialérgica, pero que no es antirreflujo, pues no hay ninguna en el mercado que sea las dos cosas a la vez. ¿Qué pasa, ahora ya no importa el reflujo?

Creo que lo mejor que puede usted hacer es quitarle por completo los biberones a su hija, y darle pecho y nada más que pecho. Se puede hacer, y es fácil. Solo tiene que tirar los biberones a la basura, si está tomando poco (o disminuir gradualmente en unos días, si toma mucha cantidad), y darle solo el pecho, todo el que quiera. Durante un par de días, probablemente pedirá el pecho a todas horas; pero enseguida la cantidad de leche aumentará otra vez y volverá a mamar lo normal.

La alergia alimentaria casi siempre es culpa de las proteínas, aunque también otras substancias no proteicas pueden producir alergia. Pero su hija no puede tener alergia a todo lo que lleve proteína, primero porque tal cosa no existe, y segundo porque sería terrible, porque las proteínas son necesarias para la vida, y todos los alimentos (excepto algunos refinados, como el aceite o el azúcar) llevan proteínas. Pero su hija tolera perfectamente las proteínas de la leche materna, y seguro que también tolerará otras.

Por cierto, muchos niños alérgicos a la leche de vaca (pero no todos) reaccionan también a la leche que toma su madre.

415

Los alimentos, lo mismo que los medicamentos, pasan a la leche materna. Algunos niños son tan sensibles que presentan sangre en las heces o eccemas graves solo porque la madre toma leche, pero otros solo tienen síntomas más leves, como cólicos.

En cuanto a la introducción de alimentos en la dieta de su hija, es importante hacerlo con suma cautela. Introduzca siempre los alimentos de uno en uno (una sola fruta, un solo cereal, una sola verdura), y espere varios días antes de probar con otro. Empiece siempre en cantidades muy pequeñas, el primer día una cucharadita. Los alimentos más alergénicos, como los lácteos, el huevo y el pescado, es conveniente introducirlos más tarde.

En general, hasta el año, cuanta menos variedad de alimentos, mejor. Es decir, si toma pera y le sienta bien, ¿para qué arriesgarse a darle manzana, que básicamente lleva los mismos nutrientes? Si come pollo, ¿para qué darle ternera?

Creo que le será útil contactar con un grupo de apoyo a la lactancia; probablemente hay alguno en su localidad. Puede consultar una lista de todos los grupos de España en www.fedalma.org.

Espero que estas sugerencias le sean útiles, y le deseo toda la felicidad con su hija.

Saludos cordiales,

CARLOS GONZÁLEZ

Mi nombre es Aurora; mi hijo, Carlos, cumple hoy un mes. Mi problema, o quizá debería decir, el de mi suegra, vecina y madre, es que el niño ha aumentado poco de peso, según su criterio, claro.

Pesó al nacer 3.400 g. Según el consejo de mi suegra era necesario pesarlo cada semana para llevar un control exacto, a los seis días pesaba 3.290 g, había perdido 110 g, pero en esto estuvimos todos de acuerdo en que era normal. A los quince días de nacer lo llevé por primera vez al pediatra, lo encontró muy sano y espabilado, del peso no hablamos y me olvidé de preguntar, así que de esa semana no tengo datos. Cuando pregunté sobre cómo debía darle de mamar, y le comenté que como no sabía qué hacer le daba lo que me pedía (todo iba bien, pero tenía muchos gases), fue tajante en su respuesta: debía darle diez minutos de cada pecho cada tres horas, a lo sumo dos horas y media.

Y aquí empezó todo. El niño no dejó de tener gases, seguía igual, pero yo creo que tenía hambre. Mamando es lento, se quedaba medio dormido y de repente empezaba a mamar como un loco, y volvía a descansar, pero al marcar los diez minutos le sacaba el pecho y al rato estaba como loco, y nosotros con él, paseándolo, cambiándolo de ropa por si estaba sucio, haciendo todo lo posible para que estuviera cómodo, como nos habían dicho (no pensábamos que tenía hambre) le dábamos anís estrellado para los gases, pero puede imaginar cómo se cogía al biberón, se lo tomaba todo. No podíamos más, y como le he dicho, el tema de los gases no mejoraba. El niño es muy bueno, tiene días malos, alguna noche, pero descansa bien y solo llora cuando tiene retortijones, creo que debido a los gases, y ahora por hambre.

Una compañera del trabajo de mi marido nos recomendó su libro *Mi niño no me come*, a ella el pediatra le había dicho que debía darle a su hijo cada cuatro horas veinte minutos en cada pecho, puede imaginarse los lloros. Y con su libro empezó a descubrir el placer de dar de mamar a su hijo. Yo pensaba que no era el libro adecuado para mí, ya que mi hijo sí comía, lo que pasaba es que no aumentaba de peso como debía, o decían que debía. Siguiendo el consejo de mi suegra, a las tres semanas le pesamos y pesaba 3.500 g, es decir, había aumentado en quince días solo 22 g. Otro sufrimiento, ya que empezó el bombardeo de «este niño aumenta poco», «debes darle un suplemento de biberón», «tu leche no le alimenta suficiente», y de verdad es desesperante.

Me he leído su libro y ahora le doy al niño a demanda, duerme y sigue contento como siempre, pero no llora por hambre, intento que entre mamadas haya un intervalo de una hora y media, más que nada por la digestión. Me aguanta muy bien tres horas en casi todas las tomas, menos desde las seis de la tarde a las doce de la noche, que me pide a intervalos de dos horas. Ahora soy feliz porque el niño es feliz, aunque mi suegra y mi madre siguen persiguiéndome con la historia de que como mi leche no le alimenta lo suficiente le tengo que dar más a menudo, y que después de una toma se queda con hambre. Que el problema de los gases es por lo de darle a demanda, si me ciñera a un horario esto no pasaría. Yo me siento segura en mi posición pero no puedo evitar ser madre primeriza, no tengo ni idea, solo intento hacer lo mejor para el niño.

El pediatra me dice que diez minutos en cada pecho cada tres horas, y mi familia dice que se queda con hambre, pero yo soy quien está todo el día con él y veo cómo reacciona ante mis cuidados, y ellos le ven de vez en cuando o un rato cada quince días. Mañana tengo de nuevo pediatra y no sé cómo decirle que no he hecho lo que él me dijo. Bueno, sí sé cómo hacerlo, diciéndolo, e intentando hacerle entender que el niño me responde adecuadamente ante el nuevo planteamiento. Sobre el peso no sé cómo reaccionará, espero que no me mande un suplemento de biberón porque no quiero; quiero darle el pecho y creo que mi leche es suficiente para el niño, si no no dormiría del tirón, ni cuando está despejado tendría esta cara de felicidad.

Parece que estoy muy segura de mis planteamientos, y confío en lo que explica en su libro, pero ante el acoso, quizá necesito que alguien me diga que estoy haciéndolo bien, que el niño come bien. Sus deposiciones son normales, el 14 de octubre pesaba 3.620 g, en una semana engordó 120 g.

Mis preguntas son:

☞ ¿Es normal el aumento de peso? ¿Qué aumento de peso es el normal en los tres primeros meses?

☞ ¿Por qué esta diferencia en los planteamientos de la lactancia, la libre demanda y la rigidez del horario estricto? Nos vuelven locos a los primerizos. ¿Qué debo hacer si mi pediatra me impone la rigidez del horario y no entiende mi planteamiento?

☞ Si no seguimos un horario, ¿podemos malcriar, como nos dicen, a nuestro hijo?

☞ ¿El problema de los gases es por darle a demanda? Aunque cuando me regía por un horario tenía los mismos gases.

☞ ¿Qué puedo hacer para ayudarle a que se le pasen los gases? Le doy anís estrellado, pero no sé si es del todo bueno, le relaja pero sigue el dolor. ¿Hay alguna otra cosa? ¿Puedo hacerle algún tipo de masaje para ayudarle a expulsarlos? Hay veces que tiene tanto dolor que se pone rígido, con la tripita dura y morado, es horrible y me veo impotente, no sé qué hacer.

☞ Y por último, he leído en su libro que la leche de la madre es lo mejor que puedo darle, y que la oferta depende de la demanda, ¿puede ser que tenga menos leche y el niño necesite más? Porque existen estas teorías. Lo que sí debo decir es que cuando me regía por un horario estricto noté como si tuviera menos leche, y ahora noto que tengo más cantidad, ¿es posible?

Siento si me he extendido mucho, es deformación profesional, espero haberme explicado bien y no molestarle con tantas preguntas. La verdad es que le agradeceríamos mucho su respuesta, ya que aunque intentemos mostrar seguridad en hacer las cosas como hemos decidido, somos primerizos y todo son dudas. Solo queremos lo mejor para nuestro hijo.

Antes de despedirme quiero agradecerle muy sinceramente la ayuda que nos ha prestado con su libro, ha sido un desahogo para nosotros poder leer en algún sitio algo que ya suponíamos pero no nos atrevíamos a decir en voz alta.

Esperamos su respuesta. Muchas gracias por todo,

Aurora

25 de octubre de 200*

Apreciada amiga:

Está usted hecha un lío con Carlos (¡feliz cumplemeses!), la familia, los pediatras y los libros. Es una lata que todo el mundo diga cosas distintas (aunque supongo que peor sería que todo el mundo dijera lo mismo, pero mal), y tarde o temprano tendrá que tomar la decisión de hacer caso a unos y a otros no. Probablemente lo mejor es hacer caso a su hijo, que al fin y al cabo es el único directamente interesado y con derecho a opinar.

A veces es útil hacer a la gente más caso del que busca. Por ejemplo: «Mamá, el pediatra dice que Carlos tiene bastante con diez minutos cada tres horas, pero creo que tienes razón tú: se queda con hambre. Así que le voy a dar más leche, todos los minutos y todas las tomas que él quiera». Y, más adelante: «Doctor, mi suegra se empeña en que el niño se queda con hambre, pero yo creo que tiene usted razón: con diez minutos de pecho cada tres horas tiene de sobra, así que no hace falta darle biberones». ¡A ver qué cara ponen!

No sé cómo le habrá ido la visita al pediatra, pero supongo que se da cuenta de que ya puede cantar misa, que usted en su casa tiene derecho a hacer lo que le venga en gana. ¡Faltaría más! No le pueden «poner un horario» ni «ordenar una ayuda». Mira que nos pasamos los médicos media vida prohibiendo fumar (¡y en eso tenemos razón!) y la gente ni caso, y luego cuando nos equivocamos van y nos obedecen... El aumento de peso de su hijo es normal, al mes pesa un cuarto de kilo más que al nacer (y hay que contar también lo que perdió y luego recuperó). Es cierto que podría haber engordado más, pero dadas las circunstancias (ha estado a régimen la mitad de su vida, con restricción de alimentos; a veces le dan agua en vez de leche, y sus abuelitas están llevando a su mamá por el camino de la amargura), creo que, pobrecito, ya ha hecho bastante.

Si su pediatra le «impone» un horario rígido, puede optar entre el desafío directo («no estoy de acuerdo, eso ya lo he probado y no me iba bien»), la mentira piadosa («¡pues si ya estoy siguiendo un horario, no me retraso ni un minuto!») y el transplante de pediatra (aunque nadie le garantice que encontrará uno mejor). Pueden ustedes malcriar a su hijo si lo emborrachan, si lo muelen a palos o si lo abandonan; pero es imposible malcriar a un hijo por no seguir un horario. Los gases no son producidos ni por la libre demanda ni por el horario. El pecho, si se toma bien (es decir, bien metido dentro de la boca muy abierta), no produce gases, porque dentro del pecho no hay gas. Tomando un biberón sí que es posible tragar gas, y también chupando un chupete, porque no se adapta tan bien a la boca y entra aire por alguna rendija. Pero normalmente los niños tragan aire al llorar. Es decir, no lloran por los gases, sino al revés. Cada vez que lloran tragan gas, y, cuando por fin se callan, expulsan todo el que se les acumuló en ese rato; por eso la gente piensa que era el gas el que les molestaba. Los niños pueden llorar por muchos motivos, pero el principal es porque necesitan atención: estar todo el rato en brazos, y que les acaricien, les canten y les digan cosas bonitas. Los niños que van en brazos lloran menos y tienen menos gases. El anís estrellado no es nada bueno. La hierba en sí puede producir efectos secundarios en dosis altas; pero sobre todo el agua les llena la barriga, con lo que luego, aunque tengan hambre, no pueden mamar. Imagínese la rabia que ha de dar querer mamar y no poder, el niño lógicamente llora, y al llorar traga más gas.

Más que un masaje concreto, lo que necesitan los niños es contacto: caricias, brazos, mecerlos... A veces, cuando tienen el cólico, les va muy bien cogerlos boca abajo sobre un brazo. También es frecuente que esté llorando con mamá, y de pronto llega papá, se le pone al hombro y se queda frito; dicen que es porque el hombro de papá es más ancho y se nota menos el hueso. A veces los niños están tan nerviosos que incluso en brazos lloran; no hay que cargarlos solo cuando lloran, sino antes: que sepan que no necesitan llorar para que los carguen.

Por supuesto, cuando le daba según un horario, usted tenía menos leche, porque su hijo no podría mamar lo que necesitaba. Si su hijo se quedase con hambre con el biberón, ¿no le darían más biberón? Pues si se queda con hambre con el pecho, hay que darle más pecho. Tampoco es necesario esperar hora y media entre toma y toma, ni por la digestión ni por nada. No es necesario hacer la digestión antes de volver a comer; si fuera así, jamás podríamos comer más que un bocado cada dos horas, porque el segundo bocado siempre lo comemos con el estómago «lleno». Si su hijo puede tomar un pecho, y a los diez segundos tomar el otro, también puede hacerlo a los diez minutos o a los veintisiete.

Hay un libro muy interesante sobre todos estos temas, *Nuestros hijos y nosotros*, de Meredith Small. Creo que le gustará.

Espero que estas reflexiones le sirvan de ayuda, y que sean ustedes muy felices con su hijo. Ya nos contará cómo le va.

Saludos cordiales,

Carlos González

Muchas gracias por su respuesta; me ha ayudado, sobre todo, a tener más confianza en mis propios planteamientos.

Como le dije en mi carta, tenía visita con el pediatra y estaba un poco angustiada, ya que no sabía muy bien cómo iba a reaccionar ante mi planteamiento de libre demanda, y la verdad, salió todo estupendamente. Me escuchó, entendió mis explicaciones, y me dijo que tenía un niño sanísimo, que estaba creciendo estupendamente, y su consejo era que debía actuar según mi criterio, sin obsesiones por el peso. La verdad, no pesó al niño hasta el final de la consulta cuando habíamos hablado y había mirado completamente al niño, y siguiendo su consejo solo lo pesa él en la consulta. Sobre todo su principal consejo fue que pasáramos de madres, suegras y vecinas, la que conocía al niño era yo, que pasaba veinticuatro horas al día con él, y si tenía algún problema podía localizarle cuando fuera necesario.

Salí de la consulta encantada, y la verdad, desde que sigo sus consejos, nos va perfectamente, como usted decía escucho a mi hijo, que es quien tiene realmente algo que decir, y nos entendemos, está precioso, muy despierto y divertido, estoy disfrutando de lo lindo.

Muchas gracias por sus consejos, nos han ayudado a entender que la maternidad no es tan difícil como te dicen, sobre todo si nos tomamos las cosas con más calma.

Un abrazo y gracias por todo,

Aurora

14 de diciembre de 200*

Apreciada amiga:

Me alegra tener noticias suyas, y saber que las cosas se van enderezando.

Ya lo ve, no es tan fiero el pediatra como lo pintan, ni tan difícil ser madre. Y, sin embargo, ¡cuántas veces se escucha el chistecito fácil de que «como los niños no traen manual de instrucciones...»! A veces, en vez de mirar a nuestro hijo a los ojos y ver en él a un ser humano en el que podemos reconocernos, nos empeñamos en contemplarlo con el temor y la vaga desconfianza con que sacamos el aparato de vídeo de su caja de cartón.

Ojalá sigan los niños viniendo sin manual.

Les deseo una muy feliz Navidad en familia.

Un abrazo,

CARLOS GONZÁLEZ

Tengo una hija de quince meses. Toma pecho y ya come de todo, comida sólida, no papillas, que nunca le han gustado. Bueno, de todo no, no toma nada de leche ni lácteos: a los seis meses, cuando me mandaron darle cereales, y que se los preparase en papilla con leche de fórmula, descubrimos que tenía alergia a la proteína de la leche. Lo confirmaron con pruebas en el hospital y le mandaron unas leches hidrolizadas que nunca ha probado porque yo decidí seguir con el pecho, ya que de todas formas los cereales no se los tomaba ni con mi leche. Lo que hice fue esperar un poco y ahora los toma cuando come pan, pasta o arroz, como usted recomienda.

El caso es que ahora le han repetido las pruebas y han dado negativo, y estoy preocupada porque me han dado cita para lo que llaman «test de provocación». Resulta que tengo que ir al hospital un día a las nueve de la mañana y estar cinco horas dándole leche de continuación (eso pone en el papel) en cantidades crecientes cada treinta minutos. Empiezan dando 5 ml, pero luego ya pone 30, 50... y la última es de 150, después hay que esperar dos horas. Mi hija no se va a tomar eso, porque ella no toma líquidos (solo quiere agua y en vaso, ni zumos ni nada). Además, tampoco bebe mucha agua porque toma pecho.

El caso es que me dieron un papel con las instrucciones: llevar su biberón favorito, sus cereales preferidos, o ColaCao, para hacérselo más apetecible.

Les expliqué que bebe solo agua y en vaso, no tiene biberón y no toma cereales, ni mucho menos ColaCao. Y que además 150 ml de leche de continuación no se los tomaría ni muerta de hambre (mucho menos si las cuatro horas anteriores había estado tomando leche cada treinta minutos). Entonces me dijeron que tenía que ser así, que la dejase la noche antes sin cenar y ese día sin desayunar, y que si no tomaba ni cereales ni ColaCao que me llevase galletas. No sé dónde piensan que va a meterse la niña toda esa leche, encima con

423

galletas. También me sugirieron que probase el ColaCao con mi propia leche, pero no me gusta que tome chocolate. Además, no puedo negarle el pecho, que toma durante la noche, ni dejarla sin cenar y sin desayunar, ella sabe ya muy bien abrir la camisa de mamá y engancharse el pecho, y se enfada muchísimo si se lo niego, por no hablar de que se duerme mamando. ¿No se puede hacer esa prueba de otra forma, con un yogur o queso o algo más fácil que no sea leche de continuación? Por favor, si conoce usted algún sitio aquí en Madrid donde lo hagan de otra forma, dígamelo aunque sea un sitio privado.

Muchísimas gracias y un saludo,

Mónica

27 de marzo de 200*

Apreciada amiga:

Creo que lo que le está pasando es un ejemplo más de aplicación automática e irreflexiva de unas normas escritas.

Ese protocolo está escrito para niños «normales», que toman biberón con leche hidrolizada, y cuyas familias están deseando darles lo antes posible leche de continuación porque la hidrolizada es mucho más cara y sabe a rayos. Y dicen leche de continuación, y no leche entera de vaca normal y corriente porque ciertos fabricantes han hecho un trabajo tan eficaz, anunciando que la leche de continuación hay que darla hasta los tres años que los padres (y hasta algunos médicos) se lo han creído, y se enfadarían («¡leche de vaca normal le va a dar, si solo tiene quince meses!») y no quieren perder tiempo discutiendo.

Pero usted le da el pecho, y por lo que entiendo tiene intención de seguir haciéndolo, y por tanto no le corre ninguna prisa darle leche a su hija. ¿Hacer la prueba ahora, para luego estar seis meses, o un año, o más, sin darle leche de vaca ni derivados, porque ya toma pecho? Al hacerle la prueba de provocación, existe un pequeño riesgo de que todavía sea alérgica (si no hubiera ningún riesgo, no le harían ninguna prueba, ¿verdad?). Si esperan unos meses a hacer las pruebas, ese riesgo disminuye, ¿para qué correr tanto?

Así que lo lógico es que le diga al alergólogo: «Mire, doctor, como le estoy dando el pecho y de momento no le pienso dar ni leche hidrolizada, ni de continuación, ni de vaca ni nada, no hace falta hacerle ahora la prueba. Mejor la anulamos, y cuando yo piense empezar a darle leche de vaca a la niña, ya volveré a pedir hora para las pruebas». Y todos tan amigos.

La prueba se puede hacer con leche de continuación o con leche de vaca normal. No estoy seguro de que se pueda hacer con otros derivados lácteos, porque algunos tienen las proteínas algo modificadas y resultan menos alergénicos.

Espero que estas reflexiones le sean útiles y que sea muy feliz con su hija.

Saludos cordiales,

Carlos González

Les escribo, porque he leído el artículo «alergia a la leche de vaca» en la revista *Ser Padres*. Solo quería informarles de que si un niño tiene intolerancia a la leche de vaca puede probar con la leche de cabra; es la más parecida a la leche materna y por ese motivo la intolerancia raramente existe.

Creo que es importante que las madres lo sepan, porque nos preocupamos mucho cuando tenemos un problema. Hay estudios sobre la leche de cabra y publicaciones en revistas de temas ecológicos y de alimentación. Sé que se publica a quien patrocina... pero creo que podrían responder a la madre particularmente e informarla de todas las posibilidades.

Muchas gracias por atenderme y espero haber podido ayudar a alguien con esta información.

Atentamente,

Isabel

5 de mayo de 200*

Apreciada amiga:

Es cierto que la leche de cabra puede ser una alternativa para algunos niños mayores con alergia a la leche de vaca.

Sin embargo, es erróneo (aunque ya lo había oído antes en numerosas ocasiones) que la de cabra sea la leche más parecida

425

a la materna. No se parece absolutamente en nada. Ignoro de dónde sale ese mito.

Puede ver la composición de la leche de cabra en la página de la asociación americana de productores de leche de cabra, por ejemplo (encontrará cifras muy parecidas en cualquier otra fuente, aunque los decimales siempre varían un poco):

www.adga.org/compare.htm

Como verá, la leche de cabra en realidad es muy similar a la de vaca. Especialmente en aquellos puntos más importantes para la alimentación del bebé: ambas tienen la misma cantidad de proteínas (el triple que la leche materna), ambas tienen un gran exceso de calcio y fósforo... Administrada a un bebé de pocos meses, es igual de peligrosa que la leche de vaca.

Otra cosa es que la industria láctea, en vez de fabricar leche para el biberón a partir de la leche de vaca, puede también fabricarla a partir de la leche de cabra. En algunos países existen tales leches artificiales a partir de leche de cabra. En España no, aunque en ocasiones se consigue una importada de Alemania.

Así que la leche de cabra entera solo se debería dar, lo mismo que la leche de vaca entera, a niños mayores de un año.

Además, muchos (al parecer, la gran mayoría) de los niños alérgicos a la leche de vaca tienen alergia cruzada con la leche de cabra:

http://www.elsevier.es/revistas/ctl_servlet?_f=7064&ip
=62.57.92.191&articuloid=13050119

Se puede producir incluso un *shock* anafiláctico en un niño con alergia a la leche de vaca cuando toma leche de cabra: www.pubmed.gov/15059197.

Por tanto, la administración de leche de cabra a un niño alérgico a la de vaca (sea una leche de cabra adaptada, si tiene menos de un año, o una leche de cabra entera si tiene más de un año) solo se debería hacer después de practicar pruebas clínicas bajo supervisión médica (exactamente igual que se hace para reintroducir la leche de vaca cuando se considera que el niño puede estar curado).

Reciba un cordial saludo,

CARLOS GONZÁLEZ

Estudios

Me llamo Isaura, estoy haciendo un máster de cooperación interna-
cional en la universidad, y mi proyecto final va sobre el derecho a la
lactancia materna y la comercialización de sustitutos de la leche.

Estoy usando tu artículo sobre la alimentación de la madre lactante del Congreso de Lactancia de 2006, es muy interesante.

Investigando, me he topado con que ahora las compañías de
sustitutos de leche venden leches y alimentos para mejorar la calidad de la salud y la leche de las madres, otro ejemplo de esto es el
último anuncio de Actimel en el que sale una mujer dando de mamar
a su hijo «pasándole las defensas de Actimel».

No soy profesional de la salud, me estoy centrando en las prácticas de las multinacionales y en el rechazo de la sociedad en general a la lactancia, con las consecuencias que acarrea sobre todo en
el «tercer mundo».

Me gustaría que me dieses tu opinión sobre estas «leches para
madres», me imagino que no será muy buena, pero necesito una
base científica-profesional porque no me quiero inventar nada.

Muchas gracias por tu ayuda.

Un saludo,

Isaura

7 de abril de 200*

Apreciada amiga:

En efecto, esas leches para madres no son más que una ma-
niobra comercial. Si no puedes con ellos, únete a ellos. Al ver
que cada vez más madres dan el pecho, han pensado: «Si no
podemos venderles una leche para bebés, les venderemos
una leche para mamás». Y así amortizan la máquina de fabricar
leche.

No es más que una reencarnación del mito de la pastillita
para astronautas. Ya sabes, «algún día comeremos como los astronautas, una pastillita que lleva todo lo necesario y ya está».
Podría ser una idea razonable, si supiéramos qué necesita una
persona para vivir, pero no lo sabemos. Comer una dieta natu-

427

ral, en vez de un ramillete de suplementos y concentrados, permite comer cientos de nutrientes cuya existencia desconocemos. No es lo mismo una naranja que una pastilla de vitamina C. Por eso la dieta saludable, la que los verdaderos expertos (los que no están a sueldo de la industria) recomiendan, se basa en una variedad de alimentos naturales.

Si una madre no está tomando una dieta sana, si por ejemplo solo come patatas fritas y Coca-Cola y nada más, la solución no es comer patatas fritas, Coca-Cola y leche para madres, sino hacer una dieta sana de verdad. Y si de verdad fuera mejor una leche para madres, entonces, ¿por qué solo para madres? ¿Por qué no una leche para padres, una leche para bomberos, una leche para gente que prepara el trabajo final de un máster, una leche para albañiles, una leche para pescadores de bacalao? En realidad, ya van por ese camino: además de la leche 1 y la 2, ya venden una de «crecimiento» y una para después, para niños de tres a siete años o algo así, no recuerdo cómo la llaman. Y venden leche para menopáusicas, con soja. Yo no quiero ir por ese camino, no quiero acabar bebiendo «leche para pediatras». Además, si la madre que da el pecho al mismo tiempo es bombera, o está preparando un máster, ¿cuál de las dos leches tendría que tomar? Y yo, ¿tomaré la leche para pediatras, la leche para escritores, o la de padres?

Supongo que eso del Actimel para madres lo pretenden basar en este estudio:

http://journals.cambridge.org/action/
displayAbstract?aid=2200916

«La ingesta de leche fermentada con L.Casei durante el periodo de lactancia contribuye modestamente a la modulación de la respuesta inmunológica de la madre después del parto y disminuye la incidencia de episodios gastrointestinales en el bebé amamantado».

El estudio está financiado por Danone y uno de los autores trabaja en dicha compañía (y dudo que a ningún investigador se le ocurriera hacer un estudio sobre este tema si no fuera porque Danone ofrecía fondos para investigar). Miran un montón de factores inmunitarios (varios tipos de inmunoglobulinas, de complemento, de leucocitos), en la mayoría de ellos no encuentran diferencia. Pero hay una diferencia en la relación «T helper type 1/T helper type 2 (Th1/Th2)», que a falta de cosa mejor sirve para justificar que ha habido un cambio (en los estudios científicos se suele admitir como «estadísticamente significativa» una probabilidad de 0,05. Es decir, «la probabilidad de que esta diferencia sea debida al azar es solo del 5%, así que suponemos que no ha sido debida al azar». Pero, claro, si en vez de mirar un solo parámetro miras veinte, es de esperar que en uno de ellos aparezca, por pura casualidad, una diferencia «estadísticamente significativa». Para admitir que de verdad hay una diferencia, haría falta que varios estudios distintos confirmasen el mismo hallazgo.

Una cosa es una diferencia en un análisis de laboratorio, y otra cosa muy distinta que eso influya sobre la salud del bebé. Los «episodios gastrointestinales» que dicen que disminuyen no son problemas graves, ni hospitalizaciones, ni han sido rigurosamente diagnosticados por un médico; simplemente le preguntaban a la madre si su bebé había tenido algo. En el grupo placebo había, casualmente, mayor abandono de la lactancia, el doble de madres fumadoras y el triple de bebés que iban a la guardería; me parece que esos factores pueden explicar mejor que el consumo de Actimel las pequeñas diferencias que los mismos autores consideran «moderadas».

Seguro que cualquier cosa que comas influye en algún rinconcito de tu organismo. Si hubiera el mismo presupuesto para investigar los efectos de la zanahoria o de la berenjena, seguro que encontrarían también algún obscuro factor inmunitario afectado.

En la web de Actimel: http://www.actimel.com.ar/bibliografia.php, tienen la lista de artículos científicos así obtenidos. Me he tomado la molestia de buscar dos de los que parecen más prometedores. El número 29 es este:

http://www.ncbi.nlm.nih.gov/pubmed/12679825

Mira qué éxito: «No encontramos diferencias en la incidencia de infecciones invernales». Pero se consuelan pensando que a los abuelos que tomaban Actimel los resfriados les duraban siete días en vez de ocho.

El número 28 es este:

http://www.ncbi.nlm.nih.gov/pubmed/15761413

Sus hallazgos también son tremendos: «Nuestro estudio demostró una tendencia no significativa a la reducción de la diarrea». Palabras cuidadosamente elegidas, habitualmente se diría «no hubo diferencias significativas en la incidencia de diarrea».

No sigo perdiendo el tiempo. Son tonterías una tras otra.

Bueno, espero que estos comentarios te sirvan. Supongo que ya has visitado la web de IBFAN: www.ibfan.org.

Un cordial saludo,

CARLOS GONZÁLEZ

Hola:

Tengo un bebé de cinco meses. Antes de quedarme embarazada era fumadora habitual de hachís mezclado con tabaco (no fumo cigarrillos). Durante el embarazo no fumé y tampoco durante los tres primeros meses del bebé. Ahora me encuentro fumando otra vez un porro al día, y quisiera saber qué efectos puede tener esto en mi bebé. A veces me siento muy tensa y el hachís me ayuda a relajarme y aliviar la tensión del día...

No quisiera afectar a mi bebé por mi hábito.

Muchísimas gracias por su ayuda,

Milena

12 de mayo de 200*

Apreciada amiga:

No se sabe mucho sobre los efectos del hachís durante la lactancia. Al ser ilegal, resulta difícil hacer estudios.

Parece que el consumo de marihuana durante el primer mes de lactancia afecta al desarrollo psicomotor del bebé:

http://www.ncbi.nlm.nih.gov/pubmed/2333069

En ratones de laboratorio, el cannabis afecta tanto a las crías como a la madre, disminuyendo su capacidad para cuidarlas:

http://www.ncbi.nlm.nih.gov/pubmed/6776575

Aquí encontrará un resumen de otros datos:

http://parenting.ivillage.com/newborn/
nbreastfeed/0,,3ww0,00.html

En conjunto, parece que es mejor, mientras se da el pecho, no fumar marihuana. Ni tabaco. Lo mismo que en cualquier otro momento de la vida, por cierto.

Ahora bien, ninguno de los posibles efectos sobre el bebé es tan grave como los bien conocidos peligros de la lactancia artificial. Es decir, si finalmente decide fumar (cosa que no le recomiendo en absoluto), desde luego es mejor que siga dando el pecho. Y, desde luego, no fumar ni hachís ni tabaco en casa, para que el bebé no esté expuesto al humo.

Espero que esta información le sea útil, y le deseo toda la felicidad con su hijo.

Saludos cordiales,

CARLOS GONZÁLEZ

Al igual que muchas amigas, soy una gran seguidora de sus libros, los cuales leo y releo esperando a que publique el próximo (ya me han chivado que irá sobre las vacunas, ¡genial!).

Mi pregunta es la siguiente: según una médica danesa, en el resto de Europa está muy limitada una sustancia, la TBT que llevan los pañales, y que es posible que esté relacionada con la esterilidad masculina futura. Al parecer, en España no está limitada, por lo que nuestros pañales están perjudicando a nuestros bebés. ¿Sabría usted decirme si esto es cierto?

Mil gracias, y por favor, siga al pie del cañón como hasta ahora,

Concepción

8 de septiembre de 200*

Apreciada amiga:

No había oído hablar de la TBT. Una breve búsqueda (¡qué haríamos sin Internet!) me ha permitido encontrar algunas quejas sobre la presencia de tributiltina en los pañales:

www.nappies.net/tbt.htm

Dice que un bebé estaría en contacto con una cantidad 3,6 veces superior a la que la OMS considera ingesta diaria tolerable..., pero olvidan decir que el bebé no se come los pañales, y, aunque algo se pueda absorber a través de la piel, seguro que solo es una pequeñísima parte del total y por tanto no llega ni por asomo a la ingesta diaria tolerable. Hablan de un tiempo presente (en algún sitio dice «January this year»), pero no dicen (o no lo he encontrado, ¡no tengo tiempo de leerlo de pe a pa!) a qué año se refieren, en todo caso parece que antes de 2003. Hablan de posibles riesgos, sobre todo para los moluscos (habría que ver qué cantidad de TBT hay que darle a un molusco para que cambie de sexo, y en todo caso según la Wikipedia los moluscos son muy sensibles a la TBT). Dicen que la información proviene de la Women's Enviromental Network; pero en la página de WEN solo hay un documento que mencione la TBT de los pañales y no es el mismo:

www.wen.org.uk/nappies/reports/nappy_briefing.pdf

En este documento fechado en 2004, advierte de que la TBT puede ser un disruptor hormonal, no da más detalles, no menciona la esterilidad, y habla como si fuera un problema actual en Inglaterra en ese momento (así que me sorprende eso de que a día de hoy lo hayan eliminado en toda Europa menos en España...). Parece que el aumento de temperatura en los testículos por el calorcito del pañal les preocupa lo mismo o más que la TBT, y de eso sí que dan una referencia científica:

www.pubmedcentral.nih.gov/picrender.
fcgi?artid=1718504&blobtype=pdf

... referencia científica que solo mide la temperatura y no prueba nada a largo plazo sobre la fertilidad. Proponen hacer un estudio comparando los alemanes del este y los del oeste, espero que lo hagan, puede ser interesante. Si de verdad lo del calor es un problema, entonces los pañales sin TBT serían prácticamente igual de malos que los pañales con TBT (¿es eso un consuelo?).

No he conseguido encontrar en Pubmed ni un solo estudio que realmente relacione (ni siquiera que sugiera una relación) entre la TBT, los pañales y la infertilidad.

432

En conclusión, me parece una de tantas historias terribles que periódicamente aparecen en los medios de comunicación. Sí, vale, el mundo está lleno, pero llenito a rebosar, de contaminantes muy peligrosos, que nos atacan por tierra, mar y aire. Pero tampoco se vive tan mal. Por mi parte, pienso confiar plenamente en nuestras autoridades (bueno, en las de la Unión Europea, que por fortuna están por encima de las nuestras); si de verdad la TBT tiene algún peligro, ya la prohibirán. Entre tanto, no tengo forma de saber en qué pañales o en qué otros productos españoles hay o no hay TBT, y no pienso dejar que eso me quite el sueño.

Espero que estas reflexiones le sean útiles, y le deseo toda la felicidad con su hijo.

Saludos cordiales,

CARLOS GONZÁLEZ

Hola:

He leído en el número de febrero de la revista *Ser Padres* un artículo sobre los cereales y el gluten, me gustaría tener más información sobre ese estudio que comentas sobre el gluten y por qué los pediatras aconsejan no tomar productos con gluten hasta el año, también me gustaría saber por qué se introducen los alimentos sólidos en el orden que aconseja el pediatra: cereales, frutas, verduras, carne, pescado y legumbres.

Gracias,

Ángela

28 de febrero de 200*

Apreciada amiga:

Las nuevas recomendaciones de la ESPGHAN, que aconseja introducir el gluten antes de los siete meses, pueden leerse aquí:

http://espghan.med.up.pt/joomla/position_papers/con_28.pdf

Los estudios en que se basan son estos:

www.ncbi.nlm.nih.gov/pubmed/10709885
www.ncbi.nlm.nih.gov/pubmed/15900004

www.ncbi.nlm.nih.gov/pubmed/16638697
www.ncbi.nlm.nih.gov/pubmed/11976167

¿Hay pediatras que aconsejan no tomar gluten hasta el año? Pues no sé por qué lo harán.

Tampoco tengo ni idea de por qué algún pediatra recomendará introducir los alimentos en el orden «cereales, frutas, verduras, carne, pescado y legumbres». Seguro que hay otros pediatras que recomiendan otro orden. Y, por supuesto, las fuentes serias (como la misma ESPGHAN) no recomiendan ni ese orden ni ningún otro, porque no hay ninguna base científica para decir una cosa u otra.

Si la cosa fuera dar cereales, a los pocos días fruta, a los pocos días verdura, a los pocos días carne, pues no tendría más importancia empezar por un lado o por otro. Por desgracia, muchas veces se recomiendan meses monográficos, algo así como «a los seis los cereales, a los siete la fruta, a los ocho la verdura, a los nueve la carne» (y si alguno todavía hace distinción entre cereales con gluten y sin gluten, la carne fácilmente se va a los diez meses). No parece muy lógico dar la carne tan tarde, cuando precisamente es la principal fuente de hierro y por tanto el único alimento de la lista que el bebé a lo mejor sí que necesita (cereales, fruta y verdura no los necesita para nada).

No nos dices si eres médico, enfermera, o madre de a pie. Porque has pedido «más información sobre ese estudio», pero normalmente los estudios no son fáciles de leer ni muy clarificadores para los no iniciados. Si quieres información seria para padres, creo que este folleto del ministerio de salud de Irlanda es muy bueno:

http://irishhealth.com/clin/documents/Starting_to_spoonfeed_your_baby.pdf

Como verás, no hay nada parecido a un calendario o un orden de los alimentos. Sí dice en cambio unas cuantas cosas prácticas que en España solemos olvidar: que a partir de los seis meses no des purés, sino comida a trozos; que le des al bebé de la misma comida que comen los padres, que les dejes comer a ellos solitos, que los que toman biberón empiecen a tomar el vaso de vez en cuando a partir de los seis meses, con el propósito de suprimir completamente el biberón a los doce meses, y que en el biberón jamás metas cereales ni ninguna otra cosa que no sea leche.

Espero que esta información te sea útil.

Cordialmente,

CARLOS GONZÁLEZ

Índice temático

FAMILIA

CARLOS GONZÁLEZ

BÉSAME MUCHO

La guía definitiva para criar a tus hijos con amor

booket

FAMILIA

CARLOS GONZÁLEZ

MI NIÑO NO ME COME

Consejos para prevenir y resolver este problema

booket

FAMILIA

CARLOS GONZÁLEZ

EN DEFENSA DE LAS VACUNAS

Protege la salud de tu hijo

booket

FAMILIA

CARLOS GONZÁLEZ

UN REGALO PARA TODA LA VIDA

Guía de la lactancia materna

booket